EDUARDO VASCONCELLOS
COORDENAÇÃO

GERENCIAMENTO DA TECNOLOGIA: UM INSTRUMENTO PARA A COMPETITIVIDADE EMPRESARIAL

CB007523

EDUARDO VASCONCELLOS
COORDENAÇÃO

GERENCIAMENTO DA TECNOLOGIA: UM INSTRUMENTO PARA A COMPETITIVIDADE EMPRESARIAL

EDITORA BLUCHER 50 anos   www.blucher.com.br

1ª edição – 1992
5ª reimpressão – 2009

EDITORA EDGARD BLUCHER LTDA.
Rua Pedroso Alvarenga, 1245 – 4º andar
04531-012 – São Paulo, SP – Brasil
Fax: (11) 3079-2707
Tel.: (11) 3078-5366
e-mail: editora@blucher.com.br
Site: www.blucher.com.br

Impresso no Brasil   *Printed in Brazil*

ISBN 978-85-212-0103-8

FICHA CATALOGRÁFICA

Gerenciamento da tecnologia: um instrumento para a competitividade empresarial / coordenação: Eduardo Vasconcellos - 1ª edição - - São Paulo: Edgard Blucher, 1992.
     Bibliografia.
     ISBN 978-85-212-0103-8
     1. Competitividade 2. Inovações tecnológicas - Administração
 I. Vasconcellos, Eduardo.

04-5961   CDD-658.514

Índices para catálogo sistemático:
1. Tecnologia: Gerenciamento 658.514

CURRICULA DOS AUTORES

Eduardo Vasconcellos: Professor Titular da FEA-USP na área de Gestão da Tecnologia, Diretor da FEA-USP, co-fundador e pesquisador sênior do PACTo - Programa de Administração em Ciência e Tecnologia do IA-FEA-USP. Publicou trabalhos sobre Gestão Tecnológica no Brasil, Canadá, Japão, Itália, Inglaterra, E.U.A. e México. Consultor da ONU e de outras organizações internacionais na área de Gestão Tecnológica.

Jacques Marcovitch: Diretor do Instituto de Estudos Avançados da Universidade de São Paulo. Professor Titular da Faculdade de Economia, Administração e Contabilidade da USP. Presidente da Associação Latino-Americana de Gestão Tecnológica - ALTEC. Integra o Programa de Administração em Ciência e Tecnologia - PACTo e coordena o Núcleo de Política e Gestão de Ciência e Tecnologia - NPGCT.

Roberto Silva Waack, Diretor Técnico do Vallée Nordeste S.A. e Diretor Executivo da joint-venture IMOVALL Instituto de Biotecnologia e gestão tecnológica de empresas.

Ronan de F. Pereira, engenheiro, Vice-Presidente Executivo do Vallée Nordeste S.A. Ampla experiência em implantação e gestão de indústria voltada para produção de vacinas e quimioterápicos.

Isak Kruglianskas: Professor Associado da FEA-USP na área de Gestão da Tecnologia, é Supervisor do PACTo - Programa de Administração em Ciência e Tecnologia. Pesquisador em Planejamento Organizacional e Gerenciamento de Projetos e Programas. Autor de publicações em livros e revistas especializadas. Consultor da PAHO - Pan American Healt Organization e OEA - Organização dos Estados Americanos.

Roberto Sbragia é Professor Associado da FEA-USP na área de Gestão Tecnológica. Membro do PACTo - Programa de Administração em Ciência e Tecnologia desde 1974, e também Assessor Técnico da ANPEI - Associação Nacional de Pesquisa e Desenvolvimento das Empresas Industriais desde 1984. Apresentou trabalhos na Inglaterra, Japão e Estados Unidos sobre Administração de P&D e é consultor de organizações públicas e privadas nessa área do conhecimento.

Gustavo Cadena S., Engenheiro Químico - Universidad Nacional Autónoma de México. Especialidade em Administração de Tecnologia - Centro de Estudios Avanzados IPN. Autor de publicações em livros e revistas especializadas. Consultor do PNUD, OEA, OPS e outros organismos internacionais. Secretário Acadêmico do Centro para la Inovación Tecnológica de la UNAM.

Edgard Pedreira de Cerqueira Neto, Professor do Programa de Engenharia da Produção da COPPE/UFRJ, sub-área Qualidade Industrial e Coordenador de Pesquisa em Administração da Qualidade. Publicou trabalhos sobre Administração da Qualidade no Brasil, Inglaterra, França, México, Colômbia, Japão, União Soviética, Israel e EUA. Consultor da UNIDO e de empresas nacionais para formulação e implantação de sistemas de asseguramento da qualidade.

Hélio Janny Teixeira, Economista, Mestre e Doutor em Administração de Empresas pela FEA-USP, Administrador pela EAESP-FGV, Professor da FEA-USP na área de Administração Geral, Diretor da FIA-FEA-USP, Diretor da ADIFEA, Consultor de Empresas Públicas e Privadas, Coordenador de Projetos da FIA-FEA-USP. Artigos publicados em revistas técnicas e jornais. Cursos de especialização no exterior.

Sérgio Mattoso Salomão, Administrador de Empresas pela FEA-USP, Pós-Graduando em Administração pela FEA-USP a nível de Mestrado, Consultor de Empresas Públicas e Privadas, Técnico de Projetos na FIA-FEA-USP. Artigos publicados em revistas especializadas e jornais.

Marco Pellegatti, Administrador de Empresas pela FEA-USP. Consultor de Empresas Públicas e Privadas. Pós-Graduando no exterior (EUA). Artigos publicados em revistas técnicas e jornais.

Denis Donaire, Professor Assistente Doutor da FEA-USP na área de Administração Geral. Vice-Coordenador Administrativo do Pós-Graduação em Administração da FEA-USP. Ex-diretor da Faculdade de Ciências Econômicas e Administrativas de Santo André. Participa dos trabalhos do PACTo - Programa de Administração em Ciência e Tecnologia e do Instituto de Administração (treinamento, pesquisa e consultoria). Autor de trabalhos e publicações em livros e revistas.

Sumário

Esta obra é baseada em estudos realizados com recursos da FINEP.

Estratégia tecnológica na empresa brasileira

Jacques Marcovitch

CONTEÚDO

"Investir em pesquisa é uma escolha estratégica. Ela corresponde à vontade de se engajar numa competição tecnológica e comercial em setores econômicos em crescimento. Esta decisão tem importantes conseqüências coletivas, desde que são determinantes do futuro de um país e sua capacidade de permanecer no topo da nova onda".

Michel Callon

1 — EM BUSCA DA MODERNIDADE

As turbulências política, econômica e tecnológica em que vive o Brasil dificultam sua inserção na economia pós-industrial do primeiro mundo. Mais que isto, a obsoletização do parque industrial ameaça com um retrocesso a evolução econômica e social.

O impasse na solução da dívida externa, a incapacidade de dominar a inflação e a falta de um projeto de desenvolvimento têm impossibilitado a adoção de uma "política de inovação". Embora ressentindo-se da ausência desta política, empresas privadas e públicas têm priorizado a inovação tecnológica.

Este trabalho analisa esta tendência, indicando a relevância dos programas de desenvolvimento tecnológico para as empresas. O exemplo de êxitos empresariais, cujos créditos pertencem à postura inovadora da administração dessas empresas, indica caminhos exeqüíveis para a maioria dos empreendedores brasileiros.

A estratégia inovadora exige, no entanto, instrumentos administrativos adequados, análise correta dos cenários e identificação de oportunidades de mercado. Empresas brasileiras inovadoras, com disposição para a transnacionalização, são imprescindíveis para um país ajustado aos anos 90.

A caminho dos anos 90

No novo contexto mundial, a questão tecnológica é um dos grandes desafios do dirigente empresarial. Mudanças tecnológicas têm transformado os produtos, sua manufatura e as relações com o mercado. No Brasil este desafio tem sido particularmente difícil. A instabilidade política e a turbulência econômica têm inibido a tomada de decisões de longo prazo. Tem aumentado a distância relativa entre o setor produtivo brasileiro e o dos países mais desenvolvidos.

A redução dos investimentos de 32,1% do PIB em 1975 para 19,1% em 1984 revela a diminuição da expansão industrial na década dos anos 80. O impasse na negociação da dívida externa provocou uma drástica contenção das importações de tecnologia, que caíram de US$ 321 milhões em 1980 para US$ 180 milhões em 1987. Quanto aos recursos de financiamentos públicos para C&T, eles sofreram uma abrupta queda de 30,4% na capacidade total do sistema, de 1979 a 1985.

Redução dos investimentos, diminuição das importações de tecnologia, cortes nos gastos em C&T revelam um quadro desalentador. Apesar deste quadro ter afetado o impulso para inovação da maioria das universidades e dos institutos de pesquisa, empresas brasileiras têm assumido uma postura pró-ativa. O número de centros cativos de P&D aumentou. Empresas públicas e privadas elevaram seus investimentos em desenvolvimento tecnológico. Pólos tecnológicos têm se consolidado. Convênios são celebrados entre empresas e institutos universitários e de pesquisa. Novas empresas de base tecnológica estão surgindo.

Como se explica este contraste entre um quadro nacional desalentador e nichos dinâmicos promotores de inovação?

A variável tecnológica é elemento básico de estratégia empresarial. O binômio estratégia-tecnologia é um tema central de deliberação, na cúpula da empresa. Petrobrás e Metal Leve são pioneiras no compromisso com a inovação tecnológica. A Petrobrás, no setor público, foi a primeira a criar um laboratório de P&D. No setor privado, a Metal Leve, desde a década de 70, esteve engajada com o processo de inovação tecnológica, investindo cerca de 2,4% do seu faturamento em P&D. Entre as transnacionais, Rhodia e Pirelli são empresas com atividades de P&D localizadas no Brasil. Apesar de estas empresas não representarem uma regra geral, são casos a serem estudados.

Apesar da turbulência externa e do elevado grau de incerteza, empresas de bom desempenho acompanham agressivamente o novo ciclo tecnológico. Um setor inovador é imprescindível para o salto tecnológico que o Brasil deve realizar nos anos 90. A exigência de investimentos para esse salto foi estimado, pelo INPI, em 3 bilhões de dólares anuais. São recursos necessários para facilitar e acelerar a atualização tecnológica do parque industrial.

O binômio estratégia-tecnologia

Novas tecnologias corroem, equalizam ou propulsionam a vantagem comparativa de uma empresa. Elas garantem sua sobrevivência ou condenam-na ao desaparecimento. Frederick Betz (1987) observa que uma empresa domina a variável tecnológica quando ela internaliza o processo de inovação tecnológica, administra profissionalmente a função de P&D e promove seu espírito empreendedor interna e externamente. Porter (1986), no seu clássico estudo sobre a competitividade empresarial, destaca a inovação tecnológica como um "fator determinante" de êxito. Rattner (1988) revela a importância da variável tecnológica na viabilização de qualquer política industrial. Ignorar estas evidências resulta na fatal obsoletização de uma empresa, ou de um setor. O setor têxtil brasileiro é um exemplo desta obsoletização.

A elevada taxa de inflação tem sido um dos principais inibidores da modernização tecnológica. O mercado de capitais tem sugado recursos que deveriam estar destinados à produção e à inovação. A racionalidade financeira de curto prazo conflita com a lógica do processo produtivo. Somente empresas que detêm uma postura estratégica de longo prazo priorizam o desenvolvimento tecnológico. Estas empresas parecem irracionais, perante aquelas que protegem suas reservas financeiras através de aplicações especulativas. Especulam e obsoletizam seu processo gerador de riquezas.

Uma empresa com reservas financeiras, mas sem tecnologia e mercado, é como um pescador com uma vara de pescar sem linha e sem anzol. De nada adianta uma robusta ferramenta se faltam os elementos essenciais para o desempenho de sua função básica. De nada adianta a empresa estar capitalizada, se o seu processo produtivo é obsoleto, seus recursos humanos despreparados e seus serviços distantes do consumidor.

2 — BRASILEIRAS QUE ACERTAM

As empresas inovadoras buscam seu equilíbrio entre uma rotina eficaz e mudanças que garantam seu equilíbrio dinâmico. Essas empresas possuem uma unidade organizacional ou um centro tecnológico. Essa "antena" identifica oportunidades e ameaças, determinantes para o futuro dos negócios da empresa. É um espaço que protege da pressão da rotina diária os projetos de mudanças. É um monitor no sistema de alertas, antecipando a turbulência provocada pelo ciclo tecnológico emergente.

A memória do futuro

No Brasil, várias empresas têm adotado uma postura inovadora ao longo das duas últimas décadas. São empresas dinâmicas, com resultados econômico-financeiros favoráveis. Na família das mais de duzentas empresas brasileiras que investem na inovação tecnológica, cinqüenta são consideradas grandes investidoras. Algumas dessas empresas têm explicitado suas diretrizes e estratégias de inovação, permitindo o acompanhamento de seus desempenhos.

A transparência das empresas inovadoras faz com que elas se constituam em importante memória para o futuro. Será então possível comparar os resultados alcançados com as metas almejadas. O quadro, a seguir, relaciona dezesseis dessas empresas, com dados relativos às suas diretrizes e características no campo da inovação tecnológica.

O exame do Quadro 1 permite identificar elementos comuns às empresas que inovam:

- uma estratégia empresarial comprometida com a inovação;
- uma estratégia empresarial que determina diretrizes tecnológicas e vice-versa;
- uma estratégia empresarial que revela uma nítida tendência à transnacionalização e uma orientação para o mercado.

Esses elementos constituem-se em indicações valiosas para empresas que iniciam atividades de inovação. O exemplo daquelas que já caminham nessa direção pode auxiliar as neófitas a formular planos nas áreas de Pesquisa e Desenvolvimento.

A diversificação de produtos e mercados tem favorecido o crescimento das empresas mencionadas, mas também tem exigido elevados investimentos em P&D. Esta competência fornece o embasamento necessário para os saltos qualitativos e quantitativos. A estratégia empresarial repousa numa estratégia tecnológica compatível. Sem estratégia tecnológica, uma perigosa dependência em relação aos fornecedores externos de tecnologias se transforma em uma ameaça ao futuro da empresa.

Dois casos de empresas inovadoras

Para ilustrar a relação entre a estratégia tecnológica e a estratégia empresarial global da empresa, dois casos foram escolhidos para uma apresentação mais detalhada.

4

Quadro I — Empresas de capital nacional engajadas em inovação tecnológica

Nome da empresa e setor	Áreas e características da inovação tecnológica	Diretrizes explícitas de estratégia tecnológica	Dimensão quantitativa do investimento em P&D
ARACRUZ (Celulose)	Inovação na otimização e desenvolvimento de processos e usos para a polpa de madeira e no reflorestamento. Mantém instalações de P&D, investe na formação de pessoal e mantém intercâmbio com universidades, no Brasil e no exterior.	Manter a liderança no mercado mundial. Abrir novos mercados, principalmente através de novos usos da polpa de madeira.	Não declarado
COFAP (Componentes Automobilísticos)	Inovações em sintetizadores, elastômeros e eletrônica veicular. Mantém centros de P&D. Adquire empresas detentoras de tecnologia. Mantém e contrata especialistas. Contrata tecnologia externa. Treze empresas no Brasil e 3 filiais no exterior.	Identificar tendências com antecedência para preparar-se e manufaturar melhores produtos, em qualidade e preço. Continuar competitiva, a nível internacional.	3% da receita líquida operacional. Em 1987, investimento de US$ 5,8 milhões.
CBMM (Metalurgia e Mineração)	Desenvolve e otimiza, internamente, processos para a transformação do minério em produtos básicos de nióbio. Promove, externamente, junto a usuários, Universidades e Centros de Pesquisas, projetos com o objetivo de demonstrar e/ou desenvolver novos usos para o nióbio e seus compostos. Desenvolve atividades na área da disseminação de informação tecnológica e investe na capacitação de recursos humanos internos e externos a seus quadros.	Manter a liderança do mercado, com base em uma postura coerente de "marketing", fatores econômicos, e conhecimento aplicado à produção e ao uso dos produtos de nióbio. Ampliar o mercado e a presença da empresa, desenvolvendo novos centros consumidores. Preservar e ampliar a fronteira de desenvolvimento tecnológico do nióbio, provendo informação e apoio científico e tecnológico, a nível mundial. Manter subsidiárias junto aos maiores centros consumidores.	US$ 2,9 milhões. Cerca de 3,7% sobre o faturamento, incluindo as atividades das unidades no exterior.
COPERSUCAR (Cooperativa de Usinas e Destilarias de Açúcar e Álcool	Inovação em melhoramentos genéticos de cana-de-açúcar, custos energéticos, controles automáticos, adaptação de equipamentos, desenvolvimento de subprodutos e procedimentos agrícolas. Mantém e contrata pessoal técnico especializado, brasileiro e estrangeiro, e investe na formação de seu pessoal. Mantém intercâmbio com Universidades brasileiras e estrangeiras.	Atender as necessidades tecnológicas de seus cooperados, através de seu centro de pesquisas.	1,4% do faturamento líquido - US$ 18 milhões/ano.

5

Quadro I — Empresas de capital nacional engajadas em inovação tecnológica

Nome da empresa e setor	Áreas e características da inovação tecnológica	Diretrizes explícitas de estratégia tecnológica	Dimensão quantitativa do investimento em P&D
ELEBRA (Informática)	Inovação em computadores, impressoras, telefonia, microeletrônicos, sistemas de controle. Mantém centro de P&D. Mantém projetos de cooperação com outros centros nacionais. Recebe tecnologia de vários países.	Procurar conhecimento tecnológico a fim de se manter capacitada após a mudança prevista da legislação na área de informática.	6% da receita líquida-US$ 7,2 milhões (1987).
EMBRAER (Aeronáutica)	Inovação em produtos destinados a indústria aeronáutica e de satélites. Desenvolve projetos ligados a necessidades detectadas no mercado. Mantém subsidiárias próximas aos seus mercados, nos Estados Unidos e na França.	Produzir com a tecnologia mais avançada no campo da aeronáutica.	US$ 1 milhão de dólares para formação de Recursos Humanos.
GRADIENTE (Eletrônica)	Inovação em informática, telecomunicações e vídeos para o mercado brasileiro. Mantém laboratórios de P&D. Adquire empresas detentoras de tecnologia. Contrata tecnologia externa. Possui várias unidades fabris no país e no exterior: Gradiente Mexicana e filiais no Japão e Grã-Bretanha. Possui um Centro Tecnológico próprio.	Ter acesso a tecnologia no momento exigido, a fim de proteger sua própria autonomia sem excessiva dependência externa.	2% do faturamento.
GRUPO ULTRA (Química e Petroquímica)	Inovação na área química e petroquímica (Ultra-Quim), onde está a maior concentração de seus investimentos em P&D. Mantém laboratórios ao lado das plantas. Mantém intercâmbio com Universidades e Instituições de Pesquisa e importa tecnologia.	Busca permanentemente a fronteira tecnológica nos setores onde atua.	3,6% do faturamento anual. US$ 4,32 milhões em 1987 + US$ 7 milhões na construção dos seus laboratórios de pesquisa e Plantas Piloto. Na Petroquímica 2% do faturamento.
GRUPO TUPY (Metal-Mecânico e Químico Plástico)	Inovação em Metal-Mecânica, tubos-conexões e Químico plástica. Mantém Centro de P&D e investe na formação de Recursos Humanos. Adquire empresas detentoras de tecnologia. Importa tecnologia. Mantém intercâmbio com Universidades e Instituições de Pesquisa. Vinte e cinco empresas no Brasil e 3 subsidiárias no Exterior.	Promover diferencial competitivo a nível tecnológico.	0,6% do faturamento e US$ 4 milhões para a nova Usina Piloto de Auto-Redução.
ITAUTEC (Eletrônica)	Inovação em automação comercial, de escritórios e bancária. Mantém laboratórios de P&D e grandes investimentos na formação de recursos humanos. Adquire empresas detentoras de tecnologia e faz "joint-ventures" com empresas estrangeiras.	Diversificar a linha de produtos tornando-se menos vulnerável às oscilações do mercado. Buscar mercados no exterior através da qualidade e competitividade de seus produtos e serviços.	US$ 1,5 milhões apenas na formação de Recursos Humanos especializados (1987).
METAL LEVE S.A. (Metal-Mecânico)	Inovação em matérias-primas para pistões e bronzinas. Mantém Centro de P&D próximo às montadoras americanas, e no Brasil, e Centros de Assistência Técnica nos Estados Unidos, Alemanha e Inglaterra.	Conhecer imediatamente as inovações emergentes em outros países, ampliando o nível de pesquisa tecnológica no Brasil. Substituir acordos de assistência técnica por contratos de cooperação tecnológica.	2,4% das vendas e + US$ 3 milhões para o novo centro de P&D (1988).

Nome da empresa e setor	Áreas e características da inovação tecnológica	Diretrizes explícitas de estratégia tecnológica	Dimensão quantitativa do investimento em P&D
NUTRIMENTAL (Alimentos)	Inovação em alimentos desidratados, partindo de necessidades do mercado. Mantém Centro de P&D. Desenvolve internamente todos os produtos.	Suprir as necessidades próprias de tecnologia, garantir a qualidade dos produtos, prestar assistência técnica a consumidores e fornecedores. Manter-se na vanguarda no campo alimentar.	1% do faturamento.
PETROBRÁS (Petróleo e derivados)	Inovação na produção de petróleo e derivados, especialmente em águas profundas e no refino. Fornece apoio técnico às áreas de produção. Pesquisa em áreas de corrosão, polímeros, bombas para fluídos multifásicos. Adquire tecnologia de terceiros e desenvolve tecnologia própria. Recebe royalties de compradores de tecnologia.	Diversificar em novos domínios e tratar tecnologia como "unidade de negócios". Manter o potencial de transferência de tecnologia.	As aplicações em 1987 totalizaram o equivalente a US$ 75 milhões, correspondendo a 0,51% do faturamento bruto. Planeja alcançar a meta de 100 milhões de dólares no início da década de 90.
RIOCELL S.A. (Celulose)	Inovação em biotecnologia e produtividade florestal, meio-ambiente e processos e produtos de celulose e papel. Pesquisa direcionada em função da demanda dos usuários mais avaliação de cenários tecnológicos. Mantém Centro de P&D autônomo. Interage com Universidades e fortalece a prospecção de informações.	Tornar-se a empresa líder do setor, em tecnologia e preservação ambiental. Revigorar as atividades industriais existentes, conforme os avanços da tecnologia.	1% do faturamento e mais US$ 2,5 milhões/ano.
SERRANA (Mineração e Produção de Cimentos)	Áreas de atuação: Desenvolvimento de processos; desenvolvimento de produtos; informatização e automação. Funções em P&D: apoio industrial ao processo produtivo (CP) 30%; desenvolvimento processo/produto (MLP) 30%; pesquisa estratégica (LP) 30%; desenvolvimento/capacitação de RH (MLP) 10%. Obs.: (CP) Curto prazo (MLP) Médio e longo prazo (LP) Longo prazo)	Enfocar processos/produtos com crescimento do valor agregado e de tecnologia. Não reinventar a roda. Agregar o conhecimento externo à empresa pela participação de empresas de serviços, consultoria e instituições de pesquisa, nacionais e estrangeiras. Incrementar os investimentos em P&D (10% a.a.) nos próximos 5 anos. Ampliar esforços para objetivos de longo prazo, sem descurar curto/médio/longo prazos. Valorizar gradativamente o tecnólogo e a atribuição tecnológica na empresa.	1,5% do faturamento líquido. Sem inclusão dos serviços de engenharia e a avaliação de novas oportunidades de negócios e produtos, que também são esforços de P&D.
WEG S.A. (Eletroeletrônica)	Automação industrial, tintas e vernizes, motores elétricos, acionamentos, eletrônica, reflorestamento, pescados. Compra tecnologia de terceiros. Forma pessoal especializado. Faz convênios com Universidades e Centros de Pesquisa. Mantém centro tecnológico. Exporta tecnologia.	Extrair, absorver e fixar tecnologia, trinômio indispensável ao desenvolvimento industrial. Desenvolver tecnologia superior, com pessoal nacional, atuando em tecnologia de ponta.	2,5% do faturamento.

WEG: do motor elétrico à piscicultura

O Grupo WEG (SC), constituída por 10 empresas com cerca de 8.000 funcionários, produz dois milhões de motores elétricos por ano e, no início da década de 80, optou pela integração e diversificação dos seus negócios.

Em 1979, examinando suas congêneres européias, a empresa percebeu a necessidade de diversificar-se para "não morrer fabricante de motores". Nesse mesmo ano buscou tecnologia européia na área eletro-eletrônica. Para respaldar a vinda de tecnologia, criou o Centro Tecnológico, com o propósito de extrair, absorver e fixar tecnologia. Concentram-se neste Centro a pesquisa, o desenvolvimento, e a normatização. Também estão sob o seu controle, os laboratórios químico, físico, metalográfico e elétrico. A WEG definiu-se por criar tecnologia própria. Ainda em 1979 foi constituída a WEG ACIONAMENTOS, fabricante de componentes eletro-eletrônicos, desenvolvendo controladoras programáveis para processos industriais e engenharia de aplicações. Em 81, foi a vez da WEG MÁQUINAS, produzindo para setores de mineração, petroquímico, celulose e papel. Em 1988 ampliou sua produção para o campo da Automação Industrial com a SERVOMOTORES. Associando-se à ECEMIC, criou a WEG Transformadores, qualificando-se para fornecer pacotes integrados de serviços e produtos.

Foi na crise de 81, através de um plano estratégico rígido, que a WEG diversificou-se para novas oportunidades de negócios. Da associação com as Tintas Michigan nasceu a WEG QUÍMICA, que incorporou também a Quimiflora. Aproveitando-se da sinergia, passou a produzir e fornecer tintas, vernizes, breu, resinas para o grupo e para outras indústrias. Do uso de incentivos fiscais, bem como da proximidade geográfica, nasceu a associação da Penha Pescados com a WEG, que marcou o ingresso do grupo na área de alimentos. Em 1986 foi criada a WEG AUTOMAÇÃO, que consolidou-se em 1988, com indústria própria, instalada na capital do Estado de Santa Catarina, com o objetivo de produzir sistemas e produtos para a automação industrial.

A diversificação da WEG ocorre em áreas de rápida mutação tecnológica. Ao final desta década de 80 a WEG atuava em 50 países através de agentes distribuidores e redes de assistência técnica, e da exportação de tecnologia de motores para a Venezuela. A variável tecnológica permitiu a diversificação dos negócios e a integração das suas atividades.

TUPY: cinco décadas de inovação tecnológica

Outro caso ilustrativo de estratégia tecnológica associada à empresarial pode ser observada no Grupo TUPY.

A evolução tecnológica da Fundição TUPY foi marcada por sua cultura organizacional. Antes mesmo de sua constituição, em 1930, a empresa que lhe deu origem pesquisava processos de produção do ferro maleável, produto que posteriormente se constituiu no grande trunfo da Fundição TUPY.

Prevendo dificuldades próximas em relação aos fornecimentos externos, a empresa produziu e estocou conexões para as quais conseguiu o "certificado de similaridade". Equiparou seus produtos aos importados e, na década de 30, atingiu seu primeiro objetivo, que era o de estar presente nas "melhores casas do ramo". Isto significava reconhecimento da qualidade do seu produto pelo comércio da época.

Em 1945, preparando-se para o crescimento da construção civil, a Fundição TUPY ampliou sua capacidade de produção. Adquiriu, em 48, nos Estados Unidos, uma fundição mecanizada com capacidade para produzir 250 ton/mês. Essa decisão combinada com o ingresso de um sócio inovador e conhecedor das tendências do mercado e das novas tecnologias, posicionaram favoravelmente a empresa em relação à indústria automobilística nascente.

A qualidade de seus produtos levou-a à posição de primeira fornecedora das montadoras, entre as fundições privadas brasileiras. Foi sistematizado o processo de pesquisa na empresa, através de seu primeiro laboratório de desenvolvimento, que, em 57, já patenteava produtos para a indústria petrolífera.

Em 1960 iniciou-se a "operação plásticos" que se contrapunha à mentalidade tradicionalista da empresa. Isso resultou em conflitos internos, até que se concluísse ser possível e desejável a convivência dos produtos de PVC com os de ferro maleável. O impulso tecnológico em plásticos foi viabilizado pela contratação e treinamento de recursos humanos especializados. Para apoiar sua expansão, a empresa investiu em recursos humanos, fundando a Escola Primária TUPY e a Escola Técnica TUPY. Surgiu seu primeiro grupo de engenharia de produto.

Para enfrentar um novo ciclo de crescimento, a TUPY abriu seu capital, iniciou suas exportações para a Europa, expandiu e diversificou suas atividades no Sul e no Nordeste brasileiro.

No início da década de 70, foi formalmente criado um centro de pesquisa tecnológico, constituído por pessoal da empresa, por professores e por novos engenheiros. Estava formalizado o grupo pioneiro de pesquisa. Foram investidos 4 milhões de dólares no centro de P&D. A empresa passou a manter intercâmbio permanente em fundição com centros mundiais de pesquisa. Apesar de alguns desinvestimentos, ficou mantido o programa de formação intensiva de mão-de-obra qualificada. A capacidade de produção da empresa é duplicada.

Em 76, a TUPY vendeu pela primeira vez, tecnologia para o exterior. É criada a subsidiária norte-americana, com a finalidade de comercializar seus produtos nos Estados Unidos. Em 77, é constituída a subsidiária alemã. Ao final da década, a TUPY havia superado seus impasses e priorizado sua internacionalização.

Em 81, a empresa enfrenta uma dupla dificuldade: recessão econômica e a perda de seu principal dirigente. A solução é encontrada com a transformação da empresa em Corporação, atuando em três setores: tubos e conexões, químico-plástico e metal-mecânico. Embora com medidas restritivas em todo o orçamento econômico, foi mantida a política de reciclagem de mão-de-obra e de investimento em tecnologia. Para favorecer a transformação do grupo, é ampliado o centro de P&D e os contatos com pesquisadores de outros países.

No final da década de 80, a TUPY lidera o mercado em vários segmentos onde concorre. Fornece componentes para a indústria de autopeças, hidráulica, têxtil, mecâncias, de informática e equipamentos ferroviários e rodoviários. Está presente em trinta países, conta com cerca de doze mil funcionários, e sua administração é profissional. Seus resultados econômico-financeiros são um testemnho de êxito empresarial.

Das quinze empresas citadas no Quadro 1, WEG e TUPY são casos de empresas privadas inovadoras. Postura estratégica, inovação tecnológica e transnacionalização alavancaram seu crescimento. Algumas empresas estatais assumiram atitude semelhante, apesar das limitações que lhes são inerentes.

Estatais também inovam

Algumas empresas estatais produtivas posicionam-se estrategicamente em relação à variável tecnológica, com investimentos expressivos. A PETROBRÁS, de um faturamento de 16 bilhões de dólares em 1985, gastou 0,2% em P&D. No entanto, esse valor é reduzido em relação às suas concorrentes internacionais, que investem de 0,4% a 1,5% de um faturamento consideravelmente mais elevado.

O montante de 40 milhões de dólares por ano, em 1985, e as contas projetadas para 100 milhões de dólares para 1990, representam uma parcela significativa dos recursos alocados para P&D no país. À guisa de comparação, no mesmo ano de 85, o FNDCT - Fundo Nacional de Desenvolvimento Científico e Tecnológico, do qual dependia a maior parte das universidades e instituições de pesquisas do país, fora elevado para 50 milhões de dólares.

O recém divulgado Plano Tecnológico da PETROBRÁS descreve uma ação articulada para elevar os recursos alocados em P&D. O Plano propõe desenvolvimento de novas competências no campo da prospecção e distribuição de petróleo.

Outro exemplo de empresa inovadora é a Embraer. Em 1965, a empresa terminou o protótipo do Bandeirantes, o primeiro avião desenvolvido no Brasil pelo Centro Técnico Aéreo Espacial — CTA. O projeto deste avião empregou engenheiros do ITA e técnicos estrangeiros. Ele criou a oportunidade para a constituição da Embraer, uma empresa de economia mista, destinada a promover o desenvolvimento comercial e industrial daquela aeronave. A presença de um "empreendedor" schumpeteriano, combinada com um forte apoio governamental em termos de financiamento, participação no risco, incentivos fiscais e leis protecionistas, transformaram a Embraer em um exemplo de estatal bem sucedida. Sua atuação é marcante no mercado mundial de aeronaves leves.

A estratégia global da Embraer enfatiza a questão tecnológica. Um posicionamento consistente de longo prazo, envolve produtos e objetivos mercadológicos. A empresa adotou como prioridade posicionar-se como uma das melhores produtoras mundiais de aviões turbomotores.

Esta estratégia levou a uma nova abordagem com relação à tecnologia básica a ser dominada e às fontes externas adequadas para a aquisição de conhecimentos. A decisão de concentrar-se na produção da fuselagem e na montagem final das aeronaves trouxe para a Embraer uma dupla vantagem:

(1) desvincular a empresa da produção de componentes tecnologicamente complexos, poupando capital e reduzindo os riscos, e

(2) proporcionar a aceitação de seus produtos pelos países industrializados, por adquirir componentes de companhias de comprovada excelência, sediadas nestes países.

A Embraer procurou, desde seu início, adquirir competência em sua área a partir de produtos mais simples. A decisão de iniciar suas atividades com o Bandeirantes fundamentou-se nesta política, coadjuvada pela existência de um mercado cativo, representado pela Aeronáutica, e por um mercado nacional embrionário. Paulatinamente, foram conquistados novos mercados, a partir da identificação de nichos.

A grande oportunidade apresentou-se na crise mundial do petróleo. Na ocasião, foi oportuna a existência do Bandeirantes, praticamente o único produto de baixo consumo no mercado adequado para transporte a pequenas distâncias. Em 1984, mais de 7% da capacidade de assentos nas linhas regionais da pequena aviação nos Estados Unidos era atendida por aviões Bandeirantes. No declínio deste produto, foi lançado o Brasília, também desenvolvido localmente. Já o AMX, um produto destinado a fins militares e desenvolvido em conjunto com as empresas italianas Aemacchi e Aeritália, surgiu na esteira da crescente penetração brasileira no mercado militar internacional.

A Embraer tem crescido usando uma habilidade própria de ajustar-se a mudanças em um rítmo mais intenso que o de suas concorrentes. Comprovam o acerto de suas diretrizes suas classificações, em 1988: 2º lugar, por receita, entre as empresas brasileiras de material de transporte, com um total de US$ 518 milhões de dólares de receita, 3º lugar em crescimento, com a taxa de 40% em relação ao ano anterior, e 8º lugar em rentabilidade, com o índice lucro líquido/patrimônio líquido igual a 2.0. Sua crise de 90/91 decorre essencialmente dos compromissos financeiros que deixaram de ser honrados pelo governo federal.

No campo da energia elétrica (CEPEL), telecomunicações (CPqD) e siderurgia (USIMINAS, CSN, COSIPA, ...) esforços semelhantes têm sido realizados. Esses esforços têm sido exitosos na medida em que promovem a modernização tecnológica da empresa e aproximam seus produtos das necessidades dos seus usuários.

3 — PESQUISA E DESENVOLVIMENTO NA EMPRESA INDUSTRIAL: APOSTA OU SEGURO?

Os momentos de turbulência e crise são de contenção de gastos. Nesses momentos, é comum que as atividades de pesquisa e desenvolvimento (P&D) sejam vistas como um desperdício. Na verdade, em função da incerteza de resultados, elas sofrem forte desaceleração. A incerteza faz com que "Pesquisa e Desenvolvimento" sejam encarados como um "jogo de azar", que pode resultar em êxito ou em fracasso.

"Pesquisa e Desenvolvimento" são, na realidade "um seguro". Uma apólice de seguro que garante a formação de talentos e também o desenvolvimento de um conhecimento imprescindível na adaptação da empresa ao seu meio externo. Analogamente, os investimentos de um país em Ciência e Tecnologia garantem a constituição de uma competência inovadora. Esta competência permite o equacionamento dos grandes desafios e das formas apropriadas de enfrentá-los nos campos da saúde, educação, transporte, energia, etc.

Constituída a massa crítica de recursos humanos através da interação setor produtivo/setor de pesquisa, é possível ao desenvolvimento científico respaldar o processo de inovação tecnológica. Por seu lado, o desenvolvimento tecnológico propicia a elevação da capacidade competitiva do país no mercado externo e, simultaneamente, melhora o aproveitamento dos recursos disponíveis para atender à demanda interna.

Alguns setores destacam-se por sua expressiva participação em Pesquisa e Desenvolvimento. Dados da ANPEI (1988), revelam que o setor Químico/Petroquímico, responde por 29% do total de investimentos. É seguido por Metalúrgico/Mineração/Siderúrgico com 18,7%. Eletro-Eletrônico/Comunicações com participação igual a Máquinas/Equipamentos/Instrumentos (10,7%), vindo depois Alimentos/Bebidas/Fumo (6,7%) e Papel/Celulose (5,3%).

11

Esses setores podem facilitar a reinserção do país no sistema produtivo internacional. Essa reinserção é particularmente importante em um momento em que novas tecnologias revolucionam os processos produtivos e os hábitos dos consumidores. As novas tecnologias nos campos da informação, dos materiais, da energia, do espaço e da biotecnologia modificam os sistemas tecnológicos, gerando novos paradigmas técnico-econômicos.

O salto tecnológico a ser dado pelas empresas é ambicioso. É preciso agregar esforços setoriais, fazendo-os convergir para o objetivo comum do desenvolvimento e do progresso social. Aos componentes do sistema de C&T, junto com o setor produtivo, pertence a responsabilidade principal de viabilizar este salto. A questão não se limita ao aumento dos percentuais do PIB, mas a uma adequada articulação dos componentes.

Objetivos devem ser declarados, prioridades escolhidas, programas e projetos delineados. A gestão deve ser competente e o sistema de avaliação transparente. A empresa deve possuir seu plano tecnológico e atuar num ambiente propício ao desenvolvimento industrial e à inovação. Plano tecnológico e ambiente externo favorável são os dois tópicos abordados a seguir.

A estratégia tecnológica

Na empresa inovadora, a estratégia tecnológica é responsabilidade da direção superior. Devem ser determinados objetivos e metas e a forma de atingí-los. A Figura 1 descreve o processo de elaboração de uma estratégia tecnológica.

A empresa industrial tem a responsabilidade de escolher um grau aceitável de dependência tecnológica em relação aos seus fornecedores de tecnologia. Estes somente mostram-se dispostos a negociar tecnologias "não determinantes" de sua competitividade. Durante o ciclo de crescimento das exportações (1968-1978), empresas brasileiras recorreram a contratos de transferência de tecnologia. Esses contratos foram mantidos enquanto a empresa receptora não ameaçava o crescimento dos negócios da fornecedora.

A elaboração de uma estratégia tecnológica inicia-se pela análise da situação presente da empresa. Internamente, identifica-se seu perfil, suas unidades de negócios, as vantagens comparativas que a empresa detêm, seus pontos fortes e suas limitações. Em seguida, são identificadas mudanças no ambiente externo nas dimensões política, econômica e tecnológica.

A análise externa descreve a evolução das tecnologias dominadas pela empresa e daquelas tecnologias emergentes capazes de revolucionar seu processo produtivo. O surgimento do transistor, e a supercondutividade no futuro, são exemplos de novos patamares na evolução tecnológica. São rupturas que determinam o surgimento de um novo ciclo de evolução da tecnologia, e que a empresa industrial deve antecipar.

No setor automotivo, materiais como o plástico, a cerâmica e novas ligas modificam o processo produtivo da indústria e do setor de auto-peças. Na agropecuária, a engenharia genética provoca um salto na produtividade das florestas plantadas e na produção de carne e de leite. A automação aumenta a eficácia do setor têxtil e abala a vantagem comparativa dos países detentores de matéria-primas. A supercondutividade transforma as bases do setor energético mundial.

Cabe à estratégia tecnológica apoiar e/ou determinar o vetor de crescimento empresarial escolhido. Às vezes, é a inovação tecnológica que viabiliza projetos de crescimento. A diversificação da KODAK para o setor farmacêutico-veterinário foi possível em função de novas tecnologias em fase de penetração no mercado.

A estratégia tecnológica é constituída por três componentes básicos: a) medidas rotineiras que busquem elevar a produtividade e a qualidade; b) projetos de inovação

Figura 1 — Estratégia Tecnológica na Empresa Industrial

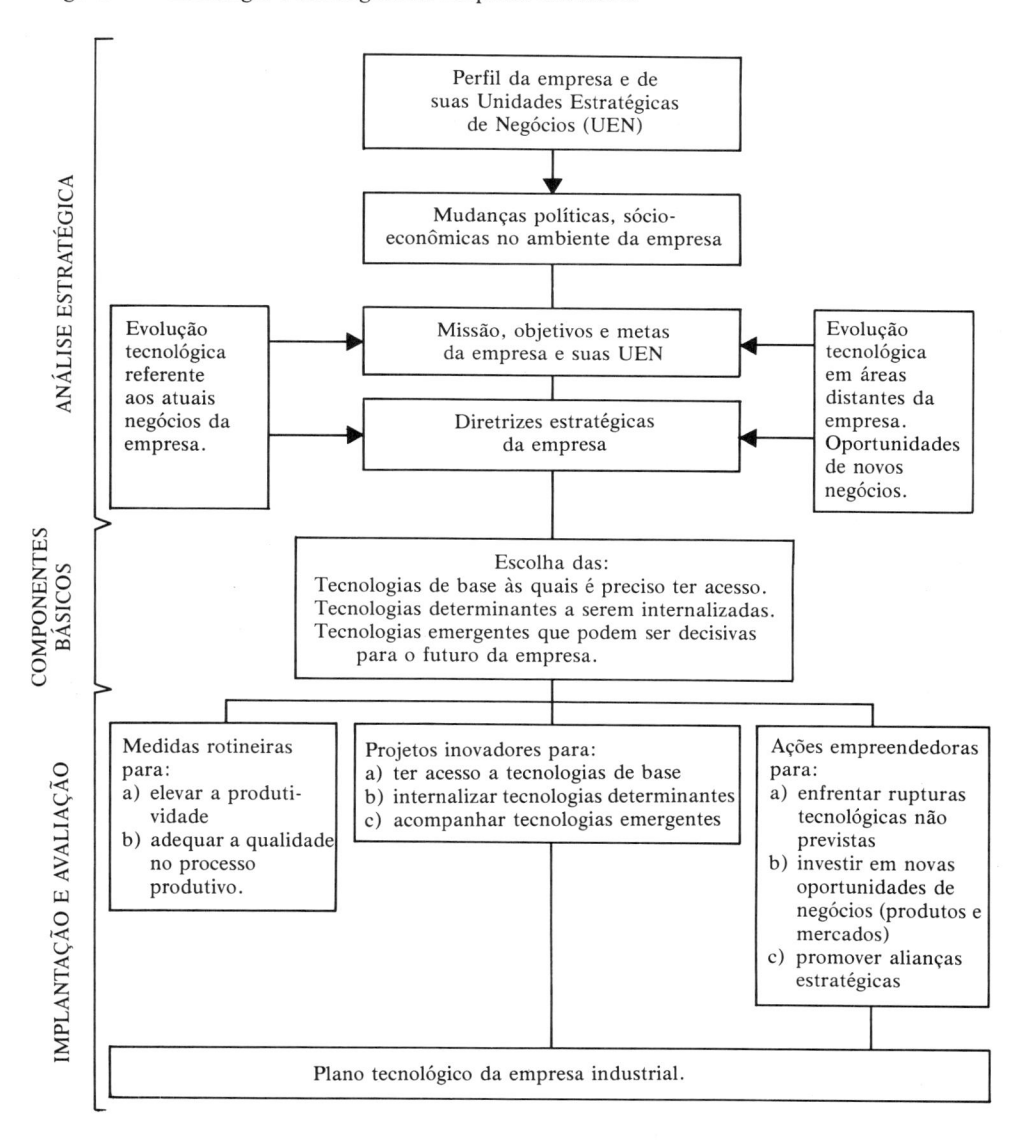

que garantam a tecnologia necessária para a modernização e expansão; e c) ações empreendedoras para enfrentar rupturas tecnológicas imprevistas, promovendo alianças estratégicas ou investindo em novas unidades de negócios.

O plano tecnológico

Delineada a estratégia tecnológica e os componentes para sua viabilização, um plano tecnológico deve ser esboçado. O plano deve abordar os principais elementos da gestão tecnológica da unidade de P&D e da empresa como um todo. O Plano Tecnológico (figura 2) deve conter:

1. Quanto aos fins:
   1.1 as diretrizes estratégicas da empresa e de suas unidades de negócios;
   1.2 as diretrizes tecnológicas da empresa e de suas unidades de negócios;
   1.3 as metas a serem alcançadas na elevação da produtividade e qualidade;
   1.4 as novas potencialidades a desenvolver, através de pesquisa e desenvolvimento na empresa ou da aquisição de tecnologia;

Figura 2 — O Plano Tecnológico na Empresa Industrial

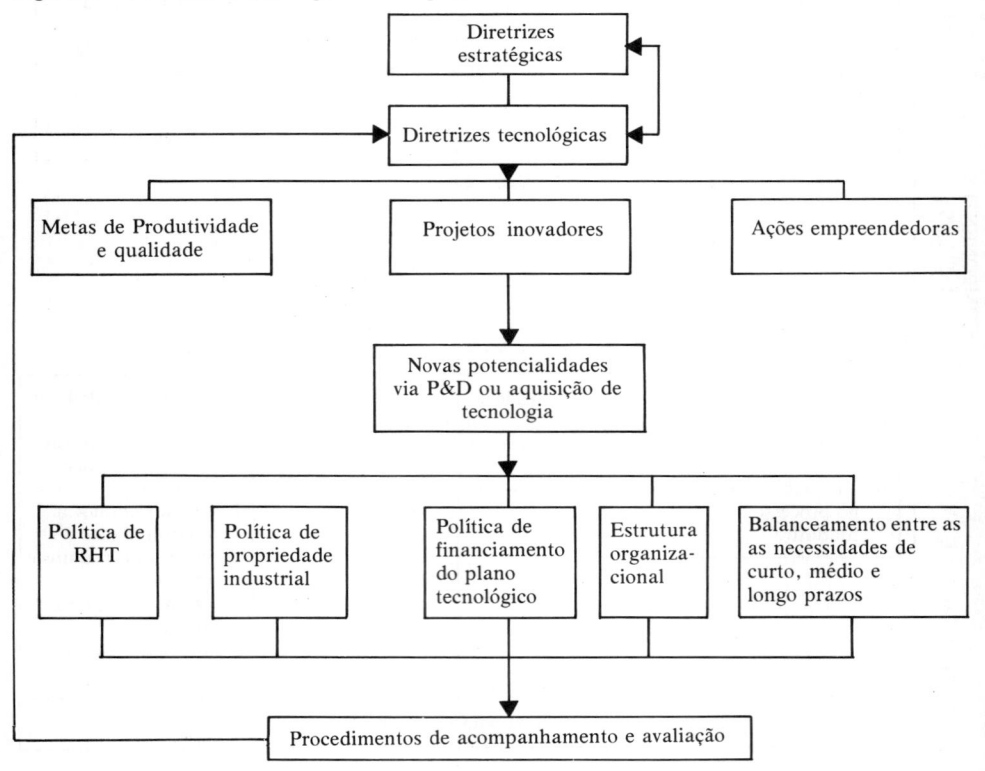

1.5 o balanceamento entre aquisição de tecnologia vs. desenvolvimento próprio de tecnologia.

2. Quanto aos meios:

2.1 a política de recursos humanos para viabilização da estratégia tecnológica;

2.2 a política de propriedade industrial, em especial a de licenças e patentes;

2.3 o volume de recursos financeiros a serem alocados: a) em valores absolutos; b) em proporção ao faturamento, aos investimentos e ao retorno sobre os investimentos;

2.4 a estrutura organizacional, que define a relação de autoridade e responsabilidade entre a administração central e a área de P&D;

2.5 os procedimentos de acompanhamento de projetos e avaliação com os parâmetros de avaliação dos resultados alcançados.

A formulação e implantação do plano tecnológico está condicionada ao meio onde se insere a empresa. No Brasil, em anos recentes, este contexto tem sido especialmente turbulento, apesar dos esforços feitos para dotar o país de uma política industrial e tecnológica.

4 — POLÍTICA INDUSTRIAL E TECNOLÓGICA NO BRASIL

Em maio de 1988 foi divulgado o conjunto de normas que deveriam orientar o novo ciclo de crescimento industrial brasileiro. Uma política avançada na escolha de programas setoriais prioritários, tímida no apoio à inovação tecnológica, ousada na liberação das importações, corajosa nas intenções de desburocratizar as exportações e imperfeita nos instrumentos de implantação.

A Fig. 3 mostra os componentes do ambiente industrial brasileiro.

Figura 3 — Novas condicionantes do ambiente industrial brasileiro: Instrumentos adotados em 1988.

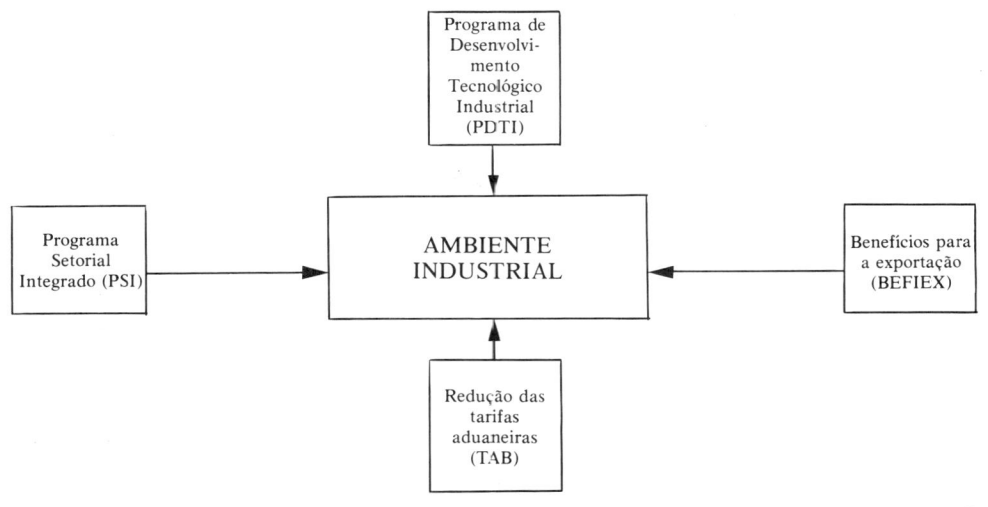

Com a nova Constituição, a transição democrática passa a conviver com a turbulência econômica. Busca-se a reinserção do país no sistema produtivo internacional. Procura-se um novo modelo de desenvolvimento baseado no binômio integração e competitividade, inspirado no êxito do Japão e de seus satélites asiáticos.

Os programas setoriais previstos favoreciam a integração de uma cadeia de produção/inovação/mercado, aproximando as novas tecnologias dos setores tradicionais, e estes do mercado consumidor. Tornava-se urgente a operacionalização de programas setoriais prioritários. Setores dinâmicos da matriz industrial (celulose e papel, petroquímico, metalmecânico etc.) mostravam-se como exemplos de integração da cadeia produtiva, com conseqüente modernização tecnológica, inserção competitiva no sistema produtivo internacional e uma elevada contribuição ao mercado interno. Os avanços obtidos através das novas tecnologias tinham o mérito de facilitar a modernização dos setores tradicionais. No campo da inovação tecnológica, os incentivos adotados, apesar de inferiores aos de outros países, revelavam um direcionamento correto.

O início dos anos 90, no Brasil, surgiu com a esperança da posse de um governo democraticamente eleito. Novos dirigentes assumiram a responsabilidade de delinear e promover as mudanças estruturais urgentes, nos campos econômico e social. Prioridades para uma estratégia de inovação eram a consolidação das ilhas de modernização, sua multiplicação, o engajamento do setor produtivo, a eficácia de programas mobilizadores, o aperfeiçoamento do sistema de formação de recursos humanos.

No período 90-91, no entanto, a economia brasileira viveu uma profunda e visível recessão. A redução do consumo de energia, o crescimento do desemprego, a desvalorização do salário real médio, são resultantes de um amargo remédio receitado para sustar a espiral inflacionária. Entre março de 90 e março de 91, reduziu-se em mais de 10% a produção de cimento, aço, bens de capital e produtos têxteis. No mesmo período, o comércio varejista diminuiu seu faturamento em mais de 25%, em média.

A contração da economia brasileira implica em drástica redução de disponibilidades nos campos de pesquisa científica e tecnológica. Universidades e institutos de pesquisa enfrentam uma apreciável diminuição nos recursos para sua manutenção. Empresas têm reduzido seu efetivo de recursos humanos, inclusive na área de pesquisa e desenvolvimento. Os sindicatos têm se mobilizado para garantir o emprego de seus filiados.

Neste contexto de crise, o governo federal divulgou diretrizes para promover a competitividade industrial. Parte destas diretrizes está inspirada na NPI, a Nova Política Industrial de 1988, enquanto outras decorrem da determinação de liberalizar importações. Mecanismos de estímulo à inovação são delineados e propostos. Seus resultados, porém, são sufocados pelos meandros da burocracia e pela incerteza do momento econômico. Embora os estados brasileiros mais industrializados já decidiram destinar uma porcentagem da sua receita a investimentos em ciência e tecnologia, esta alocação ocorre quando os recursos federais e os investimentos estão em declínio. No período recessivo há o risco de uma mera substituição de fontes, para a mesma atividade.

Nas últimas três décadas, é a terceira vez que a economia brasileira convive com drásticas reduções em seus principais indicadores econômicos. A estagnação, que afetava um grande segmento da sociedade dual brasileira, ameaça agora o setor moderno. As duas crises anteriores foram momentos de aprendizagem dolorosa, que induzi-

16

ram à busca de novos caminhos para o setor empresarial e para o governo. Delas surgiram as primeiras iniciativas de busca de novos mercados, de modernização tecnológica e de rigor na qualidade de produtos. Formaram-se competências, forjadas no calor das turbulências. Estas transformaram o perfil empresarial, na busca de novas trajetórias para o crescimento.

No contexto mundial, a constituição dos novos pólos de co-prosperidade , o neoprotecionismo emergente, a globalização dos mercados exigem respostas concertadas, resultantes de uma postura estratégica. Agora, cabe identificar as competências que estão sendo forjadas. Quais alianças se firmam, para enfrentar a incerteza? Quais as estratégias setoriais propostas?

O impasse da dívida externa, os crescentes subsídios à agricultura dos países desenvolvidos e as barreiras para o acesso a tecnologias e mercados obrigam as empresas a buscarem novas soluções. Recursos humanos qualificados tornam-se imprescindíveis na busca de um modelo de desenvolvimento sustentável, na internacionalização de empresas brasileiras; na indução da inovação tecnológica e na adoção de políticas setoriais. São os elementos para a busca de um novo paradigma para a retomada do crescimento brasileiro.

5 — CONSIDERAÇÕES FINAIS

Em economias dualistas como a brasileira, o desenvolvimento ocorre em ciclos sucessivos de rápido crescimento e de recessão. A maioria das empresas, dentro de uma racionalidade de curto prazo, tende a acompanhar estes ciclos investindo e expandindo sua produção no momento de crescimento e hibernando no período de recessão. Na recessão, a empresa mantém a eficiência do seu processo produtivo, protege os mercados já conquistados e reduz drasticamente os investimentos, sufocando suas atividades de inovação.

A postura do empresário empreendedor é antecipar os ciclos econômicos, em vez de acompanhá-los. Ele promove a inovação antecipando as oportunidades e necessidades do mercado. Foi na recessão de 1961/62, que a DURATEX iniciou suas exportações. Ela desenvolveu a capacidade necessária para acompanhar o ciclo de crescimento rápido de 1968/78. Foi na crise de 1980/81, que a WEG empreendeu um amplo programa de formação de recursos humanos que facilitou a realização de um ambicioso esforço de diversificação no decorrer dos anos 80.

Os centros tecnológicos existentes no Brasil permitem internalizar tecnologias determinantes. É preciso, no entanto, mais envolvimento da direção para acompanhar tecnologias emergentes. Estas são ricas fontes de oportunidades, mas também ameaças fatais para o empresário reativo. Basta lembrar o que ocorreu com as indústrias de válvulas com a chegada do transistor, com a lâmina de barbear com a adoção do barbeador elétrico, e com as canetas-tinteiro ao surgir a esferográfica.

As novas tecnologias — informática, automação, bioengenharia genética e novas ligas — impõem uma estratégia tecnológica explícita. Uma estratégia inserida no planejamento de longo prazo da empresa. Uma estratégia personificada nos dirigentes da empresa e revelada nas decisões de investimentos. As empresas brasileiras estudadas neste trabalho são exemplos resultantes de uma postura estratégica exitosa.

Uma postura estratégica que supera as turbulências econômico-financeiras que marcam uma economia dualista em transição democrática, como a brasileira.

Postura estratégica, inovação tecnológica, transnacionalização da empresa são como enzimas que podem contribuir para transformar o cenário sócio-econômico brasileiro. Podem se tornar as enzimas da esperança. Uma forma de recuperar, pelo menos em parte, as nefastas conseqüências da década de 80. Uma década que aumentou o "gap" tecnológico entre os países desenvolvidos, o Brasil e a América Latina.

BIBLIOGRAFIA

ANSOFF, Igor — Administração Estratégica da Tecnologia. São Paulo, Relatório de Estratégia Empresarial, n? 2, março/88, pp. 45-56.

ANPEI — Associação Nacional de Pesquisa e Desenvolvimento de Empresas Industriais.

AQUINO, Cleber (org.) — História Empresarial Vivida. São Paulo, Gazeta Mercantil, 1986, vol. II.

BETZ, Frederick — Managing technology — competing trough new ventures, innovation and Corporate Research. New Jersey, Prentice-Hall, Inc., 1987.

BLAKE, Stewart P. — Managing for responsive research and development. USA, Freeman and Co., 1978.

CONFEDERAÇÃO Nacional da Indústria — Competitividade Industrial: uma estratégia para o Brasil, RJ, grupo de avaliação da Competitividade da Indústria Brasileira, maio 1988.

DRUCKER, Peter F. — "Social Innovation — managing new dimension". Long Range Planning, vol. 20, n? 6, pp. 29-34, 1987.

EIRMA — "Developing R&D Strategies". Working Group Reports. Paris; França, n? 33, 1986.

----- — "Role and Organization of corporate R&D". Working Group Reports. Paris, França, n? 34, 1987.

FISCHMANN, Adalberto A. & SANTOS, Silvio A. — Aplicação de UEN's — Unidades Estratégicas de Negócios — Na formulação do Planejamento Estratégico. São Paulo, RAUSP, 17 (3), jul/set/82, pp. 5-20.

G.E.S.T. — Grappes Technologiques. Les nouvelles stratégies d'enterprise. Paris, França, McGraw Hill, 1986.

GUNSTEREN, Lex A. Van — "Planning for Technology as a corporate resource: a strategic classification. Long Range Planning, vol. 20, n? 2, pp. 51-60, 1987.

LOWE, Julian & CRAWFORD, Nick — Innovation & Technology transfer for the growing firm — text and cases. New York, Pergamon Press, 1984.

MARCOVITCH, Jacques et alii — Política e Gestão em Ciência e Tecnologia — estudos multidisciplinares. São Paulo, Pioneira/NPGCT/USP, 1986 (Coleção Novos Umbrais).

MARTIN, Michael J.C. — Managing Technological Innovation and Entrepreneurship. Virginia, USA, Reston Publishing Co. Inc., 1984.

MELO, Lúcia C.P. — Estratégia tecnológica na Embraer — in Administração em Ciência e Tecnologia, XIII Simpósio Nacional de Pesquisa de Administração em Ciência e Tecnologia. São Paulo, 1988.

PARKER, R.C. — Going for growth technological innovation in manufacturing industries. New York, John Wiley & Sons Ltd., 1985.

POTTS, Mark & BEHR, Peter — "Forjando alianças empresariais estratégicas". Impact, 1988/I, pp. 24-29.

RADA, Juan F. — "La microeletrónica, la tecnologia de la información y sus efectos en los países en via de desarrollo". Jornada 97. El Colégio de Mexico, 1983.

RATTNER, Henrique — Política Industrial — Brasiliense, 1988 — São Paulo.

ROSENBERG, Nathan & BIRDZELL Jr., L.E. — A História da riqueza do homem — a transformação econômica do mundo industrial. Rio de Janeiro, Record, 1986.

------- (edit) — The Economic of Technological Change — Selected Readings. Baltimore, USA, Penguin, Inc.,1971.

SAGATI, Francisco R. — La política científica y tecnológica en América Latina: un estudo del enfoque de sistema. Jornadas 101, El Colégio de Mexico, 1983.

SBRAGIA, Roberto — "Evaluation of R&D at business level — an empirical study on possible result indicators". Tokyo, Japan. International Conference on Strategic R&D Management, Japan Management Association, 1988.

STOLERU, Lionel — L'ambition internationale. Paris, Editions du Seuil, 1987.

TERNES, Apolinário — A estratégia da confiança. Joinville, Tupy S.A., 1987.

TERNES, Apolinário — 25 anos — a História da Weg. Joinville, Weg S.A., 1986.

TUSHMAN, Michael L. & MOORE, William L. — Readings in the management of innovation. Massachussetts, Ballinger Publishing Co., 1982.

VASCONCELLOS, Eduardo — How to evaluate technological R&D projects: the experience of Brazil. Tokyo, Japan, International Conference on Strategic R&D Management, Japan Management Association, 1988.

Avaliação da capacitação tecnológica da empresa: estudo de caso

Eduardo Vasconcellos

Roberto S. Waack

Ronan de F. Pereira

CONTEÚDO

1 — AUDITORIA TECNOLÓGICA*

O nível de competitividade da empresa é cada vez mais ditado pela sua capacidade de inovar em resposta às necessidades do mercado e as investidas da concorrência. O domínio tecnológico é um dos fatores críticos neste processo, assim a tecnologia passa a ser vista como um ativo importante para a empresa.

A auditoria tecnológica é um processo que tem por finalidade registrar e avaliar sistemática e periodicamente o potencial tecnológico da empresa, contribuindo para assegurar que a tecnologia seja utilizada de forma eficaz para o atingimento dos objetivos organizacionais. A auditoria tecnológica é um insumo indispensável para o delineamento do plano estratégico tecnológico da empresa (Vasconcellos, 1989).

Existem diversas abordagens para desenvolvimento deste tema. Segundo Durand (1988) a auditoria tecnológica pode ser desenvolvida em três etapas. A primeira analisa os programas de P&D realizados no passado, com base em um gráfico que mostra o número de pessoas envolvidas em cada um dos programas no tempo. A segunda etapa tem como base a construção de uma matriz, mostrando o quanto de cada tecnologia (medido em homens/ano) foi utilizado em cada um dos programas. Na última etapa, um gráfico é construído mostrando o número de homens/ano gasto com cada tecnologia.

Importantes contribuições ao tema são feitas também por Ansoff (1987), Porter (1985), Fhroman (1980), Ford (1988) e Collier (1985).

Rubenstein (1989) desenvolveu um modelo para a auditoria da inovação tecnológica na empresa, que considera sete variáveis.

- Inovações realizadas nos produtos/mercados da empresa, em comparação com os concorrentes.
- Capacidade inovadora da equipe de P&D
- Capacidade de inovação, organização e planejamento da equipe de P&D
- Fluxo de geração e utilização das idéias
- Tempo necessário para aplicação/comercialização dos resultados de P&D
- Custos e benefícios dos projetos de P&D e projetos de inovação
- Relevância e impacto de P&D sobre os interesses, problemas e oportunidades das divisões operativas da empresa.

Vasconcellos (1989) propõe um modelo conceitual para realizar uma auditoria tecnológica composto pelos seguintes fatores:

1.1 — Nível de sensibilização para a tecnologia
1.2 — Nível de sintonia entre a estratégia tecnológica e a da empresa
1.3 — Nível de capacitação tecnológica em relação aos concorrentes
1.4 — Nível de integração entre P&D e as demais áreas da empresa
1.5 — Nível de antecipação de ameaças e oportunidades tecnológicas
1.6 — Nível de adequação da estrutura de P&D
1.7 — Nível de adequação do sistema de informações tecnológicas
1.8 — Nível de adequação dos recursos para P&D
1.9 — Nível de adequação do sistema de avaliação de P&D
1.10 — Nível de adequação das técnicas de gestão de tecnologia

---

* Este artigo foi publicado pela Revista de Administração (RAUSP)

Deve ser ressaltado que estes fatores de avaliação estão altamente inter-relacionados, não existindo uma metodologia uniforme para análise dos mesmos. Em alguns casos a avaliação é somente subjetiva, em outros há necessidade da coleta de informações quantitativas e a elaboração de gráficos ou tabelas, e há casos em que as duas formas de avaliação são combinadas. O uso de especialistas externos, comitês e grupos de trabalho formados por elementos das várias áreas da empresa é altamente desejável. A auditoria tecnológica é realizada para a empresa como um todo, em todas as áreas direta ou indiretamente envolvidas com tecnologia. Assim, a área de P&D é apenas uma parte deste processo.

Cada um dos fatores de avaliação serão apresentados a seguir:

Nível de sensibilização para a tecnologia

Este fator procura avaliar o quanto a empresa está ciente da importância da tecnologia como instrumento de competitividade. Uma lista de questões sobre o nível de sensibilização da empresa para a tecnologia é apresentada abaixo:

- A alta administração está devidamente sensibilizada para a importância do fator tecnológico no sucesso da empresa?
- A missão do Centro de P&D está clara?
- A empresa dispõe de um plano definindo sua estratégia tecnológica?
- A metodologia de elaboração e atualização do Plano Tecnológico é adequada?
- O plano é adequadamente divulgado?

Nível de sintonia entre a estratégia tecnológica e a da empresa

A tecnologia só será um fator de competitividade se o plano de desenvolvimento tecnológico estiver coerente com a estratégia global da empresa, entretanto, as técnicas para tornar esta integração uma realidade estão ainda pouco desenvolvidas. Algumas questões básicas referentes à sintonia entre a estratégia tecnológica e a da empresa são:

- As atividades de P&D estão coerentes com as metas estratégicas da empresa em relação ao nível de liderança (primeiro no mercado) para as várias linhas de produtos?
- As atividades de P&D estão coerentes com a estratégia da empresa para as várias linhas de produtos em relação a preço e diferenciação das características do produto?
- As fontes de obtenção de tecnologia utilizadas estão coerentes com os prazos exigidos pela estratégia global da empresa?

Nível de capacitação tecnológica

Esta etapa da auditoria tecnológica deve ser desenvolvida em duas fases. Inicialmente, o ativ..... da empresa.

As questões críticas para avaliar o nível de capacitação tecnológica da empresa são:

- As tecnologias estratégicas (TEs) para a empresa estão claramente identificadas?
- Quais TEs são adequadamente dominadas pela empresa e quais deveriam ser?
- Em quais TEs a empresa é líder/seguidora? em quais ela deveria ser? a que nível? (nacional, mundial)
- Qual a origem das TEs hoje? (interna, externa)
- Como a capacitação da empresa nas TEs se compara com a dos concorrentes? a nível nacional e mundial?
- Quais atividades de P&D são hoje realizadas e como a ênfase dessas atividades se relacionam com as TEs?
- A empresa está tentando lidar com um "spectrum" excessivamente abrangente de tecnologias em relação a sua capacitação?

Integração entre P&D e as demais áreas da empresa

As atividades de P&D só aumentam o grau de competitividade da empresa se os resultados dos projetos são efetivamente incorporados aos produtos e levados ao mercado antes dos concorrentes. Para que isso ocorra é preciso que P&D esteja altamente integrada às demais áreas da empresa.

As questões críticas a serem feitas em relação a este tema são:

- As demais áreas da empresa (marketing, produção, finanças, recursos humanos, controle de qualidade, engenharia, etc... participam de forma adequada no planejamento e acompanhamento das atividades do Centro de P&D?
- As inovações tecnológicas são adequadamente transferidas para a produção e a seguir para o mercado, de forma lucrativa para a empresa?
- Há duplicações de esforços de P&D pelas várias unidades da empresa?
- Há suficiente integração entre as várias unidades e indivíduos na empresa que desenvolvem P&D?
- Há um clima de colaboração entre as várias unidades e pessoas envolvidas diretamente e indiretamente com P&D?

Uma análise das barreiras e facilidades para a integração P&D com as demais áreas da empresa pode ser encontrada em Vasconcellos (1987) e Kruglianskas (1987).

Antecipação de ameaças e oportunidades tecnológicas

Um aspecto crítico da auditoria tecnológica é a avaliação do grau em que o planejamento tecnológico identifica as oportunidades e ameaças relacionadas à tecnologia e, a seguir, se adapta no sentido de assegurar o atingimento dos objetivos da empresa. As questões importantes para avaliar o grau de resposta do planejamento tecnológico às oportunidades e ameaças tecnológicas são:

Quais as tendências tecnológicas que podem afetar (positivamente ou negativamente) a competitividade da empresa?

- Há concordância entre P&D e as áreas operativas da empresa em relação à posição das tecnologias básicas para a empresa na curva de vida destas tecnologias?
- As tecnologias disponíveis na empresa estão sendo adequadamente exploradas, nos produtos e processos da própria empresa ou por outras empresas através de licenciamento ou outros métodos?
- As tecnologias desenvolvidas pela empresa estão devidamente protegidas por patentes?
- O sistema de patentes está sendo devidamente monitorado no sentido de auxiliar a identificação de oportunidades e ameaças?
- O balanceamento entre P&D a longo prazo e curto prazo é adequado?

Estrutura da função tecnológica

À medida que a função de P&D na empresa se desenvolve, ela precisa ser estruturada de uma forma compatível com sua missão, caso contrário, os investimentos no desenvolvimento tecnológico não terão retorno adequado.

As perguntas críticas para avaliar o grau de adequação da estrutura são:

- Há uma ou mais unidades na empresa encarregadas do desenvolvimento tecnológico, ou esta atividade é realizada pelas mesmas pessoas que estão encarregadas da rotina?
- O tipo de departamentalização é adequado?
- A posição de P&D na estrutura é adequada?
- O nível de formalização é adequado?
- O grau de descentralização das unidades de P&D pelas várias áreas operativas da empresa é adequado?
- A estrutura está coerente com a estratégia e atividades da unidade de P&D?
- A estrutura possibilita a necessária integração com as demais áreas da empresa?
- A área de P&D tem autoridade sobre os recursos humanos, materiais e financeiros compatível com o seu nível de responsabilidade em relação aos resultados?

Para mais informações sobre estrutura organizacional para P&D ver Sbragia (1985) e Vasconcellos (1987).

Sistema de informações tecnológicas

A auditoria tecnológica deve avaliar o grau de adequação do sistema de registro e recuperação do ativo tecnológico da empresa. Se este sistema não for adequado, ocorrerão duplicações nos esforços de desenvolvimento tecnológico, e muitos aperfei-

25

çoamentos tecnológicos permanecerão na memória de pessoas que um dia deixarão a empresa. Além disso, conhecimentos parciais espalhados pela empresa, se reunidos, muitas vezes poderão levar à solução de problemas críticos para o sucesso da empresa.

Abaixo, uma lista de questões críticas para avaliar o sistema de informações tecnológicas é apresentada:

- A memória tecnológica está sendo preservada de forma adequada?
- O sistema de informações tem conseguido evitar duplicações de atividades de P&D?
- Existem informações que proporcionem uma visão de conjunto de todas as atividades de P&D sendo realizadas na empresa?
- Existem informações suficientes (projetos realizados, projetos em andamento, publicações, cadastro de pesquisadores e consultores etc...) sobre as várias instituições de pesquisa e universidades que realizam estudos em áreas tecnológicas relevantes para a empresa?
- O sistema de informações é efetivamente utilizado?

Recursos

Um plano tecnológico só pode ser bem implantado se os recursos humanos, materiais, e financeiros fornecidos são adequados. Este é outro aspecto crítico a ser avaliado no processo de auditoria tecnológica.

Algumas perguntas para avaliar a adequação dos recursos humanos, materiais e financeiros às necessidades tecnológicas da empresa estão listadas abaixo:

- A empresa dispõe dos equipamentos e insumos adequados para lidar com as TEs?
- A empresa dispõe de um cadastro dos recursos humanos disponíveis com suas qualificações?
- A empresa dispõe de um plano de aquisição e atualização dos equipamentos de forma consistente com as TEs?
- A empresa tem um plano estratégico de RH para a área de P&D?
- Há um orçamento para P&D?
- Como o orçamento de P&D em termos de % sobre o faturamento se compara com a média do setor? e com a % dos principais concorrentes?
- Há um mapeamento adequado das fontes governamentais de financiamento e apoio a P&D?
- As unidades de P&D têm flexibilidade necessária para gerenciar o orçamento de P&D?

Sistema de avaliação de P&D

A auditoria tecnológica deve identificar o sistema de avaliação de performance da área de P&D que é utilizado e analisar sua adequação aos objetivos da empresa.

Este tema foi tratado em maior profundidade por Sbragia (1987), e Vasconcellos e Ohayon (1988) com base em estudos sobre a realidade brasileira.

Abaixo, uma lista de questões críticas para analisar o sistema de avaliação de performance de P&D é apresentada:

- Há um sistema formal de avaliação da performance de P&D?
- Os critérios de avaliação estão coerentes com a missão da função tecnológica e com a estratégia tecnológica?
- Existe realimentação suficiente para a tomada de medidas corretivas?
- Até que ponto a alta administração é incoerente, sinalizando a necessidade de se pensar no longo prazo mas cobrando resultados imediatos?

Técnicas de gestão tecnológica

Cada vez mais, a inovação depende da integração de vários especialistas provenientes de diversas áreas da empresa. Realizar esta tarefa no menor prazo possível e a um custo competitivo, não é viável sem o uso de técnicas modernas de gestão tecnológica. Várias destas técnicas estão relacionadas aos tópicos anteriores, entretanto, há muitos outros aspectos a serem considerados.

Algumas questões relativas a este tema estão apresentadas abaixo:

- Existem sistemas de planejamento e controle de projetos?
- Os sistemas de planejamento e controle de projetos estão sendo efetivamente utilizados para fins gerenciais?
- Os sistemas de avaliação de desempenho e compensação dos recursos humanos estão adequados?
- As técnicas de estímulo à criatividade são usadas adequadamente?
- Existe um clima favorável à inovação?

2 — A EMPRESA E O SETOR

Uma empresa brasileira, a VALLÉE NORDESTE, desenvolveu um plano estratégico tecnológico, realizando uma auditoria tecnológica como parte deste processo. Esta experiência muito contribuiu para o desenvolvimento e aperfeiçoamento da metodologia de auditoria tecnológica, composta pelos dez fatores de avaliação apresentadas no item anterior. Este tópico apresenta os procedimentos utilizados e os resultados obtidos em uma das etapas da auditoria tecnológica: a avaliação da capacitação tecnológica da empresa em relação aos concorrentes. O conteúdo das figuras foi propositalmente alterado com a finalidade de proteger informações confidenciais.

A empresa

A Vallée Nordeste S.A. é uma empresa de capital 100% nacional, fundada há 28 anos, voltada para o desenvolvimento, produção e comercialização de produtos veterinários, com forte vocação para a área de biológicos (notadamente a produção da vacina contra a Febre Aftosa). O setor em que atua, vem sendo mundialmente impactado por inovações tecnológicas advindas do grande desenvolvimento recentemente ocorrido com a biotecnologia. O mercado brasileiro de produtos veterinários atinge cerca de US$ 300 milhões anuais, sendo o quinto do mundo (participa com 3,9% do mercado mundial), contando com cerca de 100 empresas, onde a Vallée ocupa a oitava posição. O sub-setor de biológicos representa US$ 45 milhões anuais, e o principal produto é a vacina contra a Febre Aftosa. O mercado potencial nacional está em fase de crescimento, tendendo para a maturidade. A situação global é bastante favorável a empresas multinacionais, que vem aumentando sua participação no mercado, caracterizando-se por posição de competitividade tecnológica dominante.

O Brasil conta com um rebanho de 130 milhões de cabeças de bovinos e produz anualmente 2,5 milhões de toneladas de carne, o que significa baixa produtividade (a metade da Argentina e um quinto da americana). Para um país em crescimento populacional, o aumento desta produtividade é necessidade imediata. Através da defesa sanitária, é possível obter-se maior produção de carne, maior aproveitamento da natalidade do rebanho, menor taxa de mortalidade dos animais e ganho de peso mais rápido. A industria veterinária é regida pelo custo/benefício (diferentemente da farmacêutica, com função social). Estima-se que para cada US$ 1,00 investido pelo criador com defensivos animais, há um retorno de US$ 9,00.

Tecnologia do setor: contexto atual e tendências

As principais vertentes tecnológicas do setor fundamentam-se na síntese química de princípios ativos para a formulação de quimioterápicos e na síntese biológica de antígenos para a produção de vacinas. Os processos de síntese química tiveram grande impacto tecnológico a partir da II Grande Guerra, e vem sendo desde então os mais utilizados para a obtenção de produtos farmacêuticos e veterinários. Os grandes gargalos encontram-se na identificação de novos compostos, sua produção em escala industrial e fórmula final. O Brasil não domina adequadamente nenhum dos três campos citados, o que o coloca em posição de dependência de importação de insumos, cópias de formulações estrangeiras e natural desnacionalização do setor. Atualmente, tecnologias para produção de insumos de alto valor agregado (química fina) tornam-se novo desafio a uma situação já desfavorável. No que se refere a produção de vacinas, tradicionalmente estas são obtidas por processos de cultivo celular, seguidos de etapas de inativação ou atenuação dos agentes patogênicos e purificação das massas antigênicas, técnicas amplamente difundidas no Brasil que chegaram a ter papel relevante a nível mundial no desenvolvimento e produção de imunobiológicos para a saúde humana (Fundação Oswaldo Cruz - RJ e Instituto Butantã - SP).

A biotecnologia abriu novas perspectivas para a obtenção de produtos biológicos. A técnica de DNA recombinante, permitindo a manipulação de genes ou partes de genes, pode gerar microorganismos com características selecionadas para maior produtividade, imunogenicidade, estabilidade, padronização, melhores condições para acondicionamento e uso e menor custo. Adicionalmente, os avanços nas áreas de bioprocessos, particularmente fermentação e purificação de macromoléculas, completam a perspectiva de alterações substanciais nas tecnologias utilizadas para a produção de vacinas.

O Brasil, de forma genérica, não vem participando efetivamente do desenvolvimento biotecnológico no setor. As empresas nacionais, com raras excessões, não dispõem de centros de P&D preparados para essas atividades. As instituições de pesquisa dedicam-se prioritariamente a trabalhos de cunho básico, com restrições a interações com o setor produtivo. Por outro lado, as empresas estrangeiras contam em suas matrizes com laboratórios de P&D altamente capacitados e em sua maioria possuem fortes relações com outros centros dedicados ao assunto, compondo desta forma um complexo de atividades dirigidas para o desenvolvimento de produtos e processos em escalas laboratoriais e industriais.

A biotecnologia pressupõe a integração de procedimentos laboratoriais de cunho científico fundamental (biologia molecular, imunologia, microbiologia, etc) com atividades industriais de interesse econômico (fermentações, engenharia de processos, etc). A Vallée domina tecnologias tradicionais de fundamento biológico que são imprescindíveis para a consolidação da aplicação das recentes inovações na produção em grande escala, o que representa ponto positivo em relação ao uso de processos biotecnológicos em aplicações industriais. Por outro lado, novos produtos ou processos, assim como a aplicação de inovações em processos tradicionais, representam riscos de alterações significativas na qualidade e custo de produtos tradicionais, com alterações no perfil do mercado do setor.

Em geral, os produtos advindos do uso da moderna biotecnologia apresentam como vantagens maior padronização, maior estabilidade, maior facilidade de conservação, maior inocuidade com menores níveis de toxicidade, maior produtividade dos processos e conseqüente potencial de menor custo do produto final, maior especificidade, maior pureza, maior facilidade de controle do processo e do produto final, maior facilidade e rapidez na obtenção de novos produtos, e redução de riscos em processos industriais.

Entre as desvantagens temos o alto custo dos processos recém desenvolvidos em função dos investimentos em P&D ainda não amortizados, alta dependência de conhecimentos básicos ainda não totalmente dominados, escassez de recursos humanos capacitados, dependência de equipamentos de desenvolvimento recente ainda não totalmente definidos, dificuldades em registro de novos produtos, ausência de regulamentações sobre processos e potencial dificuldade na aceitação de novos produtos no mercado.

3 — AVALIAÇÃO DA CAPACITAÇÃO TECNOLÓGICA DA VALLÉE

Em função do papel crescente do fator tecnológico como instrumento de competitividade, a direção da VALLÉE decidiu delinear um plano estratégico de desenvolvimento tecnológico, que teve como uma etapa crítica a realização de uma auditoria tecnológica. Com a finalidade de ilustrar a aplicabilidade desta metodologia, serão apresentados neste tópico os procedimentos utilizados para a operacionalização de uma das etapas da auditoria tecnológica: avaliação da capacitação tecnológica em relação aos concorrentes.

O processo de diagnóstico da postura da empresa em relação a aspectos tecnológicos obedeceu a uma metodologia integrativa, procurando envolver a participação de líderes e gerentes de todas as áreas da empresa (marketing, produção, planejamento, administração, finanças, técnica, além da alta administração). Inicialmente foram realizados seminários e aplicados questionários desenvolvidos para o caso em questão, cujos resultados globais foram objeto de intensa discussão voltada para a unificação e consolidação dos principais elementos identificados. Os principais objetivos desta primeira aproximação à questão tecnológica foram:

- criar uma linguagem comum sobre vários aspectos ligados à questão tecnológica,
- discutir a importância da função tecnológica na empresa,
- discutir as várias alternativas para estruturar a função tecnológica na empresa,
- identificar claramente quais os pontos fortes e fracos relacionados à função tecnológica na empresa.

A partir dos elementos indicados nesta primeira aproximação, foi definido um grupo de trabalho, constituído por gerentes e líderes de todas as áreas da empresa e um programa voltado para diagnosticar de forma profunda e detalhada como estava definida a postura estratégica da empresa em relação à função tecnológica, indicando modificações voltadas para a definição de um plano estratégico de desenvolvimento tecnológico.

O processo inclui várias etapas e abordagens, cada uma voltada para um aspecto em particular. O segmento do processo de auditoria tecnológica relacionado com a avaliação da capacitação tecnológica da empresa em relação aos concorrentes será apresentado a seguir.

A avaliação da capacitação tecnológica da empresa foi realizada através da análise dos seguintes aspectos:

3.1 — Ameaças e oportunidades tecnológicas
3.2 — Fatores de Competitividade Mercadológica
3.3 — Rotas Tecnológicas × Fatores de Competitividade Mercadológica
3.4 — Levantamento do Potencial dos Recursos Humanos
3.5 — Domínio sobre as Tecnologias Estratégicas TEs
3.6 — Levantamento dos projetos de P&D em andamento

Ameaças e oportunidades tecnológicas

O contexto atual que cerca a empresa em questão, a nível mundial, indica um aumento da importância da tecnologia no que tange ao poder de influência das entidades envolvidas no mercado. Adicionalmente, observa-se grande "turbulência" tecnológica com aumento da velocidade de transferência das atividades de pesquisa básica para a aplicada e em seguida para processos industriais. A substituição e obsolescência tecnológica ocorrem de forma mais rápida. Para fazer face a estas tendências, tem sido observado freqüentemente associações de empresas para o desenvolvimento de atividades tecnológicas conjuntas, com conseqüente concentração do poder tecnológico (Waack & Vasconcellos, 1988).

A nível nacional, observa-se crise no mercado interno, onde o mercado nacional de defensivos animais teve redução de 25% em seu valor em 1988. O complexo industrial brasileiro vem sendo insatisfatoriamente renovado, mostrando sinais de obsolescência. À esses elementos devem ser associados a indefinição de políticas agropecuária, tecnológica e industrial, carência de recursos humanos capacitados e dificuldades na obtenção de matérias primas e equipamentos importados.

A empresa identificou as seguintes ameaças e oportunidades tecnológicas:

Ameaças
- Baixa disponibilidade de recursos humanos capacitados,
- Dificuldade na obtenção de equipamentos adequados para produção,
- Dificuldade na obtenção de insumos e matérias primas,
- Baixo grau de desenvolvimento e organização das atividades de P&D no Brasil, com conseqüente dificuldade ao acesso a tecnologias emergentes para empresas nacionais,
- Ausência de perspectivas de definição de uma política nacional de desenvolvimento tecnológico a curto prazo, embora existam esforços neste sentido,
- Inovações tecnológicas, principalmente na área de engenharia genética.

Oportunidades
- Existência de potencial de recursos humanos treináveis no Brasil,
- Existência no Brasil de centros de P&D em quantidade suficiente para desenvolvimento tecnológico, faltando gestão adequada destes recursos,
- Inicia-se processo de conscientização nacional da importância da tecnologia para o país,
- Proteção governamental a empresa nacional favorece a realização de "joint-ventures", com efetiva transferência de tecnologia.

Fatores de competitividade mercadológica

Fatores de Competitividade Mercadológica são aqueles que levam o comprador a preferir o produto da empresa em relação aos produtos dos concorrentes e estão relacionados com a tecnologia. Eles devem ser identificados para cada linha de produtos. Para as vacinas os seguintes fatores foram identificados: eficiência, duração da imunidade, conservação, validade, efeitos colaterais, simplicidade no uso, estabilidade e custos.

A Figura 1 compara a VALLÉE com os principais concorrentes nacionais e estrangeiros, em relação aos fatores de competitividade mercadológica. Esta análise foi feita repetida para as principais linhas de produtos da empresa.

31

Figura 1 — Fatores de competitividade mercadológica em função da concorrência.

Fatores de competitividade mercadológica	Nacionais			Multinacionais		
	L1	L2	L3	L1	L2	L3
eficiência	=	+	–	=	=	
duração da imunidade	+	=		=	=	=
conservação	=	+	–	–	+	=
validade	+		–		=	
efeitos colaterais	=	–	=	–	=	–
simplicidade no uso	+	–	+	=	–	+
estabilidade		+	=		–	
custo	+	=	–	–	=	–

Obs.: L1, L2, L3, são as linhas de produtos.
  +   Vallée é melhor
  –   Vallée é pior
  =   Vallée é igual

O conteúdo das células foi alterado tendo em vista aspectos confidenciais.

Rotas tecnológicas x fatores de competitividade mercadológica

O processo de desenvolvimento deste tópico foi liderado pela diretoria de produção, tendo sido definidas as principais rotas tecnológicas utilizadas pela empresa de forma simplificada e didática, visando possibilitar aos demais participantes do grupo bom entendimento do assunto. Vale notar que as rotas foram definidas em função das linhas de produtos. A Figura 2 cruza as etapas do processo produtivo (rota tecnológica) com os fatores de competitividade mercadológica, permitindo identificar quais etapas do processo produtivo poderiam ser aperfeiçoadas no sentido de aumentar a competitividade do produto.

Esta matriz possibilitou a visualização de prioridades de P&D (linhas de pesquisa) no que se refere a melhorias em certas etapas do processo produtivo, visando um melhor desempenho dos produtos da empresa no mercado.

Figura 2 — Rotas tecnológicas versus competitividade mercadológica

FATORES	ETAPAS DA ROTA TECNOLÓGICA						
	Prod. de células	Prod. de vírus	Clarifi-cação	Inativa-ção	Concen-tração	Mistura	Envase
Eficiência	1			3			
Dur. da imunidade		2		2	1		
Conservação			3		5	4	
Validade							
Efeitos colaterais		2	2	6	1		
Simplicidade no uso				8	4	5	
Estabilidade		2		3			
Custos	1			6	4	5	7

Nota: n^{os} nas células indicam programas de P&D

Levantamento do potencial dos recursos humanos

A equipe técnica da empresa respondeu a um questionário com a finalidade de identificar conhecimento, experiências, e motivações relacionadas às áreas tecnológicas relevantes para o sucesso da empresa.

Domínio sobre as áreas tecnológicas estratégicas

A atividade anterior foi complementada com um estudo realizado pelas diretorias técnica e de produção referente ao nível de domínio de técnicas consideradas importantes para o bom desenpenho das áreas de P&D e produção da empresa. A primeira etapa consistiu em uma análise das tecnologias emergentes de utilização imediata ou potencial para a empresa, permitindo a confecção de uma matriz explicitando as principais técnicas em função dos seguintes parâmetros:

- nível de domínio da técnica pela empresa, qualificados em alto, médio, fraco e nulo,
- nível de complexidade das técnicas, qualificadas em tecnologias de ponta, com baixo domínio tecnológico a nível mundial (A), intermediárias (M) e tecnologias tradicionais, com amplo domínio tecnológico a nível mundial (B).

- grau de relevância das técnicas para a empresa, qualificadas em alta, média ou baixa,
- aspectos relacionados à infraestrutura (na empresa) para a realização das técnicas,
- e finalmente, a necessidade ou não de formação de recursos humanos para a realização das técnicas discriminadas.

Figura 3 — Avaliação do nível de domínio sobre as tecnologias estratégicas

	Nível de domínio por parte da empresa	Nível de complexidade	Nível de relevância	Disponib. de infraestrutura	Disponib. de RH
Cultura de células	A	B	A	A	A
Cultura de vírus	A	B	A	A	A
Técnicas potenciométricas	A	B	A	A	M
Técnicas de centrifugação	A	M	A	M	M
Técnicas de purificação	M	A	A	M	M
Inativação de bactérias	A	A	A	A	A
Inativação de vírus	A	M	A	M	A
"Blooting"	B	M	A	B	B
"Finger-"	B				
Síntese de DNA	B	A	B	B	B

Nota: O conteúdo das células foi propositalmente alterado por razões de confidencialidade.

A = alta; M = média; B = baixa.

Esta matriz possibilitou uma visualização genérica do potencial de realização de atividades de P&D pela empresa, dando indicações de sua amplitude em função de técnicas tradicionais e de ponta. Fornece indicações para um programa de formação de recursos humanos, assim como para a definição de um programa de desenvolvimento tecnológico.

Em seguida, esta matriz foi complementada por outra, igualmente comparativa (linhas de produtos em função da origem da concorrência), porém relacionada a aspectos técnicos gerais, a saber:

- Eficiência no processo produtivo,
- Eficiência do produto,
- Qualidade do produto,
- Segurança do processo,
- Infraestrutura para produção,
- RH para produção,
- Agilidade na solução de problemas técnicos,
- Mix de produtos,
- Custo da produção,
- Controle de qualidade,
- Infraestrutura para P&D,
- RH para P&D,
- Investimentos em P&D,

Cabe reenfatizar que as definições dos parâmetros estudados (classes de produtos, fatores de competitividade mercadológica e aspectos técnicos gerais) assim como as atribuições (− , = e +) foram realizadas de forma interativa, em reuniões especialmente dedicadas ao assunto, onde estiveram sempre presentes funcionários e diretores de todas as áreas da empresa.

Levantamento dos projetos de P&D em andamento

Cada área da empresa (produção, marketing e técnica) listou e descreveu de forma sumária todos os projetos relacionados ao desenvolvimento de novos produtos ou processos em andamento, discriminando os seguintes pontos:

- Título do projeto,
- Responsável,
- Objetivo,
- Resumo,
- Justificativa,
- Resultados esperados,
- Eventuais associações,
- Natureza: desenvolvimento de produto, desenvolvimento de processo, formação de RH, transferência de tecnologia, e prospecção a nível teórico.
- Estágio atual: não iniciado, iniciado porém parado, em andamento, em fase final, concluído.
- Grau de complexidade tecnológica: tecnologia não dominada pela empresa, não dominada no Brasil e de ponta no exterior, tecnologia não dominada pela empresa, fracamente dominada no Brasil e de ponta no exterior, tecnologia

não dominada pela empresa, fracamente dominada no Brasil e amplamente dominada no exterior, tecnologia não dominada pela empresa, amplamente dominada no Brasil, tecnologia razoavelmente dominada pela empresa, tecnologia bem dominada pela empresa.

- Situação do produto final: existente apenas no mercado internacional, existente no mercado nacional, produzido por multinacional, produzido por empresa nacional, em desenvolvimento no mercado internacional, em desenvolvimento no Brasil.

Após a consolidação de uma lista unificada, foram atribuídas prioridades sob os pontos de vista técnico e mercadológico, com ênfase nos seguintes itens:

- Setores e sub-setores de maior interesse comercial,
- Grau de importância mercadológica para cada projeto em andamento,
- Processos de maior interesse para a produção,
- Uso de técnicas de interesse para o desenvolvimento de novos produtos e formação de recursos humanos.

Esta atividade permitiu a avaliação de pontos fortes e fracos da empresa em relação à atividade de P&D em andamento, notadamente no que se refere aos seguintes itens:

- Compatibilidade entre os projetos em andamento e as prioridades mercadológicas,
- Compatibilidade entre a infraestrutura para P&D e os projetos em andamento,
- Compatibilidade entre a disponibilidade e capacitação da equipe técnica envolvida e os projetos em andamento,
- Grau de conscientização e motivação da equipe técnica envolvida em P&D assim como das demais áreas e dirigentes da empresa,
- Diversidade de projetos em função dos recursos existentes,
- Nível de organização e disponibilidade de instrumentos gerenciais para P&D na empresa,
- Alocação e fontes de recursos para P&D.

Os projetos em andamento foram reavaliados à luz dos resultados da auditoria tecnológica, tendo sido mantidos aqueles que estavam diretamente relacionados com os objetivos traçados pelo plano estratégico tecnológico da empresa.

4 — CONSIDERAÇÕES FINAIS

Este artigo apresentou uma metodologia para a realização de uma auditoria tecnológica em uma empresa. A auditoria tecnológica tem por finalidade avaliar o quanto a empresa está efetivamente utilizando a tecnologia como instrumento de competitividade, e é uma etapa importante para o delineamento de um plano estratégico tecnológico. A metodologia é baseada em um conjunto de fatores, segundo os quais a empresa é avaliada. Os produtos da auditoria tecnológica são:

a) Fotografia da situação atual e desejada da empresa em relação ao seu potencial tecnológico como instrumento para atingir seus objetivos: e b) recomendações. A seguir, foi mostrada uma aplicação do modelo com base em um caso real. Para isso foi selecionada uma das etapas críticas para a realização de uma auditoria tecnológica: a avaliação da capacitação tecnológica da empresa em relação aos concorrentes.

A experiência mostrou que a auditoria tecnológica é efetivamente um instrumento importante para assegurar uma maior competitividade à empresa, e também que o seu uso efetivo depende de alguns pré-requisitos:

- Apoio e engajamento da alta administração no processo,
- Instituição de um grupo de trabalho formado por elementos de várias áreas da empresa para coordenar o processo,
- Indicação de um responsável pela aplicação da metodologia,
- Cobrar a implantação das recomendações que resultaram da auditoria tecnológica,
- Repetir o procedimento periodicamente,
- Evitar o uso de ferramentas muito complexas que podem inviabilizar o processo. É preferível um resultado com imperfeições a um processo interminável que não produz nenhum resultado.

BIBLIOGRAFIA

ANSOFF, Igor "Strategic Management of Technology", Journal of Business Strategy, Vol. 7, Winter, 1987, pp 28-39.

COLLIER, Donald W. "Linking Business and Technology Strategy", Planning Review, september, 1985.

DURAND, Thomas, "R&D Programmes-Competencies Matrix: Analyzing R&D Expertise Within the Firm" R&D Management, Vol. 18,2, 1988.

FORD, David "Develop Your Technology Strategy", Long Range Planning, Vol. 21, outubro, 1988.

FROHMAN, Alan 1., "Managing the Company's Technological Assets" Research Management, september, 1980.

KRUGLIANSKAS, Isak "Efeitos da Interação entre P&D e Produção na Eficácia do Centro de P&D de Empresas Brasileiras" II Seminário Latino Americano de Gestão Tecnológica, Unam, México 1987.

PORTER, Michael "Technology and Competitive Advantage", Journal of Business Strategy", Vol. 5, Winter, 1985, pp. 60-78.

RUBENSTEIN, Albert H. "Managing Technology in the Decentralized Firm", Wiley Series in Engineering and Technology Management, John Wiley and Sons, New York, 1989.

SBRAGIA, Roberto "A Interface entre Gerentes de Projetos e Gerentes Funcionais em Estruturas Matriciais". Revista de Administração, IA/USP, vol. 20 (2) S. Paulo, 1985.

SBRAGIA, Roberto "Avaliação de P&D a nível da Empresa: um estudo empírico sobre possíveis indicadores", Revista de Administração, vol. 22 (4) S. Paulo. 1987.

VASCONCELLOS, Eduardo (1989) "Auditoria Tecnológica na Empresa" estudo realizado no Technological Institute of Northwester University na qualidade de "visiting scholar" junto aquele Instituto (em fase de publicação)

VASCONCELLOS, Eduardo "Technology Planning: A pratical experience", Trabalho aceito para apresentação na II Internacional Conference on Technology Management, E.U. A., Fev. 1990.

VASCONCELLOS, Eduardo "Como Estruturar a Função Tecnológica na Empresa" Revista de Administração IA/USP vol. 22 n.º 1, 1987.

VASCONCELLOS, Eduardo "The Transfer of Technology from R&D To Production" IEEE Conference on Management and Technology, Atlanta, USA, 27 a 30 de outubro de 1987.

VASCONCELLOS, Eduardo e Ohayon, Pierre "How To Evaluate Technological R&D Projects" International Conference on R&D Strategy, Tóquio, Japão, 9 a 13 de maio de 1988.

WAACK, Roberto e Vasconcellos, Eduardo "Transferência de Tecnologia em Joint Ventures" XIII Simpósio Nacional de Pesquisa em Administração de C&T, USP, outubro, 1988.

Planejamento do centro de tecnologia empresarial cativo

Isak Kruglianskas

CONTEÚDO

1 — INTRODUÇÃO (*)

O presente trabalho trata do processo de planejamento em Centros de Tecnologia empresariais. Devido a abrangência do tema, trataremos da discussão de alguns pontos básicos deste processo complexo, porém fundamental para a eficácia e eficiência da função de P&D nas empresas.

Uma vez implantado o Centro de P&D, suas atividades deverão ser cuidadosamente planejadas, à semelhança do que ocorre nas demais áreas funcionais da empresa (marketing, produção, pessoal, finanças, etc.). O planejamento corporativo a nível estratégico determinará no médio e longo prazos as prioridades em termos de tecnologias a serem desenvolvidas, no tocante a desenvolvimento de produtos ou processos, que em essência caracterizam a missão que a empresa estará atribuindo a seu centro cativo. Estas definições estratégicas constituir-se-ão em critérios a partir dos quais poderão ser avaliadas e selecionadas as propostas de projetos a serem executadas pelo centro. Em função das necessidades dos projetos, deverão ser elaborados os planos para as atividades de apoio, a fim de assegurar que, quando necessário, sejam prestados aos projetos serviços tais como: análises e ensaios físicos/químicos, transporte, reprografia, processamento de dados, datilografia, etc.

A operacionalização a nível tático das decisões de caráter estratégico são consubstanciadas através de planos orçamentários, em que as ações de caráter técnico e científico são traduzidas quantitativamente em volume de recursos materiais, humanos e financeiros necessários para sua efetivação. Os empreendimentos de maior porte, geralmente com caráter mais inovativo, utilizam a abordagem da administração por projetos, que possibilita uma maior descentralização do processo decisório com melhor alocação de responsabilidades e, conseqüentemente, um acompanhamento e controle mais transparente e eficaz. O processo de priorização das propostas para projetos, por sua vez, exigirá a utilização de procedimentos que permitam avaliar e selecionar as propostas a serem executadas pelo centro.

Organização do texto

O texto foi organizado de tal modo, a permitir uma combinação de conceitos com ilustrações através de alguns dos resultados de uma pesquisa de campo realizada junto a empresas que possuem centros cativos de tecnologia. Para a realização da pesquisa foram selecionadas 51 empresas sediadas na região sudeste do Brasil com faturamento superior a US$ 4.700.000,00, lucro líquido superior a US$ 470.000,00 (base US$ comercial). As empresas integram o setor secundário da economia. Em termos de composição da amostra, aproximadamente 66% eram privadas nacionais, 29% estrangeiras e 5% estatais. No anexo 1 é apresentada de forma mais detalhada a metodologia utilizada na pesquisa.

Inicialmente é apresentado um modelo conceitual mostrando as interrelações entre os diferentes níveis e condicionantes do processo de planejamento num centro cativo. A seguir, são apresentados e discutidos conceitos relacionados com o planeja-

---

(*) O autor agradece a relevante colaboração na coleta e tratamento dos dados dos assistentes de pesquisa Marcelo Machado de Andrade a Ines Massumi Iwashita.

mento estratégico do centro e apresentados resultados dessa pesquisa sobre os objetivos visados pelas empresas com as atividades do seu centro,bem como os tipos de atividades desenvolvidas pelos centros de P&D cativos.

A seguir, são discutidos conceitos sobre o planejamento orçamentário do centro de P&D e os resultados do estudo no que tange aos critérios adotados para as decisões sobre o montante do orçamento para P&D. O tópico seguinte trata da apresentação de conceitos sobre avaliação e seleção de projetos e dos resultados constatados no estudo sobre os critérios utilizados pelas empresas para avaliarem e selecionarem seus projetos de P&D. O tópico subseqüente versa sobre o planejamento e controle de projetos, com algumas ilustrações sobre os resultados constatados na pesquisa em relação a este assunto.

Os procedimentos para o planejamento e controle das atividades de apoio não são discutidos no texto em grande profundidade, não só porque estenderiam proibitivamente o mesmo, como também pelo fato de que as abordagens utilizadas para o gerenciamento destas atividades seguem padrões mais próximos àqueles adotados para as funções organizacionais mais tradicionais das empresas.

Ao final do trabalho são feitas as considerações finais, destacando-se as principais conclusões e recomendações sugeridas pela pesquisa de campo.

Modelo conceitual

O processo de planejamento de um centro cativo é um processo altamente interativo, requerendo fluxos decisórios que permeiam a organização em todas as direções, através de retroalimentações em todos os níveis, até se alcançar um equilíbrio dinâmico e aceitável. Dizemos que o equilíbrio é dinâmico, pois o planejamento em P&D deve ser flexível, isto é, prever redirecionamentos no decorrer de sua implantação. O modelo conceitual, proposto para o estudo do processo de planejamento do centro, é mostrado através da Figura 1.

O modelo pressupõe que toda empresa encontra-se em um ambiente, que constitui seu ecossistema. Neste ecossistema surgem ameaças e oportunidades para a empresa, propiciadas pela dinâmica de seu mercado, pela atuação dos concorrentes, pela atuação das entidades governamentais, por mudanças culturais, políticas, inovações no estado de arte da ciência e tecnologia etc...

Estas ameaças e oportunidades externas provocam diferentes reações por parte da empresa, conforme suas características internas, que podem ser traduzidas através de seus pontos fracos e pontos fortes. Se a empresa atua num ramo altamente dinâmico, com produtos cujo ciclo de vida é relativamente curto, utilizando processos de produção facilmente adaptáveis às novas demandas (como por exemplo a indústria eletrônica) um de seus pontos fortes será a capacidade de efetuar mudanças mais rápidas e profundas do que empresas que utilizam processos que dependem de instalações e equipamentos mais onerosos e de pouca flexibilidade (como por exemplo a indústria siderúrgica). A empresa deve periodicamente (a cada ano, por exemplo) fazer avaliações quanto às ameaças e oportunidades e, face aos seus pontos fracos e pontos fortes, estabelecer as diretrizes estratégicas quanto a eventuais mudanças (ou não) que deverão ser perseguidas.

Dentre as possíveis diretrizes estratégicas, tais como, as relacionadas com a produção, marketing e finanças, o modelo destaca aquelas relacionadas diretamente

41

Figura 1 — Modelo conceitual do processo de planejamento no centro cativo

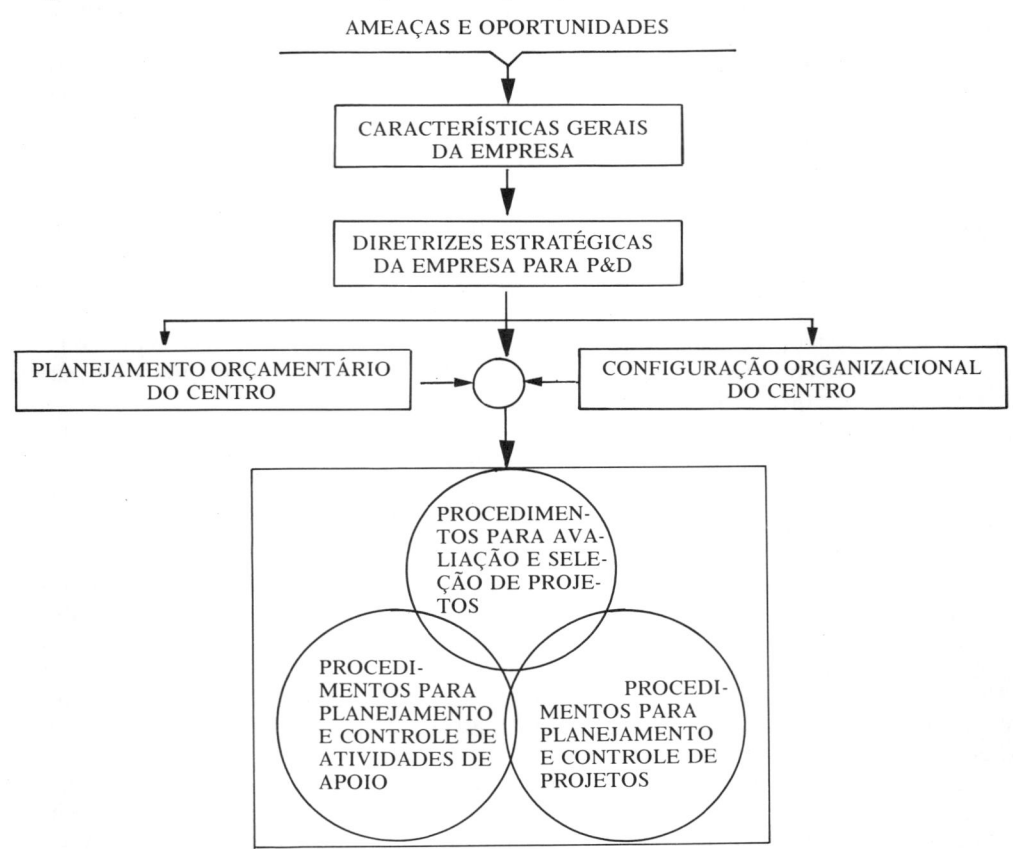

com a atuação da função de P&D da empresa. Estas diretrizes poderão indicar uma ênfase mais acentuada a determinadas tecnologias, ao desenvolvimento de novos produtos ou ainda uma ênfase maior à reciclagem de determinadas linhas de produtos através de, por exemplo, novas aplicações a produtos tradicionais ou estimular o desenvolvimento de novos processos de produção usando tecnologias mais adequadas. Estas diretrizes estratégicas devem traduzir na sua essência a missão atribuída pela empresa ao seu centro de tecnologia a fim de que este dê a sua contribuição para o atingimento dos objetivos organizacionais traçados em seu planejamento estratégico.

A configuração organizacional do centro cativo da empresa deverá ser consistente com as diretrizes estabelecidas pela empresa para a atuação do mesmo. Esta configuração organizacional pode ser caracterizada, entre outros aspectos, pelo número de pessoas que nele atuam, pelo perfil destes elementos (formação, experiência profissional e motivação), pelo nível hierárquico de vinculação organizacional do centro (subordinado à alta administração ou à produção ou à marketing ou a níveis mais baixos da hierarquia organizacional), e pelo grau de formalização da função de P&D adotada para o centro. Em muitos casos a função de P&D poderá estar sendo exercida de forma difusa nas diversas áreas funcionais, sem necessariamente existir um centro de tecnologia ou centro de P&D, como é muitas vezes denominado.

Um elemento importante a ser destacado no âmbito da configuração organizacional, é o porte dos projetos desenvolvidos pelo centro, que pode ser caracterizado pelo tamanho das equipes que integram os projetos, os prazos e os custos dos mesmos.

Conforme sugere o modelo proposto, não só a configuração organizacional como também o planejamento orçamentário do centro e o processo de avaliação e seleção de projetos dependem das diretrizes estratégicas formuladas pela empresa para a atuação de seu centro de P&D. O planejamento orçamentário dependerá das diretrizes traçadas para a aplicação dos recursos financeiros a serem investidos em P&D, a partir dos quais estabelecer-se-ão os critérios e os procedimentos para o comprometimento e liberação de recursos. O processo de avaliação e seleção dos projetos, por seu turno, depende das diretrizes estratégicas traçadas, a fim de que possam ser formulados os critérios que assegurem que os projetos a serem aprovados sejam consistentes com as prioridades tecnológicas estabelecidas no plano global da empresa.

As atividades de apoio são aquelas de caráter mais rotineiro, com maior grau de previsibilidade, das quais se utilizam prioritariamente os projetos (e em alguns casos, em menor grau, as áreas funcionais tais como marketing, produção, engenharia e controle de qualidade) para a execução de serviços técnicos tais como: biblioteca, processamento de dados, análises, ensaios e oficina mecânica e para a execução de serviços administrativos tais como: apoio a viagens, secretaria, correspondência, arquivo, reprografia, limpeza, transporte e outros serviços afins. Os estilos e características do planejamento destas atividades de apoio seguem padrões análogos aos adotados nas demais áreas funcionais da empresa.

Os projetos se incumbem das atividades de caráter não rotineiro, com maior grau de inovação, para as quais existem maiores desconhecimentos, portanto, envolvendo maiores riscos. Através dos projetos do centro cativo cabe, portanto, buscar o conhecimento tecnológico, ainda não disponível, que possibilite à empresa implantar com eficácia e eficiência sua estratégia tecnológica. O planejamento dos projetos do centro segue padrões próprios e o adequado desempenho desta atividade é um elemento chave para a eficácia do centro. O planejamento do conjunto de projetos do centro decorre das atividades de avaliação e seleção de projetos, na medida em que continuamente estão surgindo novas idéias para projetos que devem não só ser comparadas e selecionadas entre si como devem concorrer com projetos em andamento, tendo em vista que os recursos disponíveis são limitados e sua utilização deve ser otimizada.

Neste modelo estão, portanto, caracterizados diversos elementos do processo de planejamento do centro. No transcorrer do texto serão destacados aspectos relevantes, relativamente aos elementos em tela.

2 — PLANEJAMENTO ESTRATÉGICO

Resultados para a empresa das atividades de seu centro cativo

A sobrevivência de uma empresa, segundo Olin (1973), depende essencialmente do êxito que ela consiga alcançar em três diferentes áreas: produção, vendas e inovação de produtos. O fracasso em qualquer dessas áreas não pode ser compensado pelo sucesso nas outras. Esta visão reflete a essencialidade com que se reveste a função de P&D na empresa contemporânea.

O centro de tecnologia da empresa deve, portanto, produzir resultados que apoiem a sua estratégia global. Os objetivos visados pela empresa como decorrência da atuação de seu centro podem traduzir-se, entre outros, pelos seguintes resultados: aperfeiçoamentos de processos, desenvolvimentos de novos produtos ou apoio tecnológico às demais áreas da empresa. Em relação a estes aspectos, os resultados constatados na pesquisa realizada em empresas que atuam no Brasil (Kruglianskas 1991) são mostrados na Figura 2.

Como se depreende da Figura 2 as empresas brasileiras atribuem uma importância muito alta a praticamente todos os resultados que foram considerados no estudo. Destacam-se como as mais importantes o aprimoramento dos atuais produtos e o desenvolvimento de novos produtos, e o de menor importância é a busca de novas aplicações aos atuais produtos. Ao se comparar as empresas de capital nacional com as de capital estrangeiro, observa-se que as de capital alienígena atribuem sistematicamente uma importância maior a todos os resultados visados com a atividade de P&D, sendo que para "novas aplicações aos atuais produtos" e para "capacitação de recursos humanos" esta diferenciação é significativamente maior.

Formulação da estratégia para P&D

A decisão de implantar um centro de P&D cativo na organização reflete o desejo da empresa de desenvolver sistematicamente inovações tecnológicas, como uma função formalmente definida dentro da organização. O papel deste centro no processo de inovação tecnológica dependerá, em grande parte, da estratégia a ser adotada pela empresa para suas atividades de P&D. Essa estratégia decorre do planejamento estratégico da organização, isto é, constitui uma parcela das alternativas estratégicas que a organização escolher para se relacionar com seu ambiente, face às possíveis ameaças e oportunidades que o ambiente apresenta para a organização. Desta forma, na ostratégia a ser adotada para as atividades de P&D refletem-se desde um alto grau de agressividade (no sentido de influir sobre o ambiente) até uma substancial acomodação (no sentido de acompanhar as tendências do ambiente). Blake (1978), ao tratar deste assunto, sugere uma matriz bastante elucidativa das estratégias que a organização pode adotar relativamente às suas atividades de P&D. Apresentamos na figura 3 uma adaptação da referida matriz.

De forma mais ou menos explícita, toda organização acaba adotando uma estratégia para as atividades de P&D, mesmo que essa estratégia não seja totalmente clara para seus membros e até mesmo para a alta direção. Uma estratégia de P&D mais ofensiva estará caracterizada pela expectativa por parte da empresa de maior ênfase a novos produtos e processos, enquanto uma estratégia menos ofensiva caracterizar-se-à por pequenos aprimoramentos em processos e produtos, novas aplicações a produtos atuais e cópias adaptadas de produtos e processos. As diferentes estratégias levarão à execução, por parte do centro, de atividades diferenciadas, tais como, pesquisa exploratória e aplicada, visando maior ofensividade, ou desenvolvimento e estudos mercadológicos para um nível intermediário de ofensividade, ou a execução de cópias e adaptações para uma estratégia mais defensiva.

Figura 2.5 — Resultados que as empresas visam como decorrência da atuação de seus centros de P&D

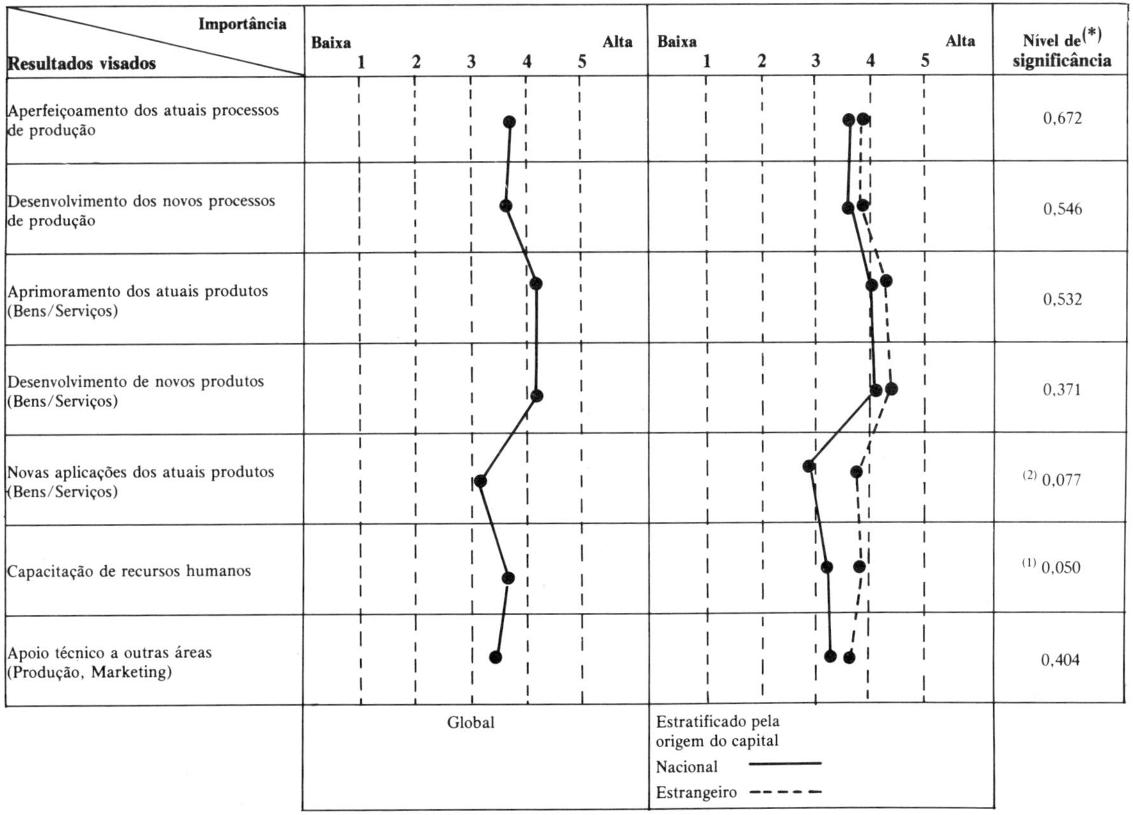

Resultados visados / Importância	Baixa 1	2	3	4	5 Alta	Baixa 1	2	3	4	5 Alta	Nível de[*] significância
Aperfeiçoamento dos atuais processos de produção											0,672
Desenvolvimento dos novos processos de produção											0,546
Aprimoramento dos atuais produtos (Bens/Serviços)											0,532
Desenvolvimento de novos produtos (Bens/Serviços)											0,371
Novas aplicações dos atuais produtos (Bens/Serviços)											(2) 0,077
Capacitação de recursos humanos											(1) 0,050
Apoio técnico a outras áreas (Produção, Marketing)											0,404

Global

Estratificado pela origem do capital

Nacional ————
Estrangeiro – – – – –

(*) Nível de significância obtido através da análise de variância. Quando este valor foi inferior a 0,10, calculou-se também o correspondente nível de significância através da prova não paramétrica (e conservativa) de Kolmogorov-Smirnov para duas amostras com emprego da aproximação "Chi-quadrado" cujos resultados estão indicados na figura com a seguinte codificação:

(1) $p < 0,10$ (2) $p < 0,20$

Figura 3 — Matriz de estratégias para P&D

Estratégia para P&D	Características da empresa	Características do mercado	Implicações financeiras e de lucratividade
Líder ou primeiro no mercado	— Vastos recursos para prover: • capacitação técnica (pessoal, equipamento, etc.); • esforço mercadológico; • dedicação e compreensão por parte da Alta Administração.	— Inexistência de normas desfavoráveis — Substancial vantagem em novos produtos, como, por exemplo: • custo menor; • novas competências; • atendimento de necessidades urgentes	— Nível de dispêndio usualmente alto — Potencial para lucros muito altos, como a série 360 da IBM; ou perdas muito grandes como o motor Rolls-Royce RB-211
Segue o líder	— Moderada capacitação de pesquisa, mas com alta competência em engenharia de desenvolvimento; — Organização flexível, capaz de reagir rapidamente.	— Parcela do mercado não atendida pelo líder relativamente grande	— Custos ainda substanciais, mas muito menores que os do líder (por exemplo: cosméticos, automóveis, etc.).
Copiar ou licenciar ("Eu também!")	— Pouco ou nada de P&D; — Muita competência em produção de baixo custo; — Baixo custo indireto ("overhead")	— Novas entradas passíveis de competir em preços; — Pequena diferenciação do produto sob o aspecto técnico.	— Baixo custo e margem de lucros usualmente estreita; — Possibilidade de alta lucratividade no curto prazo.
Engenharia de aplicação	— Preferência por produtos conhecidos; — Boa capacitação em desenvolvimento e embalagem; — Excelente comunicação entre Marketing e P&D.	— Linha de produto atualmente existente servido a uma necessidade em continuidade e ameaçada somente pelas melhorias marginais dos concorrentes; — Inexistência de sinais de grandes mudanças.	— Custo de P&D relativamente baixo, mas custo de Marketing muito alto; — Margem de lucro estreita, mas grande volume de produção durante um período relativamente longo; — Lucros eventualmente substanciais através de melhoria de processos.

Dependendo, portanto, da estratégia para P&D que a empresa venha adotar, de maior ou menor agressividade, seu centro cativo deverá consistentemente desenvolver projetos de maior ou menor grau de inovação. A presença marcante de projetos de "Pesquisa" envolvendo pesquisa exploratória e pesquisa aplicada, caracterizam uma estratégia para P&D bastante ofensiva. A execução intensa de projetos de "Desenvolvimento" (pesquisa tecnológica, desenvolvimento técnico e desenvolvimento da produção) caracterizam uma estratégia para P&D menos ofensiva que a anterior. A predominância de projetos de baixo risco, com conseqüentemente menor expectativa de inovatividade, que poderíamos denominar de "Estudos" (pesquisas para identificação de novos mercados, estudos visando copiar e adaptar tecnologias, estudos visando a venda de tecnologias dominadas para terceiros), caracterizam, por sua vez, uma estratégia para P&D tipicamente defensiva.

Portanto, a estratégia para P&D, adotada pela empresa, de forma explícita ou mesmo implícita, deverá ser refletida pelas características dos projetos executados pelo seu centro de P&D. Se a estratégia para P&D for ofensiva, seus projetos deverão privilegiar substancialmente a "Pesquisa", ou o "Desenvolvimento" no caso de uma estratégia equilibrada, ou os "Estudos" no caso de uma estratégia mais defensiva.

Os levantamentos efetuados, através da pesquisa de campo, no tocante às diferentes atividades de P&D desenvolvidas pelas empresas estudadas, apresentaram os resultados mostrados na Figura 4.

Os resultados constatados, como se depreende da Figura 4, sugerem que as empresas brasileiras em geral adotam uma estratégia para P&D equilibrada pois predominam as atividades de desenvolvimento, que incluem a pesquisa tecnológica (aplicação de novos conhecimentos visando inovações em produtos e processos) e o desenvolvimento técnico (confecções de protótipos) desenvolvimento da produção e pesquisa de mercado. Como atividades marginais aparecem a pesquisa exploratória e os estudos para venda de tecnologias já dominadas a terceiros, bem como as atividades de pesquisa aplicada (embora esta última com uma ênfase um pouco maior). Como atividades mais intensamente praticadas destacam-se a pesquisa tecnológica, o desenvolvimento técnico e os estudos para copiar e adaptar novas tecnologias.

Ao estratificar-se a amostra em empresas de capital nacional e estrangeiro, constata-se que as empresas de capital estrangeiro dedicam às atividades de desenvolvimento (pesquisa tecnológica, desenvolvimento técnico, desenvolvimento da produção e pesquisa de mercado) um esforço sensivelmente maior que as empresas de capital nacional.

Integração do centro cativo com as demais áreas funcionais da empresa

O processo de inovação permeia todas as áreas da empresa. Em todas as fases de sua evolução, desde a concepção de uma nova idéia a ser desenvolvida pelo centro cativo até a adoção dos resultados gerados pelo esforço de P&D, seja internamente à empresa ou externamente, pelos consumidores finais, deverá haver uma alta integração organizacional, a fim de assegurar que as mudanças propostas sejam efetivamente adotados.

47

Figura 4 — Atividades desenvolvidas pelos centros cativos

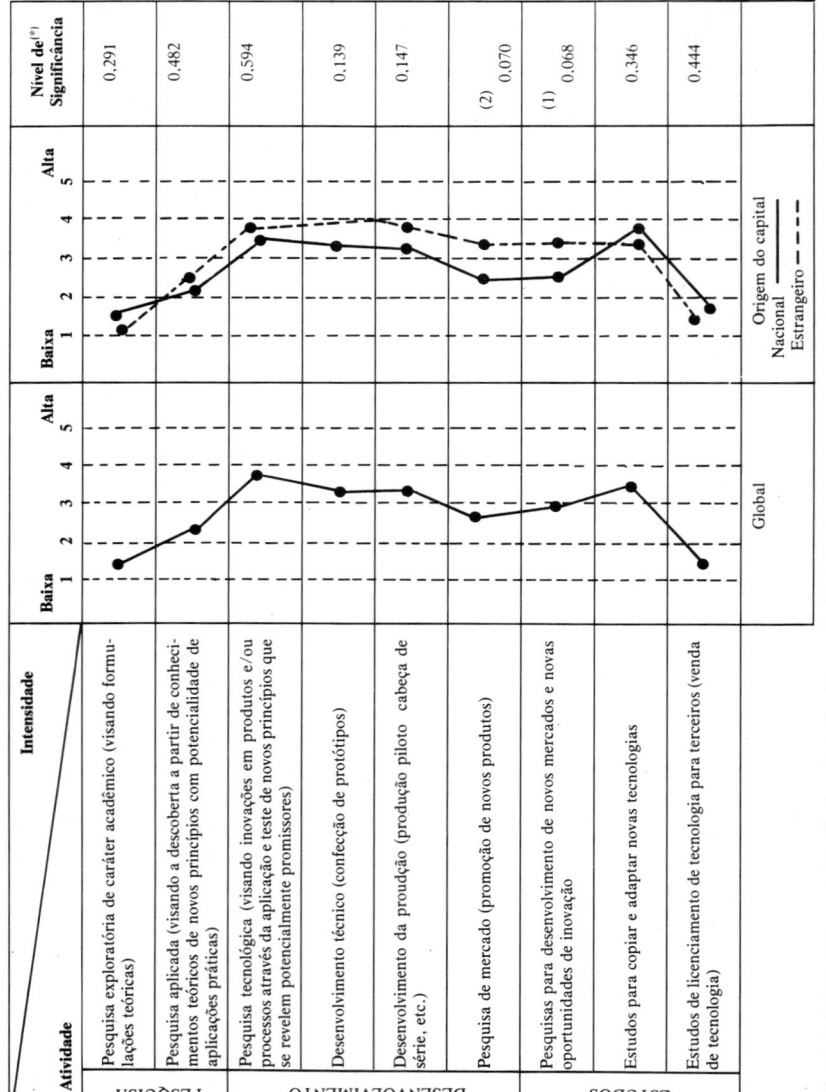

(*) Nível de significância obtido através da análise de variância. Quando este valor foi inferior a 0,10, calculou-se também o correspondente nível de significância através da prova não paramétrica (e conservativa) de Kolmogorov-Smirnov para duas amostras com emprego da aproximação "Chi-Quadrado" cujos resultados estão indicados na figura com a seguinte codificação:

(1) p < 0,10   (2) p < 0,20

Este fato sugere que o esforço de planejamento do centro, seja a nível estratégico ou a nível operacional, deve ser feito com a adequada participação das demais áreas funcionais, especialmente, Marketing, Produção e Alta Administração. Vários autores têm insistido na importância deste aspecto (Kruglianskas, 1981) como se pode constatar das idéias que a seguir são expostas.

Segundo Gruber (1974), a literatura sobre P&D tem se concentrado naquilo que acontece dentro do centro de P&D. De acordo com suas pesquisas, o determinante crítico do desempenho de P&D é a qualidade da administração da interface entre o executivo de P&D e os executivos da alta administração, de produção e de marketing; e o que mais chama a atenção é o fato de que se conhece muito pouco a respeito do que ocorre nessas interfaces.

A importância de uma boa integração do grupo de P&D com as demais unidades organizacionais tem sido bastante salientada por diversos autores, inclusive pesquisadores brasileiros, como Vasconcellos (1979), que coloca seu entendimento do assunto da seguinte forma:

> "A integração entre o centro e o resto da empresa é fator indispensável ao seu sucesso. Existem muitas barreiras a esta integração, muitas delas causadas pela diferenciação existente entre a atividade do centro e as atividades de rotina da empresa. Embora a integração seja um fator indispensável para o sucesso do centro, pouco existe na literatura sobre o assunto. Autores como Allison (1969), Chakrabarti e Souder (1978), Paolillo e Brown (1980), Roman (1968), Cleland e King (1968) e Morris (1979) fornecem um conjunto que, de forma indireta, permite melhor conhecer o problema, mas não solucioná-lo".

Bulat (1979) também compartilha do mesmo ponto de vista, quando faz a seguinte assertiva:

> "Há muitos fatores a serem considerados na determinação do sucesso de um centro de pesquisas cativo. Um dos mais importantes é a consistência de seus relacionamentos funcionais com as divisões operacionais da estrutura empresarial. A experiência tem mostrado que este fator usualmente é negligenciado. Embora o problema sempre seja reconhecido, ele raramente é enfrentado com ações concretas. Geralmente os gerentes do centro planejam meticulosamente seus programas, incluindo organização, projetos, equipamentos e infra-estrutura, mas não tem um plano estruturado para relacionar-se com as divisões operacionais. Se o centro falhar com relação a este último aspecto — independentemente da excelência do sucesso técnico — sua contribuição para a empresa será baixa. O centro de pesquisa tem que produzir resultados que sejam, em última instância, de utilidade concreta para as divisões operacionais".

Para que tanto o planejamento do centro quanto a execução de suas atividades ocorram de forma mais integrada e coordenada algumas abordagens alternativas são propostas na Figura 5, apresentada a seguir:

Figura 5 — Mecanismos para assegurar maior integração e coordenação no planejamento e atuação do centro cativo

Contexto organizacional	Alternativas para melhorar a integração de P&D com outras áreas funcionais
BAIXA ↑ DIFERENCIAÇÃO ↓ ALTA	— a indicação de indivíduos com a incumbência formal de assegurarem a ligação do centro com as demais unidades da empresa
	— a formalização de um (ou mais) grupo(s) de coordenação multi-departamental(is) com a missão de criar um contexto adequado à realização de reuniões sistemáticas para a integração do centro com as demais unidades organizacionais
	— a estruturação de organizações temporárias ou, mais especificamente, projetos integrados envolvendo representantes de diferentes unidades da empresa para participarem das atividades de desenvolvimento de produtos e processos
	— a criação de um departamento de novos produtos e processos com a responsabilidade de coordenar e orientar o desenvolvimento do processo de inovação envolvendo os departamentos de P&D, Marketing e Produção

Quanto mais diferenciado o centro de P&D das demais unidades da empresa, seja pelas características profissionais de seus técnicos, ou pela natureza das atividades que são desenvolvidas, tanto maior a necessidade de integração, portanto, maior o esforço a ser despendido. As alternativas propostas na Figura 5 para aumentar a integração e coordenação das atividades do centro cativo, ilustram medidas com crescentes graus de formalismo e complexidade (conforme percorremos o quadro de cima para baixo). Estas alternativas não são mutuamente exclusivas e podem ser adotadas de forma acumulativa, através de combinações, de acordo com as necessidades da empresa. Estas sugestões, evidentemente, devem ser adaptadas a cada situação, cabendo ao responsável pelo centro desenvolver outras alternativas segundo as exigências do contexto no qual atua o seu centro cativo.

Elaboração e acompanhamento do plano estratégico

A elaboração de um plano estratégico para o centro de P&D envolve uma análise ambiental projetada (previsão tecnológica), uma análise da posição competitiva da empresa e uma análise interna da capacidade do centro (auditoria tecnológica). O processo decisório para a elaboração do planejamento estratégico depende, portanto, de uma coleta sistemática de informações e uma apresentação ordenada das mesmas.

Um plano excessivamente formalizado não é recomendável, pois o ambiente altamente mutável no qual se encontram inseridos os centros, tornará rapidamente obsoleto o plano elaborado. Por esta razão, um conjunto de diretrizes para serem usadas com flexibilidade e bom senso, constitui uma forma bastante aceitável para à elaboração do plano estratégico. Estas diretrizes devem ser vistas como um referencial para melhorar a qualidade das decisões e não como uma camisa de força à qual devem se submeter os responsáveis pelo desempenho do centro.

O processo de planejamento deve ser visto como uma forma de melhorar a comunicação entre os executivos do centro e da alta administração, visando uma maior consistência entre as atividades executadas pelo centro e os objetivos da organização a qual ele pertence. Não se pode esperar que haja uma receita simplista para esta integração. É necessário buscar, nas diferentes situações, um equilíbrio entre o conteúdo do planejamento, o processo e as pessoas.

3 — PLANEJAMENTO ORÇAMENTÁRIO DO CENTRO

O orçamento do centro constitui uma parte do orçamento global da empresa. O plano orçamentário traduz em termos financeiros os recursos que serão alocados ao centro, a fim de que ele possa executar as atividades e atingir os objetivos e metas que lhe forem atribuídos no planejamento corporativo. Sob este aspecto, portanto, o orçamento do centro não difere muito do orçamento de marketing, de produção ou de outras áreas funcionais da empresa. Porém, há um grau de incerteza com relação às atividades de P&D muito superior ao enfrentado pelos executivos de outras áreas funcionais. Estas incertezas são de natureza interna e externa, isto é, há incertezas tanto no que tange ao ambiente no qual atua o centro de P&D como em relação aos aspectos internos.

As incertezas de caráter externo relacionam-se com as novas tecnologias que empresas concorrentes venham a possuir, com as alterações de preços de insumos (energia, matérias primas, etc.), com alterações culturais (ecologia, desenvolvimento sustentado) bem como mudanças de caráter governamental (reserva de mercado, tributação, etc.). As incertezas internas estão associadas às possibilidades de sucesso técnico e de sucesso comercial para o desenvolvimento de novos produtos e processos. Por esta razão o processo de planejamento e controle do Centro de P&D e conseqüentemente de elaboração do orçamento, deve ser encarado de forma muito flexível e adaptativa. Avaliações e reformulações periódicas tornam-se necessárias.

Critérios para estabelecer o montante do orçamento

O processo de elaboração do orçamento do Centro pode envolver muitas negociações em diferentes níveis e áreas da organização. O uso de modelos sofisticados ou indicadores aplicáveis de forma genérica a diferentes contextos não é a regra encontrada na prática; o mais usual é cada organização utilizar um conjunto de esquemas decisórios próprios para suas condições peculiares. Uma das decisões fundamentais é estabelecer o montante a ser gasto pelo centro, isto é, o volume total de recursos a ser aplicado em P&D. Alguns dos critérios que podem ser encontrados para este propósito são os seguintes:

- Acompanhar concorrentes;
- Percentual sobre o faturamento;
- Percentual sobre os lucros;
- Tomar por base níveis de investimentos do passado;
- Custeio de um programa negociado.

51

Acompanhar os concorrentes

Este critério tem uma certa fundamentação lógica para as empresas que pretendem manter-se no mesmo nível de competitividade. A lógica consiste no fato de admitir-se que investindo em P&D no mesmo nível de seus concorrentes estará mantendo sua posição relativa. Embora à primeira vista o raciocínio pareça defensável, há que se alertar para o fato de que esta análise deve ser feita com cuidado, pois alguns complicadores de ordem operacional dificultam esta abordagem.

Quando se considera o total investido pelo concorrente em P&D, não se tem noção dos itens que serão contemplados e isto pode levar a equívocos na interpretação. Ainda que mantendo o mesmo montante, uma empresa poderá estar se tornando mais ofensiva se estiver privilegiando projetos mais inovadores.

Apesar dos complicadores, tomar por base o volume investido em P&D pelos concorrentes é um critério bastante usado e recomendado. Com certa criatividade e bom senso, como por exemplo, procurar tomar por base o efetivo de pessoal trabalhando em P&D, acompanhar as campanhas de recrutamento e seleção de pessoal para P&D dos concorrentes, e investimentos em novos ativos, este critério poderá subsidiar eficazmente a decisão sobre o montante a alocar em P&D.

Percentual sobre o faturamento

A adoção de um percentual fixo do faturamento para decidir sobre o orçamento das atividades de P&D é um dos critérios mais utilizados. Tem a vantagem de dar uma certa estabilidade ao orçamento de P&D, que é um dos pré-requisitos importantes para a eficácia do Centro de P&D. Uma das críticas que pode-se fazer a este critério é que ele se apoia em uma situação presente (faturamento atual), ao invés de uma situação futura para a qual o investimento de P&D está orientado. Determinar qual o percentual a ser aplicado também constitui uma decisão difícil de ser justificada. Evidentemente se as vendas oscilam muito ou são decrescentes, este critério mostrar-se-á pouco vantajoso.

Percentual sobre os lucros

Este critério, embora possa ser utilizado como conseqüência de crises econômicas muito sérias, é altamente indesejável. De um lado, leva a muitas flutuações, o que já é um aspecto extremamente nefasto para a eficácia do Centro. Por outro lado, enseja que o esforço de P&D é um luxo com o qual a empresa só deverá se envolver quando houver disponibilidade. Baixa lucratividade pode ser decorrência de falta de competitividade por insuficiência de tecnologia em produtos ou processos, o que deveria sugerir um incremento e não diminuição no volume de recursos a serem alocados em P&D.

Tomar por base orçamentos do passado

Na ausência de outros critérios, este pode constituir uma boa base para negociação com a Alta Administração. Sobre os valores orçados no passado, serão introduzidas correções para fazer frente à inflação, reequipamentos, expansões etc.

Custeio de um programa com base num plano estratégico para P&D

O responsável pelo Centro de P&D deverá estar preocupado durante a fase de definição do orçamento em assegurar recursos para a execução de certos projetos, bem como das atividades de apoio a P&D. É de se esperar, portanto, que ele tenha condições de apresentar um plano de aplicações de recursos, que via de regra supera as disponibilidades propostas pela Alta Administração. Um processo de negociação deve assegurar uma solução equilibrada.

A Figura 6 mostra os resultados constatados no estudo de campo sobre a importância atribuída aos diferentes critérios pelas empresas para a definição do montante a ser aplicado em P&D. O critério mais importante é o "planejamento estratégico para P&D", seguido do "percentual sobre o faturamento" e "orçamento do exercício anterior". O critério menos importante é o percentual sobre os lucros. Convém mencionar que houve uma dispersão muito grande em relação aos valores assumidos por estas variáveis, isto é, as importâncias atribuídas a cada um dos critérios pelas empresas variam bastante desde muito baixa até muito alta. Esta dispersão reflete, a nosso ver, a inexistência de consenso quanto a preferência pelas empresas por qualquer dos critérios, especificamente.

A análise estratificada da importância atribuída por empresas nacionais privadas e de capital estrangeiro aos diferentes critérios para alocação de recursos a P&D mostra diferenças interessantes. As empresas nacionais, comparativamente às estrangeiras, de um modo geral dão menor importância a adoção de critérios pré-estabelecidos para a definição do montante a aplicar em P&D, preferindo decidir em função dos gastos à medida que estes ocorram.

Escolha do critério

Além dos critérios mencionados, outros poderiam ser considerados. O que se infere da análise destes critérios é que todos são imperfeitos e discutíveis. Face à importância desta decisão, a empresa deve procurar basear seu processo decisório sobre o montante a alocar em P&D em análises bastante profundas, que levem em consideração o ambiente da empresa, tanto no momento atual como num futuro previsível. A decisão sobre o volume de recursos a aplicar em P&D, como já foi mencionado, deve ser tal que possibilite ao Centro de P&D atingir as metas que lhe foram atribuídas num planejamento global para a empresa como um todo (metas de lucratividade, mercado etc.). Este é o aspecto fundamental a ser levado em conta para a decisão sobre o quanto gastar em P&D, embora sua operacionalização seja bastante complexa, daí serem utilizados os indicadores e critérios anteriormente citados, que devem ser vistos, portanto, como subsídios para a decisão, uma vez que de certo modo dão uma base mais concreta para o responsável pelo Centro. Quaisquer que sejam os critérios, a responsabilidade final pela decisão será de um executivo ou de um comitê designado para tal.

Figura 6 — Resultados da pesquisa sobre os critérios para definição do montante do orçamento de P&D

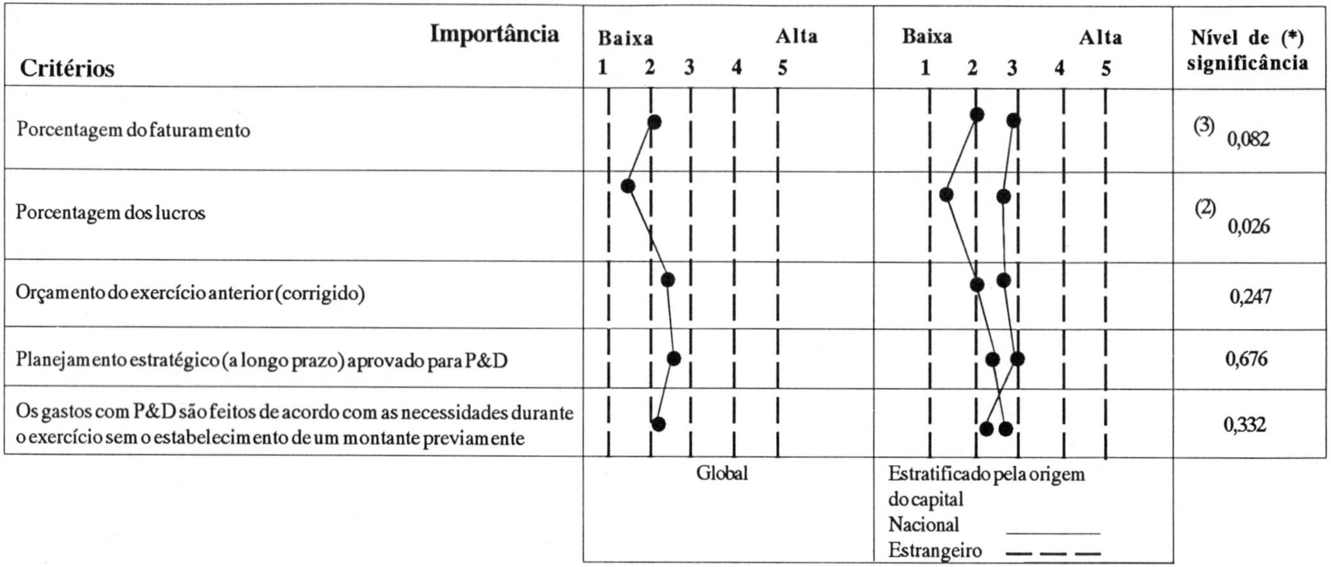

Critérios	Importância												Nível de (*) significância

Critérios	Baixa 1	2	3	4	Alta 5	Baixa 1	2	3	4	Alta 5	Nível de (*) significância
Porcentagem do faturamento											(3) 0,082
Porcentagem dos lucros											(2) 0,026
Orçamento do exercício anterior (corrigido)											0,247
Planejamento estratégico (a longo prazo) aprovado para P&D											0,676
Os gastos com P&D são feitos de acordo com as necessidades durante o exercício sem o estabelecimento de um montante previamente											0,332

Global — Estratificado pela origem do capital: Nacional _____ Estrangeiro – – –

(*) Nível de significância obtido através da análise de variância. Quando este valor foi inferior a 0,10, calculou-se também o correspondente nível de significância através da prova não paramétrica (e conservativa) de Kolmogorov-Smirnov para duas amostras com emprego da aproximação "Chi-Quadrado" cujos resultados estão indicados na figura com a seguinte codificação:

(2) p < 0,20   (3) p < 0,30

Gerenciamento da Tecnologia: um instrumento para a competitividade empresarial

Além da consideração básica, que é o aspecto estratégico, a decisão sobre o volume de recursos a aplicar em P&D deverá respeitar o princípio de estabilidade do programa de P&D, isto é, não se aumenta nem se reduz bruscamente o tamanho da equipe, bem como deve-se, obviamente, levar em consideração as possibilidades da empresa quanto à sua capacidade de obtenção de recursos.

Elaboração do orçamento

A elaboração do orçamento de P&D é feita a partir do pessoal e equipamento disponível. O pessoal científico constitui o elemento chave para o orçamento, e em função dele são determinados os demais dispêndios. O orçamento é montado agregando os custos dos diversos projetos que compõem o programa de P&D. O valor total vai sendo ajustado através da seleção de projetos, de tal forma que o orçamento seja consistente com o montante global de recursos negociados para o esforço de P&D. Uma vez ajustado um orçamento consistente, ele será detalhado analiticamente projeto a projeto. Cada organização poderá adotar diferentes decomposições.

A título de exemplo, a seguir são sugeridos alguns instrumentos para elaboração dos planos orçamentários mostrando os detalhamentos:

- A Nível de Projeto — Figura 7.
- A Nível do Centro — Figura 8.
- De Investimento de Capital — Figura 9.

4 — AVALIAÇÃO E SELEÇÃO DE PROJETOS DE P&D (*)

O planejamento no Centro de P&D, como já foi afirmado anteriormente, deve ser realizado de forma flexível. As incertezas inerentes as atividades de P&D nos levam a adotar uma abordagem dinâmica para o processo de planejamento. O plano orçamentário consolida e traduz em termos financeiros as atividades que serão realizadas, tornando mais transparente para a alta administração o modo como se pretende alocar os recursos e sua consistência com as diretrizes estratégicas da empresa. As diretrizes estratégicas, decorrentes do planejamento de mais alto nível, devem também possibilitar a formulação de critérios para avaliar e decidir quais os aspectos críticos a serem considerados e quais as áreas de maior interesse para a empresa e conseqüentemente permitir a seleção de projetos prioritários. Desta forma, fica claro que a avaliação e seleção de projetos no centro é um importante componente do processo de planejamento (e replanejamento) no Centro de P&D Cativo. (Kruglianskas, 1987).

Um centro de P&D eficaz deve contar não só com recursos financeiros e materiais, mas também, e principalmente, com uma equipe de técnicos e pesquisadores competentes, criativos e motivados, capazes de continuamente gerar idéias para projetos potencialmente rentáveis para a empresa. Uma das características marcantes,

---

(*) O autor agradece a colaboração do assistente de pesquisa Caio Brisolla Junior, para a elaboração deste segmento do trabalho.

Figura 7 — Exemplo de instrumento para elaboração do plano orçamentário a nível de projeto

CENTRO DE TECNOLOGIA
ORÇAMENTO DE DESPESAS DO PROJETO

PROJETO PR—1026
PERÍODO DE EXECUÇÃO: JANEIRO A OUTUBRO DE 1991.
EMITIDO EM _____/_____/_____

COORDENADOR DO PROJETO: JOÃO M.
GERENTE DO CENTRO: CARLOS P. M.

Em $ 1.000,00

Período \ Item	Jan	Fev	Mar	Total dos períodos	Total estimado para o ano
Mão de obra direta					
Pessoal científico					
João Melo	60	60	60	180	1.440
Arnaldo Cunha	45	45	45	135	1.080
Tecnologistas	30	30	30	90	720
Total M.O.D.	135	135	135	405	3.240
Materiais	20	15	17	52	312
Viagens	0	10	5	15	106
Diversos	5	7	9	21	175
Outras despesas					
Serviços	8	3	15	26	156
Consultores	0	2	7	9	81
Materiais especiais	0	0	5	5	35
Total geral	168	172	193	533	4.105

Figura 8 — Exemplo de instrumento para elaboração de plano orçamentário a nível de centro

CENTRO DE TECNOLOGIA
ORÇAMENTO DAS DESPESAS

PERÍODO DE JANEIRO A DEZEMBRO DE 1991.   GERENTE DO CENTRO: CARLOS P. M

EMITIDO EM _____ / _____ / _____

Em $ 1.000,00

Período — Item	Jan	Fev	Mar	Total dos períodos	Total estimado para o ano
CUSTO DOS PROJETOS					
— Pessoal científico	500	610	450	1.560	13.500
— Tecnologistas	150	175	175	500	4.100
— Materiais	60	92	76	228	1.910
— Viagens	45	53	37	135	950
— Diversos	35	70	41	146	1.068
— Outras despesas	27	39	45	111	907
TOTAL CUSTOS PROJETOS	817	1.039	824	2.680	22.435
CUSTOS INDIRETOS					
— Biblioteca	18	14	17	49	376
— Manutenção	52	65	60	177	1.456
— Viagens	20	5	15	40	321
— Administração centro	200	200	200	600	4.800
TOTAL CUSTOS INDIRETOS	290	284	292	866	6.953
OVERHEAD	286	364	288	938	7.852
TOTAL GERAL DO PERÍODO	1.683	1.971	2.537	5.350	44.193

57

Figura 9 — Exemplo de instrumento para elaboração do orçamento de investimento em ativos fixos

CENTRO DE TECNOLOGIA
ORÇAMENTO DE CAPITAL

PERÍODO DE JANEIRO A DEZEMBRO DE 1991.   **GERENTE DO CENTRO: CARLOS P. M**
EMITIDO EM _____/_____/_____

Em $ 1.000,00

Período \\ Item	1	2	3	Total dos Períodos	Total estimado para o ano
1. Cromatógrafo	75	100	—	175	175
2. Equipamento tração/comp.	—	—	115	115	115
3. Tanque provas	—	50	—	50	180
4. Ar condicionado	—	—	—	—	85
5. Forno de indução	—	—	—	—	120
6. Diversos	15	10	6	31	132
Pagamentos previstos para o período	90	160	121	371	807

portanto, de Centros de P&D eficazes, é a existência de mais idéias para projetos, do que recursos disponíveis para sua execução. Por esta razão, o processo de avaliação e seleção de projetos tem um papel de extrema importância, pois, necessariamente, teremos que decidir pela execução de alguns projetos, em detrimento de outros, que deverão aguardar oportunidades mais propícias. Estas decisões afetarão diretamente os planos elaborados (ou em elaboração) no centro.

Face a um conjunto de objetivos da empresa, torna-se fundamental selecionar os melhores projetos. Projetos com menor potencial de contribuição para a missão da empresa, devem ser identificados, o mais prematuramente possível, e reformulados ou rejeitados. O propósito básico, portanto, de um sistema de avaliação e seleção de projetos é aproveitar as boas idéias e evitar que sejam consumidos recursos escassos com projetos menos promissores.

Modelo conceitual do processo de avaliação e seleção de projetos

O processo de avaliação e seleção de projetos num centro cativo envolve um conjunto bastante complexo de análises e decisões. Uma simplificação, que de modo genérico descreve os grandes passos envolvidos neste processo, é descrita pelo modelo conceitual representado através da Figura 10, mostrada a seguir.

O modelo da Figura 10, sugere uma série de etapas que descrevem o processo progressivo e iterativo para a avaliação e seleção de projetos. O processo inicia-se com a geração de uma idéia, que pode originar-se em qualquer segmento da organização, através dos técnicos do Centro de P&D, sugestões de clientes ou fornecedores da empresa e outras unidades organizacionais (Produção, Marketing, etc.). Assim, uma nova idéia poderá dar origem a uma proposta de projeto, que será avaliada através de um processo preliminar de triagem (mais adiante, serão descritas algumas técnicas de triagem), cuja função principal é executar uma seleção prévia, grosso modo, baseada em informações e critérios preliminares, com relativamente pouco investimento para a obtenção dos dados e execução das análises, pois o objetivo nesta etapa é identificar aquelas idéias que se mostram com maior potencial de aprovação — que configurem projetos "candidatos" — bem como separar aquelas que não apresentam qualquer possibilidade de execução — que serão virtualmente rejeitadas. As propostas que passam pela etapa de triagem são analisadas com maior profundidade, utilizando-se técnicas mais quantitativas visando sua valoração. Neste ponto, há uma investigação mais demorada e cuidados das propostas, o que requer um maior investimento para obtenção dos dados que serão submetidos a uma análise mais embasada e elaborada (mais adiante, apresentar-se-ão alguns exemplos de técnicas de valoração).

Por último, antes da aprovação final da proposta procede-se a uma análise do conjunto de propostas candidatas juntamente com os projetos em andamento, com o intuito de se assegurar um equilíbrio da carteira (portfólio) dos projetos a serem executados pelo Centro de P&D. Na verdade, trata-se de uma análise, visando estabelecer um conjunto de projetos consistentes com as políticas e objetivos da empresa. O propósito é conseguir um conjunto de projetos compatível com a estratégia de P&D adotada pela empresa. Esta compatibilidade traduzir-se-á numa distribuição dos esforços de P&D entre projetos de maturação mais longa (pesquisa aplicada por exemplo) projetos de menor risco tais como projetos de desenvolvimento ou de engenharia,

Figura 10 — Modelo conceitual do processo de avaliação e seleção de projetos de P&D (adaptada de Souder, 1983)

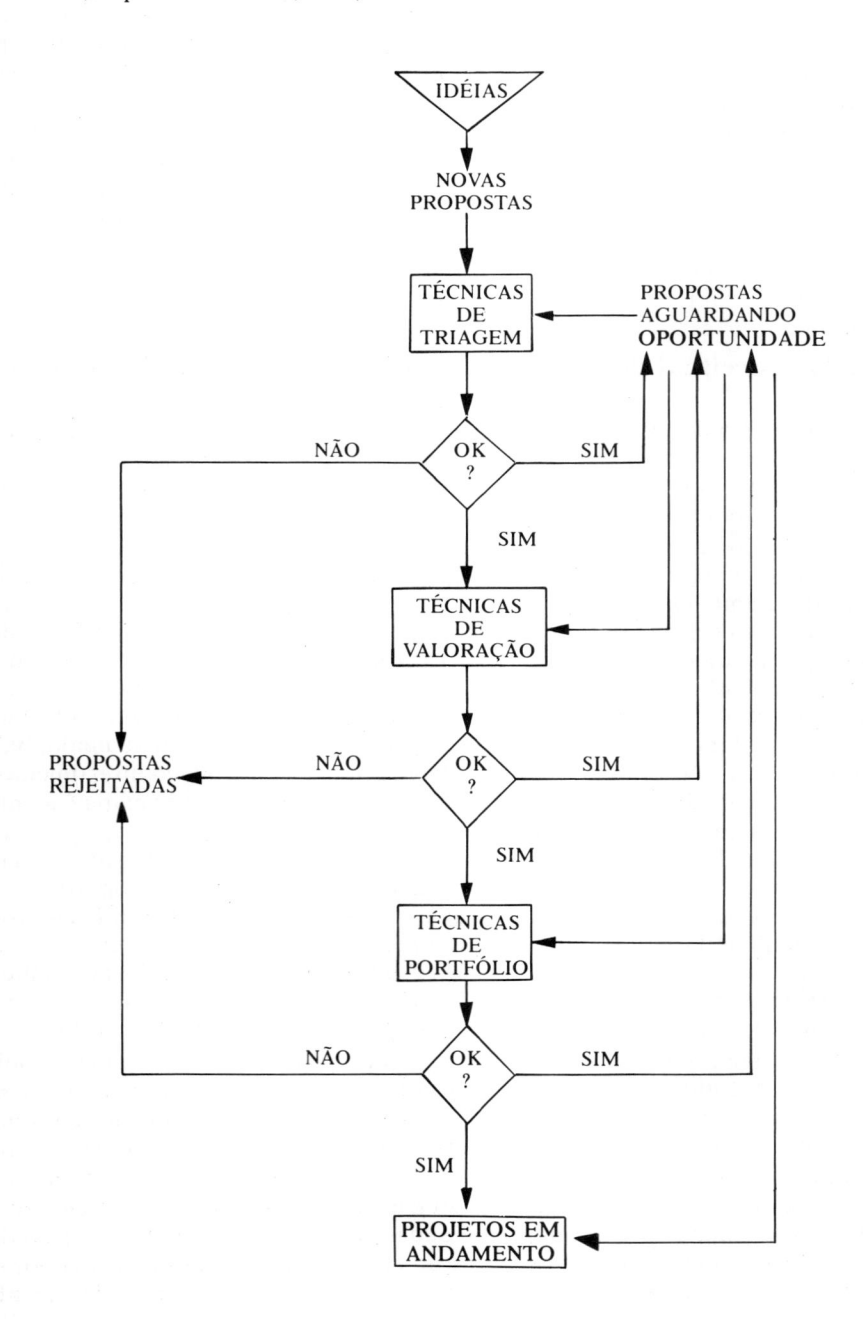

conforme a estratégia de P&D seja mais ofensiva ou mais defensiva. Analogamente, será necessário contar com projetos que atendam as ênfases estabelecidas pela estratégia para aperfeiçoamento de processos ou de produtos. E ainda, será importante que a carteira dos projetos privilegie todas aquelas tecnologias consideradas prioritárias para a empresa. Esta última etapa, portanto, não se resume apenas a uma análise quantitativa, visando a alocação ótima dos recursos entre os projetos aprovados nas etapas anteriores. Trata-se muito mais de uma análise de sensibilidade que procura organizar uma carteira de projetos, distribuídos harmonicamente de acordo com prioridades, políticas e estratégias da empresa.

De acordo com a figura 10 "projetos aceitáveis" podem ser encaminhados a uma nova etapa do processo, ou arquivados em qualquer ponto, esperando por um momento mais oportuno ou pela liberação de recursos humanos-chave ou outros recursos críticos. As propostas rejeitadas em qualquer etapa, estão definitivamente descartadas; no entanto, uma proposta aguardando oportunidade pode ser recuperada em qualquer ponto do processo, assim que o fato que motivou sua retenção deixe de prevalecer.

Em suma, a avaliação e seleção de projetos de P&D pode ser vista como um processo, com etapas distintas. Três etapas foram identificadas. Para cada uma delas diferentes categorias de técnicas podem ser adotadas. Estas técnicas sugerem que os procedimentos crescem em profundidade, de etapa para etapa. À medida que a proposta vai sendo aprovada, são realizados maiores investigações — e um maior dispêndio de recursos para aprofundar a qualidade das informações.

Ilustração das técnicas para avaliação e seleção de projetos

A seguir são descritos de forma sumária alguns exemplos que ilustram as diversas categorias de técnicas mencionadas no modelo conceitual da Figura 10, para cada uma das etapas do processo decisório para avaliação e seleção de projetos.

Técnicas de triagem

As técnicas de triagem aplicam-se aos procedimentos relacionados com a primeira etapa da avaliação e seleção de projetos, e têm por objetivo principal abandonar propostas pouco interessantes e aprovar aquelas com bom potencial, mas com base em informações pouco detalhadas e quantitativas. Uma das técnicas de triagem mais simples é a "Técnica do Perfil" que é ilustrada através da Figura 11, mostrada a seguir.

A técnica de perfil, procura essencialmente mostrar de forma mais "visível" aqueles projetos que têm um perfil mais interessante segundo um conjunto explícito de critérios. O processo de seleção neste caso consiste em priorizar aqueles projetos cujos "perfis" estejam mais deslocados a esquerda. Convém mencionar que assim como todas as demais técnicas de avaliação e seleção de projetos, a técnica de perfil não substitui o "processo decisório humano", mas tão somente serve de subsídio a este processo.

Outra técnica, para triagem, é a técnica do "check-list" ou de avaliação de mérito que consiste em atribuir pontos a cada um dos critérios — numa escala de 1 a 5,

Figura 11 – Um exemplo de modelo de perfil

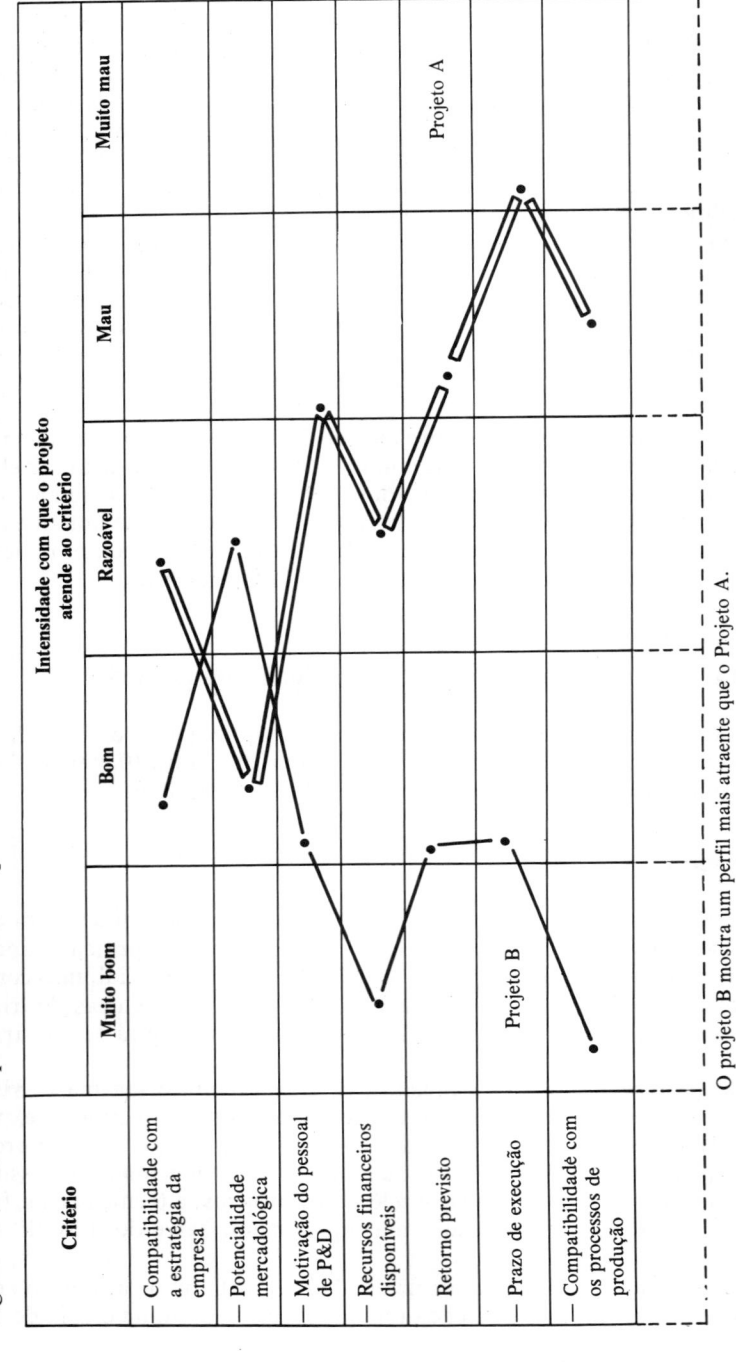

O projeto B mostra um perfil mais atraente que o Projeto A.

por exemplo — e utilizam a soma destes pontos como base de comparação entre os projetos. A técnica de "ponderação" é uma técnica semelhante á técnica do check-list com a diferença de que atribuem-se pesos diferentes aos diversos critérios. Ambas as técnicas procuram uma aproximação a uma análise quantitativa, embora sem diminuir concretamente o subjetivismo inerente ao processo.

Em suma, as técnicas de triagem são muito úteis para se eliminar os projetos menos desejáveis — que estão totalmente fora das prioridades da empresa — e manter no processo projetos com maior potencial. A decisão é rápida e relativamente barata, muito embora o resultado forneça apenas informações superficiais e muito limitadas sobre os projetos em avaliação. As técnicas psicométricas como a Q-ordenação (Souder, 1980) também são recomendadas nesta fase do processo.

Técnicas de valoração

As técnicas de valoração já buscam informações mais aprofundadas e custosas que envolvem análises mais elaboradas, proporcionando uma análise mais confiável para a seleção de projetos. Dentro desta categoria de técnicas exemplificaremos a técnica de índices econômicos.

Há várias técnicas de índices econômicos utilizados para avaliação e seleção de projetos, algumas das quais amplamente difundidas nas empresas — como, por exemplo, a "taxa interna de retorno" ou do "valor atual". Algumas delas associam probabilidades aos diferentes eventos, para a comparação entre propostas de projetos. A Figura 12 ilustra uma aplicação da técnica da taxa interna de retorno, com o uso de probabilidades associadas. Calcula-se o fluxo médio anual esperado para cada projeto, com base em previsões anuais e as respectivas probabilidades. Obtidos os fluxos anuais médios para cada projeto, determinamos a taxa que iguala a soma desses fluxos aos respectivos investimentos iniciais conforme procedimento usual para cálculo da taxa interna de retorno. Por fim, os projetos são ordenados, de acordo com a respectiva taxa interna de retorno. De acordo com o exemplo, observa-se que o projeto C é o que apresenta a maior taxa e que o projeto B possui taxa inferior ao próprio custo de capital da empresa.

As técnicas de valoração proporcionam ao tomador da decisão análises mais profundas, fundamentadas em informações mais elaboradas e específicas sobre as propostas aprovadas na etapa anterior. Apesar das dificuldades em aplicá-las, devido ao custo e tempo para obter as informações que nortearão sua análise, estes modelos geram informações mais precisas e objetivas do que as técnicas de triagem. São técnicas que se prestam mais a projetos com maior nível de previsibilidade (engenharia, reciclagem de produtos, etc.).

Técnicas de portfólio

As técnicas de portfólio têm por objetivo obter um conjunto harmônico de projetos, segundo os recursos disponíveis e a compatibilidade com as políticas e os objetivos da empresa. A preocupação principal está centrada na distribuição dos projetos, segundo suas estratégias e prioridades. A carteira de projetos conseguida com a utilização de tais modelos, pode, por exemplo, procurar cobrir o espectro das atividades de P&D através de um equilíbrio entre projetos de pesquisa básica ou aplicada e pro-

Figura 12 — Exemplo da técnica de índices econômicos

Em $ 1.000.000

Projeto	Duração (T)	Investimento Inicial (I)	Fluxo de Caixa Anual Previsto			Taxa Interna de Retorno (TIR)
			Fluxo Anual (FA)	Probabili-dade (P)	Fluxo Médio (FM)	
A	5	130	35	0,30	47,00	23,64%
			50	0,60		
			65	0,10		
B	5	75	15	0,20	23,75	17,57%
			25	0,65		
			30	0,15		
C	5	110	30	0,25	45,50	30,39%
			40	0,35		
			60	0,40		

OBS.: Custo de Capital: 20% a.a.

jetos de desenvolvimento, conforme a estratégia tecnológica mais ofensiva ou defensiva adotada pelo Centro de P&D.

As "técnicas de portfólio" para projetos de P&D, a exemplo das outras técnicas, também envolvem bastante subjetivismo. Uma das técnicas de otimização de carteiras de projetos é a programação linear, de problemática aplicação para projetos de P&D face a dificuldade de quantificação dos critérios. Outra técnica sugerida na literatura e que é potencialmente aplicável (para centros com grande número de projetos) é a técnica da "Matriz de Alocação do Orçamento", proposta por Blake S.F. (1978) que consiste em classificar as atividades do centro em categorias (pesquisa, desenvolvimento exploratório, desenvolvimento avançado, desenvolvimento de engenharia, etc.) e de preestabelecer um montante de recursos para ser alocado a cada uma das categorias. Estes montantes pré-fixados para cada categoria devem refletir as prioridades que são enfatizadas pela empresa. Os projetos após classificados segundo sua natureza de acordo com as categorias estabelecidas são selecionados até se esgotarem os recursos para todas as categorias.

De um modo geral, entretanto, a decisão quanto a composição da carteira de projetos do centro dependerá muito da sensibilidade do executivo responsável pelo centro e de negociações com a alta administração, com outras unidades da empresa (produção, marketing, etc.) e com a equipe do próprio centro.

Estabelecimento dos critérios para avaliação e seleção de projetos de P&D

Como vimos, as técnicas para avaliação e seleção de projetos baseiam-se em critérios para a tomada de decisões. Faremos a seguir algumas considerações relacionadas com a formulação desses critérios.

Os critérios para avaliação e seleção de projetos podem ser bastante difersificados. Eles podem abranger dimensões, as mais variadas, tais como: estratégicas, mercadológicas, financeiras, etc. Cada Centro de P&D, de acordo com suas peculiaridades, deverá desenvolver seus critérios próprios, visando explicitar os aspectos mais importantes a serem considerados na decisão de avaliar e selecionar seus projetos. Convém, entretanto, mencionar que a geração de uma lista de critérios muito extensa poderá significar um custo muito alto na obtenção futura de informações para sua utilização no processo de avaliação e seleção dos projetos, ou seja, o problema não é gerar um grande número de critérios, mas sim aqueles que são critícos.

A título de exemplificação são apresentados para diferentes dimensões alguns aspectos que poderão constituir-se em critérios para a avaliação e seleção de projetos, cabendo a cada empresa face ao seu contexto estabelecer os critérios próprios, que efetivamente tratem de aspectos chave para a eficácia da atuação do Centro de P&D.

1 — Critérios estratégicos

> 1.1 — Compatibilidade com a atual estratégia da empresa e com o planejamento a longo prazo
> 1.2 — Consistência com a atitude da empresa em relação ao risco
> 1.3 — Oportunismo do projeto face às necessidades mais prementes da empresa
> 1.4 — Consistência do projeto com a imagem da empresa

2 — Critérios mercadológicos

> 2.1 — Necessidades, tamanho e fatia de mercado aspirado
> 2.2 — Provável volume de vendas
> 2.3 — Compatibilidade com os canais de distribuição existentes
> 2.4 — Custos de lançamento estimados

3 — Critérios de Pesquisa e Desenvolvimento

> 3.1 — Consistência com as estratégias de P&D da empresa
> 3.2 — Disponibilidade de recursos Humanos capacitados e motivados
> 3.3 — Efeito sobre outros projetos
> 3.4 — Custo e tempo de desenvolvimento

4 — Critérios financeiros

> 4.1 — Investimento requerido para a produção e marketing
> 4.2 — Taxa de retorno sobre o investimento
> 4.3 — Margem de lucro esperada
> 4.4 — Disponibilidade de fundos, no tempo

5 — Critérios de produção

> 5.1 — Novos processos a serem desenvolvidos
> 5.2 — Disponibilidade, mão-de-obra e materiais
> 5.3 — Capacidade e custo de fabricação
> 5.4 — Complementaridade com os processos de produção existentes

A Figura 13 apresentada a seguir, resume os resultados verificados com a pesquisa de campo, junto a empresas brasileiras sobre a importância que atribuem aos critérios estudados. Constata-se que dentre os 11 critérios estudados, todos foram considerados bastante importantes, cabendo destaque como o mais importante dos critérios a "compatibilidade do projeto com a estratégia global da empresa e seu planejamento de longo prazo". A alta importância atribuída a todos critérios confirma a relevância dos aspectos considerados e a complexidade deste processo decisório, multidimensional.

Ao se analisar as diferenças entre as empresas de capital nacional e de capital estrangeiro, relativamente à importância que atribuem aos critérios para avaliar e selecionar projetos de P&D, constata-se que de um modo geral as empresas estrangeiras atribuem uma importância maior a estes critérios. Dentre aqueles critérios em que há uma diferenciação mais notória por parte das empresas de capital estrangeiro em relação às empresas nacionais, destacaríamos os critérios "potencialidade do projeto em termos de volume e receitas de vendas", "existência de uma necessidade de mercado claramente identificada para o projeto", "possibilidade do projeto oferecer uma vantagem competitiva para a empresa", "consistência do projeto com a estratégia de P&D", "consistência do returno do projeto em relação às políticas de investimento" e "adequação do projeto em termos de custo e tempo de desenvolvimento".

Participantes do processo

O processo de avaliação e seleção de projetos requer a participação e o envolvimento não só do centro de P&D, mas também das outras áreas funcionais da empresa. Muito embora a unidade de P&D possua maior responsabilidade pelo desenvolvimento técnico do projeto, novos produtos e processos terão que ser implantados e adotados pelas áreas de produção, marketing. Quaisquer inovações em uma organização trazem impactos em todas suas áreas, exigindo-se desta forma o envolvimento delas desde o início do processo de seleção dos projetos.

Em grande parte das empresas, a seleção de projetos é de responsabilidade de uma equipe, formada pelo executivo de P&D e executivos de outras unidades funcionais. Eventualmente, em casos cujo investimento inicial seja vultoso, por exemplo, há participação da alta administração também. Esta equipe deve participar nas três etapas de seleção, já comentadas. No entanto, o envolvimento de uma extensa representação funcional não deve tirar o brilho ou reduzir o status do executivo de P&D. Ele não deve sentir-se preterido ao receber informações e pareceres, ainda que não técnicos, de pessoas externas à sua área. Desta forma, é necessário dar importância, não apenas ao modo como os projetos serão avaliados, mas também, a quem os avaliará. E para isso, deve-se criar um sistema que estimule a cooperação mútua entre os elementos participantes de modo a extrair o máximo proveito das informações disponíveis.

A participação de outros gerentes funcionais tem de ser encorajada, com o intuíto de se atender às necessidades de informação para uma avaliação mais abrangente do decisor ou a aquele(s) que possa(m) ser responsável(is), mais tarde, pela execução de uma etapa do projeto. A ênfase deve ser dada à manutenção de boas relações entre as pessoas e os grupos, de modo a evitar conflitos interdepartamentais que ve-

Figura 13 — Resultados da pesquisa de campo sobre critérios adotados pelas empresas para a avaliação e seleção de projetos de P&D

Critérios	Importância	Baixa 1	2	3	4	Alta 5	Baixa 1	2	3	4	Alta 5	Nível de [*] significância
Compatibilidade do projeto com a estratégia global da empresa e com seu planejamento de longo prazo												0,163
Consistência do projeto com a atitude dos dirigentes empresariais em relação ao risco												0,483
Existência de uma necessidade de mercado claramente identificada para o projeto												(2) 0,040
Potencialidade do projeto em termos de volume e receitas de vendas												(1) 0,010
Possibilidade do projeto apresentar vantagens competitivas para firmar a posição da empresa no mercado												(1) 0,019
Consistência do projeto com a estratégia de P&D da empresa												(2) 0,050
Probabilidade de sucesso técnico do projeto												0,158
Adequação do projeto em termos de custo e tempo de desenvolvimento												(1) 0,006
Existência de competência técnica disponível (recursos humanos, informações técnicas, serviços de apoio técnico, etc.) para executar o projeto												0,726
Consistência do retorno do projeto em relação às políticas de investimento da empresa												(3) 0,061
Compatibilidade do projeto com as capacidades fabris atualmente existentes (instalações equipamentos e processos industriais												0,344

Global

Estratificado pela origem do capital
Nacional ————
Estrangeiro - - - - - -

(*) Nível de significância obtido através da análise de variância. Quando este valor foi inferior a 0,10, calculou-se também o correspondente nível de significância através da prova não paramétrica (e conservativa) de Kolmogorov-Smirnov para duas amostras com emprego da aproximação "Chi-Quadrado" cujos resultados estão indicados na figura com a seguinte codificação:
(1) $p < 0,10$ (2) $p < 0,20$ (3) $p < 0,30$

nham a prejudicar o processo de seleção. Aliás, esta preocupação é que fortalece o argumento de alguns poucos executivos de P&D que temem por uma participação maior, com a inclusão de elementos de outros departamentos: quanto mais pessoas, maior o número de opiniões e ênfases diferentes e maior o esforço exigido para se chegar a um consenso. Todavia, este receio deve ser deixado de lado, e ser substituído pela convicção de que as áreas envolvidas no projeto devam participar, efetivamente, no processo de avaliação e seleção, inclusive para assegurar que a compreensão e a aceitação ocorram mais rapidamente. Compensando os ímpetos e desejos individuais por uma cooperação mútua e pelo comprometimento real da equipe, a probabilidade de sucesso do projeto será maior.

Finalmente, convém ressaltar que o processo de avaliação e seleção de projetos pode realizar-se em épocas pré-determinadas (semestral ou anual) ou sempre que surjam ocasiões (novas idéias ou términos precoces de projetos) que requeiram decisões rápidas a fim de se aproveitar oportunidades ou enfrentar possíveis ameaças. Alguns estudiosos defendem a idéia de que o processo é contínuo, pois sempre haverá a necessidade de se estar avaliando e selecionando os projetos em curso, confrontando-os com novas propostas.

5 — PLANEJAMENTO E CONTROLE DOS PROJETOS DO CENTRO

Para desenvolver suas atividades de caráter não rotineiro, os centros de P&D cativos lançam mão, de forma extensiva, de unidades organizacionais temporárias que denominamos "projetos". Estas formas organizacionais têm se mostrado altamente eficazes para a execução de tarefas de caráter interdisciplinar, geralmente complexas, e com limitação de recursos.

O projeto pode ser conceituado como um conjunto de interações envolvendo pessoas, recursos materiais e financeiros, visando o atingimento e objetivos, com prazos, custos e especificações técnicas, previamente estabelecidos. Esta conceituação de projetos, assim como outras similares propostas por diferentes autores, não constitui uma novidade em termos organizacionais. Desde os primórdios os homens já adotavam alternativas organizacionais semelhantes para a consecução de seus objetivos.

O estudo sistemático da administração de projetos, entretanto, só veio a ocorrer na década de 1950, inicialmente nos Estados Unidos, impulsionado principalmente pelo programa espacial e posteriormente na década de 1960 e 1970 na Europa e em outros países. Atualmente a administração por projetos, como é comumente denominada esta forma organizacional, ocupa lugar de destaque entre as especialidades que integram o campo da administração, sendo apontada por muitos como uma das alternativas organizacionais mais promissoras que o homem dispõe para fazer frente às complexas demandas econômicas e ambientais do mundo contemporâneo.

Situações que favorecem a adoção da administração por projetos

A administração por projetos não é uma panacéia para a solução de todos os desafios organizacionais. Algumas considerações favorecem a adoção da administração por projetos em relação à forma mais tradicional de organização que é a funcional. Para a organização funcional não se estabelece um prazo pré-definido para sua existência, pois é orientada à produção de resultados dentro da sua área de atuação (missão) de forma contínua, enquanto mostrar-se eficaz e necessária. A administração por projetos tem se mostrado uma alternativa mais interessante que a administração funcional quando o desafio constitui (Blake, 1978):

- Um empreendimento de porte complexo cujos propósitos possam ser descritos de forma explícita;
- Sua execução requer a participação de elementos de diferentes unidades organizacionais ou até mesmo de organizações externas;
- Os objetivos do empreendimento são considerados importantes pela organização. O sucesso do mesmo tem um impacto importante nas metas e objetivos da organização;
- O empreendimento foge à rotina e a equipe que vai executá-lo (especialmente a administração) domina os conceitos e pressupostos da administração por projeto e está disposta a utilizá-los.

Se estas condições existirem, e o projeto for adequadamente conduzido, alguns benefícios poderão ser obtidos, tais como:

- Delegação de responsabilidade e autoridade em alto grau ao líder do projeto;
- Problemas e conflitos terão maior probabilidade de serem confrontados e debatidos de forma mais eficiente do que numa organização funcional, devido as pressões de tempo e custo;
- Maior motivação e pressão para a busca de soluções, bem como um sentimento de maior identificação com o grupo e compreensão dos papéis;
- Em função do controle centralizado do líder do projeto, a adoção de soluções equilibradas em relação a custos, prazos e qualidade técnica é mais eficaz do que na administração funcional onde ocorre em geral uma responsabilidade dividida em relação a estes parâmetros.

Ciclo de vida do projeto

Como conseqüência do caráter temporário deste tipo de organização, o projeto tem um ciclo de vida, que embora seja diferente de projeto para projeto revela um padrão de evolução característica (Marcovitch, 1978).

O conceito de ciclo de vida do projeto é muito importante para o estudo da administração por projeto (King, 1983; Adams, 1983; Wideman, 1981; Adams, 1978; Tamhain, 1975), pois permite traçar um referencial conceitual através do qual o gerente do projeto, bem como os demais envolvidos com o mesmo possam melhor orientar-se quanto às habilidades gerenciais requeridas e à natureza das atividades a serem executadas em cada fase e assim melhor conduzirem os projetos. Convém ressaltar que o conhecimento hoje disponível sobre a administração por projeto, embora bastante abrangente, não atingiu ainda um nível que possibilite a enunciação de regras prescritivas e genéricas aplicáveis a qualquer projeto.

Embora possam ser identificados 6-8 ou até mais estágios no ciclo de vida de determinados projetos, um ciclo básico de 4 fases será sempre caracterizável em qualquer projeto desde que o mesmo não venha a ser interrompido prematuramente. São as fases de:

- Concepção;
- Estruturação;
- Execução;
- Encerramento.

A fase de concepção compreende aquele período de maturação de uma idéia para se desenvolver um projeto e a negociação e venda da idéia para aqueles que têm autoridade para autorizarem a execução do mesmo. Nesta fase são elaborados os primeiros planos do projeto, onde são configurados os objetivos buscados pelo projeto e as estimativas preliminares e globais sobre os custos e prazos. As pessoas envolvidas com o esforço nesta fase são poucas, geralmente o responsável principal, com o apoio de alguns especialistas, e os recursos envolvidos conseqüentemente também são baixos. A fase de concepção pode ser considerada ultrapassada a partir do instante em que a proposta para a execução do projeto é aprovado e o responsável (geralmente o futuro gerente do projeto) recebe sinal verde para tocar o projeto.

Ultrapassada a fase de concepção, o projeto passa a dispor de mais recursos, já tem o apoio formal para recrutar e alocar pessoal e materiais em maior escala. As principais atividades nesta fase, que é das mais importantes para o desenvolvimento do projeto, serão as de detalhamento e aprofundamento dos planos elaborados na fase de concepção. O orçamento será detalhado período a período, com a identificação dos nomes principais da equipe, os materiais a serem adquiridos, as viagens a serem realizadas e assim por diante. Um plano importante será o plano organizacional, onde ficam definidos os papéis dos participantes da equipe, os acordos acertados com as áreas de apoio e com as outras áreas funcionais da empresa (marketing, produção, engenharia...). As programações (cronograma físico, rede PERT, etc.) serão desdobrados em sub-programas até um nível de detalhe suficiente para que os executantes possam saber claramente como orientar suas ações. Do mesmo modo deverão ficar claramente estabelecidas as especificações técnicas do produto que consistirá o resultado do projeto (relatório, protótipo, cabeça de série, etc.).

Segue-se à fase de estruturação a fase de execução. Esta fase consiste essencialmente da implantação dos planos elaborados nas fases anteriores. Se a fase de estruturação foi adequadamente realizada, a execução do projeto deverá transcorrer de forma bem mais eficiente. O gerente do projeto passa a ter um papel de animador da equipe, negociador de interfaces, facilitador no processo de soluções de problemas do projeto e um administrador dos conflitos, que normalmente ocorrem e devem ser administrados a fim de que não se tornem disfuncionais. É bom lembrar que quando nos referimos a administrar conflito não estamos insinuando que eles devem ser eliminados, mas sim evitar que se tornem disfuncionais para os objetivos do projeto.

A partir de uma certa etapa de execução, o projeto começa a entrar na sua fase de encerramento, que irá exigir do coordenador do projeto um plano e um conjunto de ações para assegurar que aquela organização temporária seja desfeita sem maiores traumas e com um produto compatível com os objetivos, custos e prazos pré-estabelecidos. Uma ação ineficaz nesta fase pode levar a equipe a buscar aprimoramentos técnicos intermináveis (especialmente se os cientistas forem de alto calibre), que poderão comprometer os objetivos e metas do projeto, seja por perderem oportunidades de lançamento ou por estourarem custos e prazos.

Uma representação gráfica do ciclo de vida do projeto, conforme exposto, teria a configuração mostrada na Figura 14.

Figura 14 — Ciclo de vida do Projeto

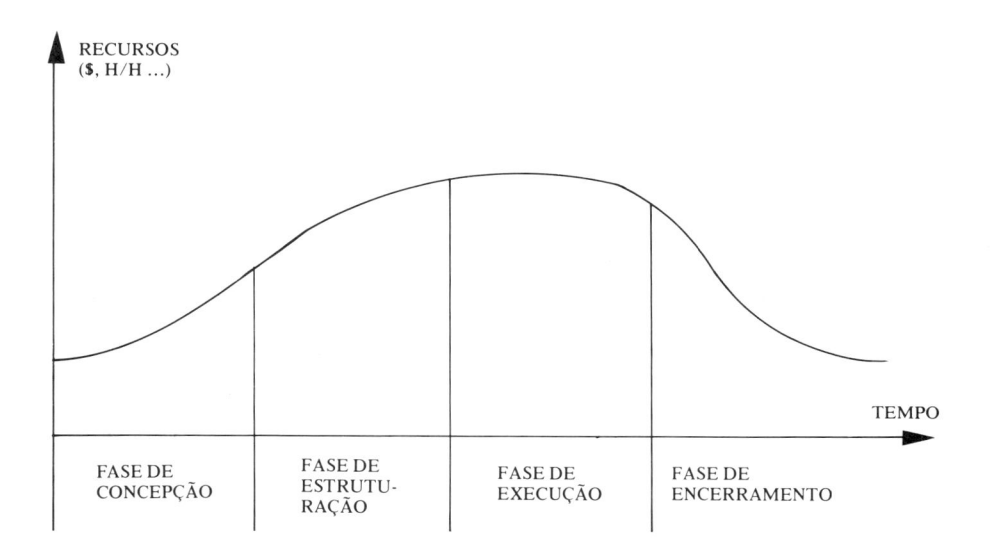

Os levantamentos efetuados por ocasião da pesquisa em empresas brasileiras [Kruglianskas, 1989[2]] permitiram conhecer melhor as características dos projetos de P&D desenvolvidos nos Centros de P&D daquelas empresas. Na Figura 15 são mostradas como se distribuem os parâmetros básicos destes projetos na amostra pesquisada).

Figura 15 — Características dos projetos de P&D executados pelas empresas pesquisadas

Prazo para execução dos projetos		Custos dos projetos		Tamanho das equipes	
Tempo em Meses	Freqüência Média	Valores em US$ (comercial)	Freqüência Média	N.º de Pessoas	Freqüência Média
abaixo de 12 meses	35%	abaixo de 21.000	35%	abaixo de 5	65%
entre 12 e 24	35%	entre 21.000 e 35.000	24%	entre 5 e 10	24%
acima de 24	30%	acima de 35.000	41%	acima de 10	11%

Constata-se que em termos de duração os projetos de P&D executados pelas empresas distribuem-se de forma bastante equilibrada entre projetos de curta duração (abaixo de um ano) de média duração (acima de um ano, porém abaixo de dois anos) e de duração superior a dois anos. Os custos destes projetos na maioria das vezes são superiores a US$ 35.000,00 (41% dos casos) embora seja observada respeitável freqüência de projetos de menor custo (35% abaixo de US$ 21.000,00). Quanto ao número de pessoas envolvidas na equipe dos projetos, constata-se que predominam pequenas equipes (em cerca de 65% dos casos ocorrem projetos com menos do que 5 pessoas). O fato dos projetos de P&D serem executados com equipes pequenas tem implicações importantes no tocante ao tipo de planejamento e controle a ser adotado, pois projetos de pequeno porte dispensam sistemas de planejamento e controle muito formais, o que favorece o clima organizacional e a motivação do pessoal científico alocado ao projeto.

Instrumentos para o planejamento e controle de projetos

Planejamento do projeto

A transformação de uma idéia em projeto do Centro, de P&D inicia-se com a elaboração do plano para o projeto. Até a sua aprovação este "plano" é denominado proposta. Uma proposta deve conter, num nível de detalhe compatível com seus propósitos, todas aquelas informações que permitam aos responsáveis pela avaliação e seleção de projetos do centro, tomar a decisão sobre sua aprovação ou não. É importante que a elaboração de uma proposta conte, desde seu início, com a participação das várias unidades organizacionais da empresa que contribuirão para a consecução dos objetivos do projeto.

Cada proposta deve ser elaborada levando-se em consideração o contexto em que será desenvolvido o projeto e as características daqueles que integrarão a equipe responsável pela sua aprovação — tanto os elementos do Centro de P&D, como os demais externos a ele. Um roteiro básico que deverá ser adaptado conforme o contexto e as necessidades do projeto, poderá contemplar entre outras as seguintes dimensões:

1 — Descrição do projeto

- apresentação e importância do problema a ser estudado
- objetivos do projeto (específicos e mensuráveis)
- produtos do projeto (especificações técnicas e tolerâncias)
- informações que mostrem a viabilidade do projeto

2 — Plano de trabalho

- abordagem técnica
- descrição das atividades
- principais técnicas que serão adotadas (testes estatísticos, técnicas de simulação, mensuração, etc.)

3 — Programação do projeto

- elaboração do cronograma
- destaque dos marcos do projeto (eventos relevantes e/ou interfaces) para efeitos de controle de cada etapa

4 — Alocação dos recursos

- mão-de-obra, materiais, computação, viagens e estadias
- outros recursos
- necessidade de treinamento do pessoal
- orçamento do projeto

5 — Plano organizacional e sistema de informação do projeto

- definição de papéis, responsabilidades e autoridades no âmbito do projeto
- identificação das principais interfaces: definição das responsabilidades por contatos
- procedimentos relativos a comunicações internas e externas ao projeto

6 — Avaliação do projeto

- procedimentos para avaliação do desempenho da equipe
- parâmetros para avaliações parciais e final do projeto

7 — Equipe básica do projeto

- coordenador
- líder técnico
- lideres das equipes

Uma vez aprovada, a proposta deverá ser detalhada, até o nível que possibilite sua execução por parte da equipe do projeto, assim como o planejamento deve ser flexível o suficiente para permitir — quando necessário — a reavaliação e reformulação das premissas do projeto. A incerteza e o dinamismo são inerentes às atividades de P&D. Novos conhecimentos podem ser adquiridos e pode-se tornar oportuno a sua aplicação, mesmo que provoquem alterações no plano inicial do projeto. Com freqüência, o gerente do projeto tem autonomia para efetuar alterações que não afetem os objetivos, prazos e custos.

Programação do projeto

A programação do projeto consiste essencialmente em associar às atividades planejadas para o projeto, datas de início e término. A técnica mais utilizada para a elaboração e representação da programação do projeto é o Gráfico de Gantt, também conhecido como Gráfico de Barras e cronograma físico. Os passos para a elaboração deste gráfico são os seguintes (Moder, 1983):

1. Análise do projeto e definição da abordagem básica a ser adotada;

2. Desdobramento do projeto em um número razoável de atividades a serem programadas;

3. Estimar os tempos necessários para a execução de cada atividade;

4. Representação das atividades em seqüência cronológica, levando em consideração as necessidades que certas atividades têm de serem executadas seqüencialmente enquanto outras podem ser executadas em simultaneidade;

5. Se a data de término do projeto é especificada previamente, o diagrama de Gantt deve ser ajustado até que as restrições sejam satisfeitas.

A grande vantagem do Gráfico de Barras é que o plano, a programação e o progresso do projeto podem ser feitos utilizando o mesmo instrumento. Na Figura 16 a seguir, é ilustrado um exemplo do Gráfico de Barras.

Os "marcos" do projeto, representando eventos importantes (início/término de atividades, tomada de decisão crítica, atuação junto a novas interfaces, etc.), podem ser destacados no gráfico, facilitando posteriormente o acompanhamento do progresso do projeto.

Além do Gráfico de Gantt, são também utilizadas técnicas de programação em rede, como CPM e PERT. Estas técnicas são mais eficazes quando os projetos contam com razoável grau de previsibilidade em relação às atividades a serem executadas, as durações e interdependências entre estas atividades. A vantagem desta técnica é que o planejador tem que efetuar uma sistemática análise das atividades, durações e interdependências, o que possibilitará a elaboração de uma rede identificando quais as atividades críticas do projeto em relação ao prazo total para término do mesmo. A explicitação das atividades críticas permite a adoção do princípio de administração por exceção, isto é, a atenção concentrada do responsável pelo projeto nas tarefas cujos atrasos poderão retardar a sua execução. Na Figura 17 é ilustrado um exemplo de "rede" utilizando CPM.

Figura 16 — Exemplo de gráfico de barras

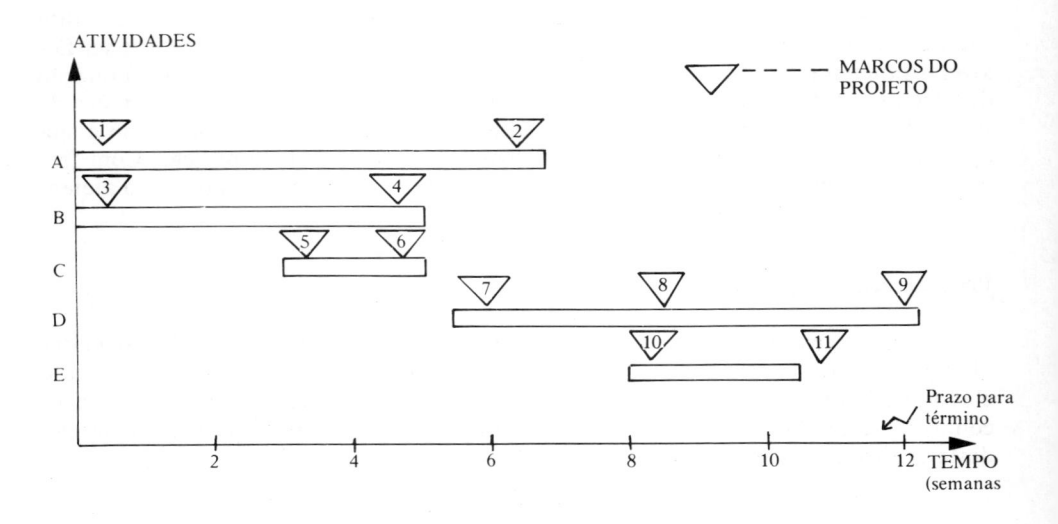

Figura 17 — Rede "CPM" — (representação com atividade nas setas)

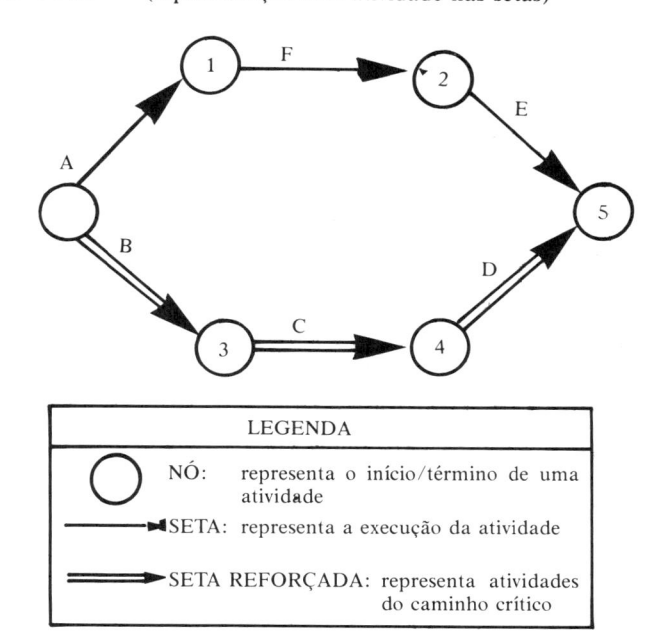

Convém salientar que as técnicas de programação em rede não excluem o uso do Gráfico de Gantt. Até pelo contrário, ambas as técnicas se complementam muito bem, razão pela qual, quase todos os programas de computador disponíveis no mercado para programação em rede, incluem a elaboração de um Gráfico de Gantt associado à respectiva rede.

Na pesquisa de campo constatou-se que somente 53% das empresas adotam um roteiro padronizado para orientar a elaboração de planos para os projetos de P&D. Em relação à importância das diferentes informações requeridas para se analisar e decidir sobre a aprovação de propostas (planos do projeto) foram constatados os resultados apresentados na Figura 18.

A Figura 18 sugere que embora todos os parâmetros das propostas de projetos de P&D das empresas pesquisadas (custo, prazo, resultados, objetivos, etc.) sejam importantes para a análise e aprovação das mesmas, os resultados, os objetivos visados e as justificativas para o projeto sobressaem-se como os aspectos mais importantes. A metodologia, o responsável e a equipe do projeto, em relação aos demais aspectos têm, por sua vez, uma importância menor, o que talvez se explique pelo fato dos projetos serem internos às empresas, não havendo maior preocupação com estes aspectos, uma vez que as pessoas e suas competências, via de regra, são bem conhecidas, o que não deve ocorrer acreditamos, por exemplo, para projetos de P&D contratados externamente.

A estratificação da amostra em empresas de capital nacional e empresas de capital estrangeiro revela que as empresas de capital estrangeiro atribuem às informações contidas na proposta do projeto uma importância sistematicamente maior que as

75

Figura 18 — Resultado da pesquisa sobre importância atribuída às diferentes informações para a aprovação de propostas de projetos

Informações	Importância											Nível de[(*)] significância
	Baixa 1	2	3	4	Alta 5	Baixa 1	2	3	4	Alta 5		
Custo do projeto												(3) 0,094
Prazo do projeto												0,151
Resultados do projeto												(4) 0,089
Objetivos do projeto												0,365
Equipe do projeto												(3) 0,069
Justificativas para execução do projeto												0,532
Metodologia que será adotada												0,104
Responsável pelo projeto												0,812

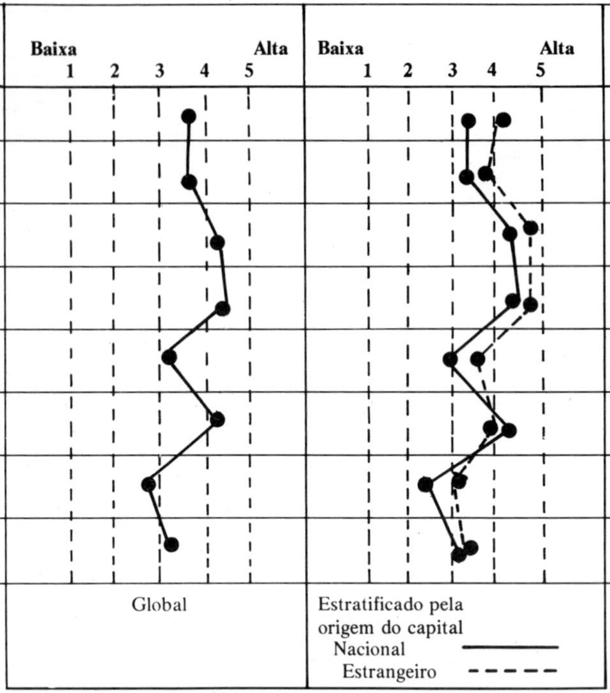

Global

Estratificado pela origem do capital
Nacional ————
Estrangeiro - - - - -

(*) Nível de significância obtido através de análise de variância. Quando este valor foi inferior a 0,10, calculou-se também o correspondente nível de significância através da prova não paramétrica e (conservativa) de Kolomogorov-Smirnov para duas amostras com emprego da aproximação "Chi-Quadrado" cujos resultados estão indicados nas figura com a seguinte codificação:
(1) p < 0,10   (2) p < 0,20   (3) p < 0,30   (4) p < 0,40   (5) não foi possível calcular.

empresas de capital nacional, especialmente no que tange aos aspectos de custo, resultados e equipe do projeto.

Controle e acompanhamento dos projetos

Após aprovada a proposta e iniciado o projeto, é de fundamental importância acompanhá-lo para que se tenha uma idéia de como caminha o projeto, em comparação à programação estabelecida e ao plano de trabalho. No decorrer do projeto, podem haver mudanças que causem impactos nas atividades e nas pessoas nele envolvidas. Um sistema de planejamento e controle de projetos facilita possíveis redirecionamentos, se necessários, e cria condições para que haja apoio e motivação para os membros da equipe.

Apesar da informalidade que deve existir durante o acompanhamento e controle do projeto, é bastante comum e recomendável, adoção de mecanismos formais de controle de projetos, especialmente para projetos de maior porte (10 ou mais pessoas). Há que se ressaltar também, que o controle deve estar intimamente ligado ao planejamento, pois é com base neste que são avaliadas as informações sobre desempenho, respeito ao cronograma e posição financeira, que guiarão o processo de controle do projeto. De uma maneira geral, dentre os instrumentos de nível gerencial que podem ser adotados pelo Centro de P&D para o acompanhamento e controle dos projetos, destacamos:

1 — **Relatórios de progresso**: mostrando a evolução das atividades em relação aos prazos e custos. Sua emissão ocorre periodicamente (semanal, mensal, etc.). As Figuras 19 e 20 ilustram exemplos de relatórios do progresso de projeto.

2 — **Relatórios técnicos**: descrevendo os resultados técnicos constatados. Sua emissão é determinada pelos marcos do projeto ou quando as circunstâncias mostrarem sua conveniência. Estes documentos são comumente denominados Relatórios Parciais e Relatório Final do Projeto e assumem formas próprias conforme a natureza do projeto.

Planejamento dos recursos humanos do centro de P&D

O planejamento de recursos humanos é o ponto de partida não só para o planejamento da carteira de projetos como das demais atividades do centro.

O planejamento da carteira de projetos do centro é feito a partir da seleção dos projetos que serão executados. Este processo é dinâmico, pois os projetos têm durações variáveis, havendo inícios e términos de projetos durante todo o tempo. Pela própria natureza, o projeto de P&D é de difícil previsibilidade, o que requer que o planejamento seja bastante flexível com diversos ajustes da carteira de projetos durante todo o tempo, o que implicará constantes replanejamentos.

O elemento principal para o planejamento da carteira de projetos é o conjunto de recursos humanos disponíveis. Por esta razão, o planejamento parte deste recurso,

Figura 19 — Relatório de progresso do projeto

Projeto: Desenvolvimento de novo dispositivo seletor de canais

Coordenador do projeto: Eng.º Josias — Data de emissão: 20 / 01 / 1991

Atividades do projeto	Homens × Hora				$ × 1.000				Execução em %		
	Previsão Inicial	Última Revisão	Até esta data	Para término do Projeto	Previsão Inicial p/	Última Revisão	Até esta data	Para término do Projeto	Previsão Inicial p/ esta data	Última revisão	A realizar até final do Projeto
Especificações iniciais	80	95	100	0	16	19	20	0	100	100	0
Organização do projeto	120	135	145	0	24	27	29	0	100	100	0
Especificação dos componentes	350	390	385	20	70	78	77	4	100	100	5
Confecção de componentes	450	500	150	350	54	60	18	42	45	40	70
Montagem do protótipo	250	250	—	250	30	30	0	30	10	0	100
Teste	350	350	—	350	42	42	0	42	0	0	100
Especificação para produção	380	380	—	380	76	76	0	76	0	0	100
Total do projeto	1.980	2.100	780	1.350	302	332	144	194	—	—	—

Figura 20 — Relatório de progresso

RELATÓRIO DE PROGRESSO			
PROJETO INJETOR DE SEGUNDA GERAÇÃO			CÓDIGO PR 1026
PERÍODO DE 1/3/91 A 30/3/91			

AVALIAÇÕES DOS RESULTADOS PARCIAIS

I. DESENVOLVIMENTO DO PROJETO⁴

	SEM PROBLEMAS	PROBLEMAS CONTORNAV.	PROBLEMAS SÉRIOS
A) DESEMPENHO TÉCNICO	X		
B) ORÇAMENTO (CUSTOS)	X		
C) RECEBIMENTO DE PARCELAS		X	
D) PRAZO			X
E) EQUIPE	X		
F) RELACIONAMENTO COM O CONTRATANTE	X		
G)			
H)			
I)			
J)			

II. PROBLEMAS ENCONTRADOS E PROVIDÊNCIAS TOMADAS(*)

O atraso no recebimento da parcela não permitiu comprometer recursos para sub-contratações. Envio do fax ao patrocinador em 20/02/91 e 11/03/91.

<u>15/04/91/</u>
DATA   ASSINATURA DO SUPERVISOR DO PROJETO

(*) O campo II deverá ser preenchido sempre que for assinalado algum problema (Contornável ou Sério)

para depois formular o planejamento de outros recursos materiais e financeiros. Na Figura 21, apresentada a seguir, é ilustrado um instrumento que pode ser utilizado para o planejamento de recursos humanos que serão alocados nos projetos e nas demais atividades do centro (Bent, 1983).

O instrumento sugerido pela Figura 21, mediante adaptações adequadas a cada empresa, pode ser elaborado manualmente ou com a utilização de computadores. Neste instrumento todos os projetos do centro são listados e as respectivas previsões de Homens x Hora registradas. Na coluna de "previsão inicial" são apresentados os valores originais previstos por ocasião do plano inicial (ao início do período contemplado pelo planejamento). Nas colunas "até esta data" e "previsto" são registrados respectiva-

79

Figura 21 — Planejamento de Recursos Humanos

Data 22 / 01 / 91 Elaborado por: Eng. Diogo	Planejamento de Recursos Humanos para o Centro de P&D										Mês: Dezembro/90 Aprovado por: Eng. Santino						
Projeto	H.H.			(H.H.) Últimas 6 semanas						H.H. Programados para este semestre						H.H. Próximo semestre
	Previsão inicial	Realiza-ção até esta data	Previsto até o término	1	2	3	4	5	6	Jan	Fev	Mar	Abr	Mai	Jun	
Dispositivo seletor de canais	1.980	780	1.350	35	50	65	72	68	64	300	350	370	330	—	—	0
Gerador de sinais	3.105	500	2.605	25	40	35	50	20	30	160	185	190	380	420	585	685
Simulador de cabine	3.700	—	3.700	—	—	—	—	—	—	—	—	—	—	210	220	3.270
Total dos projetos				60	90	100	122	88	94	460	535	550	520	590	640	3.955
Atividades de apoio				35	50	45	55	40	50	215	245	250	250	250	310	1.680
Diversos				10	15	18	20	22	12	75	80	80	85	85	90	905
Total de H.H. alocados				105	155	159	160	150	156	750	860	880	855	925	940	6.540
Total disponível				200	160	160	160	200	200	960	880	880	960	960	960	4.960
H.H. a contratar				—	—	—	—	—	—	—	—	—	—	—	—	1.580
H.H. não alocados				95	5	1	0	50	44	210	20	0	105	35	20	—

mente o total de Homens x Hora despendido até a data da emissão do documento (ele é utilizado para controle e replanejamento) e a nova projeção para o resto do período (no caso, semestre). Na coluna "(Homens x Hora) últimas 6 semanas" são detalhados os despendidos verificados nas últimas 6 semanas, a fim de se poder efetuar uma avaliação de tendência. Na coluna "Homens x Hora programados para o semestre" são registrados os totais para o semestre de pessoal por projeto mês a mês. As linhas inferiores do instrumento são auto-explicativas e incluem além das informações referentes a projetos, informações referentes às atividades de apoio e diversos (treinamentos, atividades gerenciais, ausências, etc.).

Um centro cativo de tecnologia, concomitantemente com o desenvolvimento de projetos, executa atividades de caráter mais rotineiro visando dar apoio não só aos projetos, como também às demais unidades organizacionais, como assistência técnica à produção e a marketing, elaboração de ensaios e análises e serviços de levantamento de informações tecnológicas. Além destas atividades de caráter técnico, o centro deve manter um serviço de apoio administrativo aos projetos, através de serviços de datilografia, secretária, manutenção de arquivos de documentação técnica e administrativa, encaminhamento e processamento de informações administrativas, apoio ao planejamento de viagens, treinamento e outras atividades administrativas.

Um bom apoio aos cientistas e tecnologistas do centro cativo pode representar a diferença entre o sucesso e o fracasso de um centro cativo. Como princípio, deve-se assumir que sempre que possível deve se liberar o pessoal técnico dos encargos burocráticos, dando-lhes o maior apoio possível através de pessoal administrativo mais qualificado para estas tarefas.

Para um bom desempenho das atividades de apoio, os responsáveis por estas atividades devem ser envolvidos precocemente com o planejamento dos projetos, a fim de programar seus recursos para a prestação de serviços eficaz aos projetos. Para a elaboração do planejamento das atividades de apoio, pode-se partir da programação de recursos humanos a serem alocados nas diversas atividades, utilizando-se um instrumento semelhante ao mostrado na Figura 22.

O instrumento ilustrado através da Figura 22 é auto-explicativo. Deve ser revisto mensalmente a fim de atualizar as estimativas, o que assegurará maior probabilidade de não faltar pessoal alocado a atividades de apoio. Convém salientar que um mesmo técnico poderá alocar parte de suas horas a projeto e parte a atividades de apoio, o que aliás é freqüente em organizações que adotam a estrutura matricial.

Além do planejamento da utilização dos recursos humanos poderão ser feitos de forma análoga previsões para o uso de outras categorias de recursos, tais como, equipamentos de processamento de dados, equipamentos para análise, ensaios, veículos, reprografias, etc., utilizando um instrumento análogo ao proposto na Figura 22.

A seguir são apresentadas algumas constatações, relacionadas com as práticas adotadas por empresas nacionais e de capital estrangeiro atuando no Brasil com base em dados coletados pela pesquisa de campo já anteriormente citada. A Figura 23, a seguir, resume alguns resultados interessantes relacionados com o acompanhamento e controle de projetos.

Como se pode observar na Figura 23, a utilização do Relatório de Progresso descrevendo as atividades executadas nos projetos constitui prática das mais difundidas nas empresas (74,5%). As demais práticas para acompanhamento e controle de projetos de P&D tais como os "relatórios típicos de período" (custo e volume de ativida-

Figura 22 — Planejamento de recursos humanos para as atividades de apoio do centro

Centro Cativo de P&D — Planejamento de pessoal de apoio		Plano anual/91
		Versão revista de: outubro/90
		Elaborado por: _____
		Aprovado por: _____

Código		Categoria de trabalho	% (Média Anual)	Homens × Horas Previstas/Mês											
				J	F	M	A	M	J	J	A	S	O	N	D
	PESSOAL TÉCNICO	Projetos em andamento	45	1100	950	960	1200	1300	1000	980	990	1200	1100	1080	1150
		Projetos prováveis	10	210	210	195	215	220	250	230	180	195	192	200	210
		Assistência técnica	10	200	197	218	209	201	200	195	203	204	210	211	187
		Estudos/Propostas	5	104	98	97	110	115	93	90	85	105	120	130	95
		Testes/Ensaios	5	110	90	115	100	90	95	110	120	100	95	90	90
		Treinamento	1	0	0	60	0	0	80	0	0	0	58	0	65
		Férias/Ausências	4	90											
		Diversos	1	20	25	22	15	18	21	20	22	19	23	20	21
		Sub-total do pessoal técnico	81	1834	1570	1667	1849	1944	1739	1625	1600	1823	1798	1731	1818
	PESSOAL ADMINISTRATIVO	Supervisores administr.	5	110	110	110	110	110	110	110	110	110	110	110	110
		Secretárias	4	85	85	85	85	85	88	88	88	88	88	88	88
		Datilografia/Reprografia	3	67	67	45	45	45	80	80	80	65	65	65	65
		Transporte/Serviços externos	2	55	55	55	55	55	55	55	55	55	55	55	55
		Férias/Ausências	1	22	0	35	35	25	25	25	25	25	25	25	25
		Outros serviços indiretos	2	51	51	51	51	51	51	51	51	51	51	51	51
		Diversos	1	20	15	15	15	20	20	20	20	20	20	20	20
		Total necessário		2244	1953	2063	2245	2335	2168	2054	2029	2237	2242	2145	2232
		Disponibilidade atual		2080	2080	2080									

OBSERVAÇÕES:

Figura 23 — Resultados dos levantamentos da pesquisa sobre práticas relacionadas com o acompanhamento e controle dos projetos de P&D

Procedimentos/Instrumentos para Acompanhamento e Controle de Projetos do Centro	Utilizam o procedimento/ Instrum.	Periodicidade adotada (freqüência constatada)		
		Quinzenal	Mensal	Outra
Relatório mostrando evolução dos custos	47,1%	4,2%	62,5%	33,3%
Relatório mostrando quantidade de atividades executadas (homens-hora ou outra unidade)	47,1%	12,5%	58,3%	29,2%
Relatório de progresso descrevendo atividades executadas	74,5%	10,8%	48,6%	40,5%
Relatórios parciais	56,9%	3,6%	35,7%	60,7%

des executadas) e os relatórios de "status" dos projetos (relatórios Parciais) também são usuais (entre 45 a 60% das empresas). Os resultados constatados sugerem a existência de um nível de formalismo no acompanhamento e controle de projetos, relativamente modesto (para cerca de 60% das empresas).

Quanto à periodicidade da emissão/utilização dos instrumentos/procedimentos predomina o ciclo mensal, adotado para o acompanhamento dos custos (aproximadamente 82% dos casos), para o acompanhamento do volume de atividades executadas (aproximadamente 58% dos casos) e para a emissão dos Relatórios de Progresso (aproximadamente 48% dos casos). Os relatórios parciais ocorrem predominantemente também com periodicidade diversa da mensal ou quinzenal, sugerindo, portanto, que sua elaboração é feita de acordo com a ocorrência dos "marcos" do projeto, das mudanças de fase ou para efeito de tomada de decisão face a ocorrência de determinados eventos críticos.

Quanto aos procedimentos relacionados com as avaliações parciais dos projetos, a Figura 24 resume alguns dos principais resultados propiciados pela pesquisa.

A Figura 24 mostra claramente que a prática de avaliação periódica dos projetos é adotada pela grande maioria das empresas, (87,5%), assim como é plenamente aceita pela quase totalidade das empresas (aproximadamente 93%) a possibilidade de uma interrupção prematura dos mesmos. Uma constatação desta pesquisa bastante consistente com outros estudos sobre fatores de sucesso dos projetos de P&D, é a de que a probabilidade de insucesso comercial é apontada como importante causa de interrupção precoce dos projetos (aproximadamente 63% dos casos), bem como a probabilidade de insucesso técnico (aproximadamente 65% dos casos) e com menor freqüência a possibilidade de inviabilização financeira para execução do projeto (aproximadamente 43% dos casos).

Precauções quanto à utilização de técnicas de controle de projetos

Um sistema de acompanhamento e controle de projetos tem como principal objetivo verificar o desenvolvimento das etapas do projeto e, também, avaliar o desem-

Figura 24 — Resultados de pesquisa de campo relacionados com os procedimentos de avaliação parcial e interrupção precoce dos projetos

Item pesquisado		Freqüência observada
Adoção da prática de avaliações parciais		87,5%
Concorrência de interrupções precoces dos projetos		93%
Causas associadas à interrupção precoce	Técnica	65,3%
	Comercial	63,3%
	Custo	42,9%

penho das pessoas nele envolvidas, pois cabe a elas a execução dos trabalhos. Desta forma, assumem importância para seu sucesso, o cuidado com as reações pessoais e as potencialidades de aprendizagem oferecida pelo processo de controle. Comentaremos, a seguir, estes dois pontos, com mais detalhes.

Um controle inteligente e prático em P&D é aquele que procura, tirando lições dos desvios observados, orientar possíveis redirecionamentos e aprimoramentos do processo de planejamento e controle. Pelo dinamismo e pelas incertezas que caracterizam as atividades de P&D, muitos projetos sofrem alterações e desvios durante sua execução, que não foram previstos, obviamente, durante o planejamento. No entanto, não se deve assumir que a prioridade do sistema é identificar culpados por desvios desfavoráveis do projeto ou impor rigidez na sua utilização. O processo de planejamento e controle deve ser reciclado e reavaliado a fim de se retroalimentar com novas informações visando confrontar os conhecimentos adquiridos com eventuais falhas ou desvios, para criar condições para redirecionamentos mais bem fundamentados da condução do projeto.

O segundo ponto a ser comentado é sobre as reações pessoais que envolvem os participantes do processo. As técnicas de controle de projetos sensibilizam as vezes desfavoravelmente os membros da equipe responsável pela sua execução. Embora o planejamento deva ser encarado mais como um esboço do provável caminho a ser traçado, não são poucos aqueles que se pertubam com eventuais modificações ocorridas durante a execução do projeto. Sistemas de controle rígidos e mal aplicados podem originar disfuncionalidades na forma de desmotivações, conflitos e boicotes ao fornecimento de informações. É fundamental que haja entendimento e aceitação por parte da equipe do centro dos objetivos dos sistemas de controle dos projetos.

Não se deve, portanto, dar apenas atenção ao conteúdo das técnicas utilizadas para controle de projetos, mas também à forma de aplicação. Controles rígidos e policialescos não atendem às suas premissas e seus objetivos básicos. As interpretações das reações pessoais e a manutenção de um sistema de aprendizado e realimentação de informações são extremamente importantes, no sentido de se buscar, cada vez mais, aprimoramentos para o processo de controle dos projetos. Sistemas rígidos e punitivos devem ceder lugar a sistemas flexíveis e abertos, porém objetivos (controlar o que realmente é importante) e sérios (informações confiáveis e oportunas).

6 — CONSIDERAÇÕES FINAIS

Procurou-se neste trabalho descrever e analisar um conjunto de aspectos considerados fundamentais para concepção de metodologias adequadas ao planejamento de um Centro de Tecnologia empresarial cativo. Além de uma revisão conceitual, ilustrando técnicas e instrumentos relacionados com o assunto, foram apresentados alguns resultados de uma pesquisa de campo envolvendo empresas nacionais e de capital estrangeiro instaladas em nosso território.

Inicialmente foi proposto e discutido um modelo conceitual mostrando a inter-relação de fatores que influenciam o planejamento de um centro de P&D cativo. Em seguida discutiu-se o processo de planejamento estratégico do centro, com a apresentação dos resultados da pesquisa de campo, no que tange às expectativas que estas têm quanto ao que esperam de seu centro cativo, bem como sobre os tipos de atividades desenvolvidas por estes centros. No tópico seguinte tratou-se do processo de elaboração do orçamento do centro, onde foram apresentados e discutidos os critérios adotados pelas empresas para estabelecer o montante de seu orçamento para P&D. No capítulo que tratou da discussão do processo de avaliação e seleção de projetos de P&D foram apresentadas diversas técnicas que podem ser utilizadas, bem como os resultados constatados na pesquisa de campo sobre a importância atribuída à alguns dos critérios que podem ser utilizados pelas empresas para a avaliação e seleção de projetos.

Finalmente, no último segmento do trabalho discorreu-se sobre o processo de planejamento e controle de projetos, caracterizando-se o ciclo de vida dos projetos, apresentando-se alguns conceitos e técnicas para programação de atividades e para utilização de recursos humanos nos projetos e nas atividades de apoio. Ilustram este segmento do trabalho alguns dos resultados da pesquisa de campo que mostram: a) perfil dos projetos desenvolvidos pelas empresas da amostra (prazos, custos, tamanhos das equipes); b) a importância que é atribuída pelas empresas às informações requeridas para a aprovação das propostas de projetos; c) os procedimentos e instrumentos adotados pelas empresas para o acompanhamento e controle dos projetos; e d) procedimentos e motivos mais freqüentes para interrupção dos projetos por ocasião das avaliações parciais dos mesmos nas empresas.

A título de síntese procuramos resumir algumas constatações propiciadas pelo trabalho.

1) Os resultados mais importantes visados como decorrência das atividades de P&D, pelas empresas que integraram a amostra pesquisada são: prioritariamente o aprimoramento e o desenvolvimento de novos produtos. Em um nível ainda importante mas não tão prioritário, são visados o aperfeiçoamento e desenvolvimento de novos processos e num nível um pouco menos importante visam as empresas com seu Centro de P&D, a capacitação de seus recursos humanos e o apoio tecnológico às demais áreas da empresa.

Constatou-se também que as empresas de capital estrangeiro são as que mais privilegiam a busca de novas aplicações para seus produtos correntes, bem como a capacitação de seus recursos humanos.

2) Dentre as principais atividades desenvolvidas pelos Centros de P&D das empresas destacaram-se as atividades "Desenvolvimento", especialmente as seguintes:

- Pesquisa tecnológica (aplicação de novos conhecimentos visando inovações em produtos e processos); e
- Desenvolvimento técnico (confecção de protótipos).

As atividades de menor destaque são: a pesquisa exploratória e os estudos para a comercialização de tecnologias dominadas para venda a terceiros.

As empresas de capital estrangeiro, relativamente às nacionais, enfatizam as atividades de Desenvolvimento, com significativo destaque para as atividades de pesquisa de mercado.

3) Em relação à importância atribuída pelas empresas aos critérios para o estabelecimento do montante do orçamento a ser gasto em P&D, o estudo mostra que as empresas para a tomada desta decisão consideram concomitantemente diversos critérios. Destacam-se em importância, primeiramente o planejamento estratégico da empresa, seguido do critério "percentual sobre o faturamento" e "gastos de acordo com as necessidades". O critério menos importante é o "percentual sobre os lucros". Constatou-se que as empresas de capital estrangeiro atribuem maior importância a montantes orçamentários pré-fixados, com base em alguns critérios (porcentagem do faturamento, porcentagem do orçamento anterior, porcentagem do lucro, etc.) ao passo que as empresas nacionais quando comparadas com as de capital estrangeiro mostram em relação a esta decisão um comportamento mais reativo, isto é, privilegiam a decisão sobre os gastos em P&D mais em função dos dispêndios observados durante o exercício.

4) Para avaliação e seleção de projetos as empresas consideram concomitantemente inúmeros critérios. Foram estudados onze critérios, todos avaliados pelas empresas como de alta relevância. Destes, o considerado mais importante foi: a "compatibilidade do projeto com a estratégia global da empresa". De um modo geral as empresas de capital estrangeiro para avaliarem e selecionarem seus projetos atribuem importância maior ao uso destes critérios quando comparadas com as empresas nacionais.

5) Os itens dos planos considerados mais importantes pelas empresas para a decisão sobre a aprovação de propostas de projetos de P&D são aquelas que dizem respeito aos objetivos e resultados (produtos) visados pelo projeto. A metodologia a ser adotada no projeto em relação aos outros itens do plano (custo, prazo, ...) não é considerada informação muito importante para a aprovação das propostas. Constata-se que de um modo geral as empresas de capital estrangeiro atribuem às informações propiciadas pelas propostas uma importância muito maior para a aprovação das mesmas.

6) Quanto às características dos projetos de P&D executados pelas empresas, constatou-se que há uma leve predominância para os projetos de duração inferior a um ano e a projetos de duração entre um e dois anos. Quanto ao custo destes projetos, predominam os de custos superior a US\$ 35.000,00 (41%) distribuindo-se os demais 59% entre projetos com custo US\$ 21.000,00 (35%) e os remanescentes 24% com projetos de custos entre US\$ 21.000,00 e US\$ 35.000,00. Verificou-se também que os projetos de P&D executados pelas empresas são predominantemente aqueles que utilizam equipes pequenas com não mais do que 5 pessoas. Os projetos com mais do que 10 pessoas representam apenas 11% dos casos.

7) Os procedimentos para avaliações periódicas dos projetos são adotados pela quase totalidade das empresas (87,5% dos casos). A possibilidade de interrupção destes

projetos é plenamente aceita (aproximadamente 93%) pelas empresas e dentre os motivos apontados, segundo a intensidade em que os mesmos ocorrem, são pela ordem os seguintes: em primeiro lugar mudança da probabilidade de sucesso técnico, em segundo lugar mudança da probabilidade de sucesso comercial e em terceiro lugar, a mudança da probabilidade da viabilidade financeira do empreendimento.

Face aos resultados verificados, algumas sugestões a título de recomendações relacionadas com o planejamento do Centro Cativo, podem ser propostas. Dentre elas destacamos:

1) De um modo geral as empresas deveriam analisar com mais profundidade o potencial representado pela venda de suas tecnologias a terceiros. Esta fonte de receitas é pouco usada pelas empresas e no que tange às empresas de capital estrangeiro, estas poderiam enfatizar mais as pesquisas de caráter exploratório e a pesquisa aplicada.

2) As empresas de capital nacional deveriam considerar a possibilidade de intensificar mais suas atividades de "Desenvolvimento" (pesquisa tecnológica, desenvolvimento técnico, desenvolvimento da produção e pesquisas de mercado) especialmente o desenvolvimento da produção e a pesquisa de mercado, a exemplo do que fazem as empresas de capital estrangeiro.

3) Uma atividade que os Centros de P&D das empresas em geral poderiam considerar com mais interesse é o "estudo para desenvolvimento de novos mercados", hoje pouco usual nestas empresas.

4) O orçamento de P&D das empresas de capital nacional poderia apoiar-se mais em montantes pré-estabelecidos, ao invés de adotar predominantemente a prática de decidir apoiada em gastos de acordo com as necessidades durante o exercício. Esta prática pode acarretar maiores instabilidades ao programa de P&D. As empresas de capital estrangeiro por sua vez, devem avaliar os riscos de uma excessiva utilização do critério de "percentual sobre o lucro" para o estabelecimento do montante do orçamento de P&D, que por sua vez também pode levar a grandes oscilações na intensidade dos esforços de P&D, o que é sabidamente indesejável.

5) As empresas de capital nacional deveriam desenvolver e beneficiarem-se mais de sistemas mais transparentes e formais de avaliação e seleção de projetos. A explicitação dos critérios para avaliação e seleção dos projetos de P&D poderá motivar e estimular o surgimento de projetos de P&D mais consistentes com a estratégia da empresa.

6) A confecção de um roteiro básico para orientar a elaboração de propostas (planos) para os projetos de P&D é uma medida que deveria ser adotada por todas as empresas. Uma grande parte de nossas empresas não se beneficia deste instrumento relativamente simples. Em particular, as empresas de capital nacional parecem não dar a importância que poderiam às informações contidas nas propostas dos projetos para decidir quanto à sua aprovação.

7) Sendo a mudança da probabilidade do sucesso de comercialização um fator importante de interrupção de projetos de P&D, convém que as empresas envolvam as diversas unidades organizacionais, especialmente a unidade de marketing não só no processo de avaliação e seleção de projetos mas em todas as fases do desenvolvimento do mesmo.

Este trabalho, despretencioso, procurou agregar um conjunto de informações que a nosso ver poderão subsidiar a desafiante tarefa que é a realização do planejamento e controle de um centro de tecnologia empresarial. Foram apresentados conceitos e técnicas, juntamente com resultados de pesquisa de campo relacionados com os tópicos focalizados, na expectativa de que este esforço resulte em benefícios para a eficiência e eficácia dos centros cativos das empresas brasileiras, bem como um estímulo e subsídio aos estudiosos da "administração de ciência e tecnologia".

BIBLIOGRAFIA

ALLISON, D. (ed.): *The R&D Game*, MIT, Boston, 1969.

BEN, J.A. — Project control: an introduction, in *Project Management Handbook*, Ed. Cleland D.I & King, W.R., Van Nostrand Reinhold, 1983.

BLAKE, S.P.: *Managing for responsive Research and Development*. W.H. Freeman and Company, 1978.

BULAT, T.J.: Ways to Better Liaison between Corporate Research and Operations. *Research Management*, January, 1979, p. 35.

CASTRO, A.P.: A Organização de uma Infra-estrutura Tecnológica para o Desenvolvimento Industrial Brasileiro. *Revista de Administração de Empresas*, Rio de Janeiro, 14(3), mai/jun. 1974, p. 13-22.

CHAKRABARTI, A.K. & SOUDER, W.E.: *A Review of Critical Factors Affecting Technological Innovation and some Policy Implications*. Nation Center for Productivity, Washington, D.C., 1978.

CLELAND, D. & KING, W.: *Sistems Analysis and Project Management*. McGraw-Hill, 1968.

GRUBER, W.H.; POENSGEN, O.H. & PRAKKE, F.: Research on the Interface Factor in the Development and Utilization of New Technology. *R&D Management*, 4(3), 1974, p. 157-163.

KRUGLIANSKAS, I. — Planejamento e Controle de Projetos de P&D em Empresas Brasileiras, Revista de Administração, vol. 24(2), abril/junho 1989 (2).

KRUGLIANSKAS, I. — Critérios e Procedimentos para a Seleção de Projetos de P&D em Empresas Brasileiras Rev. Adminis., 24(4) outubro/dezembro 1989, (1).

KRUGLIANSKAS, I. — Importância e Papel Atribuído à Função de P&D em Empresas Brasileiras de Grande Porte, Revista de Adminis. 26(3), julho/set., 1991.

KRUGLIANSKAS, I. — Efeito da Interação Organizacional na Eficácia do Centro de P&D Cativo; Tese de doutoramento, FEA/USP, 1981.

MARCOVITCH, J.: *Interação da Instituição de Pesquisa Industrial com seu Ambiente e suas Implicações na Eficácia Organizacional*. Universidade de São Paulo, Faculdade de Economia e Administração, Departamento de Administração, 1978.

MODER, J.J. — Network techniques in project management, in *Project Management Handbook*, Ed. Cleland, D.I. & King, W.R., Van Nostrand Reinholds, 1983.

MORRIS, P.: Interface management. An Organization Theory Approach to Project Management. *Project Management Quarterly*, June, 1979.

OLIN, J.: Interaction Between management and R&D: Chemical Industry in Europe. *R&D Management*, 4(1), 1973, p. 33-39.

ORGANIZAÇÃO DE COOPERAÇÃO E DESENVOLVIMENTO ECONÔMICO: *The Measurement of Scientific and Technical Activities*: proposed standard pratice for surveys of research and experimental development. Paris, 1976. (Frascati Manual).

PAOLILLO, J. & BROWN, W.: How Organization Factors Affect R&D Innovation. *Research Management*, May, 1980, p. 12-15.

QUINN, J.B. & MUELLER, J.A.: Transferring Research Results to Operation. *Harvard Business Review*. Jan/Feb., 1963.

ROMAN, D.: *Research and Development Management*. Prentice-Hall Inc., Englewood Cliffs, N. Jersey, 1968.

SOUDER, W.E. — Estudo de Campo sobre um processo de Ordenação — Q. Grupo Nominal para a Seleção de Projetos de P&D in "Administração do Processo de Inovação Tecnológica", Edit. Atlas, 1980.

SOUDER, W.E.: Project Evaluation and Selection, in *Project Management Handbook*, D. Cleland & King, Van Nostrand Reinhold, 1983.

VASCONCELLOS, E.: *Interação entre o Centro de Pesquisa e a Área de Produção da Empresa*. Trabalho apresentado no IV Simpósio Nacional de Pesquisa em Administração de P&D do Instituto de Administração da FEA/USP, 1979.

89

ANEXO 1

METODOLOGIA

O presente trabalho (Kruglianskas, 1987) enquadra-se no tipo de pesquisa denominado "estudo de campo", cuja característica principal consiste em efetuar investigações "ex-post-facto" sobre relações entre variáveis em estruturas sociais reais. Um dos aspectos mais relevantes de tais investigações consiste no fato do pesquisador não possuir controle direto das variáveis independentes. As inferências sobre as relações entre as variáveis não são obtidas pela intervenção direta, mas como decorrência de variações concomitantes das variáveis dependentes e independentes (Kerlinger, 1964).

Convém reforçar, que o foco da pesquisa é o processo de planejamento, em centros de P&D empresariais. O seu objetivo é aumentar o conhecimento acerca de determinados aspectos deste processo, a fim de poder contribuir para o avanço da ciência de administração neste campo, bem como apresentar sugestões para seu aprimoramento de práticas gerenciais, especialmente em empresas brasileiras, que só recentemente passaram a implantar formalmente a função de P&D e, como conseqüência, não dispõem ainda de grande experiência nesta área.

Tanto a literatura, como a vivência prática, sugerem que o processo de planejamento em um centro de P&D é altamente contingencial, dependente de inúmeros condicionantes, alguns a nível estratégico, outros a nível tático ou operacional. Tomando por base a proposta de Twiss (Twiss, 1976), para descrever o processo de tomada de decisão em P&D nos diversos níveis, desenvolveu-se o modelo conceitual, mostrado na Figura 25.

A partir do modelo conceitual proposto são concebidas as variáveis utilizadas no estudo. De um lado, temos as independentes, supostamente influenciadoras ou condicionadoras das dependentes. Estas últimas, no caso, caracterizam o processo de seleção, planejamento e controle de projetos.

Dentre as variáveis independentes consideradas no modelo conceitual, foram utilizadas na pesquisa as seguintes:

- Origem do capital
- Ênfase à P&D
- Resultados esperados
- Atividades de P&D priorizadas
- Tamanho do centro de P&D
- Nível de formalização do centro
- Critérios para alocação de recursos
- Porte financeiro dos projetos.

As variáveis dependentes caracterizadoras do processo de seleção, planejamento e controle de projetos, escolhidas para a realização da pesquisa são as seguintes:

- Critérios para seleção de projetos
- Procedimentos para seleção de projetos

Figura 25 — Modelo conceitual do processo de seleção, planejamento e controle de projetos e seus condicionantes

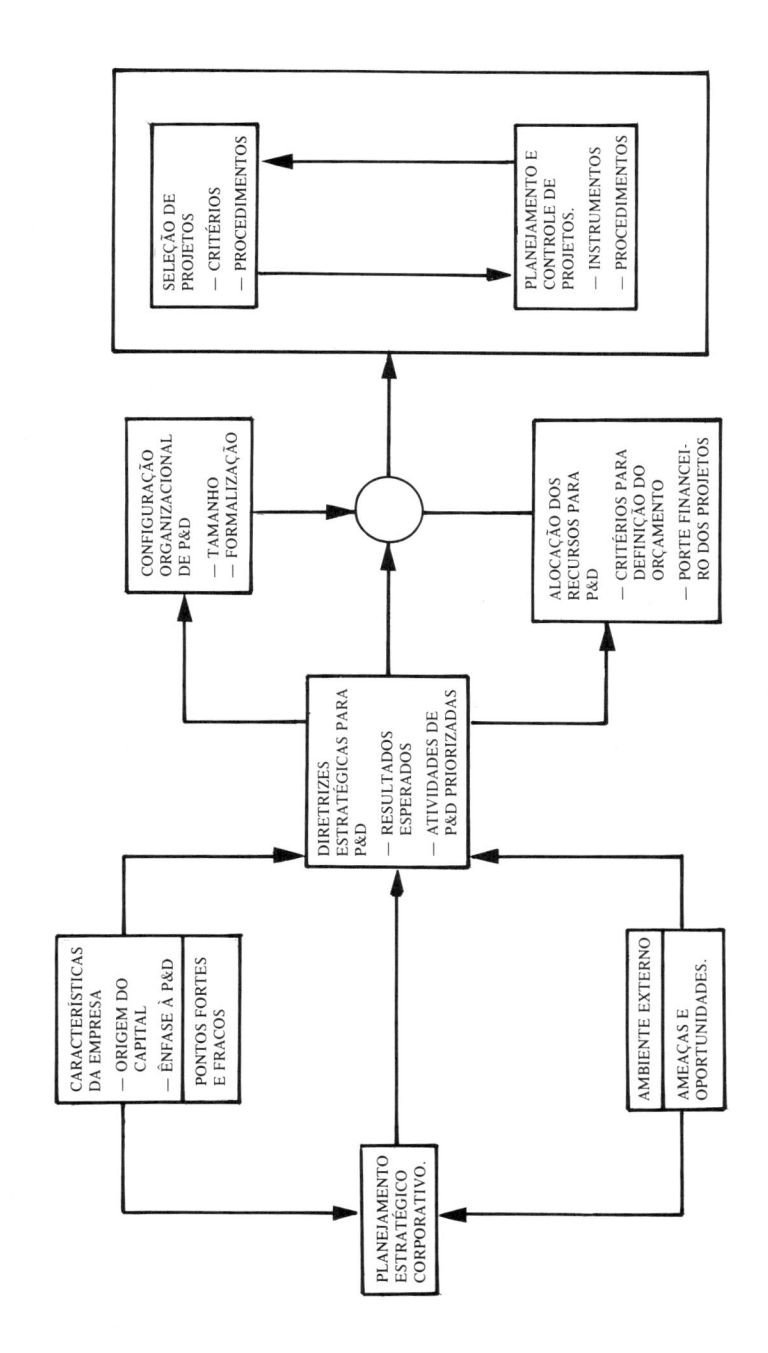

91

- Instrumento para planejamento e controle de projetos
- Procedimentos para planejamento e controle de projetos.

Para a composição da amostra estudada, foi adotado um procedimento de amostragem não aleatório, de caráter "intencional ou proposital" (Kerlinger, 1964; Miller, 1970). Este procedimento, muito utilizado em pesquisas sociais e comportamentais, é bastante adequado para as de caráter exploratório, em que a generalização dos resultados não constitui um propósito importante do trabalho.

Partindo-se do pressuposto que o investimento em P&D representa um ônus considerável para a organização, que o nível de capitalização das empresas nacionais é baixo, que a participação do governo nos investimentos em P&D das mesmas é pequena e que a conscientização para a importância da referida função é ainda um fenômeno incipiente, especialmente para as pequenas e médias empresas, decidiu-se privilegiar na amostragem a participação de organizações de maior porte.

Os critérios utilizados para a seleção das empresas que compõem a amostra foram os seguintes:

- Faturamento em 1984 superior a US\$ 4.700,000,00
- Lucro líquido superior a US\$ 470.000,00
- Sediadas na região "sudeste"
- Integrantes da relação "Quem é Quem na Economia Brasileira", da Revista Visão, 1984
- Atuando no setor secundário (conforme classificação da Revista Visão, excluídos os sub-setores da construção civil e diversos).

Aplicados os critérios, identificou-se uma amostra composta de aproximadamente 200 empresas às quais foram enviados os questionários. A taxa de retornos aproveitáveis foi da ordem de 25,50%, perfazendo um total de 51 casos, o que pode ser considerado bastante razoável.

Adotou-se para a coleta de dados um questionário com questões fechadas, autopreenchível, enviado às empresas através do correio. Esta opção foi adotada em função dos custos proibitivos que uma coleta de dados através de entrevistas pessoais envolveria, bem como o excessivo tempo que demandaria e os inconvenientes que poderia criar para acomodar agendas com os respondentes, normalmente muito ocupados.

O instrumento para coleta de dados foi "pré-testado" em seis executivos responsáveis pelas atividades de P&D em suas empresas, antes que sua versão final fosse liberada para envio às mesmas. O "pré-teste" foi feito pessoalmente pelo responsável pela pesquisa, que acompanhou o preenchimento do formulário e entrevistou os respondentes. A cada entrevista o instrumento foi sendo aperfeiçoado, até que, praticamente, não apresentasse dificuldades para suas respostas.

O tratamento dos dados consistiu, essencialmente, de uma pré-análise dos questionários recebidos, visando verificar a qualidade das respostas e detectar eventuais falhas ou lacunas de preenchimento. Feito isto, foi elaborado o programa para processamento dos dados, considerando-se a qualidade, confiabilidade e quantidade de dados disponíveis que poderiam ser aproveitados. Para esta tarefa foi utilizado o "SPSS — Statistical Package for the Social Sciences".

Para as inferências estatísticas, especialmente quanto à significância das diferenças entre freqüências das variáveis dicotômicas foi utilizado o teste do "Chi-Quadrado''. Para as variáveis cuja mensuração foi feita através de escalas ordinais do tipo "Likert", o procedimento utilizado para testar a significância das diferenças observadas, foi a análise de variância, embora reconhecendo-se as deficiências desta técnica paramétrica para inferências acerca das variabilidades observadas, quando o nível de mensuração é ordinal (Siegel, 1977). Para os casos em que se constataram diferenças significativas, através da análise de variância, calculou-se também, para informação do leitor, o correspondente nível de significância, através do teste de Kolmogorov Smirnov, que a rigor é o mais correto, embora seja uma prova muito conservativa.

Quanto ao nível de significância adotado para as inferências estatísticas, fixou-se o nível de 10%.

ANEXO 2

RELAÇÕES DAS EMPRESAS INTEGRANTES DA AMOSTRA

01 — AÇOS VILLARES
02 — ANDERSON CLAYTON
03 — ARNO
04 — BARDELLA S/A
05 — BRASTEMP
06 — BROWN BOVERI
07 — CBC — COMPANHIA BRASILEIRA DE CARTUCHOS
08 — CENIBRA FLORESTAL S/A
09 — CITROSUCO PAULISTA S/A
10 — C.B.M.M. — COMPANHIA BRASILEIRA DE METALURGIA E MINERAÇÃO
11 — CVRD — COMPANHIA VALE DO RIO DOCE
12 — COFAP — COMPANHIA FABRICADORA DE PEÇAS
13 — COPERSUCAR — COOPERATIVA CENTRAL DOS PRODUTOS DE AÇÚCAR E ÁLCOOL
14 — COMPANHIA BRASILEIRA DE ESTIRENO
15 — COMPANHIA SUZANO DE PAPEL E CELULOSE
16 — COSIPA — COMPANHIA SIDERÚRGICA PAULISTA
17 — CUMMINS
18 — DOW QUÍMICA S/A
19 — DURATEX S/A
20 — ELEBRA S/A ELETRÔNICA BRASILEIRA
21 — ELEVADORES OTIS
22 — EMBRAER — EMPRESA BRASILEIRA DE AERONÁUTICA
23 — ERICSSON DO BRASIL S/A
24 — FIAT AUTOMÓVEIS S/A
25 — FOREST — FÁBRICA DE CONDUTORES ELÉTRICOS LTDA.
26 — FREIOS VARGA S/A
27 — FRIGOBRÁS
28 — HENKEL S/A INDÚSTRIAS QUÍMICAS
29 — HEUBLEIN DO BRASIL COMERCIAL E INDUSTRIAL LTDA.
30 — IAP — INDÚSTRIAS DE FERTILIZANTES
31 — INDÚSTRIAS KLABIN DE PAPEL E CELULOSE S/A
32 — INDÚSTRIAS QUÍMICAS ELETRO CLORO S/A
33 — KIBON S/A
34 — MAGNESITA S/A
35 — MANGELS INDUSTRIAL S/A
36 — MÁQUINAS AGRÍCOLAS JACTO S/A
37 — METAL LEVE S/A INDÚSTRIA E COMÉRCIO
38 — MOINHO DA LAPA
39 — NESTLÉ
40 — NORTON S/A
41 — PFIZER S/A
42 — PIRELLI S/A COMPANHIA INDUSTRIAL BRASILEIRA

43 — QUIMBRASIL QUÍMICA INDUSTRIAL BRASILEIRA S/A
44 — STAUFFER
45 — SHELL QUÍMICA
46 — TINTAS RENER S/A
47 — TROL
48 — USIMINAS — USINAS SIDERÚRGICAS DE MINAS GERAIS
49 — USINA SANTA ELISA S/A
50 — WAPSA
51 — ZANINI S/A

BIBLIOGRAFIA

KERLINGER, F.D. — Fundations of Behavioral Research. Halt Rinehart and Winston, 2nd ed., 1964.

KRUGLIANSKAS, I., 1987 — Tese de Livre Docência.

LEWISS, B. — Managing Technological Innovation, Longman Publ., London, N.Y., 1976.

MILLER, J.R. — Professional Decision moking, Proeger Publishers, 1970.

SIEGEL, S. — Estatística não Paramétrica, Editora McGraw-Hill, 1977.

TWISS, G. — Managing Technical Inovation, Longman G.P., Londol, 1976 (2nd printing).

Como estruturar a função tecnológica na empresa

Eduardo Vasconcellos

CONTEÚDO

1 — INTRODUÇÃO (*)

A Ciência e a Tecnologia tem se mostrado entre os mais eficazes instrumentos do desenvolvimento econômico e social quando bem utilizados. Embora a liderança esteja com os países desenvolvidos, muitos países em desenvolvimento têm investido recursos de forma sistemática nesta área. Em 1980 a América Latina gastou com Ciência e Tecnologia 1,8% do total gasto no mundo. A América do Norte responde por 32,1%, a Europa 34%, a URSS 15,6% e a Ásia 14,8%.

O Brasil ocupa um lugar de destaque na América Latina, embora nos últimos 8 anos tenha havido uma redução no valor real aplicado em Ciência e Tecnologia.

Inicialmente, a pesquisa era realizada no Brasil somente pelas Universidades e Instituições de Pesquisa. As empresas obtinham a tecnologia do exterior e em certos casos contratavam Instituições Brasileiras. Nos últimos 15 anos um conjunto de fatores contribuiram para o aumento do número de empresas, que passaram a criar unidades próprias para o desenvolvimento tecnológico:

- conscientização da importância da tecnologia para o sucesso da empresa;
- barreiras à importação de tecnologia em função de dificuldades da balança de pagamentos;
- incentivos governamentais para a criação dos Centros cativos: um dos capítulos deste livro é dedicado a este aspecto;
- dificuldades enfrentadas pelas Universidades e Institutos de Pesquisa em satisfazer esta demanda.

Segundo Marcovitch (1981) existiam 177 Centros tecnológicos no Brasil em 1977, vinculados a empresas públicas e privadas. Um dia, espera-se que os Centros de tecnologia de empresas no Brasil ocupem o papel que hoje desempenham os Centros de empresas de países desenvolvidos. No Japão, 64% dos investimentos em P&D (8,7 bilhões de dólares em 1975) são gastos pelas empresas. Já nos Estados Unidos, França e Alemanha, o governo financia grande parte do esforço feito pelas empresas em P&D (Marcovitch, 1981).

Entretanto, se a criação destes Centros não for acompanhada da utilização de instrumentos eficazes de gestão, os objetivos poderão ser seriamente comprometidos. A estruturação é uma das Funções Gerenciais de maior relevância para o sucesso do Centro de P&D, porque ela permite organizar os recursos humanos e materiais, de forma a possibilitar o atingimento dos objetivos maximizando a utilização dos recursos disponíveis.

Este capítulo foi baseado em um estudo exploratório realizado em 60 centros de P&D de empresas, sendo 53 de empresas privadas e 7 de empresas estatais. Do total da amostra 25% dos centros tinham menos que 17 funcionários, enquanto 24% tinham mais de 150. Diversos setores foram considerados, entre eles temos: mecânica, elétrica e eletrônica, alimentos, siderurgia, informática, química e papel. Os dados

---

(*) NOTA: O autor agradece à FINEP os recursos para a realização deste trabalho e à ANPEI pelo apoio efetivo ao facilitar os contatos com as empresas. A realização deste estudo contou com a valiosa colaboração da Assistente de Pesquisa INES MASSUMI IWASHITA. Parte deste trabalho foi publicada pela Revista de Administração do Instituto de Administração da USP.

foram coletados através de questionários enviados pelo correio e entrevistas estruturadas. O anexo 1 apresenta a metodologia com maior profundidade.

O estudo teve por objetivo colher informações sobre as seguintes questões:

- em que grau a autoridade e responsabilidade do gerente de P&D estão claramente definidas?
- qual o nível hierárquico do Centro de P&D na estrutura da empresa?
- a qual área funcional o Centro se encontra vinculado?
- como se apresentam os Centros de P&D em termos de centralização e descentralização? Em outras palavras, há uma única unidade de P&D ou diversas unidades cada uma ligada a uma das divisões da empresa?
- quais tipos de estrutura são usados e com que freqüência?
- como se apresentam as respostas às várias questões acima, quando comparamos:
  - — Centros menores $\times$ Centros maiores?
  - — Centros de empresas privadas $\times$ Centros de empresas públicas?
  - — Centros de tecnologia de ponta $\times$ Centros de tecnologia tradicionais?

Este texto não tem por objetivo dar respostas definitivas a estas questões mas sim, de forma exploratória, analisar práticas existentes em função de conceitos apresentados pela teoria da estrutura organizacional.

Inicialmente, um conjunto de conceitos sobre estrutura organizacional é apresentado e, a seguir os aspectos relacionados com o nível de formalização da autoridade e responsabilidade do gerente de P&D são discutidos.

Os tópicos seguintes tratam dos vários níveis de decisão relacionados ao processo de estruturar a função de P&D na Empresa. O tópico final apresenta uma visão integrada deste processo.

2 — A FUNÇÃO DE ESTRUTURAR

Este tópico tem por objetivo apresentar um conjunto de conceitos no sentido de criar uma linguagem comum com o leitor. Posteriormente, estes conceitos serão detalhados e exemplificados em tópicos seguintes que mostrarão como podem ser operacionalizados.

Conceito e importância da estrutura

Estruturar é agrupar recursos humanos e materiais em unidades e definir autoridade, atividades e processos de comunicação para essas unidades, integrando-as de forma a permitir o atingimento dos objetivos da organização de forma eficiente e eficaz.

Quando uma empresa tem um único funcionário não há estrutura. Essa pessoa realiza todas as atividades, toma todas as decisões, produz, vende, acompanha o fluxo de caixa etc. No momento em que outro elemento passar a integrar a organização a

Figura 1 — A função de estruturar

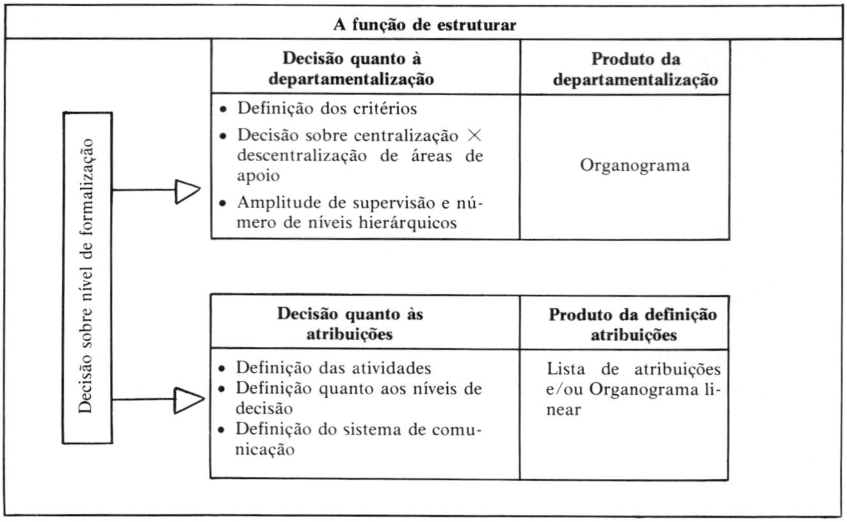
A função de estruturar
Decisão sobre nível de formalização
Decisão quanto à departamentalização
• Definição dos critérios
• Decisão sobre centralização × descentralização de áreas de apoio
• Amplitude de supervisão e número de níveis hierárquicos
Produto da departamentalização
Organograma
Decisão quanto às atribuições
• Definição das atividades
• Definição quanto aos níveis de decisão
• Definição do sistema de comunicação
Produto da definição atribuições
Lista de atribuições e/ou Organograma linear

função de estruturar é iniciada. Há necessidade de algum tipo de divisão de atribuições e de se estabelecer hierarquia.

À medida que a empresa cresce, novas pessoas são contratadas e as atribuições são re-divididas. Após um certo instante passa a ser necessário uma formalização maior em relação a esses entendimentos. As atribuições mais importantes passam a ser registradas em documentos internos.

Depois de um certo instante ficará impossível para o gerente principal coordenar as atividades de todos os seus subordinados. Estes serão agrupados em duas unidades e para cada uma será designado um chefe. A estrutura passa a ter três níveis hierárquicos. À medida que a empresa cresce o número de funcionários aumenta e mais níveis são criados.

A boa estrutura é aquela que agrupa as unidades da forma mais adequada para a empresa e que define a autoridade, atividades e formas de comunicação de maneira a permitir o atingimento dos objetivos com o melhor uso dos recursos humanos e materiais disponíveis (Galbraith, 1977). Os fatores condicionantes a serem considerados para uma estruturação adequada são: condições internas, objetivos e estratégia, ambiente externo, natureza da atividade e fator humano.

Posteriormente, esses fatores serão discutidos com maior profundidade.

Delineamento da estrutura

A função de estruturar envolve três aspectos básicos: departamentalização, definição das atribuições e nível de formalização. A seguir cada uma dessas fases será apresentada em maior profundidade, entretanto, convém ressaltar que elas não são estanques mas sim interdependentes. No processo de delinear uma estrutura não há etapas totalmente separadas mas sim um processo de constante interação entre elas. Assim, faz-se um esboço preliminar da departamentalização que é alterado quando a definição de atribuições é realizada constituindo um processo contínuo de realimentação. A Figura 1 mostra de forma sintética a função de estruturar, que envolve três aspectos:

a) departamentalização
b) definição de atribuições
c) nível de formalização.

a) departamentalização

É o processo através do qual os recursos humanos e materiais são agrupados em unidades de forma que cada parte e o todo possam ser gerenciados. O produto da atividade de departamentalização é uma figura que mostra os cargos da estrutura e suas relações de autoridade e comunicação. Esta figura é conhecida pelo nome de organograma (Figura 2).

Figura 2 — Exemplo de organograma de um centro de pesquisa

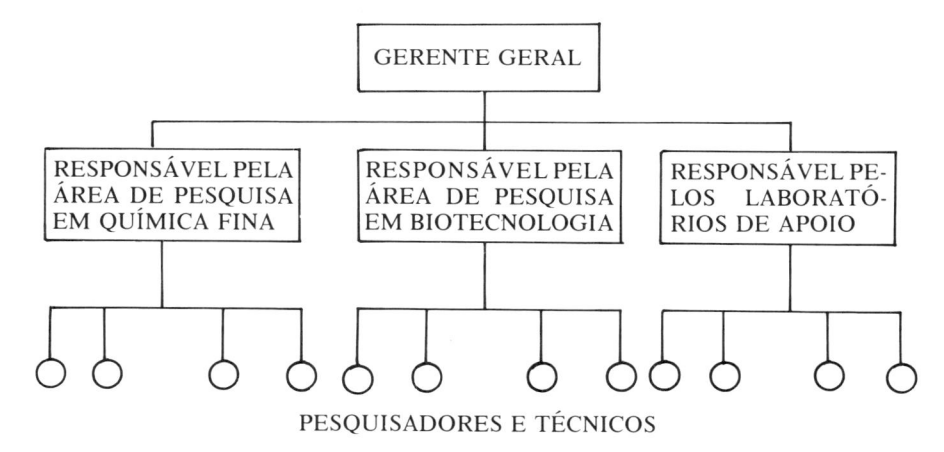

PESQUISADORES E TÉCNICOS

Neste Centro de Pesquisa (Fig. 2), há um gerente geral, e subordinados a ele há três responsáveis por áreas e, abaixo deles, equipes de pesquisadores e técnicos.

Os seguintes aspectos devem ser definidos no processo de departamentalização:

- Seleção do critério para departamentalizar
- amplitude de supervisão e níveis hierárquicos
- centralização $\times$ descentralização de áreas de apoio.

Cada um desses conceitos será detalhado e exemplificado em tópicos posteriores.

b) **Definição das atribuições**

Um organograma é insuficiente para a operação de uma estrutura. É preciso que haja uma definição das atividades que cada unidade da estrutura realizará, do poder de decisão o responsável pela unidade e de seus subordinados, assim como uma definição do fluxo de comunicação para que as pessoas possam ter informações para realizar suas atividades e exercer sua autoridade.

c) **Nível de formalização**

Há um aspecto relacionado tanto com a departamentalização como com a definição de atribuições: trata-se de definir o grau de formalização desejado.

O organograma e as atribuições são conhecidos como "estrutura formal". Entretanto, muito do que acontece no Centro de Pesquisa não obedece a essas normas (Stoner, 1978). Por exemplo, um pesquisador pode conversar diretamente com o gerente do Centro. Se neste Centro, a norma exige que a comunicação passe através do chefe então esta comunicação chama-se "informal". Outro exemplo de "estrutura informal" é o subordinado que tem alta capacidade de influência (liderança) sobre os colegas e sobre o próprio chefe, invertendo a hierarquia da estrutura formal.

A estrutura real de um Centro de Pesquisa de uma empresa ou de qualquer organização, é a soma da estrutura formal com a estrutura informal.

Assim, uma definição importante é a decisão do nível de formalização da estrutura. Há empresas que operam sem organogramas e sem definições (pelo menos por escrito) das atribuições. Outras tem um nível elevado de formalização. Tudo é registrado. A comunicação e as decisões acontecem dentro de grande número de normas estabelecidas.

A atividade de pesquisa tecnológica exige flexibilidade pela sua própria natureza (Roman, 1968 e Blake 1978). A incerteza dos projetos de pesquisa, e a diferenciação entre um projeto e outro em termos de tamanho e interdisciplinaridade exigem estruturas flexíveis que possam responder às mudanças na atividade.

Desta forma, devemos evitar ao máximo manuais detalhados e regras rígidas sobre comunicação, autoridade e distribuição das atividades. O outro extremo, entretanto, tem se mostrado prejudicial às atividades do Centro. A busca de um equilíbrio adequado, considerando aspectos como tamanho, complexidade das atividades e preparo das pessoas é uma decisão importante a ser tomada.

A Figura 3 mostra a tabulação da pergunta sobre o nível de formalização da autoridade e responsabilidade do gerente da unidade de P&D. A tabulação geral mostrou que na opinião da maioria dos respondentes (57% dos 60 Centros de P&D) a autoridade e responsabilidade do gerente de P&D "está definida e por escrito". Nos maiores Centros (mais de 150 pessoas) a formalização aumenta (76%) enquanto que nos menores, ela diminui (41%). Isso ocorre porque a formalização tende a aumentar na medida em que o Centro cresce. Quando a unidade de P&D tem 10 a 15 pessoas todos se conhecem, a comunicação ocorre com mais freqüência, as "normas do grupo" substituem muitos dos aspectos formais da estrutura. À medida que o Centro cresce, ele é dividido em unidades cada uma com seu chefe e mais tarde cada unidade é subdividida criando outro nível hierárquico. A definição mais precisa de autoridade e responsabilidade, torna-se mais necessária.

Figura 3 — Formalização da autoridade e responsabilidade do gerente de P&D

	Total da amostra N = 60	Maiores centros N = 17	Menores centros N = 17	Centros de emp. públicas N = 7	Centros de emp. privadas N = 53	Centros tec. de ponta N = 11	Centros tec. mais estável N = 21
Autoridade/responsabilidade do gerente de P&D estão definidas e por escrito	57%	76%	41%	71%	57%	45%	65%
Autoridade/responsabilidade do gerente de P&D estão definidas informalmente	26%	12%	35%	—	30%	36%	25%
Autoridade/responsabilidade do gerente de P&D estão parcialmente definidas e por escrito	16%	12%	18%	29%	11%	19%	10%
Outras	1%	—	6%	—	2%	—	—
Total	100%	100%	100%	100%	100%	100%	100%

Na década de 70 a Divisão de Economia e Sistemas do MRI-Midwest Research Institute em Kansas City nos EUA foi uma exceção a esta regra. Esta divisão chegou a ter 65 pessoas operando com grande eficiência e com baixíssimo grau de formalização. Isso em grande parte foi devido a liderança carismática do Diretor. Quando este foi promovido a Diretor do MRI, seu substituto não conseguiu operar com eficiência. Alguns meses depois ele estruturou à Divisão de Economia e Sistemas especificando autoridade e responsabilidade e criando cargos de chefia como as demais Divisões do Instituto.

A Figura 3 permite também uma comparação entre Centros de empresa pública com centros de empresa privada. Observa-se um nível de informalidade maior entre os Centros de P&D privados (30% contra zero). Isso pode ser explicado por duas razões:

- empresas governamentais pela própria natureza tendem a ser mais formalizadas;
- os Centros de empresas públicas da amostra são maiores do que os Centros de empresas privadas: média de 470 pessoas contra 97.

Os Centros de Tecnologia de ponta (informática e eletrônica) foram comparados com os Centros de Tecnologia tradicionais (siderurgia, mecânica e papel). O resultado mostrou que o grau de formalização é menor (45% contra 65%) nos Centros de tecnologia de ponta. Isso é explicado pelas seguintes razões:

- empresas operando em tecnologia de ponta estão sujeitas a uma pressão para inovação muito maior, combinando recursos humanos e materiais de maneiras diferentes, dificultando nível de formalização muito alto.
- o dinamismo maior da tecnologia de ponta deixa menos tempo para atividades de organização interna.
- a taxa de crescimento dos Centros de Tecnologia de ponta (principalmente informática) tem sido muito elevado, levando o Centro a freqüentes reorganizações, dificultando um nível maior de formalização.

Deve ser observado que os Centros de Tecnologia de ponta são *maiores* (267 pessoas em média contra 68) do que os Centros de tecnologia mais estável. Assim, em função do fator tamanho eles deveriam ser mais formalizados. Isso não ocorre porque os aspectos acima citados tem um peso maior.

Fatores condicionantes da estrutura

O bom desempenho de um Centro de Tecnologia Industrial depende de muitos aspectos. Um deles é o grau de adequação de sua estrutura às "características específicas" deste Centro. Essas características podem ser melhor descritas a partir de um conjunto de fatores denominados fatores condicionantes da estrutura: (Figura 4).

a) Condições internas.
b) Ambiente externo

Figura 4 — Condicionantes da estrutura: aplicação para um Centro de Pesquisa e Desenvolvimento

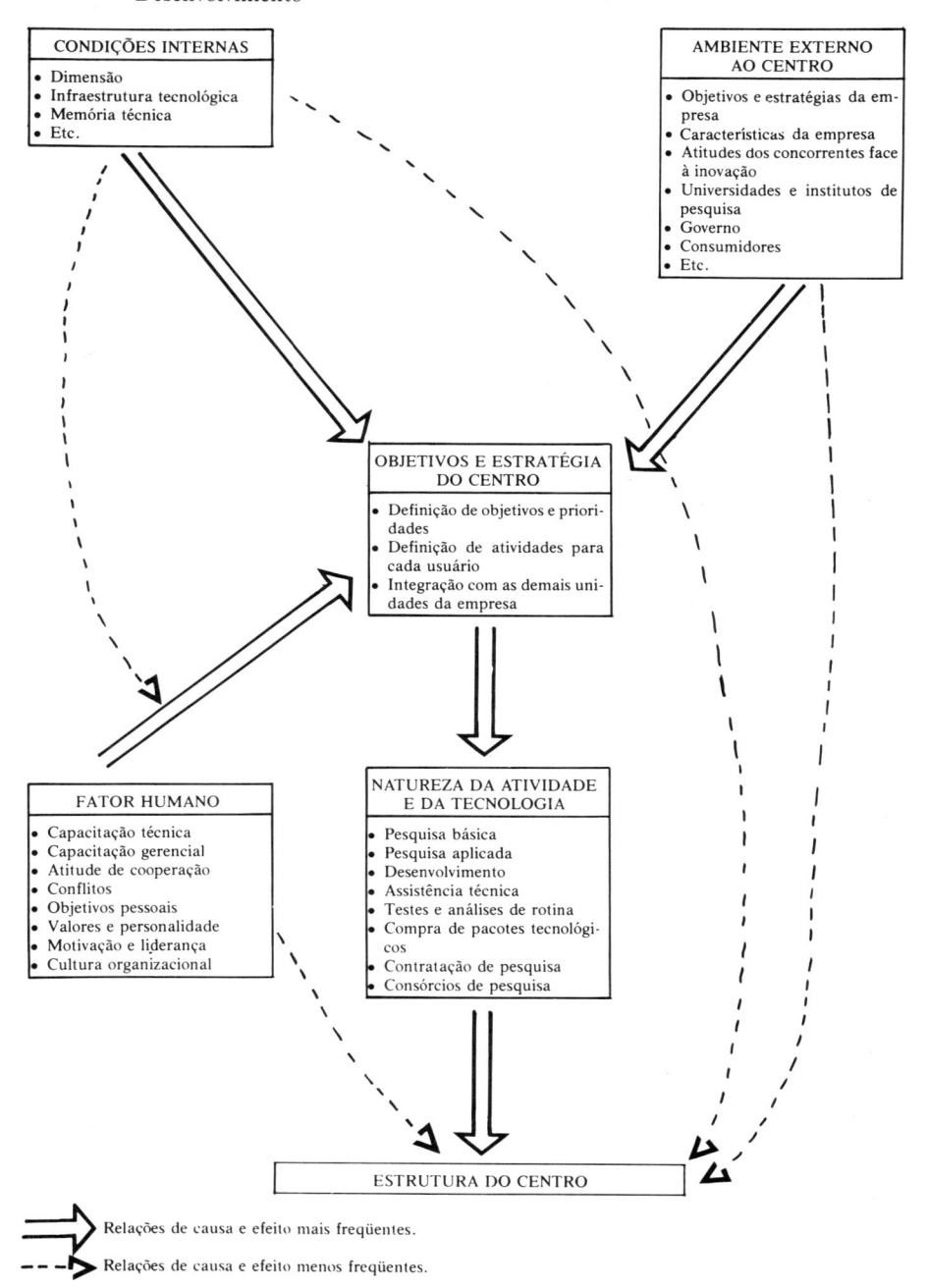

CONDIÇÕES INTERNAS
- Dimensão
- Infraestrutura tecnológica
- Memória técnica
- Etc.

AMBIENTE EXTERNO AO CENTRO
- Objetivos e estratégias da empresa
- Características da empresa
- Atitudes dos concorrentes face à inovação
- Universidades e institutos de pesquisa
- Governo
- Consumidores
- Etc.

OBJETIVOS E ESTRATÉGIA DO CENTRO
- Definição de objetivos e prioridades
- Definição de atividades para cada usuário
- Integração com as demais unidades da empresa

FATOR HUMANO
- Capacitação técnica
- Capacitação gerencial
- Atitude de cooperação
- Conflitos
- Objetivos pessoais
- Valores e personalidade
- Motivação e liderança
- Cultura organizacional

NATUREZA DA ATIVIDADE E DA TECNOLOGIA
- Pesquisa básica
- Pesquisa aplicada
- Desenvolvimento
- Assistência técnica
- Testes e análises de rotina
- Compra de pacotes tecnológicos
- Contratação de pesquisa
- Consórcios de pesquisa

ESTRUTURA DO CENTRO

Relações de causa e efeito mais freqüentes.

Relações de causa e efeito menos freqüentes.

105

c) Objetivo e estratégia

d) Natureza da atividade e da tecnologia

e) Fator humano.

A relação entre esses fatores é demonstrada na Figura 4, onde as setas em linha cheia mostram as cadeias de causa/efeito mais freqüentes. As linhas pontilhadas mostram relações entre fatores que ocorrem com menos freqüência.

A figura não mostra todas as interações possíveis para evitar excessiva complexidade. Deve também ser resssaltado que pode haver uma inversão nos efeitos. A estrutura, por exemplo, exerce influência sobre o fator humano. O tipo de estrutura selecionado pode aumentar os conflitos, reduzir a integração, aumentar o grau de especialização técnica, etc.

A seguir, cada fator será explicado.

a) **Condições internas**

As condições internas do Centro de P&D envolvem vários aspectos que influem na definição de objetivos do Centro, mas também são afetados por estes objetivos de forma interativa.

Uma estratégia de desenvolver internamente aprimoramento de produtos e processos para as várias fábricas de uma empresa diversificada só é viável se o Centro tem uma dimensão compatível com essa estratégia. Por outro lado, o Centro pode decidir contratar pesquisas fora e ter somente um grupo de coordenação, neste caso essa estratégia trará como conseqüência um Centro de dimensões reduzidas. Alguns exemplos de aspectos que constituem as condições internas são: laboratório, layout, dimensão, dispersão (ou concentração) geográfica da infra estrutura, sistemas administrativos de planejamento, controle e avaliação de desempenho. A rigor o fator humano deveria ser considerado como um dos elementos das condições internas. Ele foi tratado em separado com objetivo de destacar sua importância.

b) **Ambiente externo**

O Centro não está isolado mas é parte de uma empresa que por sua vez está inserida em um contexto maior.

As unidades de marketing, recursos humanos, informática, produção, apoio administrativo, direção geral constituem parte importante do ambiente externo do Centro. Os objetivos e estratégias da empresa assim como as estratégias de cada divisão afetam diretamente os objetivos e estratégias do Centro de P&D.

Cada unidade da empresa deve ser vista como um potencial "cliente" cuja demanda por tecnologia (presente e futura) deverá ser identificada, priorizada e satisfeita. Além da própria empresa, há outros elementos importantes do meio externo: fontes de tecnologia como Universidades e Institutos de Pesquisa, mercado de trabalho, fornecedores de insumos e equipamentos para pesquisa e principalmente os concorrentes.

c) **Objetivos e estratégias do centro**

Em função dos seus pontos fortes e fracos e das características do ambiente externo o Centro de P&D deverá definir seus objetivos e estratégias. Por objetivo entende-se como os resultados que o Centro espera alcançar para a empresa. Estratégias são as formas de interagir com o ambiente externo de forma a alcançar os objetivos propostos.

No Brasil "as empresas privadas criaram Centros de P&D para enfrentar a concorrência no mercado internacional e/ou sobreviver e se consolidar no mercado interno" (Marcovitch 1981). As empresas públicas também desenvolveram Centros de pesquisa no sentido de aumentar o grau de independência tecnológica do país fortalecendo a indústria nacional (como exemplos temos o CEPEL da ELETROBRÁS e CPqD da TELEBRÁS) possibilitando um serviço mais eficiente ao consumidor.

Os objetivos e estratégias da empresa a qual o Centro está ligado tem um papel fundamental na definição dos objetivos do Centro de Pesquisa. Muitas unidades de P&D enfrentam problemas sérios devido à indefinição ou falta de comunicação da estratégia da empresa.

O Centro de P&D deve optar entre várias alternativas estratégicas ou então por uma combinação delas. Algumas das decisões importantes que devem ser tomadas neste processo são:

- definição quanto ao tipo de atividade
- definição sobre fazer $\times$ subcontratar $\times$ comprar/adaptar
- definição quanto a fontes de recursos.

- **Definição quanto ao tipo de atividade**

Um Centro de P&D pode realizar pesquisa básica, pesquisa aplicada, desenvolvimento de produtos/processos, assistência técnica à produção e outras áreas da empresa, testes e análises de rotina. É importante definir a porcentagem dos recursos humanos e materiais que serão alocados para cada tipo de atividade e para cada tipo de "cliente" do Centro. Esta definição afetará o tipo de estrutura que o Centro deverá ter.

É comum as empresas adotarem estratégias diferentes para diferentes linhas de produto. Para uma determinada linha a empresa decide realizar pesquisa procurando inovar e ser líder tecnológica. Em outra linha de produtos a empresa copia o que já existe com algum desenvolvimento, e nos demais copia simplesmente. Este aspecto foi comprovado em estudo realizado no Brasil para o setor de bens de capital (Vasconcelos et alii 1986 e Sbragia, Kruglianskas e Marcovitch 1985).

- **Definição sobre fazer $\times$ subcontratar a pesquisa $\times$ comprar e adaptar "pacotes"**

Outro aspecto importante é definir quais atividades deverão ser realizadas pelo próprio Centro e quais deverão ser sub contratadas. Algumas empresas optaram por ter pequenas unidades de P&D formadas por elementos de alto nível que definem especificações, contratam serviços de Universidades e Institutos de Pesquisa e acompa-

107

nham o desenvolvimento desses contratos. Os consórcios de pesquisa, onde várias empresas se unem para realizar em conjunto (ou sub contratar) uma pesquisa é outra variação deste tema. Atualmente um consórcio de várias empresas transacionais está sendo estudado para pesquisar técnicas alternativas de extração de petróleo em águas profundas.

- **Definição sobre fontes de recursos**

Outra decisão estratégica é definir qual a porcentagem dos recursos do centro de P&D que virá da própria empresa e qual virá de outras fontes como agências governamentais, Fundações Internacionais, etc... Ajustes na estrutura organizacional deverão ser feitos se houver necessidade de obtenção de recursos externos à empresa.

d) Natureza da atividade e da tecnologia

O objetivo de um Centro e sua estratégia estão em função das condições internas e do ambiente externo deste Centro. A estratégia define que atividades serão realizadas para quais usuários e com que prioridade. Assim, a natureza da atividade e da tecnologia decorre da estratégia e influi diretamente sobre a estrutura do Centro.

Um Centro que realiza pesquisa aplicada e que tem dimensão reduzida pode ser estruturado "por projeto". Se o plano estratégico definiu a realização de pesquisas mais básicas a estrutura do Centro terá que ser ajustada. Se além disso o Centro se propuser a prestar assistência técnica à Fábrica, solucionando problemas técnicos de maior complexidade, novo ajuste deverá ser feito. No caso da estratégia de atuação contemplar mais a compra de pacotes tecnológicos no Brasil e exterior e contratar pesquisa ao invés de executá-las, a estrutura do Centro deverá ser totalmente diferente.

O capítulo   deste livro trata com profundidade a problemática do planejamento estratégico para Centros de P&D de empresas.

e) Fator humano

O conjunto de pessoas que constituem o Centro, seus valores, objetivos pessoais, capacidade técnica e gerencial, conflitos, personalidades, enfim, todos os aspectos que constituem a dinâmica de um grupo constituem o Fator Humano. Este Fator influencia diretamente os objetivos e a estratégia do Centro porque a cúpula do Centro é constituída de pessoas, que ao estabelecer objetivos e estratégia mesclam aspectos puramente técnicos e formais com os objetivos pessoais, conflitos políticos e viezes de personalidade.

O Fator Humano condiciona a estrutura de forma direta. Com freqüência, uma estrutura A que seria ideal para um determinado Centro não pode ser utilizada porque as pessoas não estão preparadas, e até que isso ocorra uma estrutura B tem que ser usada. Não se pode, por exemplo, descentralizar autoridade para gerentes de projeto até que haja um mínimo de preparação para isso. Até lá, uma estrutura mais centralizada deverá ser utilizada. Este raciocínio não deve levar a uma situação de conformismo na qual os gerentes não podem receber autoridade até que tenham condições para isso. Como eles não a recebem não se desenvolvem e continuam a não ter

108

Figura 5

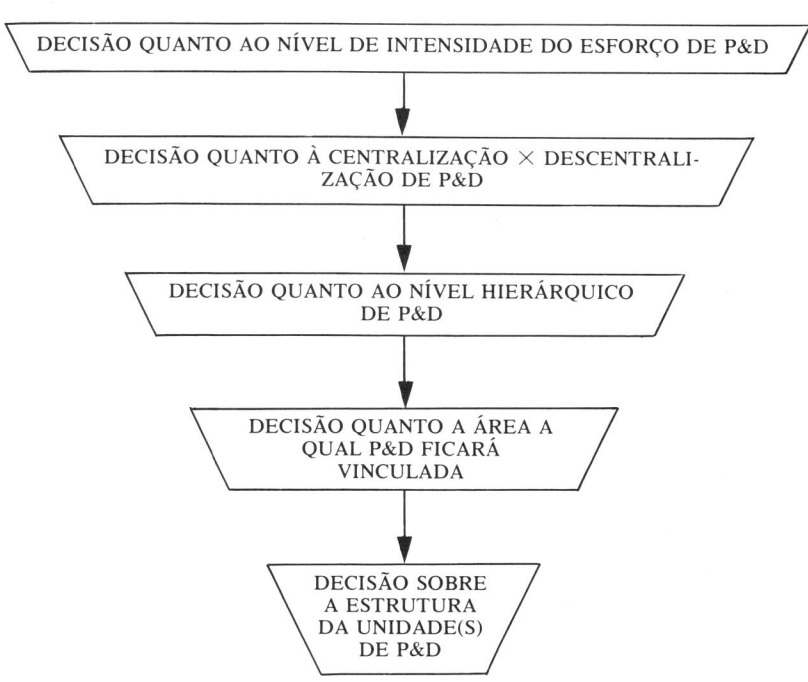

condições necessárias. Um programa de desenvolvimento associado a uma mudança gradativa na estrutura é a forma mais adequada para lidar com esta situação.

Níveis de decisão no processo de estruturar P&D

A Figura 5 mostra os vários níveis de decisão envolvidos no processo de estruturar a função de P&D em uma empresa.

Deve ser ressaltado que estes níveis são estanques, havendo sobreposição e inter-relação entre eles.

A seguir, cada um dos níveis de decisão serão vistos com maior profundidade.

3 — DECISÃO QUANTO AOS NÍVEIS DE INTENSIDADE DO ESFORÇO DE P&D

Antes de discutir as formas de posicionar P&D na empresa convém refletir sobre o grau de intensidade e concentração dos esforços de P&D (quando existem) em uma dada empresa. De forma geral, os níveis de intensidade formam uma escala na qual destacamos três pontos principais (Figura 6).

Figura 6 — Níveis de intensidade do esforço em P&D

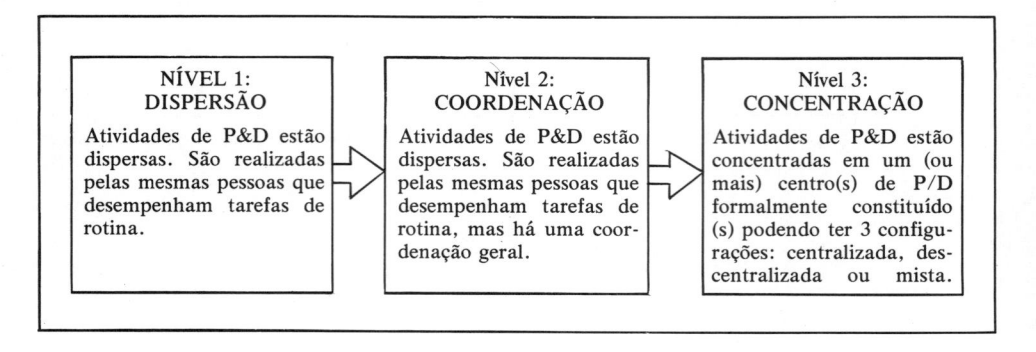

No primeiro nível, temos a realização de atividades de aprimoramento de processos e produtos ocorrendo no dia a dia da empresa aproveitando "horas vagas" e realizadas nas várias unidades da Fábrica, no Laboratório de Controle de Qualidade, no Setor de Manutenção, etc. Este é o caso mais freqüente, se observarmos o conjunto das empresas nacionais.

Neste primeiro nível temos as seguintes vantagens:

- utilização de capacidade ociosa das equipes de rotina.
- desenvolvimento de atividade de P&D adaptadas às necessidades imediatas da empresa porque são realizadas pelas próprias pessoas que sentem essas necessidades. Evita-se fazer pesquisa pela pesquisa.
- facilidade de implantação dos resultados.
- motivação das equipes de rotina porque esta atividade de inovação permite um auto desenvolvimento.

Os principais problemas encontrados pelas empresas que estão nessa fase são:

- as atividades de rotina são sempre prioritárias ficando a inovação para um segundo plano. Se a empresa está em um mercado de alta competição tecnológica ela não sobrevive.
- visão de P&D fica muito imediatista, buscando soluções a curto prazo para problemas técnicos de processos e produtos sem uma estratégia definida.
- freqüentemente as pessoas voltadas para a rotina não tem capacitação suficiente para as atividades de inovação tecnológica.
- alto risco de duplicação de esforços.

Quando a empresa decide indicar um coordenador para integrar esses esforços, o segundo nível foi atingido. Este coordenador pode realizar diversas atividades com objetivo de aumentar o grau de sucesso das atividades de P&D. Algumas delas são:

- manter um sistema de informação para saber o que está sendo feito em termos de desenvolvimento tecnológico nas várias unidades da empresa;
- promover intercâmbio de experiências;

- dar suporte a essas atividades, contratando consultores, promovendo palestras e seminários;
- desenvolver em conjunto com o setor de recursos humanos um plano de desenvolvimento técnico do pessoal;
- promover a participação dos elementos envolvidos com P&D em cursos e congressos;
- criar mecanismos para definir necessidades prioritárias de aperfeiçoamento tecnológico junto às várias áreas da empresa.

Este nível é superior ao primeiro, em termos de desenvolvimento de uma efetiva capacitação tecnológica, entretanto, as limitações do nível 1 com exceção da duplicação de esforço continua existindo. É difícil, por exemplo, captar recursos externos para o desenvolvimento de projetos de P&D quando as equipes dos projetos poderão ficar totalmente absorvidos por necessidades da rotina, deixando a empresa em má situação quanto ao cumprimento dos cronogramas propostos.

O último nível é a constituição de uma (ou mais) unidade formal dentro da empresa que se dedicará as atividades de P&D. Não necessariamente este Núcleo deverá fazer pesquisas. Ele pode contratar ou mesmo comprar pacotes tecnológicos adaptando-os às necessidades da empresa. A empresa pode optar por ter um único Centro de P&D, um para cada Divisão, ou uma situação mista em que há um Centro para cada divisão e ao mesmo tempo uma unidade central. Estas alternativas serão exploradas com maior profundidade no tópico seguinte.

Os níveis não indicam uma evolução obrigatória. Muitas empresas passam diretamente do nível 2 para o nível 3, e outras já começam sua existência no nível 3. Como exemplo deste último caso temos a Aracruz Celulose e a SID Informática. Convém ressaltar que a passagem de um nível para outro não significa necessariamente que o nível anterior deixa de existir. Uma empresa pode estar no nível 3, com um Centro de P&D formalmente constituído e ao mesmo tempo estar no nível 1 porque certas atividades de P&D continuam a ser realizadas nas horas vagas pelas equipes de manutenção, engenharia, controle de qualidade, etc...

4 — DECISÃO QUANTO A CENTRALIZAÇÃO
×
DESCENTRALIZAÇÃO DE P&D

Como foi discutido no tópico anterior, as atividades de P&D (no nível 3) podem ser estruturadas de três formas: centralizada, descentralizada e mista.

Na estrutura centralizada, há uma única unidade de P&D que presta serviços para toda a empresa, enquanto que na descentralizada, cada Divisão tem sua própria unidade de P&D. A estrutura mista é qualquer tipo de combinação entre as duas primeiras.

A Figura 7 mostra as formas Centralizada e Descentralizada. Inicialmente, uma comparação entre esses dois tipos de estrutura será feita, a seguir, os fatores para escolha da melhor forma serão apresentados. A discussão do tipo misto de estrutura é outro aspecto abordado. Finalmente os resultados do estudo feito sobre a realidade brasileira são apresentados e discutidos à luz dos conceitos expostos.

Figura 7 — Centralização × Descentralização de P&D na empresa

EXEMPLO DE ESTRUTURA DE P&D CENTRALIZADA

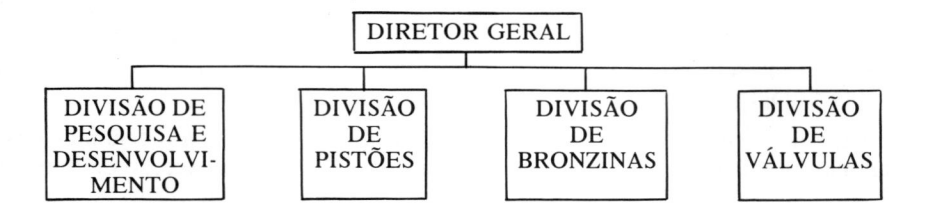

EXEMPLO DE ESTRUTURA DE P&D DESCENTRALIZADA

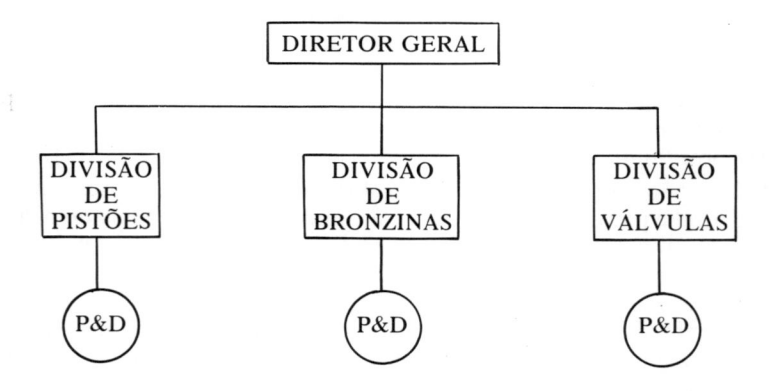

Vantagens da estrutura centralizada

A estrutura centralizada apresenta as seguintes vantagens em relação à descentralizada:

a. **melhor uso de recursos**: na forma centralizada é mais fácil re-alocação de recursos humanos e materiais reduzindo o risco de capacidade ociosa. Além disso, é menos provável a ocorrência de duplicação de esforços. Na estrutura descentralizada, por exemplo, os especialistas podem estar trabalhando simultaneamente sobre um mesmo problema já resolvido por um terceiro há alguns meses atrás.

b. **maior integração entre os pesquisadores**: quando todos os pesquisadores estão reunidos em um único núcleo, o intercâmbio entre eles é mais fácil, e a criação de um "ambiente" de pesquisa é facilitada. A realização de atividades ou projetos que

112

envolvem a cooperação entre diversas especialidades (que na estrutura descentraliza-da estariam em unidades diferentes) é mais fácil.

c. **nível hierárquico de P&D é maior**: a forma centralizada leva a uma unidade de P&D mais próxima à autoridade máxima da empresa. Isso faz com que a importância da área tenda a aumentar. Este nível hierárquico maior, facilita o delineamento e manutenção de uma estratégia tecnológica para a empresa.

d. **menor risco da rotina "absorver" a pesquisa**: A proximidade das unidades produtivas no sistema descentralizado pode envolver a equipe de pesquisa na solução de problemas do dia a dia, deixando a pesquisa em segundo plano.

e. **Maior facilidade de padronização**: é mais fácil establecer e implantar um sistema de normas técnicas em estruturas centralizadas.

f. **motivação dos pesquisadores**: a estrutura centralizada afeta positivamente os pesquisadores ao reuní-los em um único núcleo criando um ambiente de pesquisa mais favorável à troca de experiências e ao desenvolvimento.

Vantagens da estrutura descentralizada

a. **maior integração entre os pesquisadores e o produto**: a estrutura descentrali-zada leva a uma especialização dos pesquisadores em relação aos produtos ou linha de produtos. Fica mais fácil "viver" a realidade de cada produto compreendendo melhor os problemas de fabricação, necessidade dos clientes e atitudes dos concorrentes. Essa integração reduz a possibilidade de se realizar pesquisas "acadêmicas" e não aplicáveis, o que acontece com mais freqüência em sistemas centralizados.

b. **mais fácil transferência de resultados**: a implantação de aprimoramentos tecnológicos é facilitada por esta aproximação e pelo fato da fábrica e P&D estarem subordinadas a um mesmo chefe.

c. **maior facilidade para atender à dispersão geográfica**: o sistema descentrali-zado permite lidar de forma mais fácil com o problema da dispersão geográfica das unidades. Se as divisões estão geograficamente distantes, o sistema centralizado difi-culta a realização das pesquisas.

d. **motivação dos pesquisadores**: os pesquisadores estão mais próximos às áreas nas quais as inovações são introduzidas. Eles podem acompanhar um projeto do iní-cio até a transferência dos resultados para a fábrica e conhecer melhor o impacto da inovação por ele gerada.

A Figura 8 resume a comparação entre as estruturas centralizadas e descentrali-zadas.

113

Figura 8 — Comparação entre estrutura de P&D centralizada e descentralizada

Vantagens da estrutura de P&D centralizada	Vantagens da estrutura de P&D descentralizada
• melhor uso de recursos • maior integração entre os pesquisadores • nível hierárquico de P&D é maior • menor risco da rotina "absorver" a pesquisa • maior facilidade de padronização • maior motivação dos pesquisadores em função do ambiente de pesquisa	• maior integração entre pesquisadores e o produto • maior facilidade para transferir os resultados da pesquisa • maior facilidade para atender a dispersão geográfica das Unidades • motivação dos pesquisadores em função da proximidade com o usuário

Fatores para decidir sobre centralização x descentralização

No tópico anterior as vantagens do sistema centralizado e descentralizado foram analisadas. Cabe agora definir os fatores que deverão ser levados em conta para analisar uma situação específica permitindo uma decisão quanto a esta problemática.

a) **Potencialidade de intercâmbio de recursos**: quanto maior a possibilidade de tirar recursos humanos e equipamentos para P&D que servem à Unidade A e alocá-los a serviços de P&D para a Unidade B mais vantajoso torna-se o sistema centralizado, porque a centralização de P&D favorece esse intercâmbio. Por outro lado, quanto menor é essa possibilidade menos vantagens há no sistema centralizado. Assim, a diferenciação tecnológica entre as Unidades, às quais o serviço de P&D é prestado, é um aspecto da maior relevância.

b) **Volume dos serviços de P&D**: quanto maior o volume dos serviços de P&D prestados à cada unidade mais o sistema descentralizado é favorecido, visto que este volume elevado permitirá mais facilmente a existência de uma massa crítica mínima de serviços de P&D para viabilizar a instalação de um pequeno centro junto àquela Unidade.

c) **Oscilação dos serviços**: quanto maior a oscilação dos serviços de P&D prestados à cada Unidade da empresa menos conveniente torna-se o sistema descentralizado porque este levaria à capacidade ociosa em alguns Núcleo de P&D e sobrecarga em outros. É claro que este fator só tem validade se há possibilidade de intercâmbio entre os recursos humanos e materiais que prestam serviço às Unidades.

d) **Necessidade de padronização**: quanto maior a necessidade de padronização de procedimentos e utilização de normas técnicas comuns maior a ênfase no sistema centralizado que facilita essa função.

e) **Custo dos recursos**: quanto maior o custo de certos equipamentos caros (ou recursos humanos altamente qualificados) menor a possibilidade do sistema descentralizado. Quanto maior o potencial de intercâmbio de recursos maior será o peso deste fator.

f) **Dispersão geográfica**: quanto maior as distâncias entre as várias unidades mais difícil torna-se a implantação de um sistema centralizado pela dificuldade de interação entre P&D e as áreas produtivas. Além da distância, a dificuldade de acesso e/ou comunicação deverão ser consideradas.

g) **Necessidade de integração**: Certas pesquisas podem exigir a colaboração de várias unidades de P&D. Quanto maior a freqüência com que isso ocorre mais vantajosa torna-se a alternativa centralizada. O sistema descentralizado tende a formar unidades mais "estanques" tornando a integração mais difícil.

A Figura 9 mostra os fatores de decisão e sua configuração ideal para o sistema descentralizado. O inverso dessa configuração leva a um sistema centralizado.

Figura 9 — Fatores para decidir entre centralização $\times$ descentralização de P&D na empresa

Fatores	Configuração do fator que favorece a descentralização de P&D na empresa
• Potencialidade de intercâmbio de recursos	Baixa. As áreas tecnológicas exigidas pelas unidades são muito diferentes. Recursos humanos e equipamentos são diferentes.
• Volume de serviços de P&D	Cada unidade da empresa demanda volume de serviços de P&D elevado ou pelo menos a um nível mínimo que permita viabilizar um Núcleo de P&D para cada unidade.
• Oscilação dos serviços	Baixa, minimizando capacidade ociosa e "picos" de trabalho.
• Necessidade de padronização	Baixa. Só há necessidade de padronização dentro de cada núcleo. Entre eles não há esta necessidade devido a alta diferenciação tecnológica.
• Custo dos recursos	Baixo. Mesmo aqueles que têm custo elevado não são intercambiáveis com os núcleos das demais unidades da empresa.
• Dispersão geográfica	Elevada, tornando muito difícil um sistema centralizado.
• Necessidade de integração	Baixa. Raramente há projetos que necessitam de um esforço integrado das várias unidades de P&D.

Sistemas "mistos"

Com muita freqüência a análise dos Fatores de Decisão (Figura 9) não mostra um resultado uniforme, isto é, "deve-se centralizar" ou "deve-se descentralizar". Alguns fatores são favoráveis a descentralizar e outros à centralização. Nesses casos, a solução é procurar uma forma mista que atenda ao maior número de fatores possível, levando-se em conta o peso desses fatores.

Uma empresa pode apresentar todos os fatores favorecendo o sistema descentralizado, entretanto, há certos equipamentos caros intercambiáveis. Neste caso a melhor solução é apresentada pela Figura 10. Cada Unidade tem seu núcleo próprio, entretanto, os equipamentos caros ficam centralizados. Este núcleo central pode realizar uma função de integração e avaliação da estratégia global de P&D na empresa.

Figura 10 — Combinação entre as formas centralizada e descentralizada

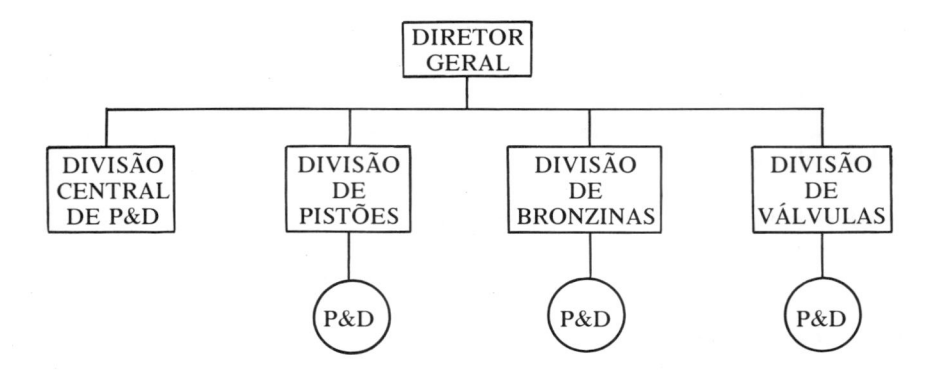

Outra forma mista é combinar o aspecto geográfico com uma dupla subordinação do Centro. Podemos, por exemplo, descentralizar o Centro fisicamente, de forma que cada núcleo fique próximo à Unidade de Produção mas manter os núcleos subordinados a unidade central de P&D. Neste caso, aparecerá uma subordinação à Unidade de Produção que chamaremos de "administrativa". A subordinação funcional (representada por linha pontilhada) existirá em relação à unidade central de P&D. Subordinação administrativa envolve aspectos como férias, licenças, autorização para viagens, distribuição de espaço físico, etc... e subordinação funcional envolve decisões técnicas como projetos prioritários, aprovação de cronogramas e orçamentos dos projetos, iniciar ou descontinuar um projeto, padrões de qualidade, normas técnicas, etc...

A outra alternativa é manter o Centro fisicamente unido, mas cada núcleo terá uma subordinação funcional à Unidade a qual presta serviços e uma subordinação administrativa ao chefe do núcleo central.

A DUPONT é um bom exemplo desta última alternativa. Cada Divisão (Têxtil, Agricultura, Explosivos, Eletrônica, Fotografia, etc...) tem um Centro de P&D a ela subordinado. Estes Centros estão aglutinados em um mesmo local. Trata-se de um complexo de pesquisa com 4.000 pessoas cobrindo uma área de 80 hectares. Aproximadamente 85% de toda a pesquisa da Dupont no mundo todo (1 bilhão de dólares/ano) é realizada neste local, entretanto, há subordinação direta de cada Centro de P&D à sua Divisão. A proximidade facilita a integração, o uso de equipamentos comuns, o intercâmbio de especialistas e as demais vantagens do sistema centralizado.

Em cada caso deverá ficar bem definido o que subordinação funcional e administrativa significam.

A Figura 11 mostra essas duas alternativas de estruturas mistas.

Centralização × descentralização de P&D nas empresas brasileiras

Os tópicos anteriores apresentaram um arcabouço teórico sobre centralização × descentralização de P&D na empresa. Serão apresentados agora os resultados de um estudo em 60 empresas que foram selecionadas por terem unidades formais dedicadas a pesquisa e desenvolvimento. A Figura 12 mostra a tabulação de uma per-

Figura 11 — Exemplos de estruturas mistas para P&D

NESTE CASO, OS NÚCLEOS DE P&D ESTÃO FISICAMENTE JUNTOS ÀS DIVISÕES, ADMINISTRATIVAMENTE SUBORDINADOS A ELAS, MAS FUNCIONALMENTE A UMA DIVISÃO CENTRAL DE P&D.

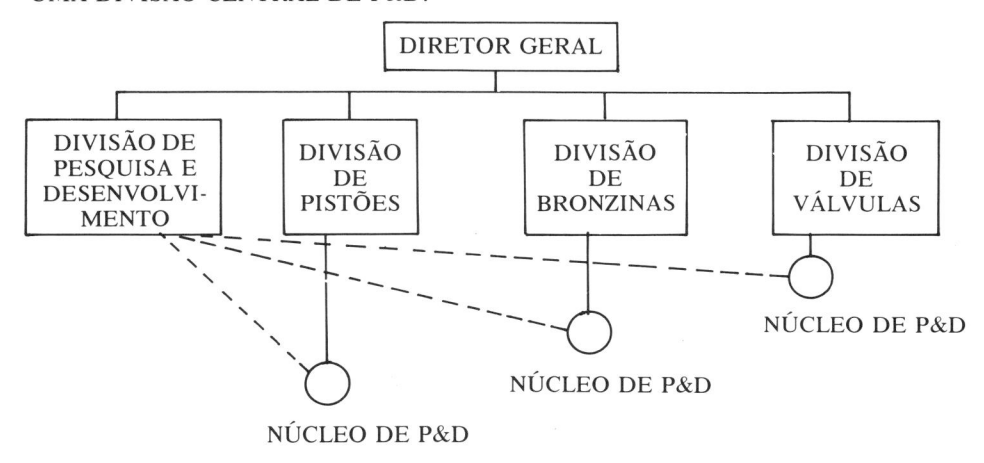

NESTE CASO, OS NÚCLEOS DE P&D ESTÃO FISICAMENTE JUNTOS E SUBORDINADOS ADMINISTRATIVAMENTE A UMA DIVISÃO CENTRAL DE P&D, ENTRETANTO, ELES ESTÃO SUBORDINADOS FUNCIONALMENTE ÀS SUAS DIVISÕES.

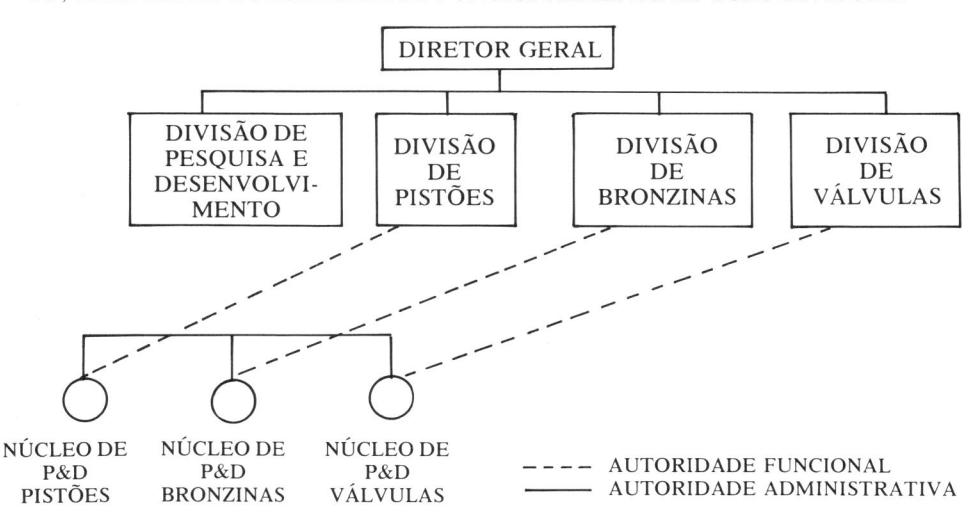

Figura 12 — Centralização × Descentralização de P&D

Atividades	Total dos respondentes N = 60	Maiores centros N = 17	Menores centros N = 17	Centros de emp. públicas N = 7	Centros de emp. privadas N = 53	Centros de tec. estável N = 11	Centros de tec. ponta N = 20
Atividade de P&D centralizadas em uma única unidade formalmente constituída	50%	65%	35%	57%	51%	40%	73%
Atividades de P&D realizadas por uma unidade formalmente constituída, mas fabrica, controle de qualidade, manutenção etc... também realizam algumas atividades de P&D	32%	23%	41%	43%	30%	40%	18%
Atividades de P&D descentralizadas (unidades vinculadas às várias divisões) mas com uma coordenação geral para todas as atividades de P&D	15%	12%	24%	—	17%	20%	—
Atividades de P&D descentralizadas e sem coordenação geral	2%	—	—	—	2%	—	9%
Outras	1%	—	—	—	—	—	—
Total	100%	100%	100%	100%	100%	100%	100%

gunta que colocava para o respondente diversas alternativas de organizar a função de P&D em termos de maior ou menor nível de descentralização. A tabulação geral mostrou que "atividades de P&D centralizadas em uma única unidade formalmente constituída" foi a resposta mais freqüente (50%).

A segunda forma estrutural mais observada (32% foi "atividades de P&D realizadas por uma unidade formalmente constituída, mas Fábricas, Controle de Qualidade, Manutenção, etc... também realizam algumas atividades de P&D". Somente em 15% das empresas "as atividades de P&D eram realizadas por unidades descentralizadas, mas com uma coordenação geral".

Estes dados refletem o estágio do sistema industrial brasileiro frente à inovação tecnológica. De forma simplificada, quando chegam ao nível 3 (formalização do Centro em Unidade(s) especificamente voltadas para P&D, conforme foi visto no 1º item, tendem a criar um único Centro, embora isso não seja regra geral. Mais tarde, com o crescimento da empresa e diversificação das linhas de produto, há uma tendência para descentralizar P&D. Isso ocorreu nos Estados Unidos após a descentralização ocorrida entre os anos 50 e 60. No Brasil, as unidades de P&D em empresas são relativamente recentes, por esta razão o sistema centralizado é mais freqüente. Dentro de 15 a 20 anos, a repetição do presente estudo mostrará uma freqüência da alternativa "atividades de P&D descentralizadas mas com uma coordenação geral" muito maior do que hoje.

Nas empresas onde o número de pessoas envolvidas em P&D é maior (mais de 150) há uma tendência para a alternativa centralizada: 65% contra 35% observadas em empresas com menor número (menos de 19) de pessoas em P&D. Por outro lado as empresas com menor envolvimento em P&D apresentaram uma freqüência maior (41% contra 23% na alternativa "atividades de P&D realizadas por uma unidade formalmente constituída, mas Fábrica, Controle de Qualidade, Manutenção, etc... também realizam algumas atividades de P&D".

Isso é explicado pelas fases de desenvolvimento diferentes destes dois grupos. As empresas com menor envolvimento, geralmente, tem unidades de P&D há menos tempo. Elas estão em uma fase de transição entre P&D realizado junto com a rotina e uma fase de consolidação do Centro. Durante esta fase de consolidação há muita resistência para os elementos envolvidos com a rotina de aceitar que as atividades de P&D sejam centralizadas. Uma forma de contornar este problema é transferir certos elementos chave das áreas de rotina para a área de P&D, entretanto, geralmente é inviável fazer isso com todos esses elementos sem prejudicar seriamente as atividades de rotina. Além disso, muitas empresas permitem e até estimulam que certas atividades de P&D sejam realizadas por elementos envolvidos com atividades de rotina.

A comparação entre Centros de P&D de empresas públicas e privadas mostrou que no primeiro caso houve uma opção clara pelos sistemas centralizados. A alternativa "atividades de P&D descentralizadas mas com coordenação geral" teve 17% de freqüência em empresas privadas e zero em empresas públicas. Esta é uma decisão correta devido em parte a dificuldade de auto controle que algumas estatais tem demonstrado. Se fosse permitido a criação de unidades de P&D nas várias empresas dos setores energético e de telecomunicações, com certeza, com o tempo estas unidades acabariam crescendo demais e duplicando o que fazem o CEPEL - (ELETROBRÁS) e o CPqD (TELEBRÁS).

A comparação entre os Centros de P&D voltados para a tecnologia de ponta e aqueles voltados para tecnologias mais estáveis mostrou que no primeiro caso há uma nítida tendência à centralização. Houve 73% de respostas positivas em relação à alternativa centralizada contra 40% observados nos Centros de tecnologia mais estável. Isso é explicado por duas razões:

- as empresas de alta tecnologia necessitam de alta velocidade de resposta à mudanças tecnológicas. Isso é mais difícil fazer quando os recursos de P&D estão, em parte, dispersos pela empresa e misturados com a rotina.
- nas empresas de alta tecnologia a área de P&D foi criada junto com a empresa, assim, não houve aquela etapa (Nível 1) em que só se fazia produção e alguns elementos da rotina passaram a realizar atividades de P&D nas horas vagas. No setor de alta tecnologia, P&D é realizada antes e durante a formação da empresa.

Por essas razões, 40% dos Centros de P&D de tecnologia mais estável mostraram uma estrutura centralizada mas com atividades de P&D sendo desenvolvidas pelas unidades de rotina da empresa. Nos Centros de alta tecnologia isso só ocorreu em 18% dos casos.

5 — DECISÃO QUANTO AO NÍVEL HIERÁRQUICO DE P&D

Um dos aspectos importantes da estruturação de P&D na empresa é decidir o nível hierárquico do responsável pela unidade de P&D. Se houver mais de uma unidade, deverá ser definido a quem se reportará o gerente de cada uma delas.

A Figura 13 mostra o nível hierárquico do gerente de P&D nas 60 empresas pesquisadas. Observa-se que em mais da metade dos casos (57%), P&D está no 2º nível hierárquico abaixo do Presidente da empresa, isto é, subordinado a um dos diretores da empresa.

Somente em 18% dos casos P&D está diretamente subordinado ao Presidente da empresa. Isso se deve aos seguintes fatores:

- a grande maioria dos Centros de P&D de empresas tem menos que 15 anos de existência, não tendo muitas vezes massa crítica para se equiparar às demais Diretorias.
- a importância de P&D está ainda em processo de conscientização por parte dos dirigentes das empresas.
- as demais Diretorias já existem desde o início da empresa formando uma estrutura de poder consolidadas.

A comparação entre Centros maiores e menores mostra que nos primeiros o nível hierárquico de P&D é maior: 35% dos Centros estão diretamente abaixo do Presidente contra 6% dos centros menores. Isso se deve às seguintes razões:

- Centros maiores envolvem volume maior de recursos.
- Centros maiores são um indicativo da importância de P&D na empresa, assim é de se esperar que o nível hierárquico do Gerente também seja mais elevado.

Figura 13 — Nível hierárquico do gerente de P&D na estrutura da empresa

Respondentes Níveis hierárquicos	Total da amostra N = 60	Centros maiores N = 17	Centros menores N = 17	Centros emp. púb. N = 7	Centros emp. priv. N = 53	Centros tecn. est. N = 20	Centros tec. ponta N = 11
1º Nível hierárquico abaixo do presidente	18%	35%	6%	—	21%	5%	64%
2º Nível hierárquico abaixo do presidente	57%	41%	52%	72%	54%	80%	18%
3º Nível hierárquico abaixo do presidente	17%	18%	18%	14%	17%	10%	9%
4º Nível hierárquico abaixo do presidente	3%	—	12%	—	4%	5%	—
Não responderam	5%	6%	12%	14%	4%	—	9%
Total	100%	100%	100%	100%	100%	100%	100%

121

Pode-se observar que o nível mais alto para P&D foi encontrado entre as empresas de alta tecnologia onde 64% dos Centros estão subordinados diretamente ao Presidente da empresa, contra 5% dos Centros de empresa de tecnologia mais estável. Isso era de esperar dada a importância estratégica desses Centros para o setor de alta tecnologia. Neste setor, é comum a formação do Centro de P&D concomitantemente com as demais áreas da empresa.

6 — DECISÃO QUANTO A ÁREA DE P&D DEVE ESTAR VINCULADA

Além de definir o nível hierárquico do gerente(s) da(s) unidade(s) de P&D é preciso também definir a qual área da empresa ele deve estar vinculado: Finança, Marketing, Produção, Engenharia, Presidência etc...

No estudo realizado, das 60 empresas somente 38 levam respostas que permitiram a análise desta questão. A Figura 14 mostra o resultado obtido.

Figura 14 — Área funcional a qual está subordinada a gerência de P&D

Área Técnica	14	37%
Área de produção	12	32%
Área de engenharia	06	16%
Diretoria sem especificação	04	11%
Assessoria de Planejamento	01	02%
Marketing	01	02%
Total	38	100%

A freqüência maior foi observada na Área Técnica, isto é, em 37% dos casos o Centro de P&D fica vinculado à unidade da empresa com esta denominação. Em 32% dos casos o Centro fica vinculado à Produção, não ao gerente da fábrica mas a um elemento superior a ele. Com uma freqüência menor (16%) o Centro fica vinculado à área de engenharia. Apenas em 1 caso o Centro fica subordinado à área de Marketing.

Em relação a este tópico cabem as seguintes considerações:

- o nível hierárquico da unidade de P&D deve ser compatível com a importância da inovação tecnológica na estratégia da empresa. Isso está diretamente ligado ao dinamismo do setor.
- O Centro de P&D deve estar vinculado à área onde estão as unidades com as quais ele precisa interagir com mais freqüência. Quando isso não é possível, é porque essas unidades não estão em uma única área, deve-se escolher aquela onde há maior número de unidades importantes que devem interagir com o

Centro e criar mecanismos de comunicação horizontal e diagonal com as outras áreas. Muitas empresas chegam a adotar a operação matricial (ex: Metal Leve) para conseguir realizar essas interações.

- qualquer que seja a decisão final quanto ao posicionamento do Centro é fundamental resguardá-lo contra um envolvimento excessivo nas atividades de rotina. Este é um perigo de se posicionar o Centro muito próximo à unidade de rotina que pode desviá-lo da sua missão principal.

- mais importante do que a localização do Centro na estrutura são os mecanismos de interação com o resto da empresa e a definição do processo de decisão sobre P&D de forma a atingir os objetivos da empresa. No caso da Johnson do Brasil, por exemplo, o Centro não está subordinado a área comercial, entretanto, como neste tipo de empresa o aspecto comercial tem um peso muito grande, quem aprova os projetos de P&D que serão desenvolvidos é a área comercial.

A figura 15 propõe quatro alternativas para localização de P&D na estrutura, listando para cada uma as condições que favorecem. Quando houver condições favorecendo mais de uma alternativa, deve-se procurar posicionar P&D junto a área onde as condições tem peso maior e a seguir, estabelecer mecanismos de interação (estrutura matricial).

Figura 15 — Algumas alternativas de posicionamento de P&D e condições que favorecem cada uma

Algumas alternativas para posicionar P&D	Condições que favorecem
P&D junto à fábrica	— Ênfase no aperfeiçoamento de processos existentes — Ênfase em novos processos — Necessidade freqüente de realizar testes na linha de produção — Assistência técnica a fábrica é prestada pelo centro de P&D
P&D junto a marketing	— Ênfase em novos produtos — Complexidade de fabricação é relativamente pequena — Assistência técnica ao cliente é constante e importante fator de venda e é prestada pelo centro de P&D ou com auxílio dele
P&D junto a controle de qualidade	— Empresa atua em setor altamente competitivo onde qualidade é essencial — Utiliza com freqüência equipamentos da área de CQ caros, portanto, de difícil duplicação.
Posição independente de P&D na estrutura diretamente subordinado ao presidente	— Setor de alta tecnologia onde inovação é fundamental para o sucesso da empresa e onde P&D é prioritário — Tamanho mínimo para justificar esse nível na hierarquia; isso tende a decorrer naturalmente se o item acima ocorrer — Nível de interação é aproximadamente igual com as várias áreas funcionais da empresa

7 — DECISÃO SOBRE A ESTRUTURA DA(S) UNIDADE(S) DE P&D

Introdução

Em tópico anterior, departamentalização foi definida como o processo através do qual os recursos humanos e materiais são agrupados de forma que cada parte e o todo passam a ser gerenciados.

A área de pesquisa a ser departamentalizada pode ser dividida em três:

- Unidade de Pesquisa que tem por finalidade realizar as Pesquisas;
- Unidade de apoio que tem por finalidade dar suporte às atividades de pesquisa, como por exemplo: estatística, informática, laboratórios de análise, apoio administrativo, etc...;
- Cúpula diretiva.

Focalizaremos inicialmente as alternativas de departamentalização para a Unidade de Pesquisa.

Departamentalização da Unidade de Pesquisa

Hawthorne (1978), aborda o problema da estrutura da função de P&D analisando e comparando as Estruturas Funcional, Por Projetos e Matricial. Hill (1974) complementam esta abordagem discorrendo sobre o organograma linear como forma de gerenciar os conflitos nas organizações. Vasconcellos, Sbragia e Kruglianskas (1981) desenvolvem este conceito, adaptando-o para a realidade brasileira.

Rubeinstein (1973), analisa o problema da descentralização de P&D com base em pesquisa realizada em 5 setores industriais. Sbragia, Kruglianskas e Marcovitch (1985) estudam a função de P&D nas empresas brasileiras no setor de bens de capital. Gerente de Centros de P&D de empresas tem contribuído de forma significativa para a consolidação dos conhecimentos sobre organização da Função de P&D na realidade brasileira. É o caso dos trabalhos de Lanna e Pimenta (1977) sobre a função de P&D na USIMINAS. Taralli (1984) que desenvolveu estudo sobre o Centro de P&D da Pirelli, Lepecke Mosse (1977) Sobre o CEPEL, Cerqueira Neto (1985) sobre o CENPES e muitos outros.

Há muitas formas de se organizar um Centro de P&D. As mais comuns são: por Produto, por Processo, Funcional por Projetos Pura, Por Projetos, Matricial-Balanceada, e Matricial-Funcional.

A seguir, cada tipo de estrutura será conceituado:

a) **Por produto**: Neste caso, os pesquisadores são agrupados de acordo com o produto (ou linha de produto) sobre o qual trabalham. Este tipo de estrutura é aconselhável quando existe alto nível de diferenciação tecnológica entre produtos e massa crítica de pesquisa para justificar a formação de unidades separadas.

b) **Por processo**: O centro é estruturado de acordo com as etapas do processo produtivo. Este tipo de departamentalização facilita a interação com a fábrica e é aconselhável quando há diferença tecnológicas significativas entre as várias fases do processo produtivo.

c) **Funcional**: Este tipo de estrutura agrupa os pesquisadores de acordo com sua especialidade técnica. Este tipo de organização é vantajosa para Centros que necessitam de pesquisadores altamente especializados e que realizam pesquisas dentro de cada unidade técnica sem necessidade de muita integração entre elas.

d) **Por Projetos Pura**: Neste tipo de departamentalização os pesquisadores são agrupados conforme os projetos nos quais estão trabalhando. Eles se subordinam ao gerente do projeto. Esta estrutura é aconselhável quando os projetos tem duração elevada, usam recursos humanos em tempo integral e sem oscilação. Esta estrutura não se aplica a Centros grandes.

e) **Por Projetos**: É semelhante a anterior, exceto pelo fato de que pesquisadores podem trabalhar simultaneamente em dois ou mais projetos. É uma estrutura apropriada para Centros pequenos (9 a 20 pesquisadores). Ela é bastante flexível, permitindo rápida adaptação à mudanças na atividade do Centro.

f) **Matricial Balanceada**: Trata-se da estrutura matricial tradicional onde gerentes de projetos interdisciplinares negociam com os gerentes funcionais uma equipe para o seu projeto. Os pesquisadores se subordinam aos gerentes dos projetos interdisciplinares mas permanecem subordinados ao seu chefe funcional. Freqüentemente, cabe ao Gerente de Projeto atividades como:

- integrar as atividades dos pesquisadores das diversas áreas.
- negociar com os gerentes funcionais a equipe para seu projeto.
- interagir com a unidade da empresa que encomendou ou utilizará o resultado do projeto.
- avaliar o desempenho dos pesquisadores.
- acompanhar e assegurar cumprimento do cronograma físico/financeiro.

É entre outras, responsabilidade do Gerente Funcional:

- decidir sobre alocação dos recursos humanos e materiais aos vários projetos.
- manutenção e atualização dos equipamentos e laboratórios.
- aprovar a qualidade técnica das partes do projeto sob responsabilidade da sua área.
- avaliar o desempenho dos pesquisadores.
- manutenção da memória técnica.

Figura 16 — Tipos de estrutura para P&D

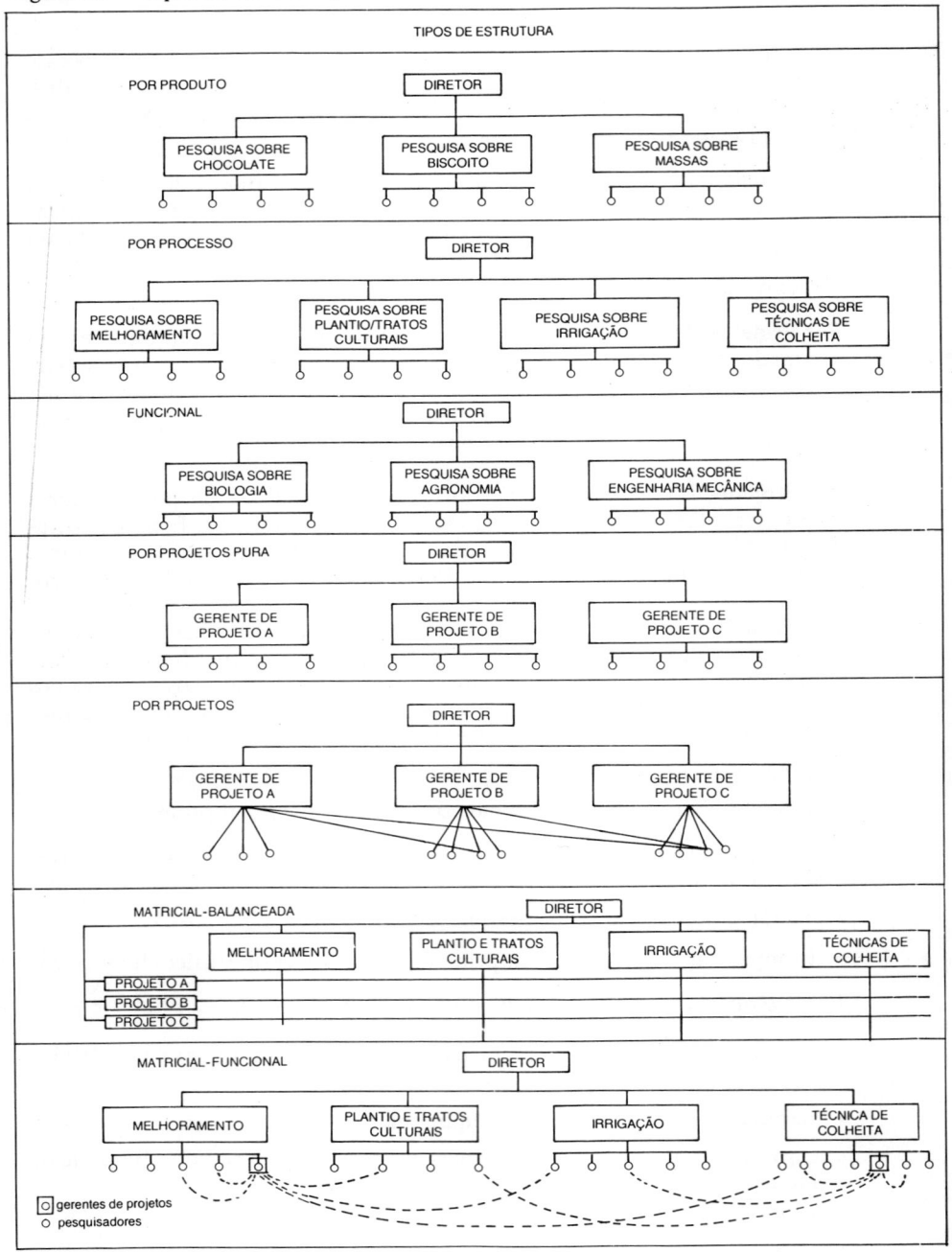

	CARACTERÍSTICAS	CONDIÇÕES QUE FAVORECEM UTILIZAÇÃO	CONSEQUÊNCIAS DA UTILIZAÇÃO
POR PRODUTO	Pesquisadores agrupados conforme os produtos ou linhas de produtos da empresa.	– Elevada diferenciação entre os produtos exigindo atenção individualizada – Volume mínimo de pesquisas em cada produto ou linhas de produtos para justificar a existência de uma unidade organizacional – Não há projetos envolvendo pesquisadores de várias unidades do centro	– Maior aproximação dos pesquisadores em relação às peculiaridades sidades tecnológicas de cada produto – O pesquisador é estimulado por acompanhar de perto a utilização efetiva dos resultados da pesquisa – Risco de duplicação de esforços, duplicação de recursos humanos e equipamentos, caso não haja grande diversificação tecnológica – Com o tempo as unidades ficam estanques dificultados trabalhos integrados no futuro
POR PROCESSO	Pesquisadores agrupados conforme etapas de um processo produtivo.	– Elevada diferenciação entre as pesquisas feitas para cada etapa do processo – Volume mínimo de pesquisas em cada etapa do processo para justificar a existência de uma unidade organizacional – Não há projetos envolvendo pesquisadores de várias unidades do centro	– Maior aproximação dos pesquidores com os problemas tecnológicos de cada etapa do processo produtivo – Especialização nas etapas do processo – O pesquisador é estimulado por acompanhar de perto a utilização efetiva dos resultados da pesquisa – Risco de duplicação de esforços, duplicação de recursos humanos e equipamentos, caso não haja grande diversificação tecnológica – Com o tempo as unidades ficam estanques dificultando trabalhos integrados no futuro
FUNCIONAL	Pesquisadores agrupados conforme a formação técnica.	– Elevada diferenciação entre as especialidades técnicas dos pesquisadores – Necessidade de especialização dentro de cada área técnica – Pesquisas unidisciplinares – Pouca variedade de produtos	– Mais fácil formar a "memória técnica" do centro – Formação de capacitação científica e facilitada – Maior tendência à especialização por área do conhecimento – Eficiente utilização dos recursos humanos e materiais evitando duplicações – Com o tempo as unidades ficam estanques dificultando trabalhos integrados no futuro
POR PROJETOS PURA	Pesquisadores agrupados conforme os projetos que desenvolvem.	– Projetos utilizando recursos materiais e humanos em tempo integral – Projetos de duração longa – Centro de pesquisa de tamanho reduzido – Pouca diversificação tecnológica	– Formação de capacitação em gerência de projetos – Eficiente integração na equipe do projeto facilitando atingimento de prazos e alterações exigidas pela produção – Ineficiente formação de capacitação tecnológica – Risco elevado de duplicação de recursos e materiais e capacidade ociosa – Há um único responsável pelo projeto que atende a fábrica e as demais unidades da empresa
POR PROJETOS	Pesquisadores agrupados conforme os projetos que desenvolvem sendo que cada pesquisador pode estar alocado a mais de um projeto.	– Projetos que usam recursos em tempo parcial – Centro de Pesquisa de tamanho reduzido – Pouca diversificação tecnológica	– Formação de capacitação em gerência de projetos – Eficiente integração na equipe do projeto embora em grau menor do que o exemplo anterior facilitando o atingimento de prazos e alterações exigidas pela produção – Ineficiente formação de capacitação tecnológica – Risco de duplicação de recursos e capacidade ociosa, embora em grau menor do que no exemplo anterior – Há um único responsável pelo projeto – Risco de conflitos é maior – Trabalho do gerente geral para realocar recursos é maior
MATRICIAL BALANCEADA	Pesquisadores estão alocados simultaneamente a áreas de especialidade e a projetos interdisciplinares.	– Necessidade de especialização e ao mesmo tempo existência de projetos interdisciplinares que exigem alto nível de integração entre as várias áreas – Volume mínimo de pesquisadores para viabilizar a existência das áreas – Projetos utilizam recursos humanos e equipamentos em tempo parcial e há oscilações nesta utilização.	– Formação de capacitação tecnológica – Formação de capacitação em gestão de projetos interdisciplinares – Conduz à eficiente integração entre as áreas – Eficiente utilização de recursos humanos e materiais – Possibilita o atingimento de prazos e alta qualidade técnica – Maior nível de conflitos
MATRICIAL FUNCIONAL	Pesquisadores estão alocados simultaneamente áreas de especialidade e a projetos interdisciplinares. Os gerentes de projetos interdisciplinares estão subordinados ao gerente da área de especialidade na qual o projeto tem mais ênfase.	– Necessidade de especialização e ao mesmo tempo existência de projetos interdisciplinares que exigem alto nível de integração entre as áreas – Volume mínimo de pesquisadores para viabilizar a existência das áreas – Projetos utilizam recursos humanos e equipamentos em tempo parcial e há oscilações nesta utilização – Gerentes das áreas de especialidade proporcionam bom atendimento aos gerentes de projetos interdisciplinares embora esses estejam em nível hierárquico inferior	– Apresenta as mesmas consequências de utilização que a matricial apresentada acima, todavia, como o nível hierárquico do gerente de projeto interdisclplinar é mais baixo, a ênfase no projeto será um pouco menor, atingimento de prazos e integração poderão ser afetados Por outro lado a ênfase em formação de capacitação, utilização de recursos humanos e materiais serão um pouco maior – Maior nível de conflitos

Fonte: Vasconcellos

g) **Matricial Funcional**: É semelhante à anterior exceto pela subordinação do gerente do projeto que ao invés de estar no mesmo nível dos gerentes funcionais ele se subordina ao gerente funcional da área em que o projeto é mais forte.

As formas matriciais têm sido usadas com freqüência crescente. Ela apresenta inúmeras vantagens como integração entre áreas técnicas ao mesmo tempo que permite especialização e uso eficiente dos recursos. Entretanto, se mal delineada e implantada este tipo de estrutura pode comprometer o desempenho da unidade de P&D. Vasconcellos (1986), Vasconcellos e Hemsley (1986), Sbragia (1977) descrevem com maior profundidade as técnicas disponíveis para o uso eficaz deste tipo de estrutura.

A Figura 16 mostra o organograma de cada forma de departamentalização, as características de cada uma, as condições que favorecem e as conseqüências da utilização de cada tipo de estrutura. Existem muitas variantes da estrutura matricial que não constaram do quadro para evitar um nível excessivo de complexidade. Essas variantes estão descritas em Vasconcellos (1983), abordando a organização de Institutos de Pesquisa.

A Figura 17 mostra as formas estruturais encontradas nos 60 Centros de P&D de empresas que constituiram a amostra do estudo. Por razões metodológicas, somente 4 tipos de estruturas foram considerados: Matriz Funcional, Matriz Balanceada, Funcional e Por Projeto.

Foi perguntado qual a estrutura **efetivamente utilizada** e não aquela representada no organograma.

Os resultados mostram que a maior parte dos Centros (53%) utilizam a Matriz Funcional ou a Balanceada.

A Figura permite também analisar o tipo de estrutura em função do tamanho do Centro de P&D. Observa-se que Centros menores tendem a usar com freqüência elevada (47%) a estrutura Por Projetos, que não é usada por Centros grandes. Isso ocorre porque Centros pequenos, em geral, não tem massa crítica suficiente para formar áreas funcionais. Além disso, para um número reduzido de pesquisadores a estrutura Por Projetos permite alto nível de flexibilidade. Todavia, quando o número de pesquisadores aumenta , os seguintes problemas começam a acontecer:

- dificuldade do gerente do Centro para distribuir os recursos humanos entre os vários projetos. Ele passa a ter cada vez menos condições de lembrar e manter-se atualizado sobre as distribuições de carga entre os pesquisadores.
- capacidade ociosa e duplicação de esforços.
- deficiência no desenvolvimento da capacitação técnica do Centro.
- deficiência na formação da memória técnica.

Pelas razões acima, os Centros maiores não tem condições de usar a estrutura Por Projeto. Conforme mostra a figura 16, os Centros maiores tendem a usar principalmente a Matriz-Funcional (41%) e em segundo lugar a Matriz-Balanceada. Uso mais freqüente destes tipos de Matriz nos Centros maiores é devido aos seguintes fatores:

128

Figura 17 — Tipos de estruturas de centros de P&D de empresas

Tipos de ResponDENTES / Tipos de estrutura	Total da amostra N = 60	Centros maiores N = 17	Centros Menores N = 17	Centros de emp. pub. N = 7	Centros de emp. priv. N = 53	Centros de tec. estável N = 53	Centros de alta tec. N = 11
A) Matriz funcional	28%	41%	12%	71%	23%	35%	18%
B) Matriz balanceada	25%	35%	12%	15%	25%	30%	28%
C) Funcional	23%	18%	18%	14%	25%	15%	36%
D) Por projeto	21%	6%	47%	—	25%	20%	18%
E) Outras	3%	—	11%	—	3%	—	—
Total	100%	100%	100%	100%	100%	100%	100%

- necessidade de áreas de especialização devido ao grande número de pesquisadores de diferentes formações.

- necessidade de alta integração entre essas áreas porque os Centros de P&D de empresas estão voltados para a solução de problemas práticos que tendem a necessitar do apoio de várias áreas do conhecimento. O mesmo não ocorre com a Universidade, cujas pesquisas estão mais voltadas para as ciências básicas exigindo menos interação entre as várias disciplinas. Por esta razão a estrutura da Universidade tende a ser do tipo Funcional. Centros menores podem conseguir esta integração através da estrutura Por Projetos porque eles não tem dimensão para manter unidades técnicas.

A Matriz-Funcional é mais freqüentemente encontrada do que a Matriz Balanceada não só em Centros de P&D de empresas mas também em Institutos de Pesquisas e Empresas de Engenharia. Uma razão importante para isso é o fato desta estrutura ser mais fácil de implantar porque ela ameaça menos o poder vigente. Normalmente, antes de ser Matricial a estrutura é Funcional. A Matriz-Balanceada cria um nível hierárquico **igual** ao dos gerentes funcionais fazendo com que eles se sintam "diminuídos" na distribuição do poder.

A Matriz Funcional, embora mais fácil de implantar, só será viável se os gerentes funcionais cooperarem de forma adequada com os gerentes de projeto embora esses últimos sejam inferiores hierarquicamente.

Os Centro de P&D das empresas públicas apresentam com maior freqüência a forma Matricial Funcional ou Balanceada (71% + 15% = 86%) do que os Centros de empresas privadas (23% + 25% = 48%). Isso se deve basicamente ao tamanho dos Centros: 470 pessoas em média nos Centros de empresas públicas contra 97 nos Centros de empresas privadas. Pode-se observar que nos Centros de P&D de empresas públicas a Matriz-Funcional é muito mais usada (71% contra 15%) do que a Balanceada, enquanto que nos Centros de P&D privados acontece o inverso. Isso pode ser explicado pela maior dificuldade e rigidez encontrada na empresa pública onde mudanças estruturais são mais difíceis de serem feitas. Uma razão importante para isso é que o poder nas organizações públicas é muito mais disperso do que nas empresas privadas.

Um último aspecto a ser salientado é a análise das estruturas de Centros de Alta Tecnologia em relação aos Centros de Tecnologia mais estável. Na amostra pesquisada, 46% utilizam alguns tipos de matrizes, entretanto, é difícil de entender porque as empresas de tecnologia mais estável usam matriz com maior freqüência: 65%.

Ao mesmo tempo, é difícil explicar de forma adequada o elevado número de empresas de tecnologia de ponta, utilizando no Centro de P&D a estrutura Funcional, que pela sua natureza é menos adequada para lidar com o dinamismo da tecnologia de ponta.

Um aspecto que pode ajudar a explicar este dado é que os Centros de empresas de alta tecnologia são relativamente recentes. Formas mais avançadas de estrutura tendem a aparecer somente após algum tempo, quando os tipos mais tradicionais se mostraram inadequados. Empresas como Scopus e SID já estão implantando formas matriciais na área de P&D.

Departamentalização das Unidades de Apoio

A Figura 16 apresentou os tipos de departamentalização somente para as Unidades do Centro responsáveis diretamente pela pesquisa, entretanto, as Unidades de Apoio constituem um elemento fundamental para o sucesso do Centro. Os laboratórios de análise, as unidades de processamento de dados, estatística, estações experimentais, suporte administrativo, etc... formam a base sobre a qual a atividade de pesquisa se apoia.

As Unidades de Apoio podem ser departamentalizadas:

a) de forma centralizada.
b) de forma descentralizada.
c) parcialmente centralizada.

A Figura 18 mostra essas três alternativas, tomando como exemplo o caso de laboratórios de análise, entretanto, o raciocínio é válido para qualquer Unidade de Apoio. Na primeira (centralizada) há um único laboratório que presta serviço a todas as divisões. Este sistema quando comparado ao descentralizado possibilita melhor uso dos recursos humanos e equipamentos, facilita a padronização e evita duplicação de atividades. No sistema descentralizado cada divisão tem seu próprio laboratório de análises possibilitando um atendimento mais rápido e mais adaptado às necessidades da Divisão.

A última alternativa é uma combinação das duas primeiras, que permite em certos casos acumular as vantagens dos dois sistemas. Os equipamentos (e técnicas) caros e comuns ficam centralizados. Atividades como padronização e coordenação geral são atribuições do Núcleo Central. Os laboratórios das divisões ficam com os recursos específicos daquela divisão permitindo um atendimento mais rápido e um melhor entrosamento entre Divisão e o Laboratório de Análises.

A existência do sistema descentralizado é favorecida quando a diferenciação tecnológica não permite que os recursos sejam intercambiáveis e quando há um volume mínimo (e pouco flutuante) de atividades de análises para comportar a existência de laboratórios para cada Divisão.

O mesmo raciocínio é válido para outras áreas de apoio a pesquisa. Este tema é tratado com maior profundidade em Vasconcellos (1979).

Cabe ressaltar que na prática a forma de estruturar mais adequada acaba sendo uma combinção de vários tipos de estrutura. Assim, um Centro pode apresentar uma parte de sua estrutura departamentalizada funcionalmente com uma estrutura por projetos no nível inferior, outra parte matricial. Certas áreas de apoio podem ser descentralizadas, outras centralizadas e outras parcialmente centralizadas.

Figura 18 — Alternativas para estruturar as unidades de apoio à pesquisa

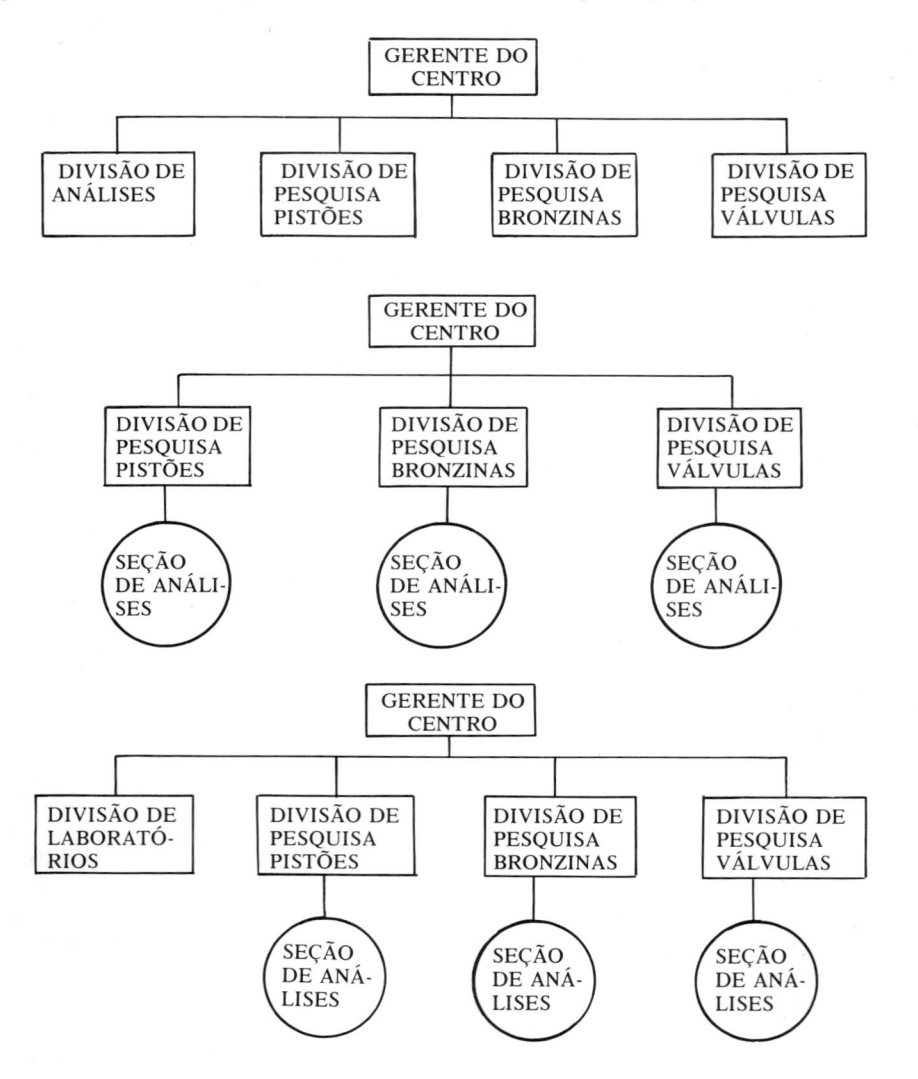

Departamentalização da Cúpula da Unidade de P&D

A estrutura da cúpula diretiva é outro aspecto a ser considerado na departamentalização. A cúpula pode ser formada de um gerente geral qeu supervisiona os gerentes das demais divisões ou pode contar com o suporte de certos órgãos de assessoria. Os mais comuns são: comitê de orientação, planejamento, planejamento/acompanhamento de projetos e planejamento estratégico (Figura 19).

Cabe à Assessoria em Planejamento Estratégico desenvolver um processo com a finalidade de definir a postura do Centro em relação às ameaças e oportunidades do ambiente, olhando para o futuro. Uma diretriz básica para este planejamento é o posicionamento estratégico da própria empresa na qual o Centro se insere.

Figura 19 — Estrutura da cúpula de um centro de P&D de uma empresa

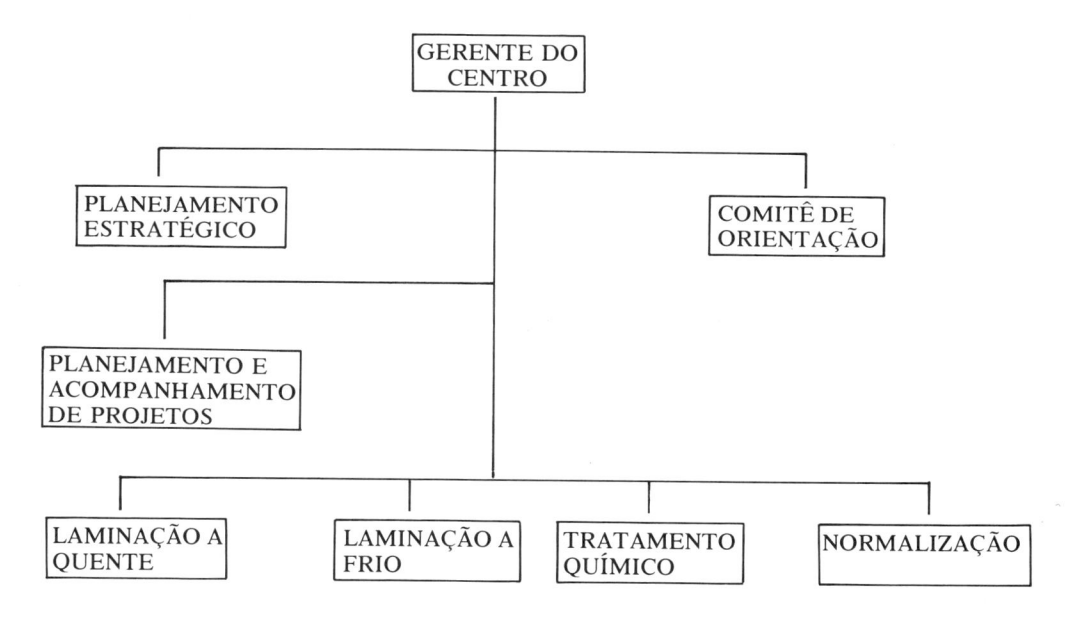

Cabe ao Comitê de Orientação assessorar o Centro na tomada de decisão em relação a problemas importantes, auxiliar a integração entre o Centro e o resto da empresa e oferecer subsídios para plano estratégico. Este Comitê deverá ter representantes de várias áreas da empresa como Fabricação, Marketing, Assistência Técnica, Finanças e representantes (consultores) de órgãos externos à empresa como Universidades e Institutos de Pesquisa.

À Assessoria de Planejamento e Acompanhamento de Projetos cabe delinear e operar um sistema que facilite o processo de planejamento dos projetos e mantenha os Gerentes de Projeto, Gerentes de Divisão e Gerente do Centro informados sobre o andamento dos mesmos.

8 — CONSIDERAÇÕES FINAIS E VISÃO INTEGRADA

Este capítulo teve por finalidade discutir o problema da estruturação de P&D na Empresa. No sentido de melhor abordar a questão, cinco níveis de decisão no pro-

133

cesso de estruturação foram identificados. A seguir, cada nível foi apresentado e resultados de um estudo realizado em 60 Centros de P&D de Empresas localizadas no Brasil foram discutidos.

Com respeito ao nível hierárquico do Gerente de P&D, observou-se que na maioria dos casos (57%) ele está no segundo nível hierárquico abaixo do presidente, isto é, subordinado a um dos diretores da empresa. Em Centros maiores o Centro está subordinado diretamente ao Presidente com maior freqüência do que em Centros menores. Empresas de alta tecnologia apresentam os Centros de P&D diretamente subordinados ao Presidente com maior freqüência do que Centros de Empresas de tecnologia mais estável.

Em relação à área a qual o Centro está subordinado, observa-se que em 37% dos casos P&D está ligado a área Técnica e em 37% fica vinculada à área de Produção. No texto, são apresentados os fatores a serem considerados para decidir sobre a área da empresa a qual P&D deve estar vinculada.

Em relação à estrutura do Centro, sete alternativas são analisadas em termos de suas características, condições que favorecem sua utilização e conseqüências da sua utilização sobre o desempenho do Centro. Dados coletados sobre 60 Centros de P&D de empresas brasileiras mostrou que mais da metade deles usam a estrutura matricial. A estrutura por Projetos, é usada com mais freqüência em Centros menores.

A Figura 20 mostra de forma resumida os vários aspectos tratados neste capítulo relacionados com a estruturação de P&D na empresas. No topo das 5 colunas da Figura estão os níveis de decisão do processo de estruturação: intensidade do esforço de P&D, centralização versus descentralização, nível hierárquico de P&D, área a qual P&D deverá ficar vinculada, e finalmente, decisão sobre a estrutura a ser utilizada para a(s) unidade(s) de P&D da empresa.

Na primeira coluna da Figura 20 estão os níveis de intensidade de P&D na empresa. Esta é a primeira decisão a ser tomada. A seguir para cada um destes níveis estão descriminadas as decisões seguintes. Se a empresa seleciona o nível 1, isto é, manter as atividades de P&D realizadas de forma dispersa pelas equipes que desenvolvem atividades de rotina, não há mais decisões a serem tomadas visto que não haverá uma estrutura para a função de P&D.

Se o nível 2 for selecionado, haverá um coordenador para a função de P&D. Neste caso, será necessário definir o seu nível hierárquico a quem ele ficará subordinado, e quais serão suas atribuições.

Somente no nível 3 o processo de estruturação atinge sua complexidade máxima. A Figura mostra a cadeia de decisão a ser seguida para se obter a estrutura da função de P&D. As várias alternativas e os fatores a serem considerados em cada caso foram abordadas com profundidade nos vários tópicos do capítulo.

Este trabalho não teve a pretensão de dar respostas definitivas mas, de forma exploratória, cobrir os aspectos mais importantes da estruturação de Centros de P&D de empresas enriquecendo os modelos conceituais com dados coletados em 60 Centros.

O autor espera que as proposições deste capítulo sejam uma contribuição ao aumento da eficiência e eficácia dos Centros de P&D das Empresas.

Figura 20 — Níveis de decisão para estruturar a função de P&D na Empresa

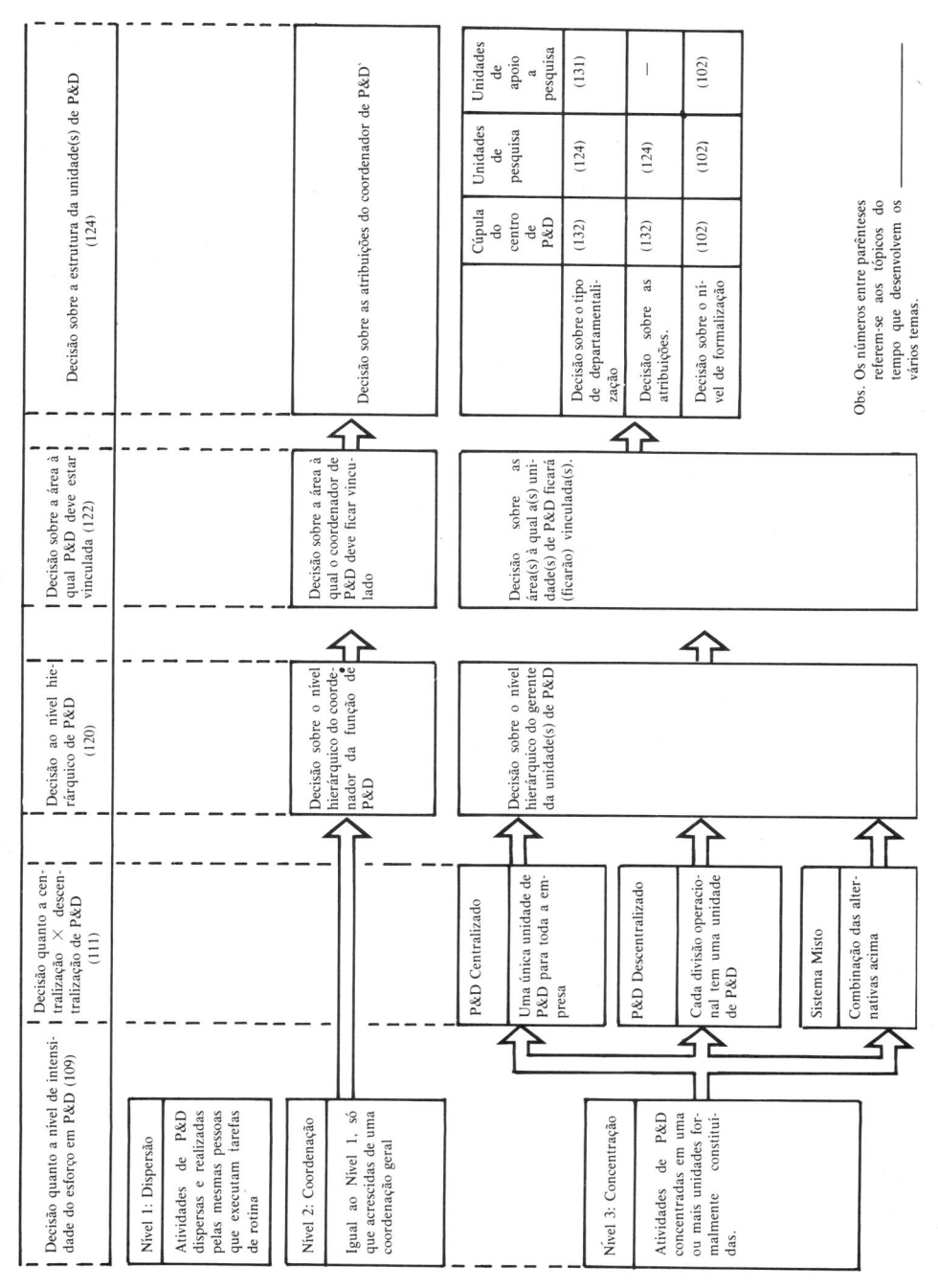

Obs. Os números entre parênteses referem-se aos tópicos do tempo que desenvolvem os vários temas.

	Cúpula do centro de P&D	Unidades de pesquisa	Unidades de apoio a pesquisa
Decisão sobre o tipo de departamentalização	(132)	(124)	(131)
Decisão sobre as atribuições.	(132)	(124)	—
Decisão sobre o nível de formalização	(102)	(102)	(102)

135

ANEXO 1

METODOLOGIA DO ESTUDO

A pesquisa teve por finalidade responder a quatro questões básicas relacionadas com aspectos da estruturação da função de P&D nas empresas:

1. Qual o nível hierárquico do Gerente de P&D na estrutura da empresa?
2. Qual a área funcional e a qual P&D está subordinada?
3. Como está estruturada a unidade de P&D?
4. Como as respostas às questões acima são influenciadas por fatores como: dimensão do centro, natureza jurídica da empresa e natureza da tecnologia?

Questionários previamente testados foram enviados a 74 Centros de P&D de empresas. Foram obtidas 64 respostas sendo que 4 questionários foram eliminados. A Figura 1 mostra a estratificação da amostra por setor.

Dos 60 Centros, 7 eram de empresas públicas e 53 de empresas privadas.

Entrevistas em profundidade (em número de 5) foram realizadas com objetivo de enriquecer a interpretação dos dados obtidos.

A Tabulação foi realizada com auxílio do programa SPSS. Os seguintes cruzamentos foram realizados:

- Centros de maior dimensão × Centros de menor dimensão.
- Centros de estatais × Centros de empresas privadas.
- Centros de setores "de ponta" × Centros de setores de tecnologia mais estável.

Este estudo de caráter exploratório não tem a pretensão de gerar respostas definitivas e sim traçar um perfil dos principais aspectos ligados ao delineamento da estrutura organizacional dos Centros de P&D de empresas. Deve ser apontado que o estudo se baseou na opinião dos entrevistados o que pode levar à distorção da realidade.

Figura 1 — Estratificação da amostra em relação aos setores

Setores	N.º de empresas
Mecânica	11
Elétrica/Eletrônica	04
Alimentos	06
Siderurgia	08
Informática	07
Química	15
Papel	03
Outros	06
Total	60

BIBLIOGRAFIA

BLAKE, Stewart *"Managing for Responsive Research and Development"* W. H. Freeman and Company San Francisco, 1978.

CORREA, Volnei A. "Barreiras à Transferência de Tecnologia. VII Simpósio Nacional de Pesquisa em Administração de Ciência e Tecnologia, PACTo IA/USP, outubro, 1983.

GALBRAITH, Jay "Organization Design", Addison Wesley Publishing Company — Philippines, 1977.

HAWTHORNE, Eduardo P. The Management of Technology. Mac Graw Hill, 1978.

HILL, D. "Organization, Structure, Coordenation and Communication" Chartered Mechanical Engineer, 21: p. 79-82, abril — 1974.

LANNA, Leal Francisco. Et alli. O Centro de Pesquisa da USIMINAS: práticas administrativas. II Simpósio de Pesquisa em Administração de C&T. 1977.

LEPECK, Jerzy. Et Alli. "Organização e Atividades de Planejamento no Centro de Pesquisa de Energia Elétrica/CEPEL. Simpósio de Pesquisa em Administração de Ciência e Tecnologia. PACTo/IA/USP. Dez. 1977.

MARCOVITCH, Jacques "O Centro de Tecnologia na Empresa: seu papel no processo de inovação". Revista de Administração, vol. 16 n.º 2 — Abril/junho 1981.

ROMAN, Daniel D. Research and Development Management: the Economics and Administration of Technology, Prentice Hall Inc New York, 1968.

RUBENSTEINS, Albert H. Organizational Factors Effecting Research and Development Decision Making in Large Decentralized Compantes. Management Science. 10(4): p. 618-633, julho 1973.

SBRAGIA, Roberto. "Uma Análise das Características da Estrutura Matricial em instituições de Pesquisa e Desenvolvimento Industrial. II Simpósio de Pesquisa em Administração de C&T. 1977.

SBRAGIA, R., KRUGLIANSKAS, I. e MARCOVITCH, J. "A Função de P&D e sua Gestão nas Empresas do Setor de Bens de Capital: um estudo exploratório". Simpósio Anual da ANPAD — Belo Horizonte — 1985.

STONER, James A.F. — Management, Prentice Hall Inc New Jersey, 1978.

VASCONCELLOS, Eduardo. "Organization design for interdisciplinary research: conflicts and performance". IV International Conference on Management of Interdisciplinary Research. INTERSTUDY. Minnesota EUA — Agosto — 1986.

VASCONCELLOS, Eduardo. "Estrutura Organizacional para Pesquisa e Desenvolvimento" em Marcovitch, J. (ed.) Administração em Ciência e Tecnologia. Editora Edgard Blücher, SP — 1983.

VASCONCELLOS, Eduardo e HEMSLEY, James "Estrutura das Organizações" — Editora Pioneira, Editora da USP — SP — 1986.

VASCONCELLOS, Eduardo, KRUGLIANSKAS, Isak e SBRAGIA, Roberto "Organograma Linear: um instrumento para o delineamento da estrutura" — Revista de Administração, vol. 16, n.º 4, OUT/DEZ. 1981.

VASCONCELLOS, Eduardo. "Integração entre o Centro de Pesquisa e o Setor de Produção das Empresas". IV Simpósio Nacional de Administração de Pesquisa e Desenvolvimento — FINEP/IA/USP — São Paulo — 1979.

VASCONCELLOS, Eduardo. "Transferência de Tecnologia: Interação entre Instituições de Pesquisa e o Meio Empresarial" Seminário Franco Latino Americano de Gestão Tecnológica — SP — Setembro 1985.

Avaliação dos resultados de P&D na empresa: uma possível abordagem para o problema

Roberto Sbragia

CONTEÚDO

1 — INTRODUÇÃO

O fenômeno da avaliação dos resultados da atividade de P&D em contextos empresariais tem-se tornado um ponto de grande interesse nestes últimos anos. De um lado, isto está associado ao volume de recursos e ao crescimento gradativo do valor que tem sido investido em P&D pelas empresas, particularmente por aquelas onde a tecnologia tem uma grande significação em termos de sucesso empresarial. De outro lado, a fim de se promover relações construtivas com outros segmentos da empresa, é necessário que as contribuições do órgão de P&D sejam expressas de um modo tal que possam ser entendidas e apreciadas. Também, como qualquer departamento da empresa, a P&D deve estar sujeita a uma apreciação formal periódica a respeito de suas realizações. Assim, algum procedimento de avaliação conciso e facilmente compreensível tem sido desejável de modo que possa ser útil, não somente para comunicar os resultados obtidos para uma audiência externa, mas também para servir como um mecanismo interno de acompanhamento.

Desde que as pessoas, como a natureza, abominam o vácuo, a comunidade tem assistido a uma busca crescente por medidas quantitativas e qualitativas que permitam expressar os resultados da atividade de P&D em termos empresariais. Não obstante esses esforços, nenhum método, medida ou critério foi até agora colocado como definitivo, dadas as dificuldades que têm sido encontradas. Termos, variáveis e indicadores muitas vezes lógicos e inquestionáveis dentro de uma comunidade científica têm-se mostrado insuficientes e mesmo inconvenientes a nível do segmento empresarial, o que tem muitas vezes colocado a P&D em situações difíceis de sustentação nesse contexto (Galloway, 1971).

Assim, a necessidade de se ter algum meio de expressar o valor da P&D para a empresa em termos digestos, ainda que imprecisos, parece ser de grande relevância. Este capítulo representa uma contribuição nesse sentido, tendo como propósito, no plano conceitual, discutir a avaliação do desempenho da função de P&D em contextos empresariais e, no plano prático, formular possíveis indicadores ou critérios que possam aferir a contribuição dessa atividade para a firma. O trabalho completa-se com mais quatro partes. Inicialmente é feita uma análise de algumas técnicas de avaliação de resultados de P&D no sentido de se estabelecer um quadro de referência. É aqui analisada com mais propriedade a lógica das técnicas semi-quantitativas de avaliação, tendo em vista ponderar sobre sua conveniência e praticidade enquanto instrumento de apreciação dos resultados de P&D num contexto empresarial. Depois, dentro da abordagem das técnicas semi-quantitativas, são explorados possíveis critérios para avaliar os resultados de P&D em empresas engajadas em esforços de desenvolvimento tecnológico. Alguns dados provenientes dos levantamentos de campo, tanto no exterior como no Brasil, são aqui reportados. Finalmente, são tecidas algumas considerações tendo em vista subsidiar a construção de possíveis processos de avaliação da função de P&D na empresa em situações concretas específicas.

2 — TÉCNICAS PARA AVALIAÇÃO DOS RESULTADOS DE P&D EM CONTEXTOS EMPRESARIAIS

As técnicas de avaliação dos resultados de P&D em contextos empresariais têm sido colocadas em três categorias, denominadas quantitativas, semi-quantitativas e qualitativas (Pappas & Remer, 1985). As técnicas quantitativas, a partir de algum algoritmo pré-definido, procuram gerar números que expressam a relação entre a magnitude do esforço alocado à P&D e alguma medida de impacto sobre a empresa. As técnicas semi-quantitativas, por sua vez, procuram tão somente converter em números impressões de pessoas sobre o desempenho da atividade. Essas técnicas diferem das quantitativas a partir do fato de que nenhuma tentativa é feita no sentido de se estabelecer relações matemáticas rígidas entre medidas de "input" e medidas de "output". Finalmente, as técnicas qualitativas baseiam-se em julgamentos totalmente intuitivos. Muito pouco tem sido escrito sobre tais métodos e, portanto, eles não serão aqui considerados.

AS TÉCNICAS QUANTITATIVAS

A maioria dos estudos que descreve essas técnicas assume como premissa que o desempenho econômico de uma empresa, dado pelo valor de suas vendas ou lucros, é função do montante dispendido em P&D e de um conjunto de outras variáveis tais como qualidade da administração, força de trabalho disponível, características do mercado em que atua e outras. Como todas essas variáveis adicionais não podem ser adequadamente consideradas na análise, por um problema de complexidade, elas têm sido tomadas como constantes nos modelos derivados de tais estudos. Eis alguns deles e suas respectivas conclusões.

As relações entre P&D e lucros/vendas (Parasuraman & Zeren, 1983)

Este estudo discute a relação entre P&D, Lucros e Vendas com base em dados coletados junto a uma amostra de empresas escolhida de uma ampla variedade de setores industriais (310 firmas de 24 setores), todas com vendas anuais superiores a 35 milhões de dólares e com gastos em P&D superiores a 1 milhão por ano. Os dados trabalhados nesse estudo referem-se a séries históricas de gastos em P&D, valores de Vendas e de Lucros tomadas entre os anos de 1974 e 1980, que foram analisadas sob diferentes defasagens de tempo (0 a 4 anos). As principais conclusões que resultaram do estudo indicam que:

- existem correlações bastante altas entre os gastos em P&D e o valor de Vendas/Lucros das empresas tomadas como um todo, considerando-se ou não defasagens de tempo;
- existem diferenças setoriais quanto à magnitude das correlações. Assim, os setores de química, eletro-eletrônica, computação, telecomunicação, aparelhos domésticos, higiene/limpeza, recipientes pesados, petróleo e recursos naturais apresentaram índices de correlação maiores entre P&D e Vendas/Lucros. De outro lado, os setores de máquinas, equipamentos, bebidas/alimentos, materiais de construção, papel/têxtil apresentaram índices menores de correlação;
- existem diferenças setoriais quanto às defasagens de tempo envolvidas nas relações entre P&D e Vendas/Lucros. Os setores que apresentaram defasagens maiores foram o automotivo, máquinas/equipamentos e higiene/limpeza.

141

- a relação entre P&D e Vendas futuras parece ser mais clara do que a entre P&D e Lucros futuros. Existe, asssim, uma importante mensagem para os administradores: Vendas tende a ser um indicador mais apropriado para avaliar a contribuição da P&D para a empresa.

A natureza longitudinal do estudo evidencia, de fato, algumas conclusões tentativas sobre as relações entre P&D e Vendas/Lucros a nível das empresas, bem como algumas defasagens a elas associadas. Segundo os autores, contudo, conclusões definitivas sobre a causalidade embutida nessas relações necessitam emergir de estudos mais controlados. Particularmente, o efeito da P&D sobre Lucros precisa ser considerado com uma defasagem superior a pelo menos 5 anos.

P&D: sua ligação com lucros (Gilmar & Miller, 1978)

Este estudo parte da premissa de que as atividades de P&D dentro de uma empresa fortalecem seu desempenho, conduzindo-a muitas vezes à liderança no mercado. Mas como existem muitos fatores que afetam o desempenho em adição à P&D, a possível relação existente tende, normalmente, a ficar obscura.

A despeito dessa dificuldade, uma investigação foi conduzida junto a 50 empresas industriais que mais gastaram em P&D no ano de 1976. A amostra incluía empresas de grande reputação, como IBM, XEROX, TEXAS INSTRUMENT, HEWLET-PACKARD, GE, DUPONT, POLAROID, BOEING, GOODYEAR, MACDONNEL DOUGLAS, AT&T, KODAK, GM, EXXON, e outras. Basicamente o estudo procurou evidenciar duas relações: a primeira, entre gastos relativos em P&D, dado pelo índice P&D/Vendas, e o lucro relativo da empresa, dado pelo índice Lucro/Vendas: a segunda, entre os mesmos gastos relativos em P&D e o retorno relativo da ação da empresa para o acionista, dado pelo índice Preço da Ação/Ganhos Obtidos.

Muito embora não tenha sido considerado no estudo o efeito da defasagem de tempo, uma vez que os dados se referiam somente a 1976, foi concluído que:

- existe uma tendência da taxa de lucro aumentar na medida em que a taxa de investimento em P&D aumenta, tendo sido obtido um coeficiente de correlação da ordem 0,45 entre elas. A linha de regressão obtida ($y = 4,13 + 0,65\,x$) indica que um aumento de 1% na taxa P&D/Vendas conduz a um acréscimo de 0,65 na taxa Lucro/Vendas.
- tomando-se a taxa Preço da Ação/Ganhos como medida do desempenho empresarial, que, segundo os autores, parece refletir uma posição mais relacionada com o futuro, a equação de regressão obtida entre os dados ($y = 6,8 + 1,11\,x$) revela que um aumento de 1% na taxa P&D/Vendas conduz a um aumento de 1,1% na taxa Preço da Ação/Ganhos.

Como limitações básicas, é ponderado que não existem suficientes razões para esperar-se relações fortes entre P&D e Lucros sem se considerar uma defasagem de tempo relativamente alta. Do mesmo modo, as correlações obtidas são válidas somente para gastos em P&D que são pequenos quando comparados com o lucro bruto das empresas. É compreensível, segundo os autores, que o lucro líquido não continue aumentando indefinidamente na medida em que os gastos em P&D aumentam porque esses últimos são subtraídos do lucro bruto. Parece existir, portanto, um nível ótimo de investimentos em P&D para cada empresa.

O valor de P&D em relação a vendas (Taymor, 1972)

Este estudo conclui que a análise da relação entre os gastos em P&D e o valor das Vendas provê uma estimativa razoável do efeito da P&D sobre o desempenho da empresa. O modelo matemático que foi empregado nesse estudo, tendo por base uma empresa do setor de alimentos, foi construído a partir de séries históricas de 14 anos (entre 1955 e 1969). Tomando-se somente os incrementos em P&D e em Vendas de um ano para outro, a equação proposta ($\triangle$ Vendas$_t$ = B + $\triangle$ R$_{t-k}$) expressa a idéia de que um acréscimo no valor de vendas no ano "t" é devido ao fator de crescimento originário de outras fontes (b) e a um acréscimo nos gastos de P&D no ano "t-k", onde "k" é a defasagem de tempo necessária para que um acréscimo no esforço de P&D provoque um acréscimo no desempenho econômico da empresa. As principais conclusões obtidas com o estudo indicam que:

- existe uma forte e positiva correlação entre acréscimo nos gastos de P&D e acréscimos no valor de Vendas, considerado um período de defasagem de 2 anos;

- assumindo uma taxa de Lucro de 5% sobre Vendas e um efeito de P&D durante 10 anos pelo menos, a taxa marginal de retorno sobre os investimentos em P&D é estimada em 15%, mas pode chegar a níveis de 40%.

Longe de serem definitivos, os resultados do estudo servem para pelo menos ilustrar, como um indicador geral, a espécie de relação que existe entre os gastos em P&D e o valor das Vendas de uma empresa específica. É evidente que se trata apenas de uma relação aproximada, desde que, segundo o autor, é praticamente impossível isolar, na análise, o efeito de outros fatores que não P&D.

O critério da oportunidade: um novo enfoque para a avaliação da P&D (Gee, 1972)

A premissa básica desse estudo é que a P&D não é o único determinante das Vendas e Lucros de uma empresa. Um critério mais realístico, acurado e útil para avaliar sua eficácia é aquele relacionado com sua capacidade de gerar oportunidades lucrativas de negócio. Uma oportunidade de negócio é criada, segundo o autor, quando a tecnologia resultante do esforço de P&D tem um valor maior em potencial para o consumidor do que outras alternativas disponíveis. A eficácia da P&D, portanto, é medida em termos de quantidade ou valor das oportunidades geradas. A eficiência, por sua vez, é medida em termos das oportunidades geradas por unidade monetária dispendida, já que o grupo mais eficiente de P&D gerará oportunidades a um mínimo custo.

O tamanho ou o valor monetário das oportunidades de negócio criadas pode ser estimado, imaginando-se o mercado para o qual a tecnologia é endereçada na forma

143

de produto ou processo e calculando-se o lucro anual que poderia resultar para a empresa se o seu preço fosse fixado num nível onde o custo para o consumidor se mostrasse pelo menos igual a qualquer outra alternativa presente no momento. O valor de todas as oportunidades de negócio criadas pelos projetos de P&D nos anos anteriores deve então ser somado e depois dividido pelo custo total dos mesmos. Isto proporciona para a empresa um número referente ao retorno da P&D, o qual expressa a contribuição dessa atividade em termos da geração de oportunidades de negócios. Por exemplo, se o valor das oportunidades de negócio criadas é da ordem de 14.300 milhões de dólares e o custo da P&D é de 6.100 milhões, o retorno está sendo de 2,33 para cada dólar investido. Em termos absolutos, a empresa está tendo um retorno de 8.200 milhões de seu esforço de P&D, o que, em si, é maior do que o custo total dessa atividade.

Deve ser mencionado, segundo o autor, que não é realístico se esperar que um simples indicador como esse possa ser usado para avaliar os resultados obtidos pela P&D. O critério da oportunidade preocupa-se somente com a avaliação econômica do empreendimento. Nesse sentido, uma das maiores dificuldades do método é a sua incapacidade de estimar acuradamente o tamanho do mercado para o qual a tecnologia é orientada. Isto faz com que a técnica seja mais usada para julgar o benefício de melhorias incrementais em produtos mais endereçados a mercados industriais antes que a mercados de bens de consumo, onde detalhes como a estética e a conveniência são menos sensíveis na apreciação do usuário final.

AS TÉCNICAS SEMI-QUANTITATIVAS

Enquandram-se nesta categoria uma série de técnicas de avaliação que produzem como resultado de sua aplicação perfis de eficácia baseados em julgamentos qualitativos de pessoas situadas próximas do esforço de P&D. Esses julgamentos ou opiniões são então quantiticados de acordo com diferentes escalas de medida. Tais perfis são normalmente de natureza multidimensional, pois o foco de avaliação é ampliado, isto é, enquanto a maioria das técnicas quantitativas focaliza um indicador de cada vez, as técnicas semi-quantitativas abrangem vários simultaneamente. Eis alguns estudos que fazem referência a essas técnicas.

Avaliando o desempenho do departamento de P&D (Collier, 1977)

Este estudo faz referência a um sistema que tem sido usado por uma empresa americana, em conjunto com o critério de oportunidade descrito anteriormente, no sentido de avaliar, de acordo com julgamentos qualitativos, a eficácia do órgão de P&D no alcance dos objetivos pré-estabelecidos. A lógica do sistema baseia-se no argumento de que uma das mais tradicionais e superficiais formas de se julgar ou medir o valor da P&D para a empresa é perguntar quanto dinheiro resultou da atividade. Segundo o autor, ao se fazer uma pergunta como essa não se está avaliando somente a função de P&D, mas o processo de inovação como um todo que tem lugar na organização. Quanto dinheiro resultou da P&D depende, na verdade, de quão bem os objetivos da P&D foram fixados, de quão bem o departamento de engenharia trabalhou, de quão bem os resultados foram transferidos para produção e de uma série de outras coisas não quantificáveis.

Em conseqüência, o sistema proposto procura medir o desempenho do departamento de P&D independentemente, tanto quanto possível, do resto da empresa, dividindo a questão em duas partes: (1) até que ponto o departamento tem alcançado os objetivos propostos e (2) qual o valor desses objetivos em termos das oportunidades de negócio que têm sido criadas para a empresa. A primeira parte da avaliação envolve, por parte de outros departamentos, uma apreciação acerca do grau em que cada projeto desenvolvido pelo grupo de P&D alcançou seus objetivos numa escala de 0 (pessimamente) a 3 (notavelmente). Para acumular os dados numa base departamental, cada escore de projeto é multiplicado pelo seu custo correspondente. Depois, os resultados de todos os projetos são somados e o total é dividido pelo total das despesas de P&D da empresa. A segunda parte da avaliação — valor potencial dos projetos — envolve a aplicação do método do critério de oportunidade descrito (Gee, 1972). Esta parte, contudo, tem sido julgada como mais difícil e nem sempre possível de ser feita, uma vez que depende de dados externos ao departamento de P&D. Em geral, os escores de desempenho resultantes desta segunda etapa, quando possíveis de serem obtidos, têm se mostrado bastante correlacionados com os escores obtidos na primeira etapa.

Os relatos demonstram que a empresa tem estado satisfeita com esse procedimento de avaliação e acreditado mesmo que a produtividade do departamento de P&D tem aumentado como resultado de sua utilização. O método, ao que parece, tem melhorado a qualidade e a clareza dos objetivos fixados pelo pessoal de P&D, favorecendo uma melhor comunicação entre aqueles que os fixam e aqueles que têm que aceitá-los. O método também parece que tem encorajado o pessoal de P&D a pensar mais seriamente no alcance dos objetivos dentro dos padrões fixados.

Analisando a produtividade em organizações de P&D (Packer, 1983)

Este estudo procura desenvolver uma metodologia que permita aos gerentes avaliar, ainda que de uma forma intuitiva e subjetiva, os resultados da atividade de P&D dentro de um enfoque mais sistemático. O método desenvolvido, denominado "output map", baseia-se na premissa de que a natureza dos resultados de P&D é multidimensional e, portanto, uma tentativa deve ser sempre feita no sentido de se examinar todos os aspectos possíveis inerentes à amplitude desses resultados. Assim, inicialmente, através de um levantamento muito simples, são gerados e devidamente quantificados vários indicadores que potencialmente refletem contribuições da P&D para a empresa num dado período. Dada sua grandeza numérica e sua natural intercorrelação, esses indicadores são então reduzidos, através de um procedimento de análise fatorial, a um conjunto menor de fatores, denominados dimensões. Essas dimensões, que são nominadas para melhor expressar o conceito abstrato a elas subjacentes, são então agrupadas para produzir um índice global de resultados ou eficácia. A lógica do método consta da Figura 1.

Figura 1 — Esquema dos níveis de agregação usados no método do "output map" (Packer, 1983)

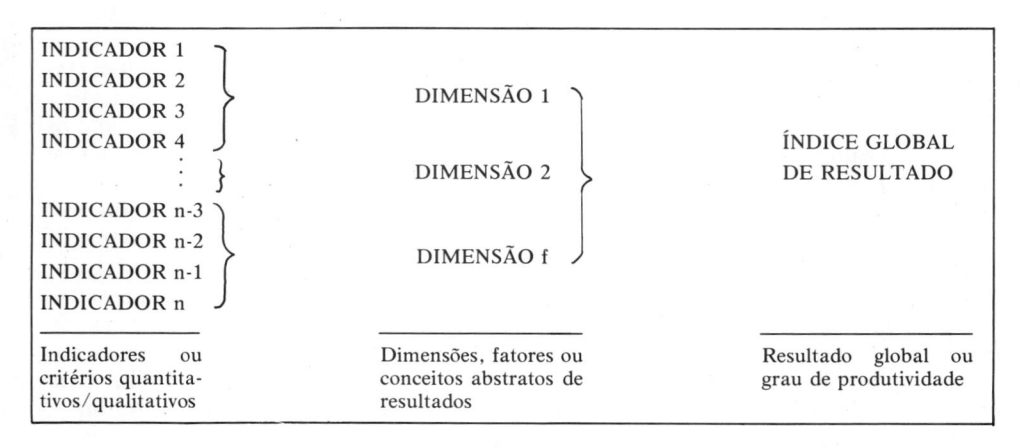

A técnica, segundo o autor, tem sido postulada como uma das mais poderosas para lidar com aspectos intangíveis associados aos resultados da P&D. Ela parte de aspectos originais e os transforma em dimensões mais facilmente interpretáveis do ponto de vista conceitual, facilitando o julgamento intuitivo e a comunicação por parte dos gerentes. Algumas desvantagens do método são, contudo, assinaladas, a principal delas residindo na sua relativa sofisticação. Uma vez que as técnicas estatísticas utilizadas não são tão simples e nem muito familiares, os resultados obtidos podem não ser completamente entendidos e, portanto, gerar resistências psicológicas na sua interpretação e utilização.

Melhorando o retorno da P&D (Foster et alii, 1985)

Este estudo desenvolve um quadro de referência e uma estrutura conceitual visando auxiliar a discussão e a análise do desempenho da P&D dentro de um contexto de negócios. Esse quadro e estrutura são apresentados no sentido de orientar muito mais análises qualitativas do que quantitativas, muito embora possam ser utilizados de forma bem sucedida para avaliar, quantitativamente e numa base individual, efeitos econômicos de produtos e processos melhorados através de esforços de P&D e introduzidos em mercados específicos.

O estudo, que baseia-se fundamentalmente em opiniões de gerentes de P&D de 64 empresas e numa extensa revisão da literatura pertinente, procura prover um entendimento acerca de como a P&D contribui para o objetivo final de uma empresa, entendido como lucro. Essa contribuição, segundo os autores, pode ser vista sob duas dimensões básicas; uma que está sob o controle do grupo de P&D e outra que depende muito mais do desempenho dos demais departamentos empresariais. A estrutura conceitual desenvolvida consta da figura 2.

A razão progresso Técnico/Investimento em P&D, chamada Produtividade da P&D, é uma medida do valor econômico da tecnologia para a empresa, enquanto a

Figura 2 — Quadro de referência para avaliação da contribuição da P&D para a empresa (Foster, et alii, 1985)

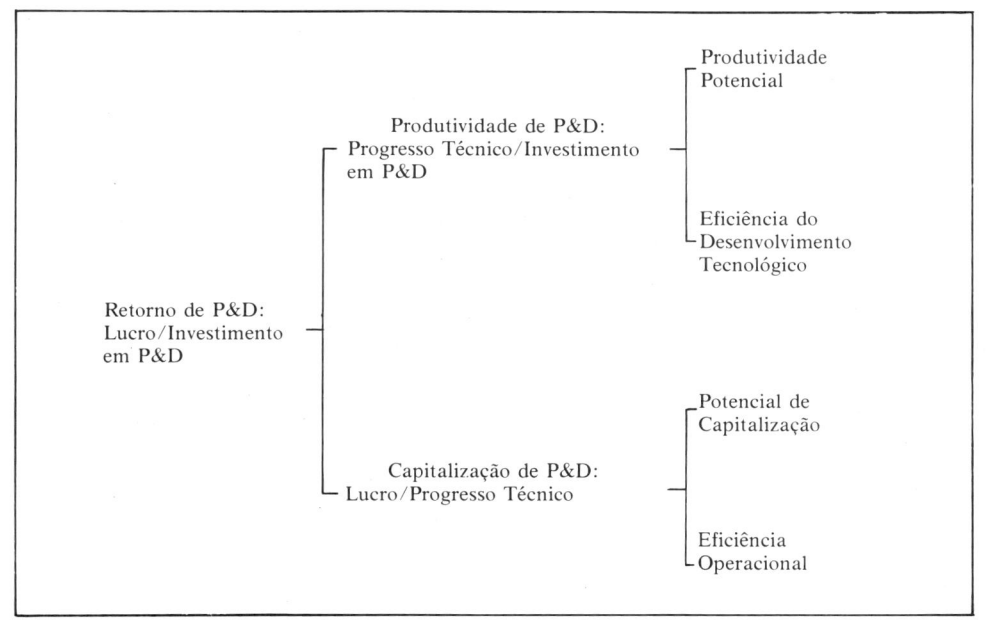

razão Lucro/Progresso Técnico, denominada Capitalização da P&D, é uma medida da recompensa econômica para o fato de um progresso tecnológico ter sido transferido para a produção e levado para o mercado. Usando-se a fórmula sugerida pelo estudo (Retorno = Produtividade × Capitalização) pode-se fazer, segundo os autores, análises razoáveis acerca da contribuição da P&D para a empresa no sentido de se orientar a tomada de decisão. Por exemplo, se a produtividade da P&D mostra-se alta mas a capitalização baixa, nenhum progresso técnico adicional deve ser obtido antes que o mercado mostre sinais de demanda. Do lado inverso, se a capitalização parece alta mas a produtividade baixa, isto é um sinal de que os esforços de P&D precisam ser redirecionados. Esses são, contudo, princípios gerais que deveriam ser adaptados às situações particulares de cada empresa a fim de melhorar o desempenho da função de P&D.

Medindo a produtividade e inovação através do "peer rating approach" (Stahl & Steger, 1977)

Este método baseia-se em avaliações do desempenho das pessoas do grupo de P&D da empresa feitas por elas próprias através de escalas quantitativas. O supervisor, então, agrega os resultados e os condensa através de alguns fatores. O método, segundo os autores, representa mais do que uma simples auto-avaliação, porque as pessoas são argüidas também a respeito de como percebem o desempenho geral do grupo e a respeito daquilo que poderia ser feito visando melhorá-lo. Naturalmente, a informação obtida é comparada com a própria avaliação do supervisor e com a de outros membros-chave da empresa.

Dois critérios básicos são considerados no processo de avaliação: inovação e produtividade. O primeiro é medido através de três variáveis, denominadas (1) originalidade, (2) utilidade e (3) aplicabilidade. Os resultados do trabalho de P&D seriam originais na medida em que fossem novos em termos de conhecimento, dado o estado da arte correspondente; seriam úteis se tivessem um valor aparente para a comunidade tecno-científica; e seriam aplicáveis se sua viabilidade de utilização pudesse ser demonstrada e testada empiricamente. O segundo critério, a produtividade, é medido através de cinco indicadores, denominados (1) produtos/processos novos ou melhorados lançados no mercado, (2) patentes obtidas ou solicitadas, (3) artigos ou livros técnicos publicados, (4) relatórios/notas técnicas produzidos ou apresentações orais feitas, e (5) propostas de trabalho solicitadas por outras pessoas/unidades.

Segundo os autores, o método tem-se mostrado útil por uma série de vantagens. Uma delas é que ele trata inovação e produtividade, enquanto resultados do trabalho técnico-científico, como dimensões separadas, apesar de uma sobreposição aparente existir entre elas. A inovação representaria mais apropriadamente os critérios de natureza qualitativa e a produtividade, por sua vez, os critérios de natureza quantitativas. Ambas as medidas, como argumentado, têm-se provado válidas e, portanto, demonstram ter utilidade dentro de processos de avaliação de engenheiros e cientistas engajados em atividades de P&D na empresa.

A LÓGICA DAS TÉCNICAS SEMI-QUANTITATIVAS COMO ABORDAGEM DE AVALIAÇÃO

Do ponto de vista da lógica das várias técnicas apresentadas como abordagem de avaliação de resultados de P&D, devemos considerar que, sob a ótica das técnicas quantitativas, os poucos estudos reportados e uma série de outros que foram realizados (Horowitz, 1963) têm como base a premissa tradicional de que P&D é feita para melhorar o desempenho econômico da empresa, este medido por variáveis como lucratividade e volume de vendas substancialmente. Essa premissa pode ser discutida na medida em que não é considerada a natureza dos objetivos que cada empresa persegue com sua atividade de P&D, bem como os riscos e os custos de oportunidade associados. Também, simples coeficientes de correlação não parecem suficientes per si para evidenciar aquelas relações, muito embora possam ter sido construídos a partir de dados legítimos. Eles parecem obscurecer a verdadeira extensão com que a P&D contribui para o sucesso da empresa, pois na maioria das vezes o efeito se manifesta de uma forma indireta, atuando sobre uma série de variáveis que não exatamente lucratividade. Em outras palavras, o problema é de validade e não de confiabilidade.

Em conseqüência, as técnicas de avaliação dos resultados da atividade de P&D baseadas no retorno sobre o investimento (RSI), de natureza intrinsecamente quantitativa, têm sido bastante combatidas nestes últimos anos. Um estudo recente (Mechlin & Berg, 1980) sintetiza as principais limitações dessas técnicas:

148

a) Quanto à amplitude de tempo: a maioria das técnicas de RSI levam em conta apenas o tempo presente e não consideram a defasagem que é necessária para que uma inovação tecnológica produza resultados econômicos. Muitas inovações demoram mais do que dez anos para resultar em lucros para a empresa. Se o critério é aplicado diretamente, sem maiores considerações, há uma probabilidade grande de se liquidar um processo criativo com grande potencial de retorno;

b) Quanto à imprevisibilidade dos resultados: muitas descobertas interessantes do ponto de vista técnico podem não ter um valor comercial óbvio na época em que vêm à tona. Também, experiências técnicas negativas do ponto de vista de P&D não significam exatamente fracasso. Elas podem ter adicionado uma contribuição substancial para o conhecimento do fenômeno e produzir dividendos inesperados no futuro;

c) Quanto à imprecisão das medidas: dificilmente é possível atribuir aos esforços de P&D possíveis lucros ou perdas. Muitos resultados alcançados pelo grupo de P&D não entram diretamente no cálculo típico do RSI, mas beneficiam outros departamentos da empresa de uma forma predominantemente qualitativa. Ainda, o fato da P&D não estar relacionada com lucros não significa que a atividade seja ineficaz. O lucro decorrente de uma inovação depende de uma ação conjunta dos departamentos da empresa e não de uma ação isolada de P&D.

A conclusão, portanto, tem se situado na linha de que é impossível isolar a presença da atividade de P&D no conjunto de determinantes do desempenho empresarial do ponto de vista estritamente econômico. De fato, se a P&D é tomada como um investimento no futuro e se se considera que esse investimento é arriscado quando comparado às operações típicas de uma empresa, deve ser entendido que uma parte substancial desse capital jamais irá retornar na forma de lucros derivados de produtos comercializados. A natureza da P&D é tal que um certo número de fracassos certamente ocorrerá. Na verdade, uma alta taxa de sucesso de projetos pode refletir uma política muito conservadora na qual se dá ênfase demasiada ao curto prazo e se esquece da possibilidade de novos desenvolvimentos, fora do negócio atual da empresa, trazerem retornos muito mais apreciáveis. Assim, lidar com a parte do "retorno" do índice RSI abribuível à P&D faz parte ainda de um desafio para os estudiosos desse campo (Galloway 1971).

Sob a ótica das técnicas semi-quantitativas também tem havido contribuições relevantes, algumas das quais, por terem sido julgadas mais pertinentes ao escopo deste estudo, reportadas na seção anterior deste capítulo. Essas técnicas, contudo, situam-se num estágio inferior de desenvolvimento quando comparadas com as quantitativas, dado o estado atual de conhecimento. Porém, dadas as limitações destas últimas como método de análise, as semi-quantitativas têm ganho crescente aceitação como instrumento de avaliação dos resultados da atividade de P&D em contextos empresariais. Embora não tão precisas, e por isso não tão confiáveis, elas não restringem em demasia o domínio da avaliação em torno de um único indicador de desempenho (Packer, 1983), o que, em outras palavras, aumenta sua validade como método de análise.

É interessante observar também que as técnicas semi-quantitativas lidam com o problema de medida de uma forma mais flexível do que as técnicas quantitativas e, portanto, contemplam mais apropriadamente a natureza dos esforços de P&D conduzidos pelas empresas. Para tornar essa lógica mais explícita, é necessário levar em conta que o termo P&D, como mencionado no primeiro capítulo, inclui vários estágios e que cada um parece requerer técnicas de avaliação mais apropriadas (Pappas & Remer, 1985). Assim, como ilustra a figura 3, no estágio de pesquisa básica o método quantitativo é menos aplicável porque os resultados são muito abstratos. O método qualitativo, portanto, baseado em sentimentos intuitivos, parecer ser mais conveniente. No outro extremo, no estágio de aperfeiçoamento de produtos/processos, já se tem resultados mais quantificáveis e, portanto, mais susceptíveis de serem avaliados através de modelos matemáticos. Em conseqüência, muitas das técnicas quantitativas utilizadas atualmente têm tido como foco esse estágio da P&D, mesmo que em muitos casos isso não esteja totalmente explícito.

Entre esses dois extremos encontra-se um amplo conjunto de métodos de natureza semi-quantitativa, mas que se tem mostrado bastante útil para os estágios intermediários da P&D. A pesquisa aplicada, por exemplo, não produz com freqüência resultados fáceis e rapidamente quantificáveis. Por esta razão, dado o estado atual da arte, um algoritmo qualquer é muito mais difícil de ser aplicado. Por outro lado, esses resultados não são totalmente abstratos como os da pesquisa básica, de sorte que é possível atribuir valores quantitativos a julgamentos qualitativos. Os melhores métodos de avaliação para os estágios intermediários do processo de P&D parecem ser, portanto, aqueles onde as avaliações feitas por pessoas que se situam próximas do esforço são quantificadas através de algum procedimento de mensuração.

Não obstante sua relevância e aplicabilidade como método de avaliação dos resultados da atividade de P&D em contextos empresariais, as técnicas semi-quantitativas estão sujeitas a uma série de limitações que necessitam ser devidamente reconhe-

Figura 3 — Uso geral das técnicas de avaliação dos resultados de P&D (ampliada de Pappas & Remer, 1985)

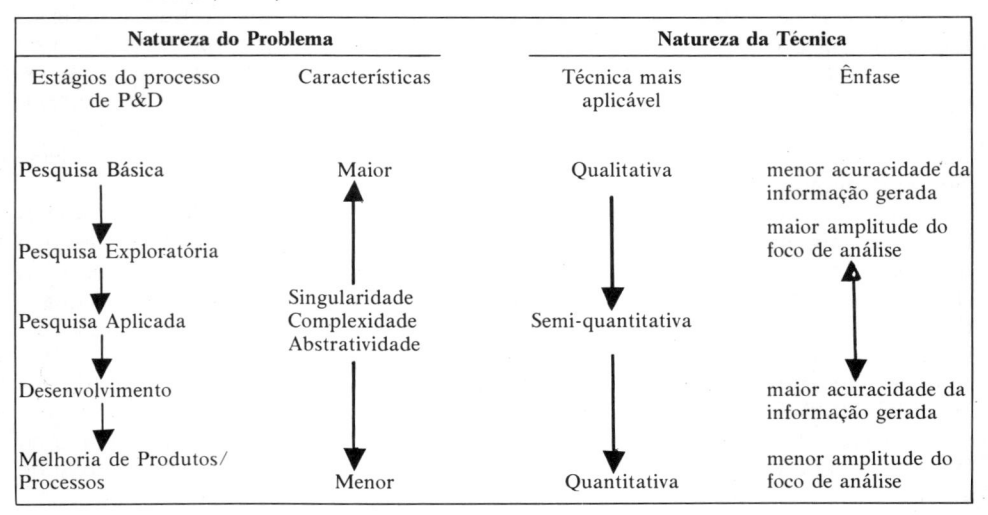

Natureza do Problema		Natureza da Técnica	
Estágios do processo de P&D	Características	Técnica mais aplicável	Ênfase
Pesquisa Básica	Maior	Qualitativa	menor acuracidade da informação gerada
Pesquisa Exploratória			maior amplitude do foco de análise
Pesquisa Aplicada	Singularidade Complexidade Abstratividade	Semi-quantitativa	
Desenvolvimento			maior acuracidade da informação gerada
Melhoria de Produtos/ Processos	Menor	Quantitativa	menor amplitude do foco de análise

cidas. Como essas técnicas transformam opiniões de pessoas em números que depois são manipulados para expressar um resultado final, a sua principal limitação é a mesma inerente aos processos de mensuração que se baseiam em opiniões antes que em fatos, isto é, as diferenças individuais na interpretação e uso das escalas podem distorcer os resultados. Nesse sentido, os números obtidos em decorrência de um processo semi-quantitativo de avaliação devem ser vistos tão somente como uma referência para subsidiar análises e discussões mais aprofundadas e não para justificar, por si só, uma decisão (Pappas & Remer, 1985).

3 — CRITÉRIOS PARA JULGAMENTO DA CONTRIBUIÇÃO DA P&D PARA A EMPRESA

Subjacente ao fato de as técnicas semi-quantitativas terem ganho aceitação como método de avaliação dos resultados de P&D, uma grande atenção tem sido devotada aos particulares critérios ou indicadores de desempenho que deveriam integrar tais procedimentos. Do lado da prática comum, os gerentes de P&D têm combinado a intuição e a experiência como base para gerar indicadores aceitáveis. Do lado da teoria, alguns estudos de campo têm sido realizados como forma de identificar aqueles mais aplicados por diferentes empresas para reportarem seus resultados de P&D.

Um desses estudos refere-se a um levantamento conduzido na década de 50 pelo MIT-Massachussetts Institute of Technology sobre as práticas de avaliação de laboratórios industriais mantidos por empresas dos Estados Unidos (Rubenstein, 1957). Uma das questões do estudo abordava que tipos de critérios eram usados pelas empresas para julgar o progresso e os resultados do trabalho de P&D por elas conduzido. Um total de 37 unidades de 29 empresas, a maioria de tamanho grande, responderam a essa questão. Os resultados estão apresentados na Tabela 1.

Como se pode notar, muitos critérios sugeridos são de natureza não quantitativa e muito mais relacionados com medidas de progresso do que de resultados. Um dos comentários que emergiu do estudo é que as empresas deveriam prestar muito mais atenção em como prover condições propícias para que a P&D pudesse melhorar cada vez mais sua contribuição para a firma do que propriamente compelir os gerentes a justificar seu trabalho. Segundo o autor, este deveria ser o enfoque básico das reuniões periódicas que deveriam existir entre o pessoal de P&D e o da alta administração. Essas reuniões, não obstante, poderiam muito bem começar com uma apreciação de progresso conduzida com base em critérios como os sugeridos pelo levantamento.

Um outro estudo refere-se a um levantamento sobre os critérios usados por gerentes de P&D de empresas também americanas para medir o desempenho de suas unidades (Moser, 1985). Como parte desse estudo, questionários contendo 13 critérios foram enviados para cerca de 400 gerentes. Cerca de 125 retornaram, representando cerca de 40 empresas, a maioria dentro dos setores de química, eletrônica e processamento de dados. O tamanho das unidades de P&D variava bastante, com 54% possuindo menos de 100 funcionários e 14% mais do que 600. Cerca de 75% das unidades estavam engajadas em programas de desenvolvimento tecnológico para uma única empresa.

Os respondentes do estudo foram solicitados a designar um grau de freqüência

Tabela 1 — Critérios para julgar o progresso/resultados da P&D (Rubenstein, 1957)

Critérios	n.º de Empresas
1. Relacionados com o efeito sobre vendas ou receitas Aumento do nível de negócios; aumento dos lucros sem aumento do investimento; aumento da participação no mercado; relação entre produtos oriundos da P&D e produtos comercializados; aceitação de produtos novos pelos clientes; novos consumidores conquistados; efeito de novos produtos sobre antigos.	19
2. Relacionados com o efeito sobre economias de trabalho, materiais e outros custos Pagamentos de "royalties" economizados; melhores processos; melhor controle de qualidade; redução das linhas de produtos não lucrativas; economias de pessoal ou de capacidades produtivas.	17
3. Relacionados com lucros Lucro derivado de produtos surgidos de esforços de P&D × não P&D; lucros e perdas do esforço total em P&D; tempo de retorno dos projetos; taxa de retorno do investimento em P&D.	13
4. Relacionados com prazo, custo e soluções técnicas Número de vezes em que custos e prazos de projetos são reestimados; progresso das fases dos projetos; proporção de despesas gastas × orçadas.	28
5. Relacionados à satisfação dos clientes Número e natureza de queixas ou reclamações; amplitude da linha de produtos.	10
6. Relacionados com as informações providas Número de idéias viáveis apresentadas; percentagem de novas idéias vindas do pessoal de P&D; conhecimento acumulado em relação a novos produtos, processos e materiais; desenvolvimento, formação e treinamento de pessoal; desenvolvimento de especificações; avaliação de informações técnicas para grupos de aplicação; informação gerada para vendas; pedidos de trabalhos recebidos.	17
7. Relacionados ao provimento de soluções técnicas bem sucedidas Número de problemas lidados com sucesso; número de patentes escritas, solicitadas ou obtida; número de projetos completados com sucesso.	16

de utilização aos 13 critérios a eles submetidos para julgamento, usando uma escala de 1 (nunca) a 7 (sempre). Os resultados obtidos aparecem ordenados na Tabela 2, do mais para o menos, utilizado segundo a média das respostas. A variância também é fornecida, bem como critérios adicionais utilizados pelos gerentes, os quais estão sucedidos pela freqüência com que foram citados. Pode ser observado que, dos 13 indicadores, três obtiveram as médias mais altas e também as menores variâncias. Elas se referem à qualidade do trabalho conduzido pela unidade de P&D, ao grau em que ela atinge seus objetivos e à quantidade de trabalho feita dentro dos prazos requeridos. Os critérios referentes ao nível de eficiência da unidade, à percentagem de projetos completados e à percentagem de resultados adotados pela empresa, podem ser vistos dentro de uma segunda categoria de importância, mas, segundo o autor, não podem ser adequadamente analisados porque suas variâncias são muito altas.

Uma análise mais acurada desses mesmos dados revela, como colocado no estudo, que as medidas de desempenho mais freqüentemente usadas parecem ser de natureza mais "soft", isto é, mais difíceis de serem quantificadas. O oposto também parece ser verdadeiro, pois as medidas menos freqüentes parecem ser mais "hard", ou se-

Tabela 2 — Medidas de desempenho da unidade de P&D e freqüência de utilização por empresas americanas (Moser, 1985)

Medidas	Média	Variância
01. Qualidade do resultado obtido	5,752	1,371
02. Nível de consecução dos objetivos fixados	5,715	1,009
03. Quantidade de trabalho executada dentro dos prazos requeridos	5,073	1,511
04. Nível geral de eficiência	4,561	2,257
05. Percentual de projetos completados	4,504	2,652
06. Percentagem de resultados adotados pela empresa	4,343	2,562
07. Freqüência com que custos orçados são ultrapassados	3,746	3,166
08. Número de patentes solicitadas ou obtidas	3,699	3,032
09. Percentagem de propostas de projeto aprovadas	3,380	3,504
10. Número de relatórios técnicos produzidos	3,325	2,729
11. Lucro gerado para a empresa	3,083	4,094
12. Número de artigos apresentados em reuniões técnicas	3,057	2,808
13. Número de prêmios ou reconhecimentos científicos obtidos	2,992	2,587

Medidas adicionais citadas	Freq.
propostas que receberam verbas da empresa	4
vendas decorrentes dos projetos desenvolvidos	4
adequações dos esforços de consultoria providos	2
imagem e credibilidade externa	2
integração com outras unidades e divisões	2
crescimento	1
aumento das receitas da empresa	1
obtenção de contratos de financiamento	1
contribuição para a comunidade	1
recuperação dos custos incorridos	1
oportunidade	1
qualidade dos planos estratégicos	1
número de novos produtos introduzidos no mercado	1
criatividade	1
redução de custos proporcionada	1
melhoria de qualidade de produtos	1
comunicação e documentação	1
custos diretos x custos indiretos	1
desenvolvimento de novos produtos	1
custo para a empresa	1

ja, mais fáceis de serem quantificadas. Também é argumentado que há necessidade de se relacionar, empiricamente, os critérios tidos como mais usados na avaliação do desempenho das unidades de P&D com as firmas que tradicionalmente têm sido melhor sucedidas com esses esforços. Por último, ainda é levantado que são necessários estudos comparativos numa tentativa de se verificar se diferentes contextos de P&D revelam perfis diferenciados de critérios de avaliação.

Um terceiro estudo refere-se a um levantamento sobre a importância atribuída por gerentes de P&D a possíveis indicadores de êxito da função de P&D em suas empresas (Sbragia, 1987). Este estudo foi realizado no Brasil junto a 47 empresas industriais engajadas em atividades de P&D numa base sistemática, 80% das quais com mais de 1.000 funcionários e com vendas superiores a Cz$100 milhões em 1984. As empresas pertenciam a diferentes setores industriais. Cerca de 31% a setores industriais tecnologicamente tidos como mais tradicionais, como siderurgia, metalurgia e mineração, 57% a setores tecnologicamente intermediários como química, madeira e alimentos, e 12% em setores relativamente de ponta, como eletrônica, telecomunicações e informática. As empresas também eram de diferentes nacionalidades, sendo 87% nacionais — 72% privadas e 15% estatais — e 13% multinacionais.

Uma lista inicial de 31 critérios foi submetida à apreciação dos gerentes de P&D das empresas contatadas solicitando-lhes que assinalassem o grau de importância atribuído a cada critério como possível indicador do êxito da função de P&D numa escala de 1 a 7 (1 = importância muito baixa e 7 = importância muito alta). Os números obtidos foram então tabulados e submetidos a uma análise fatorial tendo em vista diminuir possíveis redundâncias entre os critérios e reduzí-los a um número menor de dimensões mais conceitualmente explicativo do fenômeno. A estrutura de fatores obtidos e as respectivas cargas fatoriais constam da tabela da Figura 4.

Como se pode notar, o conjunto inicial de 31 indicadores de resultado foi reduzido para um conjunto de apenas 9 fatores ou dimensões, denominados: (1) competência intrínseca adquirida pelo pessoal de P&D; (2) potencialidades técnicas construídas dentro da empresa; (3) credibilidade interna despertada pela P&D dentro da empresa; (4) assistência provida à área de produção da empresa; (5) assistência provida à área de marketing da empresa; (6) contribuição para a exploração de mercados externos por parte da empresa; (7) impacto tecnológico sobre a empresa; (8) impacto sobre as vendas da empresa e (9) impacto sobre o negócio da empresa. Pode ser observado ainda que os quatro últimos fatores explicam cerca de 72% de variância total dos dados, sendo que apenas o último — impacto sobre o negócio da empresa — explica cerca de 40% dessa variância, isto é, parece ser este o fator mais explicativo do fenômeno entre os nove que foram obtidos.

Com base na estrutura de fatores/indicadores delineada, a Figura 5 revela então, utilizando-se a média das respostas obtidas, a importância relativa designada por gerentes de P&D de empresas situadas no Brasil a possíveis indicadores de resultado da função por eles administrada. Analisando-se a figura, pode-se notar que todos os indicadores foram percebidos com importância elevada, acima do ponto médio da escala (3,5). Considerando-se, a princípio, este fato como normal, desde que sempre há uma tendência das pessoas de supervalorizar os critérios, pode-se dizer que os indicadores mais importantes para avaliar a eficácia dos resultados de P&D na empresa, na opinião dos gerentes contatados, parecem ser (média das respostas acima de 6):

- a qualidade dos trabalhos desenvolvidos pelo pessoal de P&D, considerados seus requisitos de qualidade, prazo e custo (dimensão 1 — competência técnica).

- o impacto desses trabalhos sobre o poder de competitividade da empresa no mercado em que atua (dimensão 8 — impacto sobre vendas).

- a possibilidade de lançamentos de novos produtos no mercado em decorrência de um esforço interno de P&D. (dimensão 8 — impacto sobre vendas).

Esses resultados parecem ser consistentes com a literatura até então disponível. O primeiro indicador, a qualidade dos trabalhos desenvolvidos, a partir de expressões

154

Figura 4 — Estrutura dos indicadores de resultado da atividade de P&D derivada da análise fatorial

Fatores/Indicadores	Poder de explicação	Cargas fatoriais
1. Competência Intrínseca Adquirida	5,4%	
01. Qualidade dos trabalhos executados		0,77
02. Aumento da qualificação do pessoal técnico		0,53
2. Potencialidades Técnicas Construídas	3,4%	
03. Obtenção de progressos tecnológicos extraordinários		0,81
04. Capacitação para mudança tecnológica		0,74
05. Assimilação de novos conhecimentos técnicos		0,51
06. Melhoria das interfaces com licenciadores de tecnologia		0,56
07. Melhoria das interfaces com Universidades e Institutos de Pesquisa		0,48
3. Credibilidade Interna Conquistada	6,4%	
08. Confiança despertada na Alta Administração		0,86
09. Prestígio junto às áreas de Marketing e Produção		0,75
10. Reconhecimento como importante função empresarial		0,63
11. Participação no processo de planejamento estratégico da empresa		0,49
4. Assistência provida à Produção	7,5%	
12. Redução de custos de fabricação		0,85
13. Aumento da eficiência dos processos produtivos		0,83
14. Aumento da produtividade da mão de obra operacional		0,83
15. Melhoria das condições de trabalho na fábrica		0,63
16. Assistência na solução de problemas técnicos		0,57
5. Assistência provida à Marketing	5,1%	
17. Ajuda na introdução de novos produtos/processos no mercado		0,76
18. Assistência técnica à equipe de vendas		0,37
6. Contribuição para Exploração de Mercados Externos	8,6%	
19. Apoio ao aproveitamento de oportunidades de exportação		0,88
20. Projeção da firma em mercados externos		0,76
21. Melhoria da posição da empresa junto a concorrentes externos		0,59
7. Impacto Tecnológico Obtido	10,5%	
22. Substituição de tecnologias importadas		0,70
23. Obtenção de novas marcas/patentes		0,50
8. Impacto sobre Vendas	12,4%	
24. Aumento do nível de vendas da empresa		0,76
25. Aumento do poder de competitividade da empresa		0,66
26. Possibilidade de lançamento de novos produtos/processos		0,42
9. Impacto sobre o Negócio	40,3%	
27. Aumento do potencial de retorno financeiro		0,84
28. Possibilidade de acesso a novos mercados		0,77
29. Criação de oportunidades de diversificação		0,70
30. Aumento da taxa de participação no mercado		0,51
31. Aumento dos lucros correntes da empresa		0,47

Figura 5 — Importância designada aos indicadores de resultado: percepções de Gerentes de P&D e percepções de membros da Alta Administração (Sbragia, 1987)

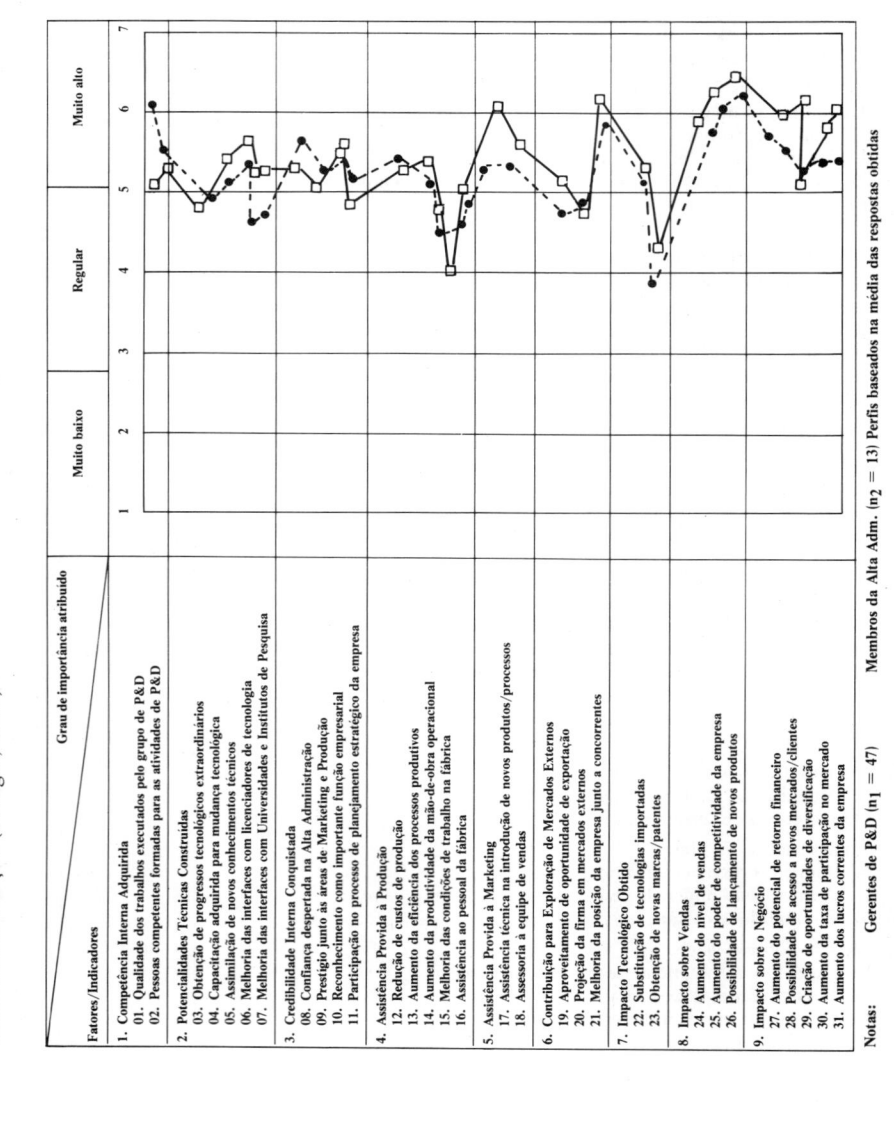

similares, foi julgado como o mais utilizado por empresas americanas para avaliar seus resultados de P&D em ambos os estudos reportados nesta seção (Moser, 1985, Rubenstein, 1957). Os dois seguintes, impacto sobre poder de competitividade e possibilidade de lançamento de novos produtos, estão aglomerados numa dimensão — Impacto sobre Vendas — que, dentro da abordagem das técnicas quantitativas, tem sido julgada como a medida mais correta para se avaliar o impacto da P&D sobre o desempenho empresarial (Parasuraman e Zeren, 1983).

Na tentativa de validar os resultados obtidos, o estudo também procura comparar o perfil de respostas dos Gerentes de P&D com o perfil que identifica as respostas da alta administração das empresas quando também argüida sobre a importância relativa designada aos possíveis indicadores de êxito da função de P&D. A partir de uma consulta a membros da alta administração (Presidente, Vice-Presidente, Diretores Gerais e outros) de 13 empresas incluídas na amostra pesquisada, como se pode observar na mesma figura 5, pode-se dizer, que não existe uma diferença acentuada entre as opiniões dos gerentes de P&D e a dos membros da Alta Administração quanto à importância designada aos critérios. Essa aparente congruência de opiniões, consideradas as limitações do estudo, é muito salutar, uma vez que parece colocar Alta Administração e Gerentes de P&D bastante próximos em termos de expectativas, e, portanto, em termos de comunicação. Esta, aliás, tem sido uma das principais barreiras à efetiva integração entre P&D e corporação (Reynolds, 1965; Charpie, 1973; Lobb, 1971).

Além desses estudos de campo, uma série de publicações mais didáticas têm feito referência a possíveis indicadores para avaliar a contribuição da P&D para a empresa quando tratando de seu processo de avaliação (Holland, 1958; Bright, 1961; Villers, 1964; Roman, 1968 e Balderston et alii, 1984). Esses indicadores aparecem listados na Tabela 3. Uma boa parte deles pode, de fato, ser considerada como indicadores de resultado; uma outra parte, contudo, parece se referir mais ao apoio provido pela empresa a suas atividades de P&D do que propriamente a resultados passíveis de serem obtidos em decorrência de tais atividades. Tal distinção é importante porque a tendência geral, dada a dificuldade de medir resultados, é contabilizar os custos, o número de profissionais e outras variáveis desse tipo na tentativa de quantificar a representatividade ou expressão que a P&D tem para a empresa. Embora compreensível, esse comportamento não deve ser necessariamente aceito, uma vez que tende, ou a obscurecer a verdadeira contribuição da P&D para o desempenho empresarial, ou a super-estimá-la, conduzindo a julgamentos e interpretações cuja validade pode ser questionada.

4 — EM DIREÇÃO A UM PROCESSO DE AVALIAÇÃO DE RESULTADOS DE P&D NA EMPRESA

Se, de um lado, a P&D, como um investimento da empresa, precisa ter seus resultados avaliados, de outro, a natureza da atividade em si, que tem como seu principal produto a informação (Rubenstein, 1957), não permite que avaliações baseadas em índices econômicos tradicionais sejam feitas. Assim, não é difícil ficar-se impressionado com a incapacidade atual de se avaliar os resultados da P&D, tanto na em-

Tabela 3 — Critérios para avaliação do desempenho da P&D correntemente citados em publicações didáticas

---

HOLLAND/1958
— grau em que a unidade de P&D conhece a tecnologia que melhor se ajusta às necessidades da empresa;
— grau em que a unidade de P&D cria a tecnologia que é necessária;
— grau em que a unidade de P&D ajuda na implementação dos resultados obtidos;
— grau em que a unidade de P&D é eficiente;
— grau em que a unidade de P&D é parte efetiva da equipe executiva da empresa

BRIGHT/1961
— grau em que a P&D contribui para o moral e prestígio da empresa;
— grau em que a P&D serve como instrumento de relações públicas;
— grau em que a P&D obtém patentes e proteção legal para a empresa;
— grau em que a P&D contribui para a segurança das condições de trabalho na empresa;
— grau em que a P&D funciona como uma inteligência técnica para a empresa;
— grau em que a P&D estimula a "atividade geral da empresa"

VILLERS/1964
— número de patentes obtidas ou solicitadas pela empresa;
— trabalhos técnicos apresentados em congressos científicos;
— "royalties" recebidos de outras instituições;
— volume de vendas de novos produtos;
— aumento da taxa de participação no mercado pela empresa;
— reduções de custo obtidas;
— revisão de áreas onde a tecnologia tem sido útil para a empresa;
— posição da empresa entre as melhores e maiores

ROMAN/1968
— custo da unidade de P&D em si;
— número de projetos que se converteram em produtos vendidos;
— número de projetos completados em relação a iniciados;
— lucro proporcionado para a empresa;
— rotatividade do pessoal técnico-científico;
— posição da empresa no mercado;
— taxa de crescimento da empresa;
— patentes obtidas;
— relatórios de pesquisa produzidos;
— prestígio e imagem da organização de P&D na empresa;
— calibre técnico e reputação da unidade quanto ao trabalho desenvolvido;
— benefício que o conhecimento acumulado pela unidade de P&D tem dado à empresa;
— habilidade da unidade de atrair ou reter pessoal técnico competente;
— contribuição da unidade para manter a competência técnica da empresa e minimizar sua obsolescência tecnológica

BALDERSTON/1984
— relação entre custos de P&D e lucros ou vendas adicionais trazidos para a empresa;
— percentagem de receita advinda de novos produtos lançados no mercado com a ajuda da P&D;
— participação no mercado devido a novos produtos criados em decorrência da P&D;
— relação entre os custos de P&D e as vendas atuais e passadas da empresa;
— relação entre os custos de P&D por empregado da empresa;
— relação entre os custos de P&D e os custos administrativos e de vendas da empresa;
— período de retorno dos investimentos em P&D

---

presa como em qualquer outro contexto. A melhor desculpa para essa lacuna tem sido a de que o campo foi ainda pouco explorado, em grande parte devido ao fato da P&D ser um negócio muito recente e cujo montante de investimento só agora começa a impressionar.

Embora bastante distantes de um critério numérico simples e válido para comunicar o que a P&D pode fazer pela empresa, algumas tentativas nesse sentido têm sido feitas ao longo dos últimos 20-30 anos. Este capítulo teve como preocupação central discutir alguns possíveis métodos que têm sido derivados de tais tentativas. Ao que parece, se o impacto da P&D sobre a empresa tem que ser medido, as técnicas semi-quantitativas são as que melhor se ajustam a esse desafio, uma vez que permitem que os múltiplos objetivos inerentes a um programa de desenvolvimento tecnológico, alguns de natureza quantitativa, outros de natureza qualitativa, possam ser adequadamente considerados.

Dentro da abordagem das técnicas semi-quantitativas, uma atenção especial foi dada neste capítulo a possíveis indicadores ou critérios que poderiam integrar processos dessa natureza tendo em vista apreciar os benefícios ou impactos da P&D sobre a empresa. A conclusão é a de que uma série imensa de indicadores pode ser compilada como forma de expressar os resultados de P&D numa base empresarial. Esses indicadores, contudo, conforme revelado por alguns estudos, parecem ter freqüência de utilização bem como importância relativa diferenciada entre si. Também não pode ser afastada a hipótese de estarem sujeitos a diferenças ocasionadas pelas particulares situações em que a P&D é levada a efeito no contexto das empresas.

Nesse sentido, desde que é praticamente impossível fornecer um padrão de medida ou um conjunto universal de critérios devidamente ponderados, resta-nos pelo menos explicitar um processo de avaliação de resultados que possa ser conduzido pelas empresas, numa base periódica, para apreciar os progressos de seu esforço em P&D. Tendo em vista delinear sinteticamente esse processo, consideraríamos inicialmente que a palavra apreciação, em vez de avaliação, parece ser mais adequada para qualificá-lo, uma vez que, antes do que propriamente medir resultados, o processo visa rever o progresso da P&D com a finalidade de direcionar futuras ações (Gee, 1972). Além disso, o processo visa constituir-se num mecanismo de comunicação entre gerentes de P&D e outros membros da administração dentro de um esforço de melhorar a contribuição da P&D para a empresa antes do que de caracterizar ou punir maus resultados (Galloway, 1971).

Assim, dentro de um espírito de assegurar que os resultados derivados do esforço de P&D tenha uma maior probabilidade de satisfazer as expectativas que dele se originaram e, ao mesmo tempo, de prover uma base aceitável para redirecionamento do esforço e das próprias expectativas, poder-se-ia imaginar um sistema de apreciação dos resultados de P&D na empresa com a seguinte configuração:

MODELO BÁSICO DO SISTEMA

Do ponto de vista genérico, o sistema de avaliação envolve um conjunto de elementos e operações, os quais estão descritos simplificadamente na figura 7. O modelo apresentado procura dar ao processo um enfoque cíclico de acompanhamento, incluindo procedimentos ocasionais de reexame de objetivos e critérios.

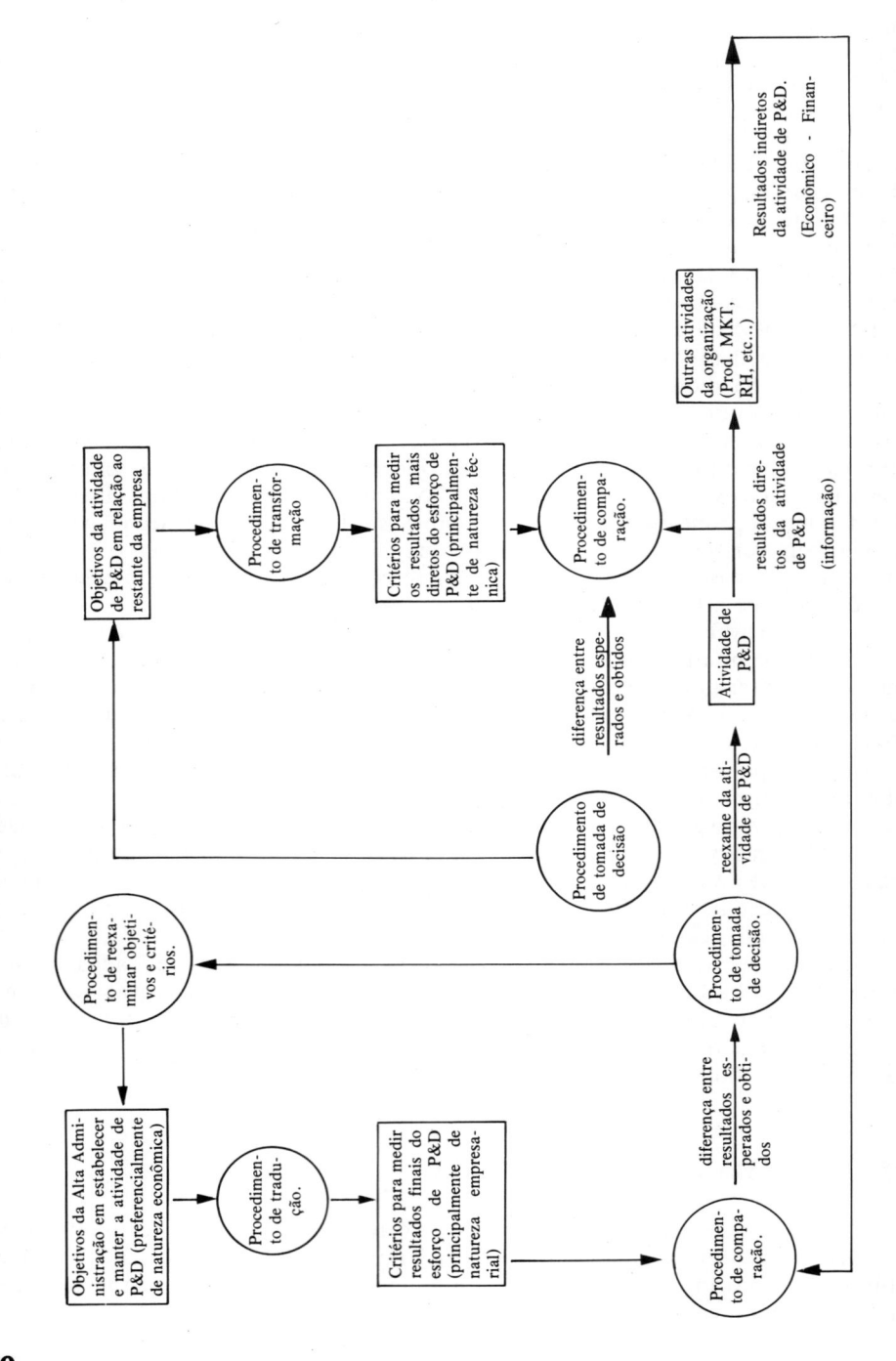

Figura 7 — Esquema geral do sistema de avaliação

Como se pode notar, do ponto de vista organizacional, o modelo compreende ações que estão dispostas em dois níveis diferentes da empresa: Alta Administração e Gerência de P&D . Ao nível da Alta Administração, situam-se as expectativas globais da empresa com sua atividade de P&D, de natureza predominantemente econômica. Dessas expectativas devem derivar critérios para medir os resultados finais do trabalho de P&D desse ponto de vista. É fundamental, portanto, que P&D dê uma resposta a essas expectativas ou mude-as, se necessário. Essa é, aliás, a grande dificuldade que se tem apresentado.

Ao nível de gerência de P&D, situam-se objetivos mais diretamente relacionados com a atividade de P&D em si, enquanto fonte de informação e ajuda para que outros departamentos da empresa possam se desempenhar melhor. Desses objetivos resultam critérios para medir os resultados de P&D desse ponto de vista mais direto. Não é aqui que reside a grande dificuldade, pois um elenco de indicadores dessa natureza é facilmente elencável, ainda que de natureza qualitativa.

ETAPAS LÓGICAS DO PROCESSO DE APRECIAÇÃO

Como todo processo de avaliação/apreciação de resultados, quatro etapas básicas tipicamente o compõem. Essas etapas estão presentes tanto no ciclo da Alta Administração quanto no da Gerência de P&D. São elas:

a) **Estabelecimento de critérios**. Numa primeira etapa, os critérios de avaliação precisam ser explicitados como forma de caracterizar os objetivos almejados pela empresa com seu esforço de P&D. Acredita-se que as estruturas de indicadores derivadas dos estudos anteriormente citados constituem uma base inicial aceitável para o empreendimento dessa tarefa. É evidente que as estruturas deverão ser acrescidas de outros indicadores que a própria experiência da empresa venha a sugerir a fim de melhor expressar a natureza específica de sua atividade. Do mesmo modo, alguns indicadores menos relevantes para sua situação em particular poderão ser eliminados;

b) **Observação do comportamento dos resultados**. Numa segunda etapa, deve-se procurar observar os resultados obtidos pela atividade à luz dos critérios definidos. Algum procedimento de quantificação de opiniões precisa ser aqui utilizado como forma de verificar o grau em que cada critério está sendo atendido na percepção dos envolvidos no processo. Este é o ponto de partida para que discussões sobre a significação dos números para o desempenho empresarial sejam empreendidas e também para que algumas análises de caráter quantitativo possam ser feitas, onde possível, como forma de validar algumas percepções. Indicadores relacionados com aumentos de vendas, redução de custos e outros poderão estar sujeitos a esta verificação a posteriori, cuja necessidade foi primeiro detectada pelo processo semi-quantitativo;

c) **Comparação dos resultados com as expectativas**. Numa terceira etapa, os resultados obtidos pela P&D devem ser comparados com as expectativas da empresa em relação aos mesmos. Se não foram alcançadas, é importante considerar-se as causas que levaram a isso e, portanto, as modificações que devem ser feitas nas condições e/ou nos procedimentos através dos quais a atividade é levada a efeito. Se a análise revela que estas condições e procedimentos estão fora do controle direto da empresa, redirecionamentos nos objetivos do programa serão necessários. Isto levará, conseqüentemente, a modificações nos critérios com base nos quais a eficácia da atividade da P&D será apreciada em oportunidades futuras.

d) **Empreendimento das ações necessárias**. Numa quarta e última etapa, se houver necessidade, decisões sobre mudanças nos objetivos da P&D ou nos meios através dos quais ela será executada devem ser implementadas. O final desta etapa marca o início de um novo ciclo de apreciação.

PROCEDIMENTOS OPERACIONAIS: UMA ILUSTRAÇÃO

Tomando-se o caso hipotético de uma empresa e de sua função de P&D, o sistema de avaliação poderia operar com base nos seguintes contornos operacionais:

a) **Definição dos critérios para avaliação**

I — Ao nível da gerência de P&D

Dois critérios poderiam, a título de exemplificação, serem aplicados: (1) Capacitação técnica do grupo de P&D para responder às necessidades de aprimoramento tecnológico da empresa e (2) imagem do grupo de P&D junto à Alta Administração e demais áreas operativas da empresa.

(1) **Capacitação técnica**

Através desse critério procurar-se-ia avaliar resultados que se traduzem na constituição de potencialidades técnicas de que a empresa pode desfrutar. Incluiria itens como:

- desenvolvimento de equipamentos e técnicas de análise mais modernas e eficientes;
- desenvolvimento de novos fornecedores de matéria-prima;
- substituição de matérias-primas importadas;
- desenvolvimento de novas áreas de competência em áreas de interesse para a empresa;
- qualificação do pessoal técnico-científico;
- conhecimento mais acurado das necessidades técnicas da empresa;
- assimilação de novos conhecimentos como conseqüência dos trabalhos desenvolvidos.

(2) **Imagem do grupo de P&D**

Através desse critério procurar-se-ia avaliar resultados que se traduzem no bom relacionamento entre o órgão de P&D e o restante da empresa, dada a sua condição de "agente estranho". Incluiria itens como:

- receptividade das idéias do grupo de P&D por parte das unidades operacionais;
- percepção do ganho das áreas em decorrência das atividades executadas pelo grupo de P&D;
- consultas feitas pelas áreas operativas junto ao pessoal do grupo de P&D;
- solicitações de desenvolvimento e/ou pesquisa advindas da área operativa;
- disposição das áreas em colaborar com os projetos do grupo de P&D;
- confiança despertada pelo grupo de P&D na Alta Administração;
- reconhecimento do grupo de P&D como memória e inteligência técnica da empresa;
- prêmios ou reconhecimentos científicos obtidos pelo grupo de P&D, inclusive patentes;
- reputação dos profissionais do grupo de P&D junto à empresa e mesmo diante da comunidade técnico-científica;
- outros.

II — Ao nível da empresa

Como já mencionado, reside neste nível a grande dificuldade do sistema. Embora não recaia sobre ele a atenção primordial desta exemplificação, dois critérios podem ser aqui sugeridos para reflexão e análise: (1) relação percentual entre resultados implantados pelas áreas operativas e projetos iniciados e (2) benefícios econômicos anuais de tecnologias implantadas para a empresa.

(1) Resultados utilizados/projetos iniciados

O grupo de P&D poderia ter um histórico desses dados conforme ilustra a figura 8, que revela o caso do Centro de Pesquisa e Desenvolvimento das Indústrias de Fundição Tupy (ANPEI, 1987). Tal índice, se, por um lado, reflete o sucesso no desenvolvimento de tecnologias, por outro, pode revelar a intensidade com que se trabalha em projetos de curto prazo, principalmente em otimizações e assistência técnica. Deste modo, poder-se-ia considerar que a tentativa de manutenção deste indicador em torno de 30% refletiria um equilíbrio desejável face às características da empresa e de sua atividade de P&D.

(2) Benefícios econômicos

O grupo de P&D também poderia ter um histórico desses resultados, conforme ilustra a figura 9, que também revela o caso do Centro de Pesquisa e Desenvolvimento das Indústrias de Fundição Tupy (ANPEI, 1987). Essa avaliação é apenas aproximada, porém permite que se tenha uma idéia dos benefícios econômicos oriundos da atividade de P&D. Os dados revelam um padrão médio histórico de 137% de economia gerada em relação às despesas, especialmente através de aumento de produtividade homem/hora, diminuição do índice de refugos, diminuição do consumo de energia e outros itens.

Figura 8 — Percentual de implantação de projetos de P&D em relação aos iniciados do CPqD -Indústria de Fundição Tupy (ANPEI, 1987)

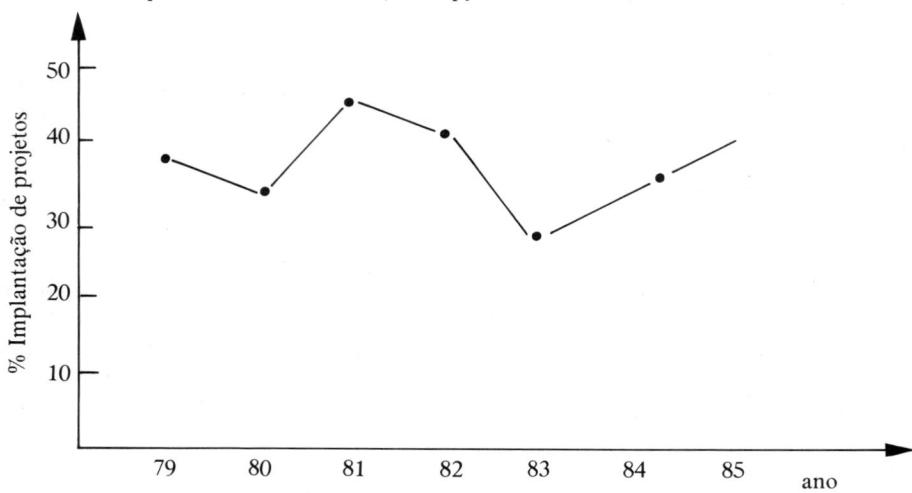

Figura 9 — Relação percentual entre economia gerada e total de despesas do CPqD - Indústria de Fundição Tupy (ANPEI, 1987)

Exercício	Economia gerada (US$)	Total de despesas (US$)	% de econ. gerada em Relação às despesas
78	1.022.139,00	745.569,00	137
79	1.169.253,00	914.816,00	128
80	1.311.764,00	899.607,00	146

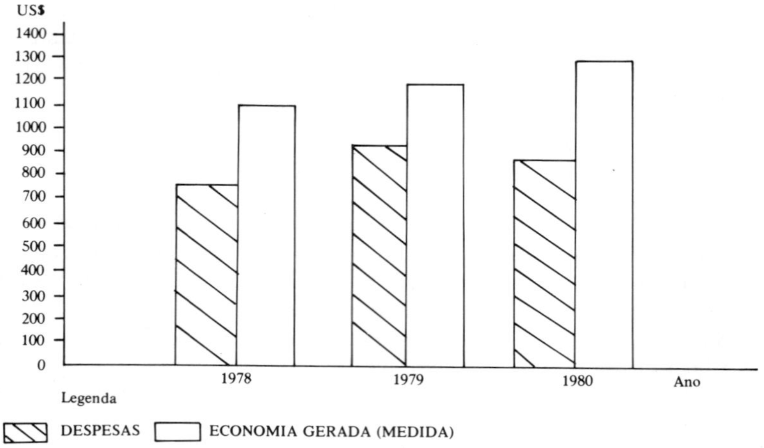

Legenda

▨ DESPESAS ☐ ECONOMIA GERADA (MEDIDA)

b) **Medição dos resultados**

Ao nível dos critérios atinentes à Gerência de P&D, o procedimento de medição poderia ser de natureza semi-quantitativo, isto é, poder-se-ía adotar uma escala através da qual seriam coletadas opiniões junto ao pessoal do grupo de P&D e do restante da empresa ao final de cada período de avaliação, digamos a cada ano. O instrumento poderia ter a configuração mostrada na figura 10.

Uma amostra representativa de pessoas seria anualmente composta, integrando representantes da Alta Administração, dos departamentos funcionais (Marketing, Produção, Engenharia, etc.) e do próprio grupo de P&D (pesquisadores e chefes de seção). Pesos para os diferentes critérios poderiam ser utilizados tendo em vista ponderar os dados obtidos.

Figura 10 — Configuração básica de um instrumento de coleta de dados para avaliação de desempenho do grupo de P&D

Setor/Dept/Ger: _____

Critérios/itens · Avaliações	Peso	Notas de desempenho			
		1	2	· · · · · · · ·	10
A) CAPACITAÇÃO TÉCNICA					
— Desenvolvimento de equipamentos e técnicas de análise mais modernas e eficientes;					
— Desenvolvimento de novos fornecedores de matéria-prima;					
— Substituição de matérias-primas importadas;					
— Desenvolvimento de novas áreas de competência em áreas de interesse para a empresa;					
— Qualificação do pessoal técnico-científico;					
— Conhecimento mais acurado das necessidades técnicas da empresa;					
— Assimilação de novos conhecimentos como conseqüência dos trabalhos desenvolvidos.					
B) IMAGEM					
— receptividade das idéias do grupo de P&D por parte das unidades operacionais;					
— Percepção do ganho das áreas em decorrência das atividades executadas pelo grupo de P&D;					
— Consultas feitas pelas áreas operativas junto ao pessoal do grupo de P&D;					
— Solicitações de desenvolvimento e/ou pesquisa advindas da área operativa;					
— Disposição das áreas em colaborar com os projetos do grupo de P&D;					
— Confiança despertada pelo grupo de P&D na Alta Administração;					
— Reconhecimento do grupo de P&D como memória e inteligência técnica da empresa;					
— Prêmios ou reconhecimentos científicos obtidos pelo grupo de P&D, inclusive patentes;					
— Reputação dos profissionais do grupo de P&D junto à empresa e mesmo diante da comunidade técnico-científica.					

165

Ao nível dos critérios atinentes à Empresa, o procedimento de medição poderia ser de natureza quantitativa, isto é, poder-se-ía compilar uma base de dados como a exemplificada e que seria anualmente atualizada em termos históricos.

c) Comparação entre resultados obtidos e esperados

Ao nível da Gerência de P&D, o primeiro procedimento de análise envolveria a comparação entre as percepções do pessoal do grupo de P&D sobre o desempenho da unidade e as dos demais órgãos da empresa. A proximidade entre essas percepções revelaria proximidade de expectativas. O contrário, isto é, discrepâncias acentuadas entre as percepções de ambos os grupos revelaria a necessidade de mudanças, ou na atividade de P&D, ou nas expectativas dos demais órgãos. O segundo procedimento envolveria (1) uma análise das respostas do pessoal externo da empresa em relação ao critério "Imagem do grupo de P&D", procurando-se averiguar o quanto ela se aproxima do ideal (o padrão de ideal é relativo e pode ser constituído após alguns anos de uso do sistema) e (2) uma análise crítica e consciente das respostas do próprio pessoal do grupo quanto ao critério "Capacitação Técnica" no mesmo sentido antes descrito.

Ao nível da empresa, por tratar-se de dados quantitativos, o procedimento de análise está praticamente descrito nos itens (a) e (b) anteriores. O único ponto adicional a ressaltar é que o padrão pode mudar a cada ano, dependendo dos resultados anteriores e das novas expectativas da direção geral.

d) Revisão e implantação de ações corretivas

Tanto ao nível da empresa como da Gerência de P&D, com base nos resultados obtidos, medidas deveriam ser tomadas para rever a direção que a empresa está impregnando à sua atividade de P&D e a própria administração do esforço em si. Deve ser lembrado que o objetivo da avaliação não é policiar, mas ajudar a melhorar. Esta atitude é particularmente importante em questões de avaliação dos resultados de P&D.

ORGANIZAÇÃO DO APOIO PARA OPERAÇÃO DO SISTEMA DE AVALIAÇÃO

A responsabilidade central pela operação de um sistema de avaliação deveria estar centrada no âmbito do grupo de P&D. O grupo responsável, sob a liderança do gerente, integraria cerca de 2-3 pesquisadores mais atuantes. Esse grupo deveria contar também com a participação ativa de pessoas das demais áreas da empresa, como Produção, Marketing, Alta Administração, etc. A responsabilidade do grupo seria, a cada ano, fazer o sistema funcionar, propondo sempre os aprimoramentos necessários. Isto incluiria tarefas do tipo:

a) Referentes aos critérios qualitativos

- editar ou reeditar o conjunto de critérios
- elaborar o instrumento de coleta
- selecionar a amostra de respondentes
- distribuir e orientar o preenchimento do instrumento
- recolher os dados e orientar seu processamento
- gerar os relatórios e subsidiar análises e interpretações.

b) Referentes aos critérios quantitativos

- elaborar definições do tipo: projeto iniciado, resultados transferidos, economias geradas, etc.
- coletar e/ou orientar a coleta de dados
- recolher os dados e orientar seu processamento
- gerar relatórios para análise e interpretação.

Eventualmente esse grupo necessitaria do apoio de um técnico, que poderia ser buscado no próprio grupo de P&D ou junto ao departamento administrativo. O importante é que essa infra-estrutura, embora primordial para institucionalização do sistema e não sobrecarregar os pesquisadores, seja mínima.

Um ponto importante da avaliação, é que essa função gerencial, em caráter final, deve ser desempenhada pela pessoa a quem compete tomar as medidas e decisões decorrentes, não importando quem tenha a responsabilidade de gerar os dados. Assim, embora o processo de obtenção dos dados esteja centrado no grupo de P&D, a análise e interpretação dos mesmos deve ser feita em instâncias diferentes. Assim, de acordo com o modelo básico, num primeiro momento a análise deve ser feita no próprio âmbito do grupo de P&D, envolvendo o "staff" de pesquisa e demais chefes de departamento. Essa é uma apreciação para consumo interno e deve ser feita anualmente através de reuniões internas. Eventualmente, caso pertinente, essa análise pode ser ampliada, podendo ser feita, num menor grau de detalhe, no âmbito de uma Diretoria Industrial ou Técnica, envolvendo os principais chefes de departamentos (Produção, Controle de Qualidade, Engenharia e outros). Esse tipo de avaliação já pode ser feito a cada 2-3 anos através de reuniões envolvendo esse pessoal.

Num segundo nível, a análise deve ser feita no âmbito da Alta Administração, envolvendo as Diretorias de Produção, Marketing, Finanças, etc. Nesse nível, o grau de generalização dos dados deve aumentar, se possível dando ênfase a aspectos de natureza mais empresarial, isto é, a critérios de significado econômico. A importância desse enfoque reside no fato de que um dos meios mais eficazes de comunicar o valor da P&D para a Alta Administração é utilizar uma linguagem orientada para o negócio. Essa avaliação já pode ser feita com menor periodicidade, por exemplo, a cada 3-5 anos e seu objetivo principal é ajudar a Alta Administração a obter resposta para a seguinte questão básica: "os recursos financeiros recebidos pelo gerente de P&D são muito ou pouco volumosos, isto é, deveriam ser aumentados, mantidos ou diminuídos no próximo período?" Naturalmente, as pessoas de cúpula estariam fundamentalmente envolvidas nessa decisão.

Em se tratando de um exercício hipotético, é bastante difícil avaliar em que grau o sistema delineado é aplicável e em que medida poderá exibir uma relação custo-benefício satisfatória. Contudo, deve-se chamar atenção para o fato de que o principal problema dos sistemas de medição e acompanhamento de resultados é que eles tendem a ser por demais complexos e sofisticados, onde o custo de obtenção das informações é maior do que o ganho advindo de sua utilização. Assim uma discussão mais detalhada das idéias aqui propostas à luz de um caso real deverá certamente gerar aprimoramentos nesse sentido.

A título de consideração final, uma vez que o esforço de P&D tem impactos sobre diferentes partes da empresa e que a grande maioria dos indicadores de resultado são de natureza não-técnica, é fundamental observar que o processo de apreciação de resultados não pode ficar restrito apenas na figura do gerente de P&D. Embora muitas vezes essa atitude possa ser compreendida, ela não deve ser necessariamente aceita, desde que nenhuma avaliação realmente válida pode ser feita sem o envolvimento daqueles que são afetados pelos possíveis impactos da P&D. Portanto, uma atenção especial deve ser dada muito mais ao processo do que à técnica de avaliação em sí. O processo, sem diminuir o "status" da P&D, deve encorajar a cooperação ativa entre aqueles (Alta Administração, Marketing, Vendas, Produção, Finanças, Engenharia, etc.) que podem contribuir com informações necessárias para a apreciação dos resultados de P&D num grau de profundidade que possa ser útil para as decisões posteriores que deverão ser tomadas e para o empreendimento das ações delas decorrentes. Se esses cuidados não são tomados, o esquema de avaliação formal aqui defendido, dadas as já tradicionais diferenças inter-departamentais, tenderá a se transformar em mais uma forma de conflitos. Isso muitas vezes tem explicado o fato de os gerentes de P&D adotarem um estilo de isolacionismo e de se posicionarem contra o envolvimento de outros gerentes de departamento em questões de avaliação (Twiss, 1974).

O processo de apreciação dos resultados de P&D na empresa é, portanto, mais do que um simples procedimento. Na medida em que opera bem, ele pode se tornar um elemento crucial para melhorar a contribuição da P&D para a empresa, integrando-a às ações dos demais departamentos. Como conseqüência, as chances de as inovações tecnológicas levadas a cabo pela firma serem bem sucedidas, tanto do ponto de vista técnico como do comercial e econômico, poderão ser aumentadas. O procedimento em si se diferencia bastante dos tradicionais mecanismos de controle que têm lugar na empresa, tanto em termos da abrangência de tempo como em termos das atitudes que devem ser inerentes ao esforço, onde um clima de boas relações deve ser constantemente mantido.

BIBLIOGRAFIA

ANPEI — *Administração em Ciência e Tecnologia: Experiências na Criação e Gestão de Centros Tecnológicos em Empresas Industriais*. Public. Int. SP. 1987.

BALDERSTON, J. et alii. — *Modern management techniques in engineering and R&D*. New York, Van Nostrand Reinhold, 1984.

BRIGHT, J.R. et alii. *Modern management techniques in engineering and R&D*. New York, Van Nostrand Reinhold, 1984.

CHARPIE, R.A. — What management expects from R&D today. *Research Management*, vol. 15(2), March, 1973.

COLLIER, D.W. — Measuring the performance of R&D departments, *Research Management*, vol. 20(2), March, 1977.

FOSTER, R.N. et alii — Improving the return on R&D-I. *Research Management*, vol. 28(1), Jan./feb., 1985.

GALLOWAY, E.C. — Evaluating R&D performance: keep it simple. *Research Management*, vol. 18(2), March, 1971.

GEE, R.E. — The opportunity criterion: a new approach to evaluation of R&D. *Research Management*, vol. 15(3), May, 1972.

GILMAR, J.J. and MILLER, R.H. — R&D: what link to profits. *Research Management*, vol. 67(9), sept., 1978.

HOLLAND, M. — *Management's stake in research*, Harper & Brothers Publishers, N.Y., 1958.

HOROWITZ, I. — Evaluation of the results of research an development: where we stand. *IEEE Transactions on Engineering Management*, EM-10(2), June, 1963.

LOBB, J. — What chief executive expect from the R&D departament, *Research Management*, vol. 14(3), May, 1971.

MECHLIN, G.F. and BERG, D. — Evaluating research: ROI is not enough. *Harvard Business Review*, vol. 58(5), sept./oct., 1980.

MOSER, M.R. — Measuring performance in R&D settings, *Research Management*, vol. 28(5), Sept./oct., 1985.

PACKER, M.B. — Analysing productivity in R&D organization, *Research Management*, vol. 26(1), Jan./Feb., 1983.

PAPAS, R.A. and REMER, D.S. — Measuring R&D productivity, *Research Management*, vol. 28(3), May/June, 1985.

PARASURAMAN, A. and ZEREN, L.M. — R&D's relationship with profits and sales, *Research Management*, vol. 26(1), Jan./Feb., 1983.

REYNOLDS, W.B. — Research evaluation, *Research Management*, vol. 7(2), 1965.

ROMAN, D.D. — *Research and development management*: the economics and administration of technology. New York, Appleton-Century Croafts, 1968.

RUBENSTEINS, A.H. — Setting criteria for R&D. *Harvard Business* Review, vol. 3/(1), Jan./Feb., 1957.

SBRAGIA, R. — *Um estudo sobre possíveis indicadores para apreciação dos resultados de P&D em contextos empresariais*, Tese de Livre-Docência, FEA/USP, São Paulo, 1987.

STAHL, M.J. and STEGER, J.A. — Measuring innovation and productivity: a peer rating approach, *Research Management*, vol. 20(17, Jan., 1977.

TAYMOR, M.E. — The value of R&D in relation to net sales, *Research Management*, vol. 15(3), May, 1972.

TWISS, B. — *Managing technological innovation*, Longman Group, London, 1974.

VILLERS, R. — *Research and development*: planning and control. New York, Rautenstrauch & Villers, 1964.

Integrando P&D à área de produção da empresa

Eduardo Vasconcellos

CONTEÚDO

1 — TRANSFERÊNCIA DE TECNOLOGIA

Transferência de tecnologia pode ser definida como um processo através do qual o conhecimento tecnológico passa de uma "fonte" para um "receptor". Para que haja transferência real é preciso que a entidade recipiente adquira capacidade de absorver, adaptar e melhorar a tecnologia com um certo grau de autonomia. (Souza, 1981).

Há várias fontes alternativas de tecnologia para uma empresa. O segredo não é identificar a melhor, mas sim, a combinação mais apropriada em um dado instante. A Figura 1 mostra o resultado de um estudo sobre fontes de tecnologia no setor de bens de capital no Brasil (Vasconcellos et alii, 1986). Observa-se que a fonte mais freqüente é "equipe da própria empresa", seguida por "clientes nacionais" e "empresas ou Institutos de Pesquisa no Exterior".

Nos últimos 15 anos, o número de empresas que criaram sua própria Unidade de Pesquisa e Desenvolvimento, tem aumentado consideravelmente. Uma das razões para isso é a insatisfação das empresas com a atuação dos Institutos Governamentais de Pesquisa, criados para desempenhar este papel. Entretanto, muitos Centros de P&D de empresas também não conseguem desempenhar a contento, devido a um conjunto de barreiras que dificultam a transferência dos resultados das pesquisas para o setor produtivo da empresa. Se esta transferência não ocorre, a empresa não consegue colher os resultados dos investimentos em P&D.

O problema da transferência de tecnologia quando o fornecedor é estrangeiro foi estudado com intensidade sob os pontos de vista econômico, social e gerencial. Alguns dos pesquisadores deste tema são: Sandroni (1983), Bielschowsky (1977), Grynzpan (1983), Pierson (1978), Sheperd (1977), e Wionczek (1979).

Outros autores como Marcovitch (1980), Azarof (1982), Azevedo (1983), Souza (1983), Campomar (1983), Vasconcellos (1985), Correa (1983) e Rattner (1983), abordam o problema da transferência de tecnologia da Universidade e Institutos de Pesquisa para as empresas.

Estudos sobre a interação Centro de P&D-Produção são menos freqüentes. Bulat (1979), sugere cinco técnicas para uma interação eficaz:

- transferência de elementos da pesquisa para a Fábrica.
- estabelecimento de um indivíduo responsável pela interface.
- realização de serviços de alto nível tecnológico para resolver problemas do dia a dia da Fábrica.
- divulgação dos objetivos e atividades de P&D para todas as Divisões da empresa.
- envolvimento de pessoal da Fábrica nas atividades de P&D.

Kruglianskas (1981), realizou estudo sobre a interface entre P&D e as demais unidades da empresa. Entre outras, algumas sugestões para melhorar a interface entre P&D e a Fábrica são:

NOTA: O autor agradece o apoio da FINEP para a realização deste trabalho o qual contou com o valioso auxílio da assistente de pesquisa Inês Massumi Iwashita.

- pedir à Fábrica sugestões sobre os projetos.
- estabelecer sistemas eficientes de comunicação.
- pedir a opinião da Fábrica na elaboração do orçamento.

Figura 1 — Fonte de obtenção de tecnologia

Fontes de obtenção de tecnologia	Muita importância	%
A. Equipe da própria empresa	13	40
B. Empresas ou instituições de pesquisa no exterior	04	12
C. Instituições de pesquisa e/ou universidades nacionais	02	06
D. Fornecedores nacionais	03	09
E. Clientes nacionais	05	15
F. Empresas de engenharia nacionais	01	03
G. "Joint-venture"	01	03
H. Outros	04	12
Total	33	100

Este capítulo tem por objetivo responder as seguintes questões básicas:

- quais as barreiras que dificultam a interação entre P&D e a Fábrica?
- o que pode ser feito no sentido de facilitar esta interação?
- quais medidas facilitadoras são efetivamente utilizadas pelas empresas?

O presente trabalho é baseado em estudo realizado por Vasconcellos (1987) sobre a interação P&D-Produção. Inicialmente, os resultados de um estudo sobre este tema em 61 empresas no Brasil será discutido. O tópico seguinte procura explicitar as barreiras entre P&D e a área de Produção da empresa. Finalmente, um conjunto de sugestões para aumentar a eficácia desta interação será apresentado.

2 — INTERFACE ENTRE P&D E A FÁBRICA: A REALIDADE BRASILEIRA

No sentido de enriquecer o capítulo, um estudo em 61 empresas industriais foi realizado. Questionários foram respondidos por 60 gerentes de P&D e 58 gerentes de Fábrica. O anexo 1 discorre sobre a metodologia utilizada.

O presente tópico apresenta os resultados obtidos. Inicialmente, são discutidas as barreiras à interação entre P&D e Fábrica. A seguir, as sugestões de solução são comentadas. Em cada caso, uma análise global dos dados é feita, e a seguir, comparações são realizadas entre sub-grupos de respondentes.

173

No sentido de facilitar a compreensão, os dados são apresentados de forma resumida. Os anexos 2 e 3, mostram o detalhamento das tabelas.

BARREIRAS ENTRE P&D E FÁBRICA

A Figura 2 mostra que a falta de um "sistema eficiente de comunicação" é a barreira mais forte entre P&D e Fábrica (48%). Esse resultado é devido a pouca sensibilidade das empresas em relação ao processo de comunicação entre departamentos de forma geral. Entre as áreas mais tradicionais, como finanças, marketing e produção, este problema é menos grave porque essas funções são mais antigas de forma que as empresas tiveram mais tempo para aprender a solucioná-lo. As unidades de P&D são mais recentes, e além disso, os problemas decorrentes da falta de comunicação em relação a P&D são mais difíceis de serem detectados.

A segunda barreira mais importante é a "resistência da Fábrica em parar a produção para testar novos produtos e processos" (47%). A Fábrica tem metas de produção e é cobrada por elas. Paralizações consomem tempo precioso, prejudicando o atingimento dessas metas. As dificuldades que tem P&D em prever o tempo de paralização tende a agravar o problema. Deve ser ressaltado que, em parte, essa dificuldade é devida a não utilização de técnicas de planejamento eficientes.

A seguir, serão comparadas as respostas dos seguintes sub-grupos de respondentes:

Gerentes de P&D versus Gerentes da Fábrica.

Centros de P&D maiores versus Centros de P&D menores.

Tecnologia de Ponta versus Tecnologia Tradicional.

Gerentes de P&D versus gerentes de fábrica

A comparação entre as respostas dos Gerentes de P&D com as dos Gerentes da Fábrica mostra que um fator importante que agrava os problemas de relacionamento entre P&D e Fábrica é a discrepância entre estes grupos sobre as causas do problema. Todos os dados citados neste tópico, encontram-se no anexo 2.

Para P&D, a principal barreira é a "resistência da Fábrica em parar a produção para testar novos processos e produtos", enquanto que para a Fábrica, a principal barreira é a "falta de um sistema eficiente de comunicação...".

Esta discrepância se repete praticamente em todos os demais casos. A "falta de conhecimento sobre as necessidades da Fábrica por parte do Centro de P&D" foi considerada como barreira forte por 27% dos respondentes da Fábrica. Somente 13% dos respondentes de P&D concordam com isso.

Por outro lado, 45% dos gerentes de P&D afirmam que uma barreira importante é a resistência do pessoal da Fábrica à inovação por estarem excessivamente envolvidos com a rotina. Somente 22% dos gerentes de Fábrica partilham dessa opinião. A equipe de P&D é criticada pela Fábrica (24%) por desenvolver "produtos e processos distantes da realidade e prioridades da Fábrica". Somente 8% dos gerentes de P&D concordam com isso.

Figura 2 — Barreiras à integração P&D - Fábrica

Barreiras entre P&D e a fábrica	Total N=118	Tamanho centro P&D		Natureza de tecnologia	
		Grande N=37	Pequeno N=30	Alta tecnol. N=23	Tecnol. tradicional N=44
1. Falta de definição e divulgação dos objetivos por parte de P&D.	30%	32%	20%	30%	20%
2. Resistência da fábrica em paralisar a produção para testar novos processos/produtos	47%	30%	53%	17%	50%
3. Equipe de P&D desenvolve produtos e processos distantes da realidade e prioridades da fábrica.	16%	30%	—	35%	11%
4. Falta de um sistema eficiente de comunicação entre P&D e fábrica.	48%	62%	37%	56%	43%
5. Falta de conhecimento por parte do centro de P&D sobre as necessidades prioritárias da fábrica.	20%	16%	23%	22%	18%
6. Desnível técnico entre pessoal de P&D da fábrica dificulta a interação entre os mesmos.	21%	24%	20%	22%	20%
7. Falta de confiança da fábrica em relação ao centro de P&D.	07%	10%	03%	13%	07%
8. Pessoal da fábrica está voltado para rotina e resiste à inovação.	34%	32%	40%	17%	39%

Esta diferença de percepção sobre o problema era esperada. De forma geral, as pessoas tendem a ver as razões dos problemas mais nos outros do que em si mesmo. Este fator é agravado pelo fato de que Fábrica e P&D são formadas por pessoas de cultura diferentes, e avaliadas pelo resto da empresa por padrões diferentes.

Centros de P&D maiores versus centros de P&D menores

Nos Centros de P&D de maior dimensão, como mostra a Figura 2, a barreira mais forte é a "falta de comunicação entre P&D".

Nos Centros de P&D de maior dimensão, como mostra a Figura 2, a barreira mais forte é a "falta de comunicação entre P&D e a Fábrica" (62%). Este mesmo fator foi considerado barreira por 37% dos respondentes de Centros menores. Isso é explicado pelo aumento da dificuldade de comunicação com o crescimento do Centro. Quando o Centro cresce, os pesquisadores são agrupados em unidades menores criando-se um novo nível hierárquico, dificultando a comunicação com a Fábrica.

Além disso, Centros maiores enfrentam um problema mais grave de comunicação interna do que Centros menores; isso representa um fator agravante. Estes dados mostram a importância que uma unidade de P&D deve dar ao aprimoramento dos sistemas de comunicação durante seu crescimento.

Comparando respostas dos gerentes da Fábrica com as dos gerentes de P&D, (anexo 2) observa-se que nos Centros maiores, a crítica à "falta de um sistema eficiente de comunicção" é mais intensa por parte dos gerentes da Fábrica onde 70% (contra 47% dos gerentes de P&D) apontam este problema como a barreira mais grave.

Nos Centros de P&D de menor dimensão, conforme mostra a Figura 2, a barreira mais forte foi "fábrica não pode parar para testar processos e produtos" (53%). Nos Centros maiores este valor cai para 30%. Isso pode ser explicado pelo grau de poder que Centros maiores tem na empresa. Capítulo anterior deste livro, que tratou da estrutura da função de P&D, mostrou que o nível hierárquico da unidade de P&D é maior quando a dimensão do Centro de P&D é maior. Além disso, Empresas com Centros maiores são aquelas que valorizam mais a função de P&D. Isso contribui para aumentar o grau de poder do Centro.

Tecnologia de ponta versus tecnologia tradicional

Nos Centros de tecnologia de ponta (Figura 2) a barreira mais forte é a "falta de comunicação entre P&D e Fábrica": 56% contra 43% para o caso de Centros de tecnologia tradicional. Isso pode ser explicado pelos seguintes fatores:

- os Centros de tecnologia de ponta cresceram muito rapidamente nos últimos 10 anos dificultando o aprimoramento gerencial necessário para fazer face a este crescimento.
- o setor de tecnologia de ponta se caracteriza por uma taxa de mudança muito alta, agravando os problemas de comunicação com a Fábrica. Muitas vezes, mudanças nos projetos são realizadas quando o novo produto ou processo ainda está em fase de implantação pela Fábrica.

176

A comparação entre respondentes da Fábrica e da Unidade de P&D (anexo 2) mostra que a Fábrica se ressente muito mais que P&D da falta de comunicação. Isso acontece independentemente do tipo de tecnologia embora nas empresas de tecnologia de ponta esta barreira é ainda mais intensa.

Nas empresas de tecnologia tradicional (Figura 2) a barreira mais forte é a resistência da fábrica a paralisar suas atividades para testes de processos e produtos: 50% contra 17% em empresas de tecnologia de ponta. Isso ocorre devido a:

- tecnologia mais estáveis tendem a ter fluxos de produção mais contínuos onde os efeitos da paralisação sobre as metas da Fábrica são maiores (química, siderurgia, etc...).
- em empresas de tecnologia de ponta a inovação tecnológica é mais facilmente compreendida por todos como um fator fundamental de sobrevivência. Há uma cultura mais favorável a inovação.
- o nível hierárquico do gerente de P&D em empresas de tecnologia de ponta é maior conforme demonstrado no capítulo sobre estrutura organizacional.

Observa-se na Figura 2 que a barreira ''P&D distante da realidade'', é mais forte em Centros de tecnologia de ponta (35%), do que em Centros de tecnologia tradicional (11%). Isso pode ser explicado pelo menor tempo de existência dos Centros de P&D nas empresas de tecnologia de ponta. Os centros de empresas de tecnologia tradicional existem há muito mais tempo, assim, os problemas de interface foram identificados e mecanismos de solução delineados e implantados. Além disso, o crescimento rápido associado a alta taxa de inovação e turbulência das empresas de tecnologia de ponta dificultam ainda mais o processo de integração. Um último fator refere-se a própria natureza da tecnologia de ponta, que exige uma equipe mais voltada para a busca de grandes saltos tecnológicos. Este aspecto tem um peso reduzido na realidade brasileira porque a maior parte dos esforços da equipe de P&D está voltada para o desenvolvimento de produtos a partir de tecnologias já existentes.

INTEGRANDO P&D À FÁBRICA

No tópico anterior, as barreiras à integração P&D-Fábrica foram discutidas. Agora, serão apresentados os resultados do estudo em relação aos fatores que facilitam essa integração. Os respondentes foram solicitados a indicar os instrumentos de integração que deveriam ser usados para ultrapassar as barreiras.

A Figura 3 mostra que, de forma geral, o instrumento considerado como o mais eficaz para integrar P&D e Fábrica é a participação do pessoal da Fábrica na execução dos projetos de P&D. Esta medida tem a vantagem de comprometer a Fábrica com os resultados do projeto ao mesmo tempo que facilita a implantação dos resultados.

Gerentes de P&D versus gerentes de fábrica

A participação da Fábrica na execução dos projetos de P&D, é a forma de integração mais eficaz, tanto na opinião dos Gerentes de P&D como na dos Gerentes de

Figura 3 — Instrumentos para integrar P&D - Fábrica

Instrumentos de integração	Total N=103	Tamanho centro P&D		Natureza de tecnologia	
		Grande N=33	Pequeno N=27	Ponta N=20	Tradicional N=37
Participação da fábrica na definição do programa de P&D.	47%	39%	63%	20%	43%
Participação da fábrica no planejamento dos projetos de P&D.	45%	39%	52%	55%	49%
Participação da fábrica na execução dos projetos de P&D.	61%	51%	70%	50%	65%
Comitê de integração fábrica-P&D.	48%	61%	44%	65%	40%
Seleção de elementos para P&D com experiência na fábrica.	41%	36%	37%	45%	38%
Seleção de elementos para fábrica com expansão em P&D.	28%	30%	26%	30%	35%
Seminário para a fábrica sobre o papel de P&D no sucesso da empresa.	39%	36%	41%	25%	38%

Fábrica. Entretanto, cabe observar que os gerentes de P&D valorizam esta participação mais do que os gerentes da Fábrica: 65% contra 57% (anexo 3). O mesmo ocorre com a participação da Fábrica na "seleção das linhas de pesquisa", isto é, os gerentes de P&D se mostraram mais favoráveis do que os Gerentes da Fábrica.

Esperava-se encontrar justamente o contrário. Algumas possíveis razões para isso são:

- gerentes da Fábrica não estão sensibilizados para o fato de que uma maior participação nas atividades de P&D viria a solucionar muitos dos problemas hoje existentes.
- pressão para o atingimento de metas de produção.
- visão errônea por parte da Fábrica de que inovação tecnológica é um problema de P&D.

Na opinião do autor, o aumento da participação de elementos da Fábrica (e de outras áreas da empresa) desde a seleção das linhas de pesquisa até a execução dos projetos é fundamental para a integração P&D-Fábrica e parao sucesso da Função de P&D na empresa.

A "escolha de elementos com vivência na Fábrica para P&D, é outro fator que apresentou baixo grau de consenso. Enquanto 55% dos respondentes da Fábrica apoiam esta medida, somente 28% dos gerentes de P&D a consideram como uma forma eficaz para promover a integração entre as duas áreas. (anexo 3). Isso pode ser explicado pela opinião que o gerente da Fábrica tem sobre o Gerente de P&D: o gerente de P&D não conhece a Fábrica, assim, esta seria uma forma de levar este conhecimento para a área de P&D. Os dados apresentados na Figura 2, suportam esta afirmação.

Centros de P&D maiores versus centros de P&D menores

Os respondentes de empresas com Centros de P&D de menor dimensão apontaram a participação da Fábrica nas atividades de P&D com muito maior intensidade que respondentes de empresas com Centros de maior dimensão. Em outras palavras, empresas com Centros menores sentem mais a necessidade desta participação. Setenta por cento de respondentes de empresas com Centros menores consideram a "participação da Fábrica na execução dos projetos de P&D" entre as medidas de maior eficácia para integrar. Somente 51% de respondentes com Centros maiores tem a mesma opinião. (Figura 3).

É interessante observar (anexo 3) que tanto a equipe de P&D como da Fábrica sentem mais a necessidade desta participação em Empresas com Centros menores. Uma explicação para isso é que Centros menores são geralmente mais novos e os processos de integração estão ainda em fase de delineamento.

Tecnologia de ponta versus tecnologia estável

O anexo 3 mostra que o gerente de P&D das empresas de tecnologia estável dão maior importância a "participação da Fábrica na execução dos projetos de P&D"

(82%) do que os gerentes de Centros de empresas com tecnologia de ponta (45%).

Na opinião do autor, isso pode ser explicado pelo ambiente extremamente tumultuado que cerca as empresas de tecnologia de ponta, dificultando procedimentos participativos que tendem a exigir certas condições mínimas de programação do tempo. É interessante notar que esta motivação dos gerentes de P&D para envolver a Fábrica é maior do que a motivação demonstrada pelo próprio pessoal da Fábrica.

Outra diferença que chama a atenção no anexo 3 se refere a "seleção de elementos com vivência em P&D para trabalhar na Fábrica". Em empresas de tecnologia de ponta, 45% dos gerentes de P&D consideram esta medida como muito importante, enquanto somente 11% dos gerentes de Fábrica tem a mesma opinião. Isso parece indicar que em empresas de tecnologia de ponta, a Fábrica vê P&D como muito distante da sua realidade. A Figura 2 confirma esta hipótese ao mostrar que nessas empresas, 33% dos gerentes da Fábrica acham que P&D não conhecem as prioridades da Fábrica.

Medidas efetivamente utilizadas

Uma das perguntas do questionário se referia às medidas que estavam sendo utilizadas pela empresa. A comparação entre os dados da Figura 3 (medidas que deveriam ser implantadas) com os dados referentes às medidas efetivamente em uso mostra que:

- a participação da Fábrica na execução dos projetos de P&D é o instrumento de integração mais usado, e participação na definição das linhas de pesquisa é o segundo mais usado: 67% e 43% , respectivamente.
- envolver na Fábrica elementos com vivência em P&D e realizar seminários para a Fábrica sobre P&D são os instrumentos menos utilizados pelas empresas: 15% e 19% respectivamente.

A tabela completa referente aos dados acima, encontra-se no anexo 4.

3 — BARREIRAS À INTEGRAÇÃO

As barreiras a uma eficaz integração entre P&D e a Fábrica tem várias origens como mostra a Figura 4. Algumas barreiras são geradas por posturas e ações ou do Centro de P&D ou da própria Fábrica, enquanto que outras são causadas pelas demais unidades da empresa. Finalmente, temos os problemas decorrentes do ambiente externo que é a interação entre P&D e a Fábrica. É importante ressaltar que estes fatores não são estanques mas sim, inter-relacionados. A seguir, cada um destes aspectos serão discutidos com maior profundidade.

BARREIRAS GERADAS PELO CENTRO DE P&D

P&D NÃO DIVULGA OBJETIVOS E LINHAS DE PESQUISA: Muitas vezes o Centro de P&D parte da premissa que sua missão é óbvia para as demais unidades

Figura 4 — Barreiras a integração P&D - fábrica

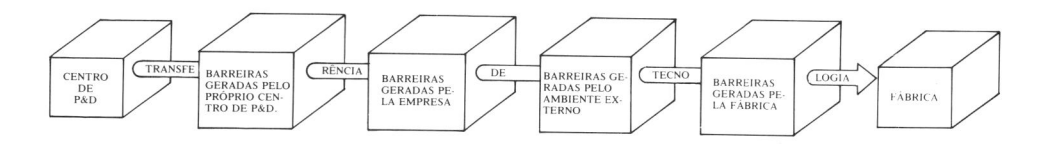

da empresa, e a sua relevância para o atingimento dos objetivos da organização está acima de qualquer suspeita. Isso não é verdade. Centro de P&D eficaz é aquele que se preocupa em fazer o próprio marketing. Explicitar e divulgar seus objetivos e linhas de pesquisa é um passo indispensável para isso.

P&D NÃO ENVOLVE A FÁBRICA NAS SUAS ATIVIDADES: Freqüentemente a Fábrica é vista pelo Centro de P&D como a unidade da empresa que deverá absorver os novos produtos e processos gerados pelo Centro quando estes ficarem prontos. Assim, só procuram envolver a Fábrica ao final do processo.

P&D DISTANTE DA REALIDADE: A expressão "P&D é aquele grupo de gênios estudando o sexo dos anjos em sua torre de marfim" em muitos casos reflete com precisão a realidade. Muitas vezes o recrutamento de pessoal para o Centro é feito em Universidades e Institutos Governamentais de Pesquisa e Desenvolvimento, onde a busca do conhecimento como um fim em si é válida. Ao serem contratados pela empresa os pesquisadores tendem a levar consigo a cultura da organização anterior. Isso é agravado quando o Centro não envolve a Fábrica nas atividades de P&D.

P&D NÃO RECONHECE A CONTRIBUIÇÃO DA FÁBRICA: Muitos gerentes de Fábrica ficam frustrados ao perceberem que sua contribuição aos resultados do Centro não é reconhecida. Artigos são publicados e relatórios internos são feitos sem que sua contribuição seja mencionada. Este fato se constitui em um desestímulo, para uma cooperação mais intensa com P&D.

P&D ENFATIZA PRODUTO EM RELAÇÃO AO PROCESSO: Muitas vezes a unidade de P&D, pressionada pela área de marketing, volta-se para o aprimoramento dos produtos, relegando o ajuste dos processos de fabricação a um segundo plano. Esta atitude, inviabiliza a introdução das inovações.

P&D FORNECE DOCUMENTAÇÃO INSUFICIENTE: Com muita freqüência a equipe da Fábrica se queixa de que o grau de especificação do resultado do trabalho de P&D é insuficiente para a implantação da inovação. Em parte isso pode ser atribuído ao desnível técnico entre P&D e Fábrica, entretanto, em muitos casos a responsabilidade cabe à equipe de P&D.

BARREIRAS GERADAS PELA FÁBRICA

POSTURA IMEDIATISTA: Devido a natureza de sua atividade a Fábrica tende a desenvolver uma cultura voltada para a solução de problemas imediatos. Cada instante de paralisação compromete as metas de produção, afetando o desempenho da empresa como um todo. Por essa razão, a Fábrica tende a valorizar projetos de P&D que venham a solucionar problemas de produção que hoje estão comprometendo as suas metas. Isso faz com que a Fábrica desenvolva uma postura voltada para a rotina, conflitando com os objetivos de P&D.

Cada vez mais, a sobrevivência de uma empresa a médio e longo prazo, depende de inovações que permitam enfrentar a concorrência, embora causem grandes transtornos no processo produtivo. Nem sempre a equipe da Fábrica é sensível a este argumento.

FÁBRICA NÃO CONFIA EM P&D: Muitas vezes, a Fábrica vê P&D tão distante da realidade e tão distante dos problemas prioritários enfrentados pela produção que sua confiança na capacidade de P&D para resolver os problemas da empresa diminui consideravelmente. Este fator é agravado quando P&D se isola e não envolve a Fábrica nas suas atividades.

INCOMPREENSÃO QUANTO AS POLÍTICAS DE RH PARA P&D: As características específicas do mercado de trabalho em P&D exigem adaptações no plano de cargos e salários da empresa. Esses ajustes não são bem vistos pela Fábrica. O supervisor de uma unidade da Fábrica com 60 subordinados não se conforma, por exemplo, que um pesquisador recém contratado que chefia somente 3 subordinados ganhe mais do que ele. Este fato tende a aumentar o abismo existente entre P&D e a Fábrica, dificultando a interface entre as duas unidades.

As características de P&D podem exigir também adaptações nas sistemáticas de avaliação de desempenho, treinamento de pessoal e outros aspectos da administração de Recursos Humanos, aumentando a área de atrito com a Fábrica.

FALTA DE PREPARAÇÃO DA FÁBRICA PARA ABSORVER AS INOVAÇÕES: Em muitas empresas, o desenvolvimento dos recursos humanos da Fábrica é relegado a um segundo plano porque a produção "não pode parar". Isso tende a aumentar o desnível técnico em relação a P&D, dificultando a interface. Em outros casos, a falta de preparo é devida a equipamentos ultrapassados que não respondem as especificações determinadas por P&D.

BARREIRAS GERADAS PELA EMPRESA

DEFICIÊNCIAS NO SISTEMA DE COMUNICAÇÃO: Muitas vezes não há um sistema adequado de comunicação entre P&D e a Fábrica, dificultando ainda mais o relacionamento.

ALTA ADMINISTRAÇÃO NÃO VALORIZA ESFORÇO CONJUNTO: Um sistema de avaliação de desempenho deve ser consistente com os objetivos da empresa. Assim, se um alto nível de cooperação entre P&D e a Fábrica é desejável, o sistema deveria premiar comportamentos e atitudes neste sentido. Entretanto, freqüentemente observa-se o contrário. O gerente da fábrica colabora com P&D permitindo a realização de testes na linha de produção e depois é punido por não ter atingido a meta estabelecida. A Direção da empresa ao anunciar o sucesso de uma inovação atribui este resultado unicamente a P&D, esquecendo-se de mencionar a contribuição da Fábrica e de outras unidades da empresa. O gerente de P&D presta assistência a Fábrica para solucionar um problema técnico urgente e depois é punido pelo atraso que esta intervenção causou nos projetos de P&D.

DISTÂNCIA GEOGRÁFICA ENTRE P&D E A FÁBRICA: A dispersão geográfica entre P&D e a Fábrica é outro fator que contribui para dificultar a interface.

BARREIRAS GERADAS PELAS CARACTERÍSTICAS DO AMBIENTE EXTERNO:

PRESSÃO POR MUDANÇAS FREQÜENTES: Em certos setores o dinamismo da evolução tecnológica e o acirramento da concorrência exigem constantes alterações nos produtos e processos. Enquanto a Fábrica ainda está lutando para implantar a última inovação, P&D anuncia uma nova alteração imposta pela exigência do mercado. Pouco a pouco, a tensão decorrente deste fator gera conflitos e antagonismos entre as duas unidades.

DIFICULDADE NA OBTENÇÃO DE INSUMOS: Muitas vezes é muito mais fácil especificar as características dos vários insumos necessários à produção do que encontrá-los no mercado. As constantes alterações na política governamental em relação as importações agravam este problema. Assim toda vez que a Fábrica precisa improvisar para se adaptar a estes imprevistos, tensões adicionais agravam o relacionamento com P&D.

A seguir, o próximo tópico apresenta um conjunto de instrumentos para reduzir o impacto das barreiras acima.

4 — COMO INTEGRAR P&D E PRODUÇÃO

Há muitos instrumentos que podem ser utilizados para aumentar a eficácia da interação entre P&D e a Fábrica. Não existem receitas infalíveis. Cada empresa deve buscar sua solução considerando sua cultura, e natureza do seu negócio. Os elementos facilitadores podem ser agrupados em três grandes blocos como mostra a Figura 5.

Figura 5 — Facilitadores da interação entre a unidade de P&D e a fábrica

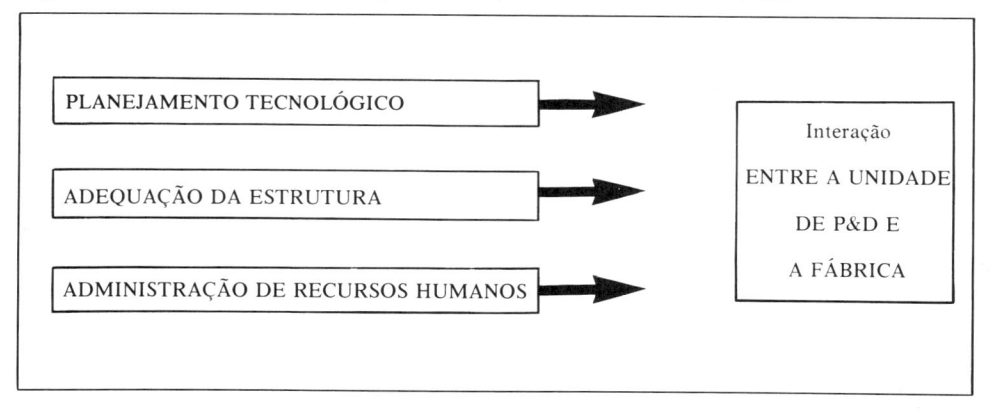

- Planejamento tecnológico.
- Adequação da estrutura organizacional.
- Administração de recursos humanos.

A seguir cada um destes aspectos serão desenvolvidos com maior profundidade.

PLANEJAMENTO TECNOLÓGICO

Observa-se nos meios empresariais uma preocupação crescente com a função de planejamento: planejamento estratégico, planejamento de vendas, planejamento financeiro, planejamento de produção, etc... Entretanto, é ainda raro a empresa que se preocupa com a elaboração de um Plano Tecnológico, embora a tecnologia seja a cada dia que passa um fator mais importante para o sucesso da empresa.

Desenvolver um plano tecnológico com participação da Fábrica é uma forma altamente eficaz para integrá-la a unidade de P&D. É evidente que as demais unidades da empresa deverão também ser envolvidas neste esforço. Este texto dará ênfase ao envolvimento da Fábrica por ser o foco do trabalho. A seguir são apresentados as principais medidas que deverão ser tomadas para que a elaboração deste plano resulte em uma melhor integração entre a Fábrica e P&D.

DEFINIÇÃO DE PRIORIDADES: Um primeiro passo para o delineamento de um plano tecnológico é definir o nível de prioridade da inovação para o sucesso da empresa. Todo processo de inovação envolverá conflito com as atividades de rotina. Testes de novos processos provocarão paralisações nas linhas de produção. A introdução de novos produtos terão a curto prazo o mesmo efeito. Assim, é importante que a alta administração defina o quanto a empresa está disposta a sacrificar o curto prazo para investir em inovações que irá beneficiá-la no longo prazo. É importante que esta reflexão seja realizada com intensa participação do pessoal da Fábrica e de outras unidades da empresa. É fundamental que a inovação tecnológica não seja um produto exclusivo da unidade de P&D mas de toda a empresa.

IDENTIFICAÇÃO DAS NECESSIDADES E POTENCIALIDADES DA FÁBRICA: Um aspecto que aproxima P&D da Fábrica é a consideração das necessidades tecnológicas sentidas pela Fábrica como um dos insumos para a elaboração do plano. É importante que pelo menos uma parte dos esforços de P&D seja alocada a solução de problemas considerados prioritários pela Fábrica. Em primeiro lugar esta medida contribui para com a qualidade e quantidade da produção assegurando a sobrevivência da empresa no curto prazo. Além disso, esta atitude traz como conseqüência uma maior aproximação entre P&D e a Fábrica. Um melhor conhecimento por parte de P&D das reais potencialidades e limitações da Fábrica é outro aspecto importante para o sucesso das inovações tecnológicas na empresa. Muitas vezes P&D trabalha com base em premissas irreais, que levam a processos e produtos inviáveis de serem fabricados.

PARTICIPAÇÃO DA FÁBRICA NO PROCESSO: O sucesso de um Centro de P&D está diretamente ligado à efetiva implantação dos resultados do seu trabalho na unidade produtiva da empresa. Isso ocorrerá com muito mais freqüência na medida em que P&D envolve a Fábrica nas várias etapas do seu trabalho: planejamento estratégico do Centro, seleção dos projetos, planejamento dos projetos, execução dos mesmos, transferência para a Fábrica e avaliação dos resultados. Quando isso ocorre, a Fábrica se sente parte do processo e comprometida com os resultados do mesmo.

No Centro de P&D da Pirelli, a aprovação dos projetos é feita pelas unidades produtivas que passam a cobrar resultados e a se interessar pelas atividades do Centro. O custo do projeto é debitado ao centro de custo da unidade produtiva que encomendou o projeto.

DIVULGAÇÃO DO PLANO: É preciso que o plano de P&D seja divulgado para as várias unidades da empresa, assim como para a Fábrica.

PREVISÃO DAS INTERRUPÇÕES NA LINHA DE PRODUÇÃO: Uma causa freqüente de conflitos entre P&D e a Fábrica é a necessidade de paralisar a produção para testes e experimentos relacionados com os projetos de pesquisa e desenvolvimento. Um bom planejamento feito de forma conjunta por P&D e Fábrica tenderá a reduzir estes conflitos que dificultam o relacionamento entre as duas unidades.

Se a alta administração adotasse alguma sistemática para considerar as horas paradas para servir a P&D como "equivalentes de produção" para fins de avaliação de desempenho da Fábrica, isso facilitaria a interface entre as duas unidades.

PROVER ASSISTÊNCIA TÉCNICA PARA A FÁBRICA: Uma forma de aproximar P&D da Fábrica é alocar durante a fase de planejamento, uma parte do tempo para solucionar problemas técnicos enfrentados pela Fábrica. Esta medida cria laços pessoais, e ao mesmo tempo faz com que a equipe de P&D sinta mais de perto as potencialidades e limitações da Fábrica. Um cuidado especial deve ser tomado para evitar um excessivo envolvimento com problemas de curto prazo, deixando de lado as atividades de pesquisa e desenvolvimento.

ADEQUAÇÃO DA ESTRUTURA ORGANIZACIONAL

Existem aprimoramentos na estrutura que podem ser realizados para facilitar a interação entre P&D e a Fábrica. A seguir serão apresentados alguns dos principais ajustes na estrutura que facilitam a integração entre P&D e a Fábrica.

COMITÊ DE INTEGRAÇÃO: A criação de um comitê de integração é um ajuste na estrutura que se bem delineado e implantado contribuirá positivamente para a integração P&D-Fábrica. Este comitê seria formado por representantes das duas unidades. Alguns cuidados para assegurar o sucesso desta iniciativa são:

- selecionar pessoas dos setores de P&D e da Fábrica que tem maior potencial de interação.
- selecionar pessoas com habilidades interpessoais no sentido de assegurar um eficaz desempenho do trabalho em grupo.
- selecionar pessoas respeitadas pelos demais elementos das duas unidades.
- selecionar um coordenador com liderança e habilidades na área de administração de conflitos, negociação e coordenação de reuniões.
- explicar claramente as atribuições do comitê.

Basicamente o comitê se reuniria periodicamente com a finalidade de discutir problemas relacionados com a interface entre P&D e a Fábrica. Abaixo estão exemplificados alguns destes tópicos:

- participação de elementos da Fábrica em projetos de P&D.
- planejamento da implantação de mudanças tecnológicas.
- planejamento da assistência técnica que P&D presta à Fábrica.
- conflitos entre as equipes das duas unidades.

COMITÊ CONSULTIVO PARA O CENTRO DE P&D: Este comitê tem como uma de suas funções a análise da estratégia do Centro, isto é, discutir a missão do Centro e as grandes linhas de pesquisa. Anualmente este comitê deve opinar sobre a seleção dos projetos a serem desenvolvidos assim como avaliar os resultados obtidos. Além da Fábrica, outras unidades da empresa deverão estar representadas.

DESCENTRALIZAÇÃO DE P&D: Uma forma de aproximar P&D da Fábrica é através da descentralização do Centro. Unidades serão criadas junto aos principais setores da Fábrica que mais se utilizam do Centro. Uma unidade central seria mantida para fins de coordenação e manter equipamentos e serviços de uso geral.

A Usiminas prefere manter "representantes" do Centro de P&D junto às várias unidades da Fábrica ao invés de descentralizar o Centro. Este método tem a vantagem de manter num único núcleo toda a equipe de P&D e ao mesmo tempo assegurar um nível adequado de integração com a Fábrica. Estes representantes ficam em salas localizadas na Fábrica em contato direto com o pessoal dos vários setores produtivos da Fábrica, sentindo de perto seus problemas.

Na Dupont nos Estados Unidos a integração é obtida da seguinte forma: P&D e descentralização, isto é, cada Divisão tem o seu núcleo de P&D a ela subordinado, entretanto, a maior parte desses núcleos estão fisicamente em um mesmo local o que facilita a integração entre eles. O Centro de Pesquisa da Petrobrás está no momento estudando a adoção de prática semelhante.

ESTRUTURA MATRICIAL: Este tipo de estrutura permite a realização de tarefas interdisciplinares envolvendo especialistas de várias unidades da empresa. A matriz pode ser usada somente dentro do Centro de P&D onde um gerente de um determinado projeto de pesquisa comanda uma equipe formada por elementos pertencentes a várias seções técnicas. Entretanto, ela pode extrapolar os limites do Centro, envolvendo nos projetos especialistas da Fábrica e de outras unidades da empresa.

Este sistema tem a vantagem de envolver o pessoal da Fábrica formalmente nas atividades de P&D. Isso além de motivar e comprometer a equipe da Fábrica, ainda apresenta outras vantagens. Uma delas é a realização de projetos cujos resultados tem maior probabilidade de serem viáveis, porque os indivíduos que vivenciam a realidade da Fábrica e conhecem suas limitações foram envolvidos diretamente no processo. Outra vantagem é a facilidade de implantação dos resultados.

A Metal Leve é uma das empresas que se utilizam desta sistemática. Deve ser ressaltado que muitas empresas usam técnica de maneira informal, isto é, para todos os efeitos a estrutura matricial não existe e a maior parte das pessoas nem sabe muito bem o que seja isso. Estudos tem mostrado que essa situação tende a aumentar o nível de conflitos na empresa. Se uma matriz é necessária para um bom desempenho da organização ela deve ser implantada formalmente e as pessoas devem ser preparadas para isso.

DOCUMENTAÇÃO: Muitos problemas de interface entre P&D e Fábrica são resolvidos por um eficiente sistema de documentação. Criar uma unidade específica para este fim é um investimento que traz retorno garantido. Empresas tecnologicamente mais avançadas estão implantando sistemas de documentação computarizados como é o caso da Metal Leve Componentes Eletrônicos. A documentação de todos os produtos encontra-se arquivada em um computador central que pode ser acessado por algumas dezenas de terminais espalhados pelas várias unidades da empresa.

ADMINISTRAÇÃO DE RECURSOS HUMANOS

Anteriormente foram apresentadas várias técnicas para aumentar o nível de integração P&D-Fábrica, relacionadas com as funções de planejamento e estruturação. Neste tópico um conjunto de medidas adicionais será apresentado, enfatizando aspectos como seleção, treinamento de recursos humanos e avaliação.

SELEÇÃO DE PESSOAL PARA A FÁBRICA COM EXPERIÊNCIA EM P&D: A integração é facilitada quando certos cargos na Fábrica são ocupados por elementos com experiência em P&D, preferencialmente com experiência na própria unidade de P&D da empresa. Estas pessoas tendem a levar para a Fábrica uma visão diferente da função de P&D. É claro que esta medida tem suas limitações, visto que o perfil do homem de Fábrica é diferente do perfil do homem de P&D.

SELEÇÃO DE PESSOAL PARA P&D COM EXPERIÊNCIA DE FÁBRICA: Esta medida é o inverso da anterior. A contratação para P&D de pessoas com vivência de Fábrica é um elemento facilitador da integração principalmente quando a Fábrica é a própria empresa. Este elemento tende a levar para a equipe de P&D uma visão das necessidades e potencialidades da Fábrica difícil de ser obtida através de reuniões ou outros tipos formais de diagnóstico.

Este procedimento ocorre com certa freqüência nas empresas, visto que na formação do Centro de P&D há uma tendência para se aproveitar aqueles elementos da Fábrica que se destacaram por contribuições ao aperfeiçoamento tecnológico de produtos e processos.

SEMINÁRIOS DE INTEGRAÇÃO: A realização de encontros entre elementos da Fábrica e P&D é um instrumento eficaz de integração. Alguns dos objetivos para estes seminários são:

- apresentação pela Fábrica dos principais problemas técnicos que no momento estão sendo enfrentados.
- apresentação pela equipe de P&D de resultados obtidos com os projetos de pesquisa.
- importância da função de P&D para a sobrevivência e sucesso da empresa a longo prazo.
- apresentação pela equipe de marketing das principais tendências do mercado.
- apresentação por um elemento da área de recurso humanos da empresa sobre as experiências de outras empresas com a integração entre P&D e Fábrica.

RODÍZIO ENTRE P&D E FÁBRICA: Outra técnica integrativa que pode ser utilizada é a transferência temporária de elementos de P&D para a Fábrica e vice ver-

Figura 6 — Barreiras e facilitadores à interação P&D - Fábrica

PLANEJAMENTO TECNOLÓGICO

- Definição de prioridades em relação a inovação/rotina.
- Identificação, necessidade/potencialidades da Fábrica.
- Prover Assistência Técnica para Fábrica.
- Participação da Fábrica.
- Divulgação do plano.
- Previsão de interrupções na linha de produção.
- Prover assistência técnica à fábrica.

ADEQUAÇÃO DA ESTRUTURA

- Comitê de integração.
- Comitê Consultivo para P&D.
- Descentralização de P&D.
- Estrutura Matricial.
- Seção de documentação.

ADMINISTRAÇÃO DE RECURSOS HUMANOS

- Seleção de pessoal para Fábrica com experiência em P&D.
- Seleção de pessoal para P&D com experiência na Fábrica.
- Seminários de Integração.
- Rodízio P&D e Fábrica.
- Desenvolvimento técnico da equipe da fábrica.

P&D

TRANSFERÊNCIA DE TECNOLOGIA

FÁBRICA

BARREIRAS GERADAS PELO CENTRO DE P&D

- P&D não divulga objetivos e linhas de pesquisa.
- P&D não envolve Fábrica nas atividades.
- P&D distante da realidade.
- Não reconhece contribuição da Fábrica para P&D.
- P&D enfatiza produto e deixa processo.
- P&D fornece documentação insuficiente.

BARREIRAS GERADAS PELA FÁBRICA

- Fábrica tem postura imediatista.
- Fábrica não confia em P&D.
- Incompreensão quanto a plano de cargos e salários de P&D.
- Falta preparação da Fábrica para absorver inovação.

BARREIRAS GERADAS PELA EMPRESA

- Deficiência no sistema de comunicação.
- Alta administração não valoriza esforço conjunto.
- Distância geográfica entre P&D/Fábrica.

BARREIRAS GERADAS PELO AMBIENTE EXTERNO

- Pressão por mudanças freqüentes.
- Deficiência na obtenção de insumos dentro da especificação.

188

sa. Isto tem a vantagem de expor o indivíduo a realidade de outra área fazendo com que ele amplie seus horizontes de conhecimento. Ao mesmo tempo, contatos e relacionamentos valiosos serão estabelecidos. Este procedimento deve ser realizado de forma planejada e obedecendo a limites pré-determinados para evitar ineficiências. DESENVOLVIMENTO TÉCNICO DA EQUIPE DA FÁBRICA: O aprimoramento técnico do pessoal da Fábrica em grande número de empresas se limita a um treinamento específico para a operação eficiente dos equipamentos produtivos. Isso é importante mas insuficiente. Uma parte do esforço de treinamento deve estar voltado para o desenvolvimento técnico da equipe tendo em vista capacitá-la a lidar com as mudanças tecnológicas que afetarão a empresa no futuro. Empresas que adotam esta postura observam que o desnível entre Fábrica e P&D diminui, fazendo com que a interface entre essas unidades seja mais eficaz.

A Figura 6 é uma tentativa de sintetizar as barreiras à interação entre P&D e a Fábrica e os instrumentos disponíveis para integrar essas duas unidades organizacionais.

BIBLIOGRAFIA

AZAROF, Leonid — "Industry University Collaboration: how to make It work". *Research Management*. Vol. XXV n.º 3 — Maio 1982.

AZEVEDO, Irany de Andrade — "A Relação Universidade — Empresa e a Pesquisa Tecnológica", em Marcovitch, J. (ed.) *Administração em Ciência e Tecnologia*, Editora Edgard Blucher Ltda., S.P. 1983.

BIELSCHOWSKY, R. — "Notas sobre a questão da Autonomia Tecnológica na Economia Brasileira". *Dados*, n.º 16 (Rio de Janeiro), 1977.

BLAKE, Stewart — *"Managing for Responsive Research and Development"* W. H. Freeman and Company San Francisco, 1978.

BULAT, T.J. — "Ways to better liasion between corporate Research and Operation", *Research Management*, Janeiro, 1979.

CAMPOMAR, Marcos C. — "As atividades de Marketing no Processo de Transferência de Tecnologia oriunda de Institutos de Pesquisa Governamentais" em Marcovitch, J. (ed.), *Administração em Ciência e Tecnologia*, Editora Edgard Blucher Ltda., SP. 1983.

CORREA, Volnei A. — "Barreiras à Transferência de Tecnologia. VII *Simpósio Nacional de Pesquisa em Administração de Ciência e Tecnologia*, PACTo IA/USP, Outubro, 1983.

GRYNSPAN, Flavio — "P&D e a Propriedade Industrial" em Marcovitch, J. (ed.) *Administração em Ciência e Tecnologia*, Editora Edgard Blucher Ltda., 1983.

KRUGLIANSKAS, Isak — "Efeito da interação Organizacional na Eficácia do Centro de P&D Cativo" tese de doutoramento FEA-USP. 1981.

MARCOVITCH, Jacques — "Alguns aspectos da Inovação Tecnológica na Indústria de Alimentos". *Revista de Administração*, vol. 15 n.º 4, outubro/dezembro, 1980.

PIERSON, R. M. — "R&D by Multi-Nationals for Overseas Markets", *Research Management*, vol. XXI, n.º 4, Industrial Research Institute, julho 1978.

RATTNER, Henrique — "Universidade—Indústria: Uma parceria por combinar". *Revista Brasileira de Tecnologia*, Brasília, vol. 14, setembro/dezembro, 1983.

189

SANDRONI, Cristina Brandt — "A Transferência Internacional de Tecnologia: instrumento para uma política de maior autonomia tecnológica", em Marcovitch, J. (ed.) *Administração em Ciência e Tecnologia*, Editora Edgard Blücher Ltda., 1983.

SHEPHERD, M. — "International Transfer of Technology: Sources of Conflicts". Paper presented by the U.S. Delegation to the Third Quadrilateral Businessmen's Conference on Economic Interdependente. USA, 1977.

SOUZA, José Adeodato — "Dinamização de transferência vertical de Tecnologia: Diagnóstico e reposição de uma alternativa" — VI Simpósio de Pesquisa em Administração de Ciência e Tecnologia — USP — SP. 1981.

VASCONCELLOS, Eduardo — "Acompanhamento de projetos de P&D em Empresas Industriais de Informática: problemas e sugestões", com Lídia Riccó. Trabalho apresentado no X Simpósio Nacional de Pesquisa em Administração de Ciência e Tecnologia. 21 a 23 de outubro, 1985, SP.

VASCONCELLOS, E., CRUZ, H.N., LIMA, L.E., SANTOS, S. e RICCÓ, L.M.H. — "Comportamento Tecnológico das Empresas Industriais" estudo financiado pela STI - Secretaria de Tecnologia Industrial do Ministério de Indústria e Comércio e realizado pela USP através do IA, FDTE, FIPE - 1986.

VASCONCELLOS, Eduardo — The Transfer of Technology from R&D to Production". Trabalho aceito para apresentação no IEEE Conference on Management and Technology. Atlanta, USA, outubro, 1987.

VASCONCELLOS, Eduardo e HEMSLEY, James — *Estrutura das Organizações: estruturas tradicionais, estruturas para inovação, estrutura matricial*. Editora ATLAS, S.P. 1986.

WAISSBLUTH, M. (coordenador) — Articulacion Tecnologica y Productiva, Centro para La Innovacion Tecnologica. Universidad Autonoma de México, 1986.

WIONCZEK, M.S. — "Measures Strengthening the Negotiation Capacity of Governments in their Relations With Transnational Corporations: Technology Transfer Through Transnational Corporations, a Technical Paper", United Nations. Nova York, 1979.

ANEXO 1 — **METODOLOGIA**

O estudo teve por finalidade responder as seguintes questões básicas:

1. Quais as barreiras à transferência de tecnologia entre o Centro de P&D de uma empresa e a Fábrica?
2. Que medidas podem ser tomadas para facilitar este processo?
3. Que medidas estão hoje sendo efetivamente usadas pelas empresas?

Inicialmente, uma pesquisa bibliográfica foi realizada para identificar as principais barreiras e facilitadores à interação entre Fábrica e P&D. A seguir, um questionário piloto foi elaborado e entrevistas de pré-teste foram realizadas tendo em vista o seu aperfeiçoamento.

O questionário foi enviado a empresas. Foram obtidas respostas de 60 gerentes de Centros de P&D e 58 gerentes de Fábrica de 61 empresas de vários setores como mostra a Figura A. Cinco entrevistas em profundidade foram realizadas com objetivo de coletar informações adicionais.

Os dados foram analisados de maneira global e a seguir, foram comparados os seguintes extratos da amostra:

- centros de P&D grandes versus pequenos.
- empresas de alta tecnologia versus empresas de tecnologia tradicional.
- opiniões dos gerentes de P&D versus opiniões dos gerentes de Fábrica.

A Figura B mostra de forma sintética o modelo conceitual do estudo. Trata-se de um trabalho de caráter exploratório que não tem a pretensão de dar respostas definitivas ao problema mas sim, contribuir para um melhor entendimento do mesmo.

Figura A — Estratificação da amostra por setor e tipo de respondente

Setores	Respondentes		
	Centro P&D	Fábrica	Total
Mecânica	11	12	23
Elétrica/Eletrônica	04	03	07
Alimentos	06	06	12
Siderurgia	08	06	14
Informática	07	10	17
Química	15	14	29
Papel	03	02	05
Outros	06	05	11
TOTAL	60	58	118

Anexo 2 — Barreiras à interação P&D - Fábrica: Comparação entre as opiniões dos gerentes de Fábrica e P&D

Barreiras	Total amostra		Centros maiores		Centros menores		Tecnol. ponta		Tecnol. estável	
	P&D N=60	Fábrica N=58	P&D N=17	Fábrica N=20	P&D N=17	Fábrica N=13	P&D N=11	Fábrica N=12	P&D N=20	Fábrica N=24
1. Falta de definição e divulgação dos objetivos por parte de P&D.	23%	36%	23%	40%	23%	15%	9%	50%	26%	17%
2. Resistência da Fábrica em paralisar a produção para testar novos processos/produtos.	52%	43%	23%	35%	65%	38%	18%	17%	63%	42%
3. Equipe de P&D desenvolve produtos e processos distantes da realidade e prioridades da fábrica.	08%	24%	23%	35%	—	—	36%	33%	—	21%
4. Falta de um sistema eficiente de comunicação entre P&D e Fábrica.	38%	59%	47%	70%	35%	38%	45%	67%	32%	54%
5. Falta de conhecimento por parte do Centro de P&D sobre as necessidades prioritárias da Fábrica.	13%	27%	06%	25%	23%	23%	09%	33%	10%	25%
6. Desnível técnico entre pessoal de P&D da Fábrica dificulta a interação entre os mesmos.	27%	15%	35%	15%	23%	15%	27%	17%	21%	21%
7. Falta de confiança da Fábrica em relação ao centro de P&D.	01%	12%	—	20%	—	08%	—	25%	—	12%
8. Pessoal da Fábrica está voltado para rotina e resiste à inovação.	45%	22%	53%	15%	53%	23%	36%	—	37%	42%

Anexo 3 — Instrumentos para integrar P&D - Fábrica: opinião de gerentes de P&D ✕ opinião de gerentes de fábrica

Instrumentos para integrar P&D e Fábrica	Total		Centros maiores		Centros menores		Tecnol. ponta		Tecnol. estável	
	P&D N=54	Fábrica N=49	P&D N=16	Fábrica N=17	P&D N=15	Fábrica N=12	P&D N=11	Fábrica N=9	P&D N=17	Fábrica N=20
1. Participação de Fábrica na definição do programa de P&D.	50%	43%	31%	47%	67%	58%	9%	33%	59%	30%
2. Participação da Fábrica no planejamento dos projetos de P&D.	39%	51%	31%	47%	33%	75%	45%	67%	41%	55%
3. Participação da Fábrica na execução do projeto.	65%	57%	50%	53%	67%	75%	45%	55%	82%	50%
4. Comitê de Integração.	42%	55%	56%	65%	33%	58%	54%	78%	35%	45%
5. Escolha de elementos com vivência na Fábrica para P&D.	28%	55%	31%	41%	20%	58%	36%	55%	23%	50%
6. Escolha de elementos com vivência em P&D para fábrica.	26%	31%	44%	18%	13%	42%	45%	11%	18%	50%
7. Seminários para Fábrica sobre importância de P&D para empresa.	37%	41%	37%	35%	47%	33%	27%	22%	35%	40%

Anexo 4 — Medidas efetivamente usadas pelas empresas para integrar P&D - Fábrica

Medidas usadas	Total amostra N=118	Centros maiores N=37	Centros menores N=30	Centros de tecnologia de ponta N=23	Centros de tecnologia tradicionais N=44
Participação fábrica def. linha	43%	38%	53%	26%	48%
Participação fábrica planejamento P&D	36%	30%	43%	39%	45%
Participação fábrica execução projeto	67%	67%	70%	65%	70%
Comitê integração	35%	49%	27%	48%	29%
Elem. vivência fábrica para P&D.	34%	38%	20%	43%	25%
Elem. vivência P&D para fábrica	15%	11%	10%	13%	18%
Seminários	19%	13%	23%	13%	20%

La Negociación de Tecnología en Centros de Investigación Empresariales

Gustavo Cadena S.

CONTENIDO

INTRODUCCION

El tema más ampliamente relacionado con el conjunto de actividades humanas es la negociación. A traves de ella se armonizan intereses entre personas, organizaciones o países. Los centros de investigación empresariales deben poner atención en esta forma de vinculacion con agentes externos o pertenecientes a su propia empresa, de manera profesional y organizada, a fin de conseguir éxito en cada una de sus gestiones.

Al interior de la organización, el centro de investigación cautivo requiere de multiples negociaciones para conseguir recursos suficientes, realizar sus actividades o que los resultados de sus estudios sean implantados en áreas productivas de la organizacion. Las necesita también para fomentar que le provean de la información suficiente para diagnosticar problemas y diseñar alternativas de solución viables o; aprovechar oportunidades tecnológicas. Es indispensable echar mano de los recursos de la negociación con objeto de que el centro tenga amplio contacto con distintas áreas de la organización y, así, incrementar las probabilidades de reforzar a la base tecnolzógica de las mismas.

El centro, además, tendrá que establecer contacto y negociar con otras organizaciones en beneficio de la propia, ya sea contribuyendo a atender tanto las necesidades presentadas por los clientes, como a los requisitos establecidos por organismos gubernamentales y sus reglamentos o bien, realizando convenios de tecnología con organizaciones oferentes.

Como se puede observar, a la actividad principal de proveer de conocimientos a la organización se asocian otras. Todas ellas se llevan a cabo en un entorno de negociaciones que definen propósitos y limitan sus alcances. De la buena conducción de los procesos negociadores dependera, por tanto, el éxito y supervivencia del centro.

1 — OBJETOS Y CONTRAPARTES DE LAS NEGOCIACIONES DE LOS CENTROS DE INVESTIGACION CAUTIVOS

En lo que toca al entorno; se requiere de un flujo continuo de nuevas ideas, convertidas en conocimientos organizados y operaciones factibles de ser desempeñadas por las líneas productivas. Esto, cuando existe un impulso de productos o innovaciones desde el lado de la oferta tecnológica; demanda de nuevos productos en el mercado o; por la constante necesidad de mejorar los procesos productivos, a traves del abaratamiento de sus operaciones o del mejoramiento de la calidad de los productos. Los requerimientos de conocimiento de las organizaciones, no siempre pueden ser totalmente satisfechos por sus centros de investigación y desarrollo (IyD). Sobre todo en países que todavía no alcanzan plenamente la industrialización y cuyas empresas tienen un papel poco relevante en actividades de investigación. Ahí, la capacidad de realizar investigaciones esta fuera de las organizaciones productivas y, en la mayoría de los casos, desvinculada de la industria e inmersa en los sistemas académicos. En estos casos, es indispensable que los centros de IyD de las empresas realicen un esfuerzo por vincularse con estos centros académicos, para complementar sus capacidades físicas y humanas y, al mismo tiempo, superar los inconvenientes de la falta de experiencia en la generación de conocimientos útiles a las organizaciones productivas.

Esta vinculación exige actividades profesionales de negociación, a fin de asegurar dos puntos relevantes: que los intereses de la organización productiva sean compatibles con los objetivos planteados para el trabajo conjunto y; que las organizaciones académicas puedan mantener equilibrio entre su misión de docencia e investigación y la generación compartida de paquetes tecnológicos para la industria.

A fin de que los países tengan alguna oportunidad de desarrollo de su planta industrial, es indispensable que elijan una estrategia agresiva. Una estrategia que les permita por un lado reconquistar los mercados locales y, por otro, penetrar los internacionales. Lo anterior sumado a otras tácticas comerciales, debería fundarse en principio, en planes globales de investigación y desarrollo que consideren los ciclos de vida tanto de los productos como de los procesos empleados y, además, aprovechar las oportunidades brindadas por la evolución de los conocimientos, a nivel local e internacional.

Como se sabe, los conocimientos provenientes de las fuentes de información deben ser convertidos en operaciones secuenciales lógicas, susceptibles de ser implantadas en el sector productivo. Las fuentes, que resultan ser muy diversas, deben ser articuladas coherentemente con la organización. Más adelante se expone en detalle, la forma de llegar a acuerdos de transferencia cuando los conocimientos no son accesibles para todos. Sin embargo, es conveniente recordar que las patentes, revistas, reportes de seminarios, tesis y otros, son fuentes con alto valor para una organización capaz de asimilar a sus operaciones la información que le proveen.

Al centro de investigación de la empresa le corresponde asegurar la perfecta articulación de esfuerzos de las organizaciones colaborantes. El conjunto de organizaciones que potencialmente podrían aportar conocimientos útiles para la industria, adicionado a las que conforman el entorno productivo y las que sirven de instrumentos de fomento, promoción y regulación, conforman la denominada cadena institucional. El centro de investigación cautivo debera negociar con cada miembro de esta cadena institucional, realizando acuerdos que dinamicen la producción de conocimientos y el uso de los bienes y servicios elaborados por la organización. Los mismo ha de hacer con aquellos organismos que promuevan ventajas sectoriales de los instrumentos de fomento y/o promoción. El armado de esta red quedará, entonces, condicionado a las necesidades y requerimientos de la actividad productiva, asi como a las oportunidades que brinden los avances tecnológicos y científicos en el sector industrial en el que se encuentre enclavado el centro cautivo. Para armar y mantener operando la red, el centro juega un papel decisivo: debe mantener una activa generación de conocimientos incluyendo los necesarios para asimilar tecnologías ya adquiridas, jugando con oportunidad y eficiencia su papel promotor, sobre todo entre aquellos agentes de la cadena institucional que respondam a las necesidades tecnológicas de la organización.

Otros miembros de la cadena institucional mencionada son los proveedores de conocimientos "comprobados": organizaciones de gran éxito productivo que con frecuencia no se localizan en la misma región. Ellas pueden ser los tecnólogos que aporten conocimientos a la empresa y, por lo tanto, considerarse elementos a administrar en la red, cuyo principal elemento de nucleación, es el centro. A tales tecnólogos ha de exigirse principalmente, la presentación de los paquetes tecnólogicos en forma desagregada, a niveles que permitan no sólo su perfecta asimilación sino el conocimiento de las diferentes variables que los rigen, considerando sus cuatro componentes principales: la tecnología de equipo; la de producto; la de proceso y la de operación. También deben presentarse, en la misma forma, aquellas con frecuencia consideradas de menor importancia — aunque no lo sean—, relacionadas con las regulaciones, normas, dimensión de los mercados, etc. y que, con las anteriores forman las bases de diseño del paquete tecnológico.

Pero no son éstos los únicos sujetos con los que ha de negociar un centro. También es necesario participar en procesos de negociación con agencias gubernamentales, de regulación y apoyo del fenómeno innovativo y con los agentes financieros que, en su momento, pueden aportar medios económicos para las actividades de I & D, descargando a las empresas de presiones sobre sus recursos en el corto plazo.

Por otra parte, el centro tiene que negociar con su propia organización una diversidad de asuntos. Estos van desde el proceso de asignación de recursos hasta las actividades de generación, selección y aprobación de proyectos. Posteriormente habrá de negociar la implantación de los resultados obtenidos por las investigaciones. Estas negociaciones no obtienen, como producto, un contrato a traves del cual pueda exigirse el cumplimiento de los acuerdos. Sin embargo, son tanto o más importantes que las realizadas con agentes externos, pues en ellas radica la posibilidad de implantar resultados de investigación en la cadena productiva y, por tanto, la ventaja comparativa entre esta organización y otras, cuya función consista en elaborar productos competitivos.

En la negociación con organizaciones externas es condición necesaria que exista interés por llevar a cabo la vinculación. Las negociaciones intraorganizacionales se fundamentan en la afinidad que exista entre los propósitos de la organización y los intereses de cada uno de sus miembros. Esta afinidad fortalece el sentimiento de responsabilidad y los estimula a participar y realizar con eficiencia cada una de las tareas. A la vez, los hace sentir orgullosos de participar en la solución de problemas y, también, ávidos de aprovechar las oportunidades técnicas —producto de sus lecturas, comunicaciones etc.—, y su vinculación con los propósitos y metas de la organización.

Ambas esferas de negociación —interna y externa— tienen que considerar los factores humanos relacionados con el ambiente organizacional, las motivaciones, relaciones y competitividad interpersonales; los temores y frustraciones de cada uno de los participantes en las diferentes etapas de negociación. Así, el centro y algunos de los sujetos mencionados podrán desarrollar su participación conjunta en el proceso innovativo llegando a acuerdos. Las características de éstos serán mencionadas más adelante.

La gran variedad de objetos de negociación posibles hacen conveniente presentar un análisis que integra dichos objetos con los más probables sujetos de la contraparte. Con estos últimos, en su momento, el centro empresarial de investigación y desarrollo habrá de realizar las actividades de negociación correspondientes. El cuadro 1 contiene en forma resumida, los objetos y sujetos mencionados a manera de ejemplo. Se muestran sólo los más comunes a las negociaciones con este tipo de centros. En cada caso específico deberá localizarse, con precisión, tanto el sujeto con el que se negociará como los objetivos que se perseguirán en el proceso, para desarrollar las actividades del mismo bajo los lineamientos propuestos en este mismo capítulo.

Los objetos de negociación presentados en el cuadro 1 pueden agruparse en grandes rubros. Primero, aquellos que tienen que ver con proyectos de mantenimiento y mejoras incrementales de los paquetes tecnológicos en operación. Unos ejemplos: podrian abordar la desagregación de los paquetes; la generación de controles de calidad parciales o totales; la implantacion de técnicas y programas de mantenimiento a maquinaria y equipo; etc.

198

Cuadro 1 — Objetos de negociación y contrapartes negociadoras (entorno)

Objetos de negociación	Contrapartes negociadoras
1. Desagregación y asimilación de paquetes tecnológicos	A. Centros de investigación universitarios
2. Adaptación de paquetes tecnologicos	B. Centros gubernamentales de investigación y desarrollo
3. Innovaciones graduales a los paquetes tecnológicos	C. Centros cautivos de otras organizaciones productivas
4. Desarrollo de nuevas materias primas y/o nuevos productos por introducirse en los paquetes en operación	D. Empresas nacionales
	E. Empresas extranjeras
	F. Empresas clientes de los productos
5. Desarrollo de paquetes tecnológicos nuevos para la organización	G. Empresas proveedoras de insumos, maquinaria y equipos para la producción
6. Adquisición de paquetes tecnologicos	H. Corredores de tecnología y consultores
7. Capacitación de recursos humanos	I. Firmas de ingeniería
8. Renta de instalaciones y/o equipo complementario	J. Agencias financieras
9. Asesoría tecnológica	K. Agencias gubernamentales de regulación sobre la tecnología
10. Incentivos sectoriales y empresariales al desarrollo tecnológico	L. Agencias gubernamentales de promoción al desarrollo tecnologico
11. Licenciamiento a terceros de paquetes tecnológicos desarrollados por el centro cautivo.	M. Otros agentes gubernamentales que afecten a la empresa
12. Prestación a terceros de asesoría y servicios tecnológicos.	N. Cámaras y agrupaciones de industriales
13. Obtención de recursos para infraestructura del centro (creación, expansión, modificación y modernización)	O. Consejo de administración
14. Obtención de recursos para capacitación y formación de los cuadros de investigación	P. Responsables de las áreas productivas
15. Obtención de recursos para fomento del ambiente organizacional e instrumentación de planes de reconocimiento e incentivación de las actividades tecnológicas	Q. Responsables de la planeación presupuestal
16. Obtención de recursos para gastos de operación del centro (información, adquisición y diseminación de información)	R. Jefes de proyecto
17. Diseño y elaboración de propuestas, pruebas preliminares etc.	
18. Implantación de resultados de investigación en las líneas productivas	
19. Distribución presupuestal	
20. Priorización y aprobación de proyectos	

199

En otro rubro caben los proyectos cuya naturaleza tenga que ver con el incremento de la productividad y el ciclo de vida del paquete tecnológico. Como ejemplos pueden mencionarse proyectos que inciden en el mejoramiento de las dimensiones tecnológicas de los productos; los que tienen que ver con la estandarización y, por tanto, la reducción del número de productos o; los otros de diversificacion y estandarizacion de materias primas.

Ambas categorías requieren procesos de negociación, a fin de dar forma, definir y contratar con las contrapartes posibles acciones que no puedan ser realizadas por el centro de I&D cautivo.

Hay una tercera categoría que no negocia proyectos propiamente dichos. Es la que integra al proceso negociador como parte de una estrategia global de la organizacion. Aquí se incluyen diversas acciones: las tendientes al licenciamiento de paquetes tecnológicos; al registo de los contratos ante entidades de regulación; las relacionadas con instrumentos gubernamentales o sectoriales de promoción y fomento, por ejemplo.

Por lo que toca a los objetos intraorganizacionales, estos podrían agruparse de la siguiente manera: a) Los que tienen que ver con el centro mismo, como: los relacionados con la distribución presupuestal; priorización de proyectos; asignación de responsables de los mismos. b) Los referidos a la implantacion de resultados en las líneas de operación y aquellos en los que se involucra la alta dirección y los sistemas de presupuestación, entre otros.

Para incrementar las probabilidades de éxito, es conveniente que ambos negociantes adopten, desde el principio del proceso, una serie de convenciones. A traves de ellas se definen con precisión los objetivos perseguidos. Por ejemplo, la descripción del proyecto; los metodos de seguimiento de sus actividades; los parámetros que califacaran de exitosas o fracasadas las acciones. Esto último se antoja escencial. Sobre todo porque cuando se piensa en el proyecto[*] (Figura 1), se entiende que su propósito escencial tendrá íntima relación con el proceso de innovación tecnológica[**] (Figura 2); ya sea directamente con el paquete tecnológico, con su operación o con las demandas del mercado. Del análisis de estos últimos se asume las características de los productos y su demanda potencial, lo que dimensiona el paquete tecnológico.

A partir del conocimiento de los sujetos que interaccionan con el centro cautivo y la precisión sobre los objetos de negociación, los integrantes de los grupos se enfrentarán a las situaciones mejor preparados. Así, podrán incrementar las probabilidades de acuerdos, disminuir el tiempo y recursos empleados en la negociación y obtener presupuestos que les permitan cumplir con sus funciones. Para ello, habran de llenar los requisitos de que se habla adelante, generando las habilidades y conocimientos necesarios para realizar las actividades propias de las negociaciones.

---

[*] Conjunto de actividades ordenadas en forma lógica, para alcanzar un fin.
[**] Implantación y operación de paquetes tecnológicos; su consecuente actividad industrial y; la distribucion y comercialización de los productos.

Figura 1 — Representación esquemática de un proyecto tendiente a mejorar un paquete tecnológico

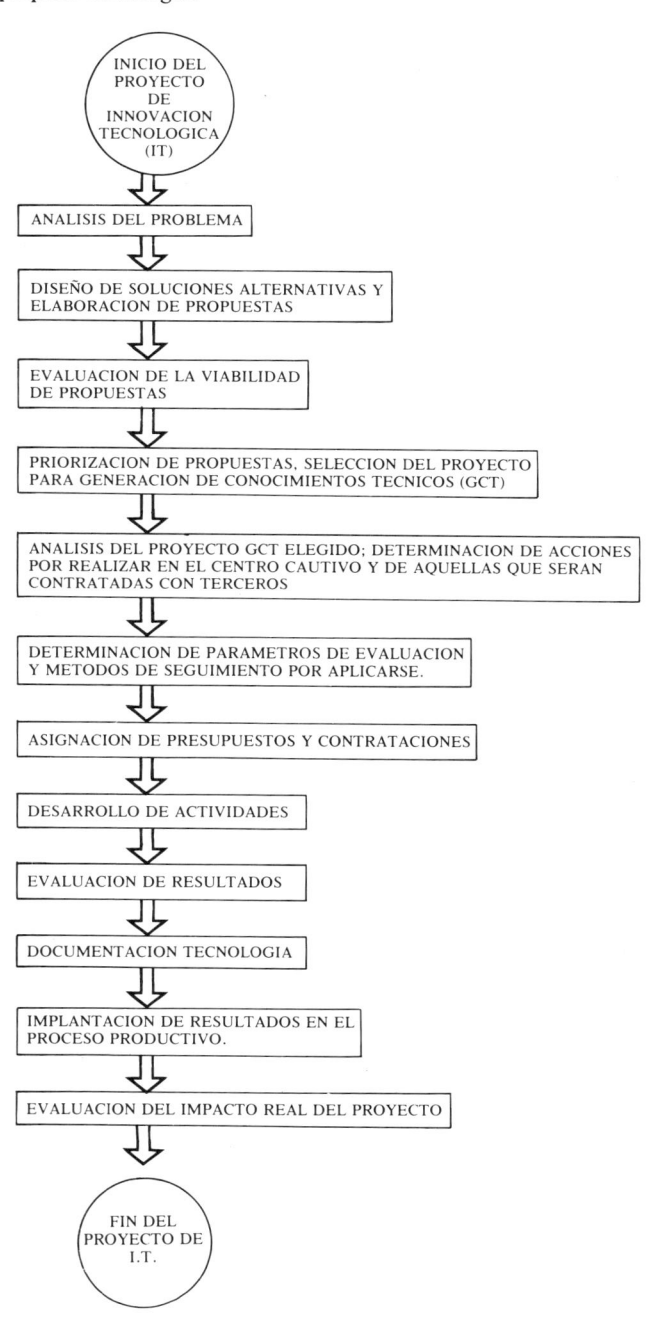

Figura 2 — Processo de innovación tecnológica (enunciativo)

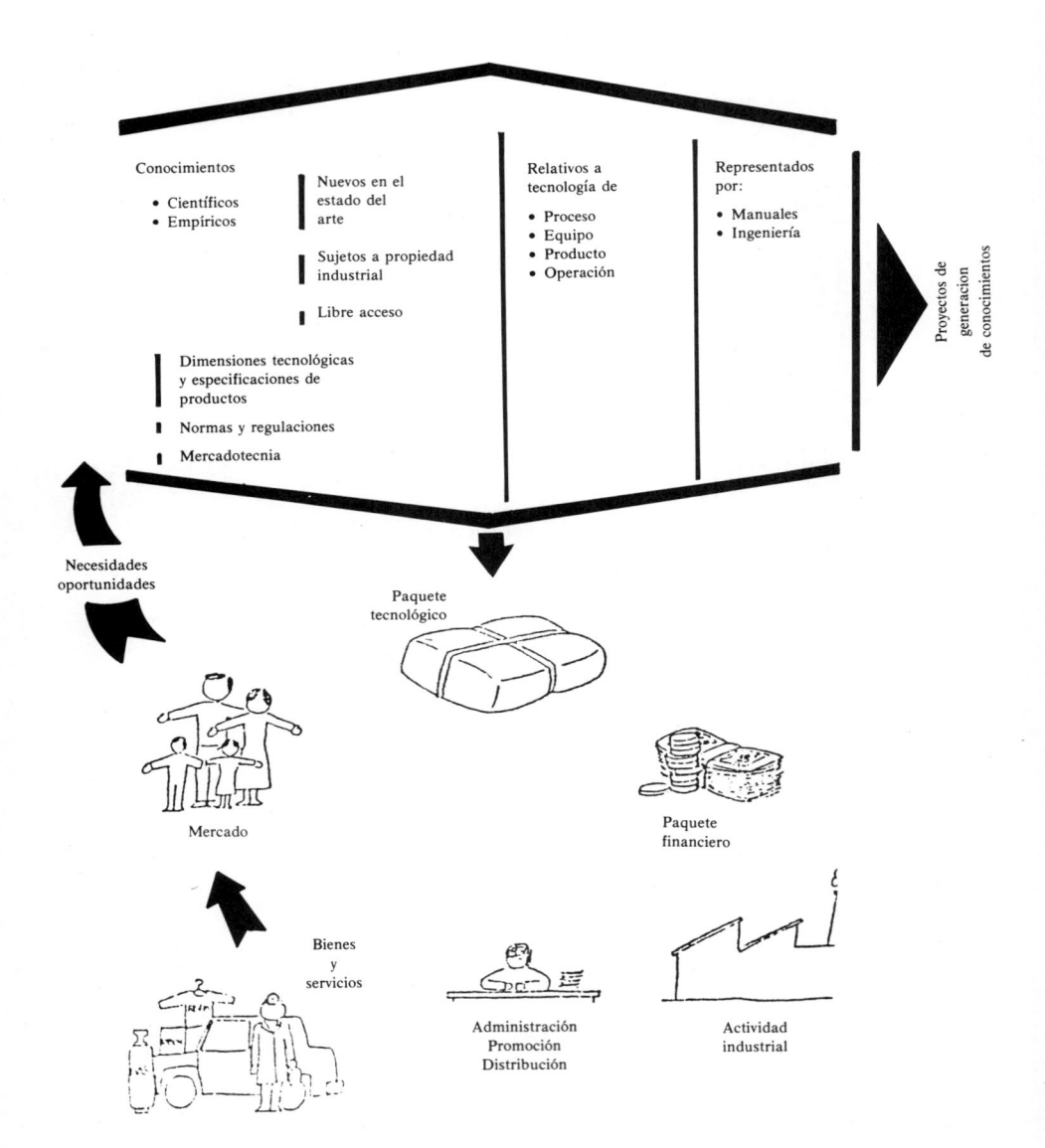

2 — EL PROCESO DE NEGOCIACION: ETAPAS, CONDUCCION DE ACCIONES Y TIPOLOGIA DE ACUERDOS

La organización, para cumplir sus objetivos, debe negociar de manera óptima con los miembros de la cadena institucional, a fin de que ésta participe y contribuya a sus propósitos. También han de hacerlo, entre sí, los diversos miembros de sus propias estructuras si se quiere trabajar armónicamente, persiguiendo todos un mismo fin. En estas negociaciones el centro cautivo participa, con frecuencia, como actor principal y responsable, aunque ocasionalmente sólo sea un miembro más del grupo negociador.

Cuando los miembros del centro cautivo negocian con sus compañeros, tienen que persuadirles sobre la conveniencia y beneficios de su participación en las acciones de que se trate. Estas tendrán como base la misión de la empresa. Es decir, que estarán fundadas en la percepción de ambos sujetos de tener intereses comunes. Así, llevar a cabo acciones que sean producto de negociaciones intraorganizacionales, tendrá como retribución para los negociadores el reconocimiento e incentivos que la propia empresa decida proporcionarles. Este aspecto, en consecuencia, es un punto de atención que las compañías resuelven generalmente antes del logro de objetivos, para evitar la frustracion y, como consecuencia, el deterioro del ambiente organizacional.

En cuanto a las negociaciones externas, los miembros de la cadena institucional no están obligados a compartir los intereses de la organización. La motivación que los impulsa a entrar en el proceso estará relacionada con la contribución que éste pueda significar a los objetivos de cada entidad representada.

Por lo que respecta al proceso negociador, hacia el interior y el exterior de la organización, se siguen etapas similares. Estas son las expuestas a continuación:

- a) Identificación de necesidades.
- b) Etapa preparatoria.
- c) Diseño.
- d) Planeación.
- e) Desarrollo.
- f) Formalización.

a) Etapa de identificación de necesidades

Aquí se recomienda que las partes negociantes —grupos o individuos—, analicen los siguientes aspectos:

1. Las necesidades de la contraparte.
2. ?Cuáles de esas necesidades pueden ser satisfechas por los bienes o servicios que ofrece la organización?
3. ?Qué espera de la negociación?

En esta etapa, las entidades negociadoras pueden percatarse de que no conocen, con precisión, el objetivo, necesidades e intereses de su contraparte. En ocasiones, ni siquiera las propias por esa razón, esta etapa ha de estudiarse con toda profundidad y ser sustentada sobre la base de información verídica, confiable y actualizada.

Es conveniente, también, analizar las características de la contraparte; su posicion tanto económica como de mercado y; la capacidad de decisión de sus representantes. Todo ello, a fin de tener idea del alcance a que pueden llegar los compromisos contraídos y asegurar, por tanto, que la contraparte podrá cumplirlos.

b) **Etapa preparatoria**

Es un complemento de la etapa anterior. Durante su desarrollo se recopilará la mayor cantidad de información posible y se harán contactos informales. Estos permiten a los participantes irse familiarizando y comenzar a esbozar propuestas afines a los intereses de la contraparte y, también, acordes a los de su propia organización. Por otra parte, en esta etapa es posible el acercamiento entre quienes llevarán a cabo el proceso negociador, facilitando la comunicación.

Dependiendo de las características de los negociadores la comunicación podrá ser amistosa, cordial y hasta relajada o seria y formal; parece que ésto no tiene gran importancia (y depende como se dijo, de la personalidad de las partes), siempre que se perciba a tiempo y ambas actuen bajo el mismo entendido. Cuando la personalidad de uno sea seria y formal y la del otro relajada o hasta bromista, se tendrá un obstáculo de orígen para alcanzar los acuerdos. Así, un negociador experto, después de percibir las características de su complemento, deberá hacer que su actitud vaya acorde con las características personales de su contraparte. No por ello debe considerarse que se ha empezado a ceder desde antes de iniciar el proceso, mas bien se está trabajando en la creación de un ambiente propicio para facilitar la negociación.

c) **Etapa de diseño**

En esta etapa las partes precisan los objetivos de la negociación y las estrategias o políticas que han de emplear para conducirla. Lo primero tiene que ver con lo que se espera y lo que puede ofrecerse. Lo segundo, con las normas éticas que delimitarán lo permitido dentro del proceso. Por ejemplo habrá que definir si los bienes o servicios producidos por la organización —o la propuesta de modificar una línea de producción—, son factibles o compatibles con los intereses del interlocutor. Por lo que respecta a la política empleada para conseguir este objetivo se determinará a partir de la validez de la estrategia de persuasión empleada. Esta puede fundarse en la ponderación de las cualidades de la solución aportada y lo equitativo de la contraprestación solicitada; en lo pertinente de las soluciones diseñadas para los problemas existentes. Sin embargo, pueden elegirse, también, estrategias fundadas en el engaño, la coerción, el poder o cualquier otra que, tal vez, obligaría a la contraparte a ceder. No son estrategias recomendables. Sus consecuencias serían funestas para las relaciones organizacionales o interpersonales, según el caso.

Así, como mencionan los autores citados en la bibliografía, puede optarse por cualquiera de las alternativas siguientes:

204

Estrategia gana-gana

Centra la atención en aportar la mayor cantidad de alternativas de solución a los problemas de la contraparte. Interesándose en la óptima atención a las necesidades de ésta y con ella coparticipa, como si se tratase del inicio de una sociedad con propósitos comunes. Se proponen contraprestaciones justas, llegando, en ocasiones, a que sólo cubran los gastos derivados del bien o servicio prestado y se obtengan utilidades marginales.

De lograrse lo anterior, tanto las organizaciones participantes como los negociadores resultarán beneficiados. Todos verán satisfechas sus expectativas y el proceso se desarrollará en un ambiente relajado y cordial. Las organizaciones reconocerán a sus miembros como elementos identificados con sus propósitos y valorarán la labor, de acuerdo con los sistemas que para ello tengan establecidos. Las relaciones interpersonales quedarán en un nivel que, con frecuencia, se acercará a "haber abierto una nueva oportunidad" con nuevos amigos. Finalmente la negociación habrá sido una reunión entre compañeros; no una encarnizada batalla entre enemigos que tratan de vencerse recíprocamente. Cuando lo logran, ponen en peligro y hasta llevan al fracaso total a sus organizaciones o a los propositos que los impulsaron a negociar.

Elegir esta estrategia tiene ventajas: se logra la maximización de las utilidades de la negociación, para ambas partes; y la consolidación de relaciones de largo plazo. También se obtienen ventajas adicionales, como minimización de costos, tiempo y esfuerzo, asociados al proceso de negociación.

Esta parece ser la estrategia obligada para cualquier negociación, sin importar su envergadura. Pero no es una situación que pueda instrumentarse fácilmente. Con mucha frecuencia, intereses y características personales distorsionan los objetivos principales. En otras ocasiones, los intereses organizacionales pugnan por imponer en forma aplastante sus condiciones a lo que parecería ser el negociador mas débil. Un ejemplo de esas dificultades lo dió el jefe de la unidad productiva de una organización, que obstaculizó, durante semanas, la negociación para el licenciamiento de una tecnología. Su único propósito era que el licenciante lo invitara a pasar una temporada en sus instalaciones, cercanas a un lugar recreativo. Su objetivo propósito fue percibido por el tecnologista, que actuó con la estrategia gana-gana en lugar de un burdo soborno. Asi, instrumentó una solución benéfica para ambos. Invitó al personal del licenciador a sus instalaciones, con todos los gastos pagados, pero con la idea de iniciar la capacitación y comenzar así el proceso de asimilación tecnológica. Ambas organizaciones resultaron beneficiadas y continuó el proceso de negociación; el obstaculizador vió satisfechos sus intereses personales, que adquirieron una forma legítima.

Como se ve, la capacidad creativa y la de percepción de uno de los negociadores aportó una solución que satisfizo los intereses de todos. Este tipo de respuesta a tácticas negativas o intereses colaterales al propósito principal de una negociación, es la mejor forma de actuar. Se recomienda en todos aquellos casos en que se ha elegido como estrategia de negociación la alternativa gana-gana.

Estrategia gana-pierde

En esta estrategia una de las partes intentará, reiteradamente, maximizar los beneficios de la negociacion para sí. Ello sin importar los intereses de la otra y, en

205

ocasiones, sin tomar en cuenta tampoco los medios utilizados. Basa sus tácticas en el convencimiento, la presión, la intransigencia, el poder y otros recursos, que imprimen un pecado original al proceso negociador. Incrementando el riesgo de no alcanzar los objetivos. Aunque ocasionalmente éstos se alcanzan, tienen altos costos; entre otros resultados perjudiciales de la aplicación de esta estrategia. La existencia de un vencedor y un vencido; relaciones interpersonales en muy bajo nivel; posibilidades de negocios futuros casi cerradas. La lista de causas que impulsan a los negociadores a no emplear esta alternativa, es tan grande como aquella que los puede motivar a utilizar la denominada gana-gana.

d) Etapa de planeación

Antes de iniciar las rondas de negociación hay una etapa más. En ella se eligen, preparan, planean y programan, las tácticas que instrumentarán la estrategia elegida. Deben atenderse aspectos infraestructurales y detalles conductuales orientados a la persuasión. Los grupos negociadores o los individuos, segun el caso, se preocuparán por la comodidad de los lugares de reunión; que las agendas no sean tan prolongadas como para propiciar cansacio o enfado en los participantes; que no haya impedimentos físicos a la comunicación. Evitarán, en lo posible, elegir personas antagónicas para una misma reunión. Llevarán agendas y resumirán los acuerdos en minutas. Se ocuparán de que existan las traducciones necesarias. Los aspectos mencionados son apenas ejemplos de los detalles que merecen atenderse durante las reuniones de negociación. En resumen, puede decirse que son responsabilidades de los negociadores, tanto el propiciar un ambiente en que todos los participantes aporten ideas para facilitar los objetivos, como asegurarse de que existe un amplio y fluido nivel de comunicación.

Por lo que toca a las tácticas empleadas para persuadir, los negociadores disponen de una amplia gama de alternativas. El propósito de casi todas ellas es convencer a la contraparte de los atributos de la oferta y lo conveniente de la contraprestación. Esta es la manera más rápida y barata de conseguirlo. Sin embargo, casi todas las tácticas llevan implícito el engaño y provocan que el negociador tome una decisión sobre la que no ha meditado lo suficiente, sea por presiones ejercidas o por la confusión creada. A manera de ejemplo se mencionam algunas de estas tácticas.

Autoridad. El negociador interrumpe el proceso arguyendo tener que consultar para tomar la decisión en cuestión.

Fuerte/débil. Un elemento del equipo se muestra intransigente mientras que otro es condescendiente.

Generación de espectativas. Se solicitan altas retribuciones y se dan concesiones paulatinamente.

Buey de piraña. La atención se centra en un sólo aspecto del negocio, distrayendo la atención sobre el resto.

Competencia. Da a conocer el interés de terceros sobre el mismo objeto de negociación.

206

Intimidación. Se ponderan riesgos personales por no alcanzar el acuerdo.

Confusión. Aquí se trocan los papeles y miembros del grupo de negociación, provocando que la contraparte no pueda identificar el rol de cada quién, distrayéndolo y haciéndolo sentir inseguro.

Demandas exageradas. Se solicitan contraprestaciones que rebasan por mucho lo esperado, para obligar a interrumpir la negociación.

Dilación. Hay postergación de las reuniones, hasta que a una de las partes se le terminael tiempo disponible. Entonces se presentan posibilidades de acuerdo que ya no pueden estudiarse con profundidad.

Ni tu/ni yo. Esta táctica se emplea para elevar el monto de la contraprestación, una vez que se ha asegurado el mínimo esperado. Cuando se alcanza este nivel se establece uno más alto y se propone dividir la diferencia.

Cascada. Se establecen paquetes obligatorios. Por ejemplo se menciona que la adquisición de tecnología para el tratamiento de efluentes, está ligada a la compra de equipo principal. O que el consumo de la materia prima de una marca en especial es obligatorio para utilizar y garantizar el equipo en cuestión.

Política empresarial. Como justificación se usa un argumento: la empresa tiene una política que impone un marco a la negociación. Por ejemplo, que la política organizacional es cobrar en una sola exhibición, el monto total de lo determinado por licenciamiento de tecnología.

El listado podría continuar largamente, con todas las tácticas posibles de persuasión y convencimiento, para obtener de los demás lo que no estarían de acuerdo en otorgar espontáneamente.

En este punto se antoja recomendable llamar la atencion sobre la forma en que se presentan las situaciones. Cuando un negociante emplea tácticas como las mencionadas, ni las clasifica ni las identifica claramente. Con frecuencia las usa mezcladas, complementando unas con las otras, dando la apariencia de no utilizar ninguna. Por eso, sólo los negociadores expertos pueden identificarlas a tiempo y neutralizarlas. En ocasiones, también pueden aprovecharse de ellas, a fin de hacer evidentes las bondades de cambiar a una estrategia gana-gana. Un negociador sorprendido utilizando tácticas gana-pierde una vez aleccionado sobre la estrategia de mayor utilidad, toma esta última como la opción más adecuada para continuar el proceso. Ya encauzado en esa nueva dinamica de relaciones, donde se da cabida hasta a los intereses personales, continúa con el proceso de negociación realizando aportaciones y proponiendo alternativas, convencido de que es la mejor opción para alcanzar los propósitos originales. En la Universidad Harvard se desarrollo un estudio sobre este método alternativo para negociar, sus cuatro características principales excluyen el engaño y centran su atención en las necesidades y motivaciones de las partes. Estas características se anotan a continuación:

- separar a las personas de los problemas
- concentrarse en los intereses no en las posiciones
- generar alternativas opcionales
- colocar parámetros objetivos de comparación

- **Separar a las personas de los problemas**

Cuando dos personas o grupos se reunen para negociar, ambos tienden a considerar el proceso como una oportunidad para medirse frente al otro. De esta manera se tendrá la impresión de estar participando en un juego donde debe haber un vencedor y un vencido. Se tenderá a confundir una actitud conciliadora con una cobarde y, frecuentemente, se arremeterá con más fuerza contra el enemigo. Vender caro parecerá una meta deseable, un triunfo personal, ya que supuestamente se habrá ganado la batalla, aunque se hayan lesionado los intereses de la organización.

Los negociadores podrían relacionarse bajo otro tipo de suposiciones. Asumir que ambos tienen motivos distintos para realizar la negociacion, pero que también existen intereses comunes. Así el acuerdo debía considerar los motivos de ambos, separando los asuntos personales de los problemas en cuestión. La negociación entonces se lleva a cabo al margen de las personas; centra las discusiones en las alterantivas de solución y elimina, por tanto, los ataques personales. No se consume energía instrumentando tácticas tendientes a vencer al "enemigo", sino que se aprovecha en el diseño de alternativas de solución. De tal forma, se logra una fertilización cruzada de ideas; por aportación de cada parte, y se generan otras por interacción. Entonces se trabajará con un socio que desea maximizar utilidades, aportando lo mejor de si mismo en beneficio de la negociación de que se trate, de las organizaciones representadas y de las relaciones interpersonales.

- **Concentrarse en los intereses no en las posiciones**

Otra característica analizada por los investigadores de Harvard tiene que ver con el objeto de la negociación que, como se ha planteado, no es único. Existe uno central, motivo de la negociación, junto a otros. Estos son generados por los intereses, personales de cada negociador y la dinámica de la propia interacción —beneficio indirecto para las personas, por ejemplo—, que en un momento determinado las deslumbran y distorsionan el objetivo principal. Los participantes aprovecharán la oportunidad para alcanzar mejores posiciones en su organización o bien, obtener algún beneficio personal en el proceso, —como realizar un viaje que de otra manera no fuera factible—. Ejemplos como éste no son del todo reprobables si resultan compatibles con la secuencia de acciones del proceso negociador, pueden verlo como oportunidades para maximizar los productos del mismo.

De aquí la importancia de generar ideas que aporten soluciones a las necesidades organizacionales y que al mismo tiempo atiendan los intereses de los negociadores. Esto se fundamenta en un amplio conocimiento de los requerimientos del receptor, las posibilidades del oferente y un amplísimo canal de comunicación. Conseguirlo requiere abandonar la táctica de negociar por posiciones, de defensa y ataque, como en el ajedrez, para vencer al contrincante.

- **Generar alternativas opcionales**

En adición a las anteriores características, durante el proceso de negociación es posible generar opciones de ganancia mutua, en las cuales la utilidad de una de las partes no se genere a costa de la otra, sino que exista un interés vivalente por instrumentar la solución. Este podría ser el principal desafío a la creatividad de los negociadores. El punto es transcendental y merece que se le dediquen algunas líneas.

La creatividad puede ser fomentada e incentivada o inhibida y obstaculizada. Si se desea disponer de un ambiente propicio, para meditar colectivamente sobre alternativas de ganancia recíproca, se tienen que eliminar las barreras a la libre expresión de ideas y estimular a los participantes. Para ello hay que cuidar detalles, relacionados con: la infraestructura física; aspectos organizacionales y de programación y; los que tienen que ver con la conducta de las personas en grupos de trabajo. Trabajando bajo estas condiciones los individuos generarán mayor número de ideas que cuando trabajan bajo presión, cuidándose de golpes bajos y tácticas que pudieran lesionar los intereses de su organización.

No basta que una de las partes, para negociar, decida explorar las posibilidades que ofrece esta característica del método de Harvard. Sólo es posible implantarla cuando la contraparte se haya convencido de su bondad y ambas quieran emplearla en beneficio de los propósitos del negocio.

- **Colocar parámetros objetivos de comparación**

Con frecuencia las discusiones en una negociación giran en torno a juicios de valor, sobre los bienes o servicios en cuestión. Ambos plantean si son buenos o malos, caros o baratos. En el mencionado estudio se propone eliminar estas controversias, a partir de la comparacion de los objetos negociados con parámetros pre-existentes. Por ejemplo cuando se negocian paquetes tecnológicos, se consume mucho tiempo tratando de analizar su productividad en comparacion con los estudios de factibilidad realizados. Sin embargo, es posible explotar la ruta de sua comparación a traves del posicionamiento tecnológico. Una vez conocido el techo tecnológico se puede calificar el nivel de rendimiento del paquete ofrecido. De esta manera no resulta necesario regatear sobre el punto sino que se realizará una comparación objetiva.

Para realizar este tipo de análisis es necesario elegir los parámetros de común acuerdo. Conviene que sean conocidos en el medio o establecidos por terceros, reconocido por su capacidad entre los negociantes. Pueden emplearse, por ejemplo, normas y especificaciones de productos, dimensiones tecnológicas y otras características de valor y conocimiento generalizado.

e) Etapa de desarrollo

Las acciones descritas en la fases anteriores son la base para el desempeño de la más importante del proceso negociador. En esta etapa se llevan a cabo las reuniones, donde se tomarán los acuerdos a que lleguen las partes. Aquí entra en juego toda la creatividad y aptitudes de los grupos o personas. Su objetivo sera diseñar la solución más equilibrada, que de cabida a los intereses principales y colaterales que los impulsaron a negociar, en caso de haber escogido la estrategia gana-gana.

Si, contra las recomendaciones, se optó por la de gana-pierde, las reuniones serán de contricantes, que la consideraran campo de batalla para sacar el mayor provecho de la negociación, sin importar el deterioro de los intereses de lo que se considera "el enemigo a vencer".

Los buenos negociadores entenderán esta etapa como una oportunidad para obtener los mayores rendimientos del proceso. Por ello, diseñarán las reuniones de manera tal que adicionen un nuevo objetivo: el de conducirla minimizando su costo, esfuerzo y tiempo consumidos. El reto a su creatividad será lograr lo anterior, considerando factores que se pueden resumir de la siguiente manera.

A) **Ambientales**

Los relativos al comportamiento de los negociadores y la infraestructura física de los lugares de reunión.

B) **De Planeación**

Los involucrados en la logística: horarios, agendas, listas de invitados, resúmenes informativos y ejecutivos, entre otros.

C) **Organizacionales**

Tienen que ver con el apoyo a la conducción de la reunión. Tal vez es éste el punto mas importante para asegurar su buen desempeño. Se trata de organizar grupos de trabajo para discutir los diferentes aspectos del negocio. Los grupos han de estar coordinados y actuar siempre en la consecución del objetivo común. Si se nombra a un moderador de las discusiones, éste debe ser capaz de conducirlas otorgando y retirando la palabra, resumiendo asuntos y, en su momento, sometiendo a la consideración de todos algunas soluciones parciales desprendidas de la discusión.

Esta persona necesita ser lo suficientemente hábil para detectar cuando es preferible hacer una pausa en el proceso, antes que ponerlo en riesgo. Y aún más, sin dar la impresión de interrumpir con un propósito negativo, como utilizar una de las tácticas correspondiente a la estrategia gana-pierde. También han de mostrar habilidad evitando los malos entendidos provocados por la comunicación deficiente, sea porque las personas no se expresen atinadamente o porque los interlocutores tengan escalas de valores diferentes, y ocasionen interpretaciones no acordes a los mensajes enviados.

El proceso entonces entrará en una fase iterativa de proposición-discusión-acuerdo, que llevará a las partes a alcanzar los objetivos de la negociación. Esta puede ser desarrollada en varias sesiones, incluso, verificar las reuniones en días y lugares diferentes.

Es indispensable que cada propuesta se elabore teniendo en cuenta toda la información recabada relativa a los intereses de la contraparte, sumándoles los detectados durante el proceso de negociación. Asimismo, debe ser compatible con los intereses y posibilidades de la organización oferente. Finalmente se requiere que las propuestas cuenten con suficiente respaldo institucional y que las contraprestaciones exigidas estén dentro de los limites y restricciones del receptor. A veces existen limitantes de carater legislativo, que obligan a rechazar propuestas aunque las partes tengan la intencion de aceptarlas.

210

f) Etapa de formalización y tipología de los acuerdos

El resultado de las reuniones y las acciones descritas anteriormente presentan diferentes características, segun el tipo de negociación de que se trate. En el caso de las intraorganizacionales, frecuentemente se producen minutas o memoranda. En otras ocasiones basta con que dos ingenieros —el de producción y el jefe de un proyecto de desarrollo por ejemplo—, acuerden emplear un tiempo del proceso productivo en probar los resultados de la investigación. Eso basta para que, sin otro documento, se verifiquen las actividades. También es posible que los acuerdos se formalicen en documentos, como presupuestos, programas de actividades y órdenes de compra; material de promoción de actividades técnicas o documentos de divulgación sobre la valoración del personal, que contribuya al proceso de innovación dentro de la organización.

La formalización de las negociaciones, entre una empresa y otros miembros de la cadena institucional, varía también de acuerdo a su naturaleza. En las negociaciones con proveedores, por ejemplo, donde estaría en juego la estandarización de materias primas, a fin de ejercer control de calidad total, los acuerdos se harían en forma de memoranda. La confirmación del cumplimiento se daría cuando cada una de ellas iniciara actividades, como la edición de normas, estándares y especificaciones, elegidas para los productos suministrados por una empresa, y su consecuente sistema de calificación y aprobación por la empresa consumidora.

Sobre negociaciones con clientes, podría hablarse de las que tienden a reducir la variedad de las características superficiales de los productos, a fin de que fabricante y consumidor se vean beneficiados. Como ejemplo puede darse el de una fábrica de telas para tapicería de automóviles que redujo el número de sus almacenes de pigmentos —de varios centenares a menos de cien—, a traves de un acuerdo con sus consumidores. Para elegir tonos que pudiesen elaborarse a partir de este centenar de pigmentos. El cliente accedería a escoger "el tono más cercano" a su gusto, auxiliado por el proveedor y, a cambio, obtendría ventajas en el precio. El fabricante conseguiría ahorros en sus sistemas de almacenamiento de materias primas, disminuiría posibilidades de error en las mezclas y adquiriría mayores volúmenes de pigmentos básicos entre otras ventajas, además de ahorrar en el proceso y eliminar riesgos por errores, debido a lo laborioso de la manufactura.

En cuanto a negociaciones realizadas entre entidades de promoción sectorial y una organización productiva, con la participación del centro cautivo, los acuerdos se formalizan, a veces, a traves de comunicaciones de prensa. En ellas, un grupo de empresas del mismo sector se pronuncia a favor de obtener ventajas comunes, de organismos gubernamentales, o de proyectar una imagen a sus mercados potenciales.

Los acuerdos con entidades de regulación tomarán una forma diferente. Esta puede consistir en la aceptación del registro de un contrato en el organismo gubernamental correspondiente; en el registro de un producto para el sector salud y; otras formas equivalentes, que con frecuencia se presentan entre el sector publico y las empresas. Este tipo de acuerdos no necesariamente incluyen contraprestaciones económicas. A traves del proceso se logran entendimientos que explican la forma de cumplir reglamentos, tendientes al beneficio colectivo. Aunque no se han realizado suficientes estudios lo anterior sugiere una especie de trueque en el cual, a partir de acuerdo y concertación, las partes intercambian sus intereses y se comprometen a realizar acciones.

Las formas y tipos de acuerdos a que llegan las negociaciones son múltiples. Además de los reseñados existen, muchos otros, relacionados íntimamente con su objeto principal y los secundarios, que —como ya se ha explicado—, conforman el conjunto de puntos de interés para los negociadores y sus organizaciones.

Por la importancia del tema relativo a los contratos tecnológicos, se decidió terminar con una lista de ejemplos de formalización de acuerdos de negociacion en los que participa el centro de investigación cautivo. Tales acuerdos se llevan a cabo principalmente entre éste y tecnologistas, firmas de consultoría, centros de investigación públicos o privados, institutos de educación superior y otros. Se realizan con el propósito de prever conflictos; definiendo alcances, derechos y obligaciones. Regularmente involucran contraprestaciones económicas, que entrega el receptor al proveedor de conocimientos en una o varias exhibiciones; con montos constantes que se ajustan a valor presente o; equivalentes a una proporción del negocio realizado, condición en la cual comparten el riesgo ambas organizaciones.

El proceso de negociación consta de varias etapas que se presentan en todos los casos. En ocasiones, dada la sencillez y poco monto del objeto, algunas de ellas resultan obvias y hasta pueden escapar de la atención de los negociadores. Pero cuando están en juego los intereses de una organización, es indispensable realizarlas de manera sistemática y profesional.

Los acuerdos intraorganizacionales, en los cuales el centro demanda un espacio a las áreas productivas, para realizar pruebas, no suelen requerir de un análisis profundo respecto a las necesidades y expectativas de las partes. Sin embargo, es indispensable que ambas tomen en cuenta los intereses personales y las responsabilidades de cada una de ellas. Podría suceder que un area productiva pareciera obstaculizar las pruebas de un desarrollo, aún cuando actuara de acuerdo a los programas de producción comprometidos. Tal situación generaría conflictos con escasa probabilidad de solución a traves de estrategias gana-pierde.

Cuando ocurre lo anterior la empresa sufre fuertes golpes en su ambiente organizacional. En el mejor de los casos, las partes llevarían el conflicto a su jefe, colocándolo en posicion de juez y demandando, cada una, que se le otorgara la razón. Si los negociantes hubiesen reconocido recíprocamente sus intereses, habrían diseñado una solución que permitiera el desarrollo de las pruebas, sin alterar los volúmenes totales de producción; tendrían posibilidades de merecer reconocimiento, en medida proporcional al esfuerzo realizado, evitando que el jefe gastara tiempo y esfuerzo en diseñar una solución. Si éste no hubiera sido distraído de otras actividades más productivas, contarían con su agradecimiento y simpatía.

En resumen, todo proceso de negociación tiene como base de su desarrollo un objeto central, al que se agregan los generados por la superposición de intereses de los participantes. Por eso, debe buscar satisfacerlos todos, con soluciones que atiendan, en forma equilibrada, los propósitos de ambas partes. Los eventos realizados han de guardar proporción con los resultados esperados, lo que obliga a estar atentos, cuidando la asignación y ejecución de presupuestos y recursos consumidos en el proceso. La obtención de acuerdos depende de la complementariedad posible entre las organizaciones representadas; los intereses y relaciones interpersonales y; el manejo y preparación que se haga del proceso. Dependiendo del objeto central, variará el tipo de acuerdo alcanzado y, aún éstos, pueden tomar formar diversas, que siempre deben representar los intereses y voluntad de quienes los suscriben.

212

3 — FORMAS Y CONTENIDOS DE ACUERDOS TECNOLÓGICOS

Dada la diversidad y formas de presentación de los acuerdos producto de la negociación, a continuación se presenta una de las más complejas, considerada como la de mayor importancia, uso y utilidad, para la vinculación del centro cautivo y los miembros de la cadena institucional, sean de procedencia nacional o internacional. Se trata de los contratos tecnológicos.

Utilidad

Los contratos que nos interesan se emplean principalmente para el desarrollo compartido de proyectos de innovación tecnológica, tendientes a desagregar, adaptar, mejorar o integrar paquetes tecnológicos. También se emplean en la adquisición de esos paquetes o partes de ellos, ya sea a traves de compra o licenciamiento de tecnologistas que, regularmente, son empresas exitosas debido en buena parte a sus actividades de investigación y desarrollo de proyectos.

Tratándose de la desagregación de un paquete, el contrato regulara las relaciones entre la organización y los miembros de la cadena institucional, con capacidad para desarrollar algunas fases del proyecto para encontrar las bases de diseño del paquete en operación, que se desea renovar debido a que su rentabilidad ha llegado a la etapa de los rendimientos decrecientes. El proyecto podría consistir en lo siguiente.

1. Evaluación del mercado potencial.
2. Análisis del ciclo de vida de los productos hoy elaborados y
3. De las dimensiones tecnológicas de estos productos.
4. Análisis y determinación de las variables críticas del proceso utilizado.
5. Calificación del nivel de obsolescencia de los equipos en operación.
6. Evaluación de la viabilidade del proyecto.

Desarrollarlo hace necesario vincular, por lo menos, dos miembros de la cadena institucional, una organización de asesoría y consultoría, —a fin de realizar el análisis de mercado—, y un centro de investigación. El contrato con el centro tendría que especificar el alcance, que para el caso supuesto cubriría los puntos 3, 4 y 5. No bastaría para ello una redacción lacónica, sino que tendría que hacerse con cuidado y en la forma más completa posible para no dejar dudas sobre lo que se espera obtener de la interacción. En ese caso es posible utilizar anexos. Estos permiten establecer con toda amplitud los puntos mencionados. Así, en el contrato quedaría plasmados tanto el compromiso adquirido, el plazo, los recursos necesarios y lo que se espera, como el método y los parámetros a emplearse para calificar los resultados obtenidos.

En el caso de mejorar —equivalente al de adaptar— un paquete tecnológico, puden concebirse proyectos y estructuras similares a la siguiente.

1. Caracterización de la mejora.
2. Evaluación de viabilidad.
3. Modelo teórico de la solución.
4. Pruebas de laboratorio.
5. Elaboracion de prototipo.

213

6. Pruebas y correcciones del prototipo.
7. Evaluación final de resultados y calificación de viabilidad.
8. Implantación de la mejora al paquete en operación.
9. Evaluacion de resultados de la operación dela mejora, en el paquete, y corroboración de los supuestos para la viabilidad del proyecto.

De los miembros de la cadena institucional que participen en este proyecto derivará la vinculación a desarrollar entre un centro de investigación universitario y la organización productiva. En adición a las recomendaciones dadas en el ejemplo anterior para la elaboración del contrato —relacionadas con la puntualización sobre el objetivo; alcances y resultados esperados, entre otros—, cabe resaltar otros aspectos: la posible publicación de resultados; su sublicenciamiento; derechos sobre la propiedad industrial de los mismos; pago de regalías; lo secreto y confidencial de la información. Ello, entre otros aspectos relevantes de los derechos y obligaciones generados por la suscripción del contrato.

Por ejemplo, durante el proceso de negociación pudo acordarse que los investigadores universitarios aparecieran como autores de patentes —otros títulos de propiedad industrial que pudieran tramitarse—, fundadas en los resultados obtenidos, que la universidad figurara como titular de los derechos mencionados, encargándose de tramitarlos, mantenerlos y pagar sus costos, recibiendo por ellos un pago de regalías de la empresa. Adicionalmente podría haberse acordado, también, que la empresa pagara en estos casos las regalías correspondientes a la universidad —la cual las compartiría con sus investigadores—, y adquiriría el derecho sobre su exclusividad incondicionada.

Realizando acciones como las mencionadas y estableciendo los contratos correspondientes, con otros cogeneradores de los conocimientos necesarios para mejorar al paquete tecnológico, se alcanzará la culminación del proyecto. Si alcanzó éxito, se habrá actualizado el paquete tecnológico, incrementando su rentabilidad y mejorando la posición estratégica de la empresa en el mercado.

La generación de paquetes tecnológicos incrementa la complejidad de las negociaciones y los contratos correspondientes. Sin embargo, no existen cambios sustantivos entre los acuerdos aquí ejemplificados y los que pudieran derivar de proyectos de mayor envergadura. Los ejemplos presentados sirven para dar una idea de la utilidad de los contratos cuando se generan conocimientos tendientes a ser utilizados en los paquetes tecnológicos en operación.

La mayoría de los puntos tratados hasta ahora son aplicables, también, a los casos de licenciamiento. En éstos habría que resaltar los temas que tienen que ver con la capacitación del personal de la empresa licenciante y los relacionados con propósitos de asimilación de la tecnología. Es posible establecer políticas de beneficio al país o región donde se encuentra enclavada la empresa licenciante, ya que con la participacion de su centro de investigación cautivo sería fácil desagregar el paquete por adquirir, con el propósito de identificar los módulos, equipos o partes del proceso, factibles de ser suministrados por la industria local. Asimismo, será responsabilidad del centro empresarial identificar las materias primas locales que puedieran emplearse como sustituto de las marcas especificadas por el tecnologista. De esta manera la participación del centro en el proceso de negociación y en la formalización de los acuerdos adquiere especial relevancia.

Cuadro 2 — Clausulados típicos de los contratos tecnológicos

Objeto del contrato clausula	Desarrollo de tecnología	Transferencia de tecnología	Asistencia técnica	Servicios de ingeniería	Servicios tecnológicos	Licenciamiento y venta de marcas	Licenciamiento y venta de patentes
Definiciones	*	*	*	*	*	*	*
Objeto	*	*	*	*	*	*	*
Alcance	*	*	*	*	*		
Aportaciones de la UNAM	*	*	*	*	*		
Aportaciones del Usuario	*	*	*	*	*		
Pagos y/o contraprestaciones	*	*	*	*	*	*	*
Vigilancia de Actividades y mecanismos de control	*						
Participacion en actividades de la contraparte	*			*			
Propiedad industrial de los resultados	*						
Secrecía y Confidencialidad	*	*	*	*	*		
Derecho a publicación	*						
Transferibilidad	*	*				*	*
Sublicenciamiento	*	*				*	*
Subcontratación	*		*	*	*		

215

Continuacion Cuadro 2

Objeto del contrato cláusula	Desarrollo de tecnología	Transferencia de tecnología	Asistencia técnica	Servicios de ingeniería	Servicios tecnológicos	Licenciamiento y venta de marcas	Licenciamiento y venta de patentes
Capacitación	*	*	*		*		*
Aportación de mejoras	*	*					*
Garantías	*	*	*	*	*	*	*
Compromisos con terceros	*	*	*			*	*
Responsabilidad	*	*	*		*		
Territorialidad	*	*	*			*	*
Exclusividad	*	*				*	*
Asistencia técnica	*	*	*	*	*		*
Interlocutores	*	*	*	*	*	*	*
Terminación Anticipada	*	*	*	*	*	*	*
Reseición y penalidades	*	*	*	*	*	*	*
Suspensión	*	*	*	*	*	*	*
Vigencia	*	*	*	*	*	*	*
Exclusión de relaciones laborales	*	*	*	*	*	*	*
Registro del contrato	*	*	*	*		*	*
Impuestos	*	*	*	*	*	*	*
Arbitraje y tribunales competentes	*	*	*	*	*	*	*

Es escasa la literatura que muestre "redacciones de cláusulas de contratos tecnológicos", seguramente por lo difícil que resulta generalizar eventos tan casuísticos. A fin de aportar algo sobre el particular, el Cuadro 2 presenta un listado de las cláusulas que con mayor frecuencia aparecen en contratos tecnológicos y que se relacionan con los diferentes objetos contractuales en la materia.

La lista presentada en el Cuadro 2 es enunciativa. En cada caso deberá contrastarse con los intereses de las partes y los derechos y obligaciones adquiridos. Además, la redacción de cada demanda tiene tal especificidad que imposibilita ofrecer ejemplos generales. Sin embargo, de la claridad de la redaccion y lo completo de su contenido dependerá la utilidad del contrato. Por tanto, deberán excluirse los términos ambiguos y polivalentes, recomendándose precisión en la terminología empleada.

Los objetos contractuales presentados para su estudio en el mismo Cuadro 2, no suelen presentarse desagregados en las negociaciones reales. Asi, ha de considerarse como muy probable el encontrar mezclas de objetos, en proporción directa a la complejidad del proyecto tratado. Por ejemplo, en el licenciamiento de paquetes tecnológicos podrían mezclarse las cláusulas correspondientes a los contratos de transferência de tecnología, asistencia técnica, servicios de ingeniería y licenciamento de marcas y patentes. Todo ésto en un solo documento suscrito entre licenciante y tecnologista.

ESTRUCTURA

Respecto a la estructura de los contratos tecnológicos, se muestra una forma de presentarlos. Tal presentación, dependiendo de la legislación vigente puede variar.

ESTRUCTURA DE UN CONTRATO TECNOLOGICO

PROEMIO

DECLARATORIA

CLAUSULADO

VALIDACION

Cada una de las secciones mencionadas cumple funciones específicas, relacionadas con las formas jurídicas existentes en materia de contratos. Abundando en su contenido, se presenta un listado y ejemplos de cada una de ellas.

Ejemplos de cláusulas para contratos de licenciamiento de paquetes tecnológicos.

A) Objeto.

El objeto del presente contrato es la transferencia de la tecnología para la producción de fibras de poliester.

SECCION Y CONTENIDO	EJEMPLOS
* PROEMIO	
• Nominación del contrato	Contratos de desarrollo tecnológico, de licenciamiento de patente; etc.
• Nominación de las partes	Licenciadora de tecnología Brasileña S.A.
• Nombre resumido	"Licenciante".
• Nominación del Representante	Representada por su director general Sr. ....
* DECLARATORIA	
• Propósito de la organización	Es una organizacion dedicada a la manufactura de ...
• Datos sobre su constitución legal	Nombre y número de registros, — fechas, etc.
• Domicilio fiscal	
• Propósito del contrato	Los que suscriben tienen el propósito de alcanzar los resultados derivados del objeto del contrato, comprometiendo los recursos que en él se mencionan, con el fin de dar cumplimiento a sus objetivos.
• Declaración de buena fé	La suscripcion del presente contrato se realiza por voluntad de las partes sin ningún tipo de coersión. En caso de que surgieran controversias derivadas de su operación, se tratará de resolverlas a traves del acuerdo y concertación de voluntades, bajo principios de .buena fé y cuidado recíproco de los intereses.
* CLAUSULADO	

• Objeto
   • Alcance
   • Contraprestaciones
   • Derechos y obligaciones sobre beneficios derivados del objeto
   • Derechos y obligaciones con terceros
   • Cumplimiento de obligaciones establecidos en normas jurídicas y reglamentos
	NB: Los ejemplos de esta sección se presentan al final. Ya que es la parte más importante del contrato se tratarán con amplitud.

* VALIDACION	
• Cantidad de ejemplares firmados	Se firman por duplicado.
• Lugar	Cd. de São Paulo, Brasil.
• Fecha	30 de mayo de 1988-91.
• Firmantes	Por la empresa Sr... director general.
• Testigos	Nombre y representación, en su caso

B) Alcance.

B.1 — El tecnologista se compromete a entregar la documentación correspondiente, en forma de planos, manuales, guías, normas, especificaciones y otros documentos, a fin de proveer a la licenciante de los conocimientos suficientes para construir y operar una planta con capacidad de 10,000 toneladas por año de fibra de poliester. La información proporcionada cubrirá la tecnología de

Equipo	(ver anexo 1),
Proceso	(ver anexo 2),
Producto	(ver anexo 3),
Operación	(ver anexo 4),

Para cada una de las áreas cubiertas por el alcance del presente contrato.*

B.2 — Las áreas cubiertas por el alcance mencionado son:

- Proceso continuo.
- Estirado, torcido y embobinado.
- Teñido.
- Servicios.

B.3 — El tecnologista capacitará a dos ingenieros del licenciante por cada una de las areas mencionadas en el punto B.2, durante un período que variará según el caso y que será precisado de acuerdo a las características curriculares de ellos y lo complejo de la tarea por realizar. En todo caso, la contraprestación por este rubro queda establecida en el capitulo NX de la clausula "contraprestaciones".

B.4 — La capacitación del personal de la licenciante, mencionado en el punto B.3, y la información suministrada por el tecnologista deberán ser completas para que permitan la asimilación de la tecnología adquirida. El tecnologista se obliga, por tanto, a responder cualquier pregunta relacionada con la misma que le formule el personal del licenciante, a traves de su representante.

B.5 — El tecnologista se obliga a entregar al licenciante un listado completo del equipo principal y sus auxiliares, con las especificaciones correspondientes y una recomendación sobre los tres principales fabricantes. El licenciante podrá decidir, seleccionando de entre los fabricantes mencionados o de los proveedores locales, siempre que el equipo adquirido cumpla con las especificaciones del tecnologista. En caso de cambios el licenciante se obliga a consultar al tecnologista sobre el particular y éste a responder en un plazo no mayor de una semana.

Para aquellos casos en que hubiera patentes y marcas involucradas como se mencionó, se habrían especificado en las declaraciones y esta cláusula establecería lo siguiente:

(*) Los anexos especificarían con precisión las características de cada parte del paquete tecnológico.

B.6 — La patente mencionada en el apartado NX de la declaración "títulos de propiedad industrial" queda comprendida dentro del alcance del presente licenciamiento. Su vigencia, dentro de los limites geográficos, mencionados en la cláusula "territorio", será mantenida por el licenciante. En caso de que caduque antes de los cuatro años establecidos en la declaración, la contraprestación establecida en la clausula NX dejará de surtir efecto, en la misma fecha de la caducidad.

Así, es posible establecer un sinnúmero de apartados, que cubran, en forma exhaustiva, todos los aspectos técnicos y de títulos de propiedad correspondientes al alcance. Además, estarían aquellos relacionados con las obligaciones y derechos generados por la suscripción del acuerdo. Es en esta sección donde los conocimientos del personal del centro cautivo tienen especial importancia. No debe olvidarse que cada acuerdo que genere un apartado en el alcance lleva implícita una contraprestación. Esta aparecerá en el apartado correspondiente, estableciendo el pago de una cantidad en moneda y en fecha predeterminadas.

Como se dijo antes, es difícil presentar reglas generales para estos casos. Sin embargo el presentado a guisa de ejemplo da idea de lo laboriosa que puede resultar la redaccion de un contrato tecnológico. También trata de sugerir algunas capacidades, complementarias a las habilidades técnicas de los negociadores.

Continuando los ejemplos de cláusulado, corresponde ver ahora el de clausulas de contraprestaciones.

Contraprestaciones

A) El licenciante pagará al tecnologista $100.00 (cien dólares americanos) por cada plano mencionado en el "alcance" del presente contrato. Esta cantidad se pagará en una sóla exhibición mediante carta de crédito irrevocable de un banco norteamericano.

B) El licenciante pagará al tecnologista el 1.5% (uno y medio por ciento) de las ventas totales del poliester elaborado con la tecnología objeto de este contrato.

En caso de duda, el volumen de ventas podrá ser corroborado por el tecnologista a traves de la inspección de los registros de ventas de la empresa.

El pago correspondiente se realizará en dólares americanos, calculados con el tipo oficial existente en la plaza del licenciante el día de vencimiento de esta obligación. El pago se hará semestralmente durante tres años, el primero de ellos corresponderá precisamente a la fecha que inicia seis meses después de la convenida para el arranque de la planta.

Para ejemplificar algunos casos de derechos y obligaciones derivados del objeto, se enuncian los siguientes:

Sublicenciamiento

El licenciante no podrá transmitir los conocimientos objeto de este contrato a terceros, sin el consentimiento expreso y por escrito del tecnologista.

Secreto y confidencialidad

Las partes acuerdan mantener en secreto y confidencialmente toda información relativa a la negociación realizada y los términos contractuales de la misma. La información técnica y comercial relacionada con el objeto de este contrato también queda sujeta a esta obligación.

Cada parte se asegurara de que su personal atienda esta obligación, a traves de acuerdos de confidencialidad, establecidos por ambas partes de conformidad. Estos acuerdos tendrán una vigencia de cinco años.

Resta, ahora, hablar de las cláusulas tendientes a dar cumplimiento a obligaciones establecidas por normas jurídicas y reglamentos, aplicables a la localidad donde se ubique la empresa licenciante. En ocasiones, tales reglamentaciones pueden provocar cambios en el paquete tecnológico, que deber án ser realizados antes de su operación por el tecnologista o por el licenciante, con autorización del primero.

Ejemplificando lo anterior se presenta la siguiente cláusula.

Efluentes: de acuerdo con el artículo X de la ley para prevenir la contaminación ambiental, el tecnologista garantiza que la temperatura del agua de enfriamiento y lavado del proceso, que se descargue al sistema de drenaje público no excederá de 25 grados centígrados.

Se podría seguir enunciando una serie de acuerdos, a manera de ejemplos. Todos ellos tendrían úna sóla característica común: la precisión y claridad con que se detalla cada obligación. En términos generales, las cláusulas de un acuerdo tienen que ser redactadas con extremo cuidado en lo que se refiere a la terminología, evitando contradicciones. Especifica, exhaustiva y abundante debe ser la descripción de los derechos y obligaciones adquiridos. Es importante que en ellas se establezcan las fórmulas para resolver posibles controversias y eludir conflictos que dañan las relaciones intraorganizacionales.

La utilidad de un contrato depende de su claridade y cobertura. Habrá que cuidar la consistencia de términos a lo largo de cada sección. Si se cuidan estos detalles, se tendrá un instrumento que apoye y fortalezca las relaciones entre dos organismos. Para terminar, una frase conocida mundialmente: "El mejor contrato es aquel que no se usa, salvo como apoyo al seguimiento y evaluación de las acciones".

4 — CARACTERISTICAS DE LOS NEGOCIADORES DE TECNOLOGIA

El último punto de este capítulo se refiere a los conocimientos y habilidades de los negociadores tecnológicos que obtienen éxitos. Antes de presentar un listado de las cualidades, virtudes y conocimientos que definen las habilidades y posibilidades de éxito de un negociador, conviene recordar, que al inicio de este capítulo, se llamó la atencion sobre lo difícil que resulta encontrar personas que acumulen muchas de las características idóneas. La negociación es una actividad humana presente en casi todas las situaciones en las que interactúan las personas y se ve alterado por todo aquello que afecte la conducta de los individuos que participan en ella. De esta manera, la dinámica del proceso estará condicionada por las características de los negociadores, las condiciones del momento y el producto de la relación interpesonal establecida.

Pero la situación es más compleja aún. Según la teoría que sostienen algunos psicólogos. Existen dos mecanismos diferentes para procesar pensamientos. Uno, regido por la lógica y los conocimientos, en un proceso consciente y lineal. Otro, por los sentimientos y emociones, en un proceso inconsciente e intuitivo. Adoptar esta teoría implica aceptar que cada hemisferio cerebral trabaja con un mecanismo distinto y que las decisiones —respuestas a estímulos—, se elaboran por el hemisferio dominante. Así, dependiendo de las circunstancias, emergen las emociones suprimiendo la lógica racional o, en otras situaciones, los sentimientos y emociones se reprimen para dar paso a decisiones y respuestas que corresponden a una forma de pensamiento lógica y consciente.

El problema es que la teoría no explica como inclinar a las personas por una u otra manera de pensar. Tampoco distingue cual forma proporciona los mejores resultados. Al parecer, emociones intensas, situaciones de peligro o insatisfacción profunda son algunas causas de pensamiento lateral. El confort, relajamiento, interés y cordialidad serían algunos de los factores que favorecieran el pensamiento lineal. Aunque una u otra forma de pensamiento proporciona buenos resultados, la literatura especializada sugiere que una mezcla de ambas lleva un punto de equilibrio óptimo para obtener exito.

Con las reservas que se desprenden de lo anterior, se presenta un listado de características propias de los negociadores exitosos.

Rasgos de caracter

Introspectivos.

> Afinidad por el riesgo.
> Capacidad de autosatisfacción y autocontrol.
> Alto nivel de acertividad, creatividad, objetividad y realización.
> Pensamiento positivo y sistemático.

Hacia otros.

> Alta competencia interpersonal.
> Alto nivel de relacionamiento.
> Necesidad de triunfo y reconocimiento.
> Valor para romper con atavismos.
> Gran dosis de persistencia/paciencia/flexibilidad.

Habilidades para:

> Generar ideas bajo situaciones de presión;
> Conducirse en condiciones de incertidumbre;
> Distinguir entre estrategias y tácticas;
> Predecir efectos de las soluciones, sobre otros elementos del sistema (evaluación sistemica);
> Memorizar nombres, situaciones e informacion;
> Reconocer cualidades y deficiencias de las personas;
> Distinguir entre derechos y suposiciones;
> Reconocer o actuar como líder o moderador.

Capacidades

Casuísticas.

Conocimiento de las disciplinas relacionadas con la tecnología en cuestión.
Capacidad de seleccionar, sintetizar y clasificar información técnica, política, de mercado, financiera, etc., relacionada con la materia.
Conocimientos sobre:
Legislación de propiedad industrial:
Dimensiones y techos tecnológicos, tanto del paquete tecnológico como de los bienes y servicios elaborados;
De leyes y reglamentos relacionados con el tipo de industria;
Ubicación y producto elaborado;
Sobre el mercado potencial y sus características;
El costo de las diferentes etapas del proyecto.

Generales.

Conocimientos sobre:
El proceso de innovación tecnológica; conformación y contenido de paquetes tecnológicos;
El proceso de negociación, técnicas de creatividad, conducción de reuniones, liderazgo.
Planificación de proyectos por etapas y su consecuente industrialización integral;
El entorno industrial y económico;
Patentes y otras figuras de propiedad industrial, integración de documentos, estrategias de patenteamiento, vigencia y otros datos relevantes.

Cada negociador tecnológico combina algunos de éstos atributos. La mezcla y proporción de éstos, que permiten a una persona tener éxitos, no producen el mismo efecto en otras. Así, aunque algunos rasgos parecen conformar el mayor factor de exito, éste dependerá de los rasgos presentados por otros elementos del grupo negociador.

Dejando a un lado las virtudes no relacionadas con la formación individual, el grupo negociador deberá contar por lo menos con un elemento de alta capacidad en la materia, lo que justifica y hace indispensable la presencia del centro cautivo. Para terminar, ya que no es posible mencionar una mezcla idónea de características, es conveniente dejar asentados algunos aspectos que, necesariamente, dificultarán al proceso negociador.

Las personas volubles, impresionables, manipulables o egocéntricas, al igual que las agresivas o demasiado sensibles, inseguras o poco dinámicas, —la antitesis de algunas de las características positivas mencionadas—, limitan y obstaculizan los proceso de negociacion, elevando el consumo de recursos y haciendo prácticamente imposible alcanzar acuerdos.

Las negociaciones de los centros de investigacion cautivos se llevan a cabo por muy diversas razones y con interlocutores ubicados en las mas distintas areas de la actividad de un pais. De cada interlocutor es posible obtener beneficios para la empresa, estructurados de tal forma que las otras organizaciones tambien se vean beneficiadas. En cada proceso de negociación seguido, hay intereses, de carácter personal, que

223

pueden obstaculizar las acciones. Sin embargo, contando con conocimientos sobre técnicas y tácticas de negociación, es posible emplearlos en beneficio de los representados.

Por lo tanto, el bagaje de conocimientos de los negociadores tecnológicos no debe circunscribirse a las disciplinas corelativas a un caso. Ha de abarcar otras, más ligadas a la administración: relaciones interpersonales, de orden conductual y de comunicación. Un buen negociador cuidará los detalles que permitan a sus interlocutores generar un mayor número de ideas y, de entre ellos seleccionar la solución óptima de los problemas y conflictos. Asegurará la disponibilidad de todos los elementos necesarios para realizar juicios apropiados y cuidará las relaciones, a largo plazo, de ambas organizaciones.

Los acuerdos que formalizan los resultados de la negociación, tienen presentaciones que varían según el caso y su propósito.

Los contratos son la forma más sofisticada de los acuerdos tecnológicos, pero no por ello la más importante. Existen algunas convenciones para su elaboración y su nivel de complejidad varía según lo complicado del proyecto o actividad en cuestión. Resulta poco útil hablar de reglas para redactarlos. Sin embargo existen algunos lineamientos generales que, de aplicarse, cumplirían una función importante: conformar documentos legibles y útiles.

Las negociaciones alcanzarán su punto culminante cuando produzcan contratos equilibrados, en los que se prevean todas las posibles razones de conflicto y ofrezcan las fórmulas necesarias para ventilar controversias, sin perjuicio de los contratantes. De esta manera garantizarían las relaciones de largo plazo entre las organizaciones miembros de la cadena institucional, favoreciendo la generación de tecnología.

La negociación, por lo tanto, ofrece al centro cautivo la posibilidad de realizar sus funciones de acuerdo con los planes y programas establecidos, le permite vincularse con otros para completar sus capacidades y le proporciona la forma de articular sus resultados con el quehacer industrial cotidiano.

BIBLIOGRAFIA

ANDERSON, B.F. — Cognitive psychology: the study of knowing, learning, and thinking, N. Y., Academic Press 1975.

ANDERSON, B.F. — The complete thinker, Prentice-Hall, N. Jersey, 1980.

ANONIMO — Pautas para la evaluacion de acuerdos de transferencia de tecnologia. Serie onudi sobre desarrollo y transferencia de tecnologia, N? 12. Naciones Unidas, N.Y., 1981.

ARNOLD, J.D. — The art of decision making, Division of American Management Associations, N.Y., USA, 1978.

BELLO DEL, J.C. — Guia de acuerdos de vinculacion tecnologica entre centros de I&D y empresas. Secretaria de ciencia y tecnica. Argentina, 1985. (version preliminar)

CADENA, G. — Et al. Administracion de proyectos de innovacion tecnologica. Ed. Gernika, Mexico, 1986.

CADENA, G. y Solleiro, J.L. — Guia universitaria de elaboracion de contracatos tecnologicos. Universidad Nacional Autonoma de Mexico, 1988, (En prensa).

FISHER, R. y URY, W. — Getting to yes: negotiating agreement without giving in. Penguin Books, N.Y., 1981.

GIRAL, J. y GONZALEZ, G. — Tecnologia apropiada, Ed. Alhambra, Mexico 1980.

POSNER, M.I. — Cognition: an introduction, Glenview, I11. 1973.

ROSENBERG, P.D. — What every research administrator should know about patent law, Sra. Journal Winter, 1979/33.

SELTZ D.D. y MODICA, A. J. — La negociacion eficaz. Compañia general de edicion S.A. de C.V., Mexico, 1986.

Gestão da qualidade em P&D

Edgard Pedreira de Cerqueira Neto

CONTEÚDO

1 — INTRODUÇÃO

O Centro Cativo de Pesquisa e Desenvolvimento (CCPD) é organização presta-dora de serviço para Unidades Operacionais e/ou de Administração Geral da empre-sa a que pertence. Representa uma das necessidades estratégicas dela em relação ao aprimoramento contínuo do processo produtivo de bens e riquezas para um mercado cada dia mais repleto de ameaças, coações e ambigüidades.

A atividade de prestação de serviço começa, portanto, na definição das necessi-dades internas da empresa, relativamente, à postura estratégica que pretende ter no mercado. Passa pela emissão e entrega a seu cliente de documentação formal. Mas só termina quando se sabe da satisfação do cliente do CCPD com as informações presta-das. Para tanto a documentação formal deve conter informação confiável, ou seja exata e precisa. Sabe-se que documentação formal é sempre o resultado da ação de operadores habilitados sobre arquivos, organizados a partir de dados gerados por controles, exercidos nos locais de trabalho, aplicando metodologias referendadas (software), em instrumentos/equipamentos (hardware) aferidos e calibrados.

A qualidade de P&D guarda estreita relação com o processo de administrar, produzir e vender informação confiável, adequada ao uso de um cliente, interno ou externo ao CCPD. Cliente é o consumidor e/ou usuário da informação que ele presta.

Deve ficar claro, nesta introdução, que falar da qualidade de P&D é falar da qualidade no CCPD. A atenção deste capítulo está centrada na instituição de pesqui-sa e desenvolvimento, e não para o projeto ou qualquer outro subsistema interno, por mais importante e relevante que ele possa ser. O controle total sobre a qualidade de P&D é o controle total sobre a qualidade do CCPD. Trata-se de um processo do CCPD, de natureza gerencial, que considera a qualidade como objetivo, e não como função. Envolve, portanto, todas suas áreas e funções que afetam o processo decisório interno e externo.

Após descrição "do que é mesmo um CCPD", relata-se sobre três atividades de-senvolvidas pelo autor desde 1982. Duas premissas são estabelecidas para gestão da qualidade. Comenta-se sobre uma estratégia para desenvolver qualidade. Acrescenta-se um pouco mais de informação sobre sistema da qualidade e o projeto da qualidade. Mostra-se que não será possível gerar ação formalizada se não existem diretrizes da Administração Superior sobre o assunto. Finalmente, conclusões e recomendações apontam para o executivo principal do CCPD a quem cabe iniciar o processo de for-mular e implementar qualidade.

Este capítulo tem, portanto, três objetivos:

  (i) apresentar experiências vividas pelo autor;
 (ii) desenvolver estratégia para planejar a qualidade no CCPD;
(iii) propor ações para subsidiar a implantação da qualidade pretendida pelo CCPD.

2 — A QUALIDADE E A ATIVIDADE DE PESQUISA E DESENVOLVIMENTO

Garantia da qualidade de um produto ou serviço deve ser entendida segundo as ações que a compõe. São elas: ação de controle da qualidade, ação de avaliar a quali-

Figura 1

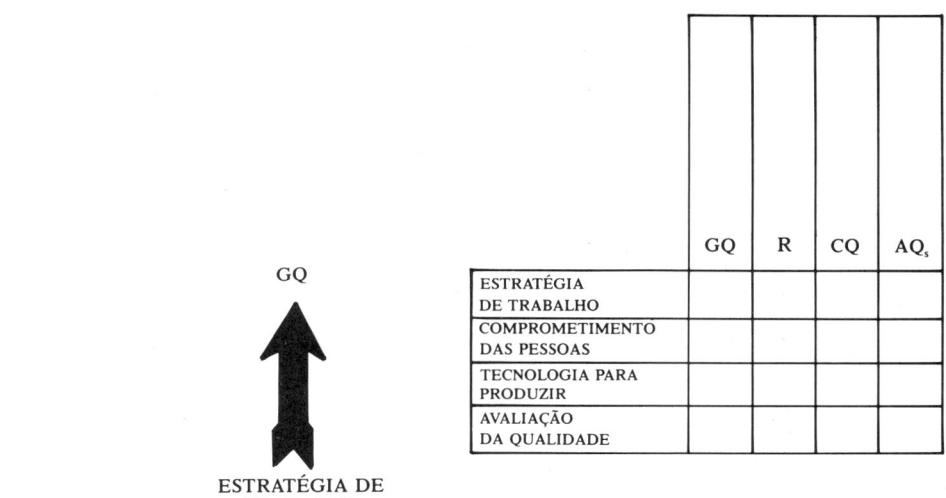

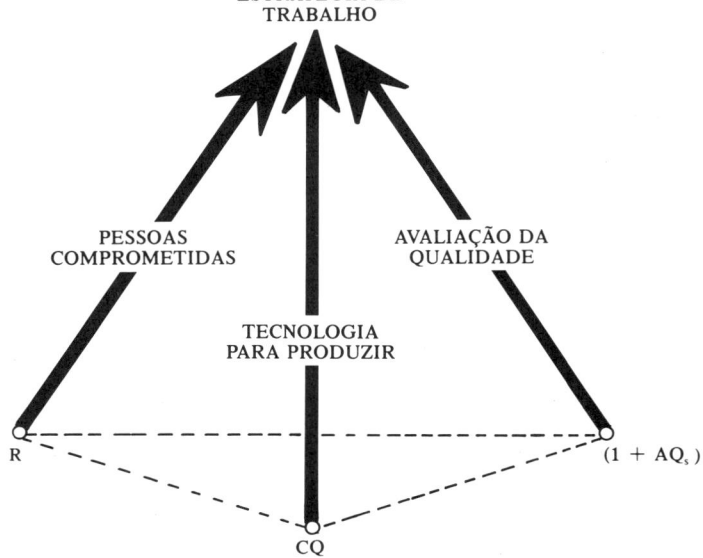

dade segundo abordagem sistêmica, e conscientização para o negócio da qualidade das pessoas envolvidas em um processo produtivo. Se o processo produtivo é pesquisar e/ou desenvolver novos produtos, serviços, materiais e técnicas, a garantia da qualidade assume certas peculiaridades que justificam a análise, em separado, de seus princípios fundamentais. Este tópico apresenta fundamentos para aplicação dos princípios da qualidade nas atividades de pesquisa e desenvolvimento. Enfatiza o Centro Cativo de Pesquisa e Desenvolvimento (CCPD), como o grande laboratório, onde se desenvolvem inovações tecnológicas relativas às necessidades de produtos e serviços da empresa no mercado, onde ela opera. São tratados também alguns fundamentos do planejamento do programa da qualidade, além de outros assuntos ligados ao controle total da qualidade na atividade de pesquisa e desenvolvimento.

Não poderá haver uma estratégia empresarial para a qualidade (GQ) sem recursos humanos (k $\neq$ 0) habilitados e estrutura de tecnologia definida (CQ $\neq$ 0) na empresa. A falta de sistema de avaliação da qualidade (AQ_s = 0) acarreta estratégia empresarial inadequada para o tratamento dos negócios da qualidade. A figura 1 apresenta como esses "vetores" compõem a estratégia da qualidade na empresa, mostrando a correlação existente entre estratégia e garantia da qualidade; estrutura de tecnologia na empresa e controle da qualidade; recursos humanos e operadores habilitados e, finalmente, sistema de suporte e avaliação da qualidade segundo abordagem sistêmica. A expressão abaixo, desenvolvida pelo autor, indica o interrelacionamento entre essas variáveis, onde os s em AQ_s significa abordagem sistêmica, ou seja, deve-se maximizar um conjunto de objetivos, e não ficar concentrado em um único.

$$GQ = k \cdot CQ \, (1 + AQ_s)$$

O que é mesmo o CCPD?

O Centro Cativo de P&D (CCPD) é a organização que pertence, como o próprio nome indica, a uma empresa que lhe libera recursos, apresenta clientes, impõe grupos regualmentadores, e cria concorrentes. Como tal é fruto da diferenciação realizada pela empresa na busca de resultados que garantirão sua sobrevivência no mercado. A mesma atitude de diferenciação que criou o CCPD motivou o Executivo Principal da empresa (Figura 2) a criar outros departamentos, entre os quais, o que estrutura a comercialização de ítens para atender necessidades da sociedade. Item é qualquer matéria-prima, parte, componente, subconjunto, equipamento, subsistema, sistema, estrutura ou produto acabado, que possa ser considerado individualmente.

A partir de uma necessidade da sociedade as pessoas organizam idéias para gerar tecnologia (soma de conhecimento). Esta se materializa na empresa através de itens que devem ser distribuídos no espaço físico empresarial para compor seu processo produtivo. O CCPD é um componente desse processo produtivo empresarial. Entre o executivo principal do CCPD (nível tático) e o supervisor de uma estação de trabalho qualquer do CCPD estão os cientistas, os engenheiros, os administradores de tecnologia. É, portanto, através dessas pessoas que as informações do mercado são absorvidas e transformadas em idéias que irão gerar os resultados da pesquisa e desenvolvimento através do processo produtivo de informações tecnológicas sobre e para os

230

produtos e serviços da empresa. Estes resultados estão nos projetos de P&D, ou muitas vezes aparecem como serviços de P&D diretamente às Unidades Operacionais da empresa.

A gestão do CCPD

E como deve ser gerenciado o CCPD? Será que as mesmas normas e procedimentos válidos para outras Unidades da empresa são válidos para o CCPD? Não há nada mais permanente que a mudança, e assim também a estratégia empresarial muda, em função, principalmente, de alterações no contexto mercadológico.

Todo gerente é um profissional que, basicamente se ocupa de: planejar, negociar e administrar o tempo de 168 horas por semana que a mãe natureza lhe entrega. O gerente de P&D, portanto, é aquele que, em qualquer nível hierárquico do CCPD que esteja investido, desempenha três papéis: planejar, negociar e administrar o tempo de 168 horas por semana. Para tanto deve deslocar-se com afetividade.

A gestão do CCPD, portanto, é um processo que envolve:

- Planejamento do CCPD (sistema) e do projeto de pesquisa e desenvolvimento (microssistema), a partir do estabelecido pela empresa como necessidade;
- implementação de ações e procedimentos planejados;
- controle sobre a execução.

Não há fórmula mágica que diga como promover a gestão do CCPD. Pelo fato dele ser dependente da empresa que o criou ele deve ser gerenciado considerando como condições de contorno tudo que é estabelecido pela empresa em sua missão institucional, em seus objetivos de negócio, em suas estratégias de atuação e, finalmente, em suas diretrizes (políticas) programáticas. Claro que muitas normas e procedimentos válidos para outras Unidades da empresa são válidas também para o CCPD. Isto permitirá: adaptá-las aos estilos das pessoas que trabalham em P&D; ao contexto em que a P&D está inserida e, finalmente às evidências objetivas/fatos que caracterizam o processo P&D que se busca. Trata-se de um processo de redução de incertezas. Será que essas incertezas devem chegar até o CCPD, ou deve haver um modelo de gestão que considere as normais contingências, ameaças, ambigüidades e coações do nível estratégico empresarial, mas que transforme o núcleo técnico CCPD em núcleo de eficiência? Claro que deve haver um modelo de gestão.

Entre as muitas formas capazes de fundamentar a gestão do CCPD aquela que contempla estratégia voltada para qualidade e produtividade é a eleita neste trabalho.

Sistema da qualidade do CCPD

Sistema é um conjunto de dois ou mais elementos que interagem, visando atingir um objetivo comum. Em outras palavras é um conjunto de relacionamento.

Sistema da qualidade do CCPD pode ser entendido como um conjunto ordenado de recursos, métodos e documentos, atuando segundo diretrizes determinadas pelas empresas, com o objetivo de assegurar o desempenho satisfatório das informações

Figura 2 — As informações de mercado e de tecnologia são integradas no sistema da qualidade de P&D, que alimenta o processo produtivo empresarial com resultados de P&D

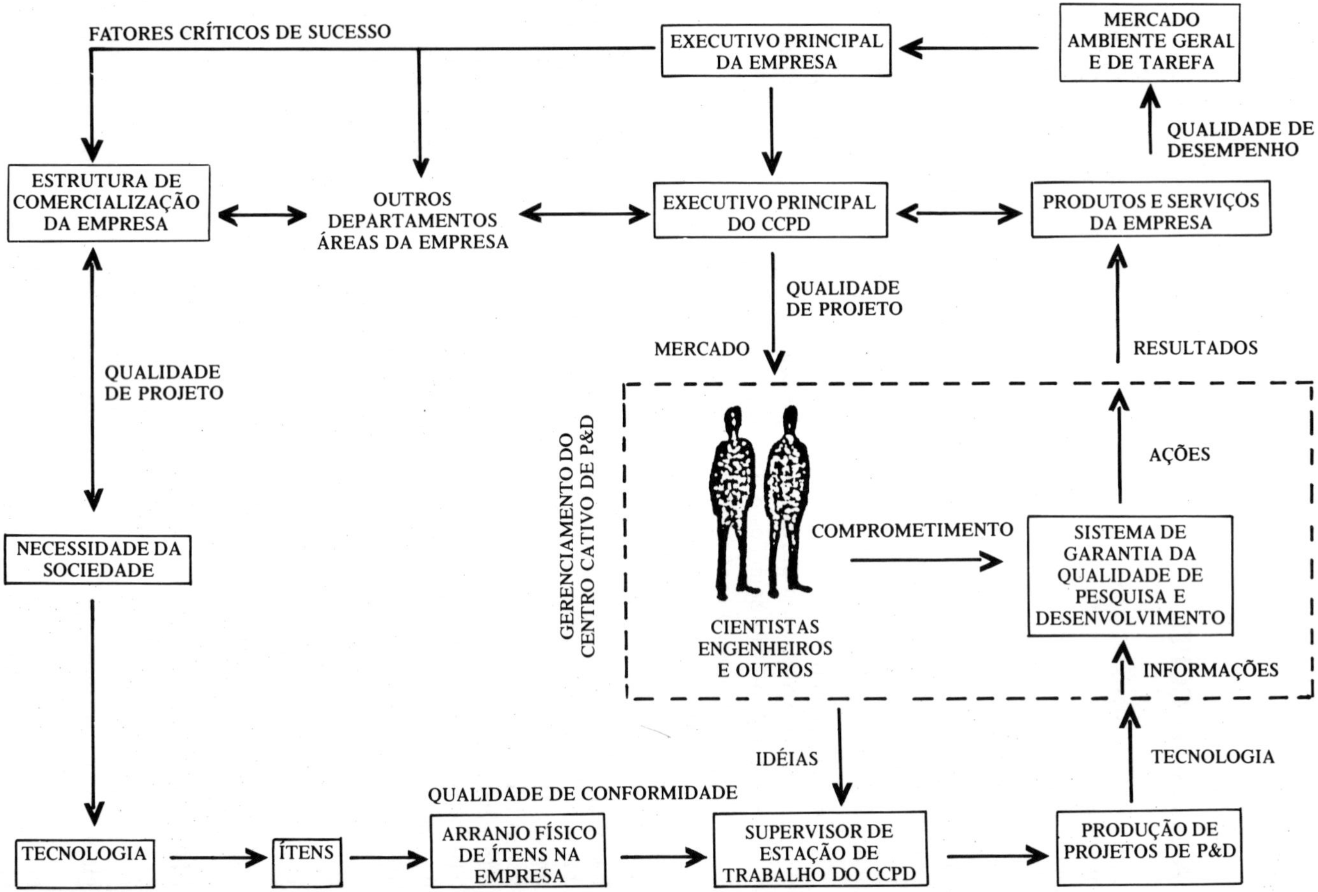

constantes dos documentos formais do CCPD, integrando os sistemas da qualidade das estações de trabalho existentes no CCPD. O nível do sistema pode ser de garantia· ou de controle da qualidade. Em alguns casos é permitido o nível de verificação da qualidade. A empresa assegura qualidade por gestão estratégica.

As normas ISO (International Organization for Standardization) da série 9000 discorrem sobre os sistemas da qualidade das organizações produtivas. Elas deverão ser utilizadas, quando do trabalho formal de organização da qualidade do CCPD.

Entretanto, alguns subsistemas específicos existentes numa organização de P&D devem ser individualizados, e ter para cada um deles tratamento diferenciado, visando adequá-lo ao uso do CCPD. A título de exemplo, e face da experiência do autor tem-se como subsistemas, entre outros:

- Informações do CCPD como resultados de P&D;
- Sobrevivência da atividade de P&D na empresa a que o CCPD pertence;
- Reorganização interna do CCPD para adequação da estrutura organizacional às exigências do mercado;
- Mudança de hábitos e atitudes dos recursos humanos com responsabilidades de chefia ou não;
- Satisfação do "cliente/usuário/consumidor" com os resultados de P&D;
- Qualidade dos projetos de P&D;
- Custos dos projetos de P&D;
- Transferência dos resultados de P&D para os clientes;
- Segurança dos clientes do CCPD na manipulação dos resultados de P&D;
- Motivação dos recursos humanos para P&D;
- Garantia da qualidade de P&D;
- Controle total da qualidade em P&D;
- Avaliação e controle, planejado e sistemático, de outras variáveis e atributos, existentes dentro ou fora do projeto de P&D;
- Indivíduos e grupos em ação de P&D.

3 — ATIVIDADES DESENVOLVIDAS PELO AUTOR

A ação programada nos CENPES

Em agosto de 1983, quando Chefe da Divisão Química do Centro de Pesquisa Leopoldo Américo Miguez de Mello (CENPES) o autor desenvolveu, autorizado pelo executivo principal Superintendente Milton Romeu Franke, ação programada para dotar o CENPES de um sistema de garantia da qualidade. Esta ação programada surgiu, em 1982, quando o autor planejou, internamente, curso sobre Gestão da Qualidade. Em 1983, quando ministrou o curso para técnicos das divisões internas, convidou técnicos de outras Unidades da Companhia: Serviço de Engenharia (SEGEN), Departamento Comercial (DECOM) e Departamento de Transporte (DETRAN). O CENPES é o CCPD da Petrobrás.

Como tarefa prática desse curso foram organizados três grupos de estudo e preparados documentos que possibilitaram: implantar a Gerência de Controle da Qualidade na Divisão Química (Tráfego); estudar a implantação de programas da qualidade no CENPES e, por último, estudar também a viabilidade de implantação de programas da qualidade na Companhia, através de ação do Serviço de Planejamento (SERPLAN) da Petrobrás.

A ação programada para dotar o CENPES de um sistema de garantia da qualidade foi o resultado do grupo sobre a qualidade no CENPES. Estavam representadas no grupo, entre outras, as áreas internas de: pesquisa industrial, planejamento de pesquisa e desenvolvimento, manutenção, informação técnica, processamento de dados, assessoria do superintendente, engenharia básica, patentes, recursos humanos e da Divisão Química. A amostra era representativa do nível gerencial do CENPES, com cerca de duas dezenas de técnicos de nível superior. Alguns trabalhando no CENPES desde sua fundação.

A seguir apresenta-se, sumariamente, um conjunto de informações sobre a ação programada que foi encaminhada à consideração do superintendente do CENPES.

Após conceituar que:

- O CENPES é um conglomerado de organizações conhecidas como superintendências: SUPER, SUPEP, SUPESQ e SUPEN. Produz tecnologia sob a forma de pesquisas, projetos e serviços técnicos em centro de pesquisa cativo da Petróleo Brasileiro S.A.;
- O responsável pela qualidade da tecnologia é seu Superintendente (SUPER), e quem cobra dele qualidade é um Diretor de contato da Companhia;
- Qualidade é adequação ao uso, e algumas vezes traduzida como conformidade com requisitos. Cabe a outros órgãos e empresas do Sistema Petrobrás comprar a tecnologia, e também estabelecer os requisitos que esta deve atender para seus projetos de P&D;
- A negociação sobre requisitos da qualidade da tecnologia é fator crítico de sucesso, gerando definições e atitudes claras, identificadas com a necessidade da Companhia.

A ação programada desenvolveu, entre outras, considerações sobre:

- O "Conhecer" como filosofia e definições;
- O "como fazer";
- O "fazer".

Sobre o "conhecer", como filosofia e definições, conceituou-se garantia como conjunto de medidas planejadas e sistemáticas, necessárias para assegurar adequada confiança de que pesquisas, projetos e serviços terão avaliação satisfatória quando implementados e/ou utilizados. É fruto da conscientização de cada técnico dentro da instituição de pesquisa, para o desempenho adequado de sua função e/ou tarefa.

Isto obrigava a existência de planejamento escrito, cobrindo todo o programa da pesquisa, desde a idéia até operação de comercialização da tecnologia.

Para uma instituição de pesquisa tecnológica industrial, como o CENPES, o órgão de garantia da qualidade deveria ser independente, e com liberdade organizacional para detectar problemas e recomendar ações corretivas a seu critério, respondendo, diretamente, ao topo da Administração.

Sobre o "como fazer" a ação programada discorreu sobre: O sistema CENPES da qualidade; o desdobramento e gestão de programas; treinamento e garantia da qualidade; a necessidade de não impor nada a ninguém; a comissão de coordenação do sistema CENPES de garantia da qualidade e motivação; e, finalmente, sobre a avaliação anual do trabalho de implantação do Sistema da Qualidade.

Sobre o "fazer", a ação programada afirmava que de posse do Manual da Qualidade do CENPES, e de sua avaliação periódica, nova ação programada devia ser planejada, objetivando consolidar os esforços de implementação de programas da qualidade no CENPES.

A ação programada então era considerada pioneira. Foi a primeira tentativa para dotar uma instituição de pesquisa tecnológica industrial do Brasil de um Sistema da Qualidade.

Curso sobre qualidade em P&D

Trata-se de experiência de treinamento da qual participaram gerentes de CCPD da RHODIA, COFAP, VILLARES, ARACRUZ, CELULOSE, COPERSUCAR, MANGELS, entre outros. Como organizações convidadas: o Instituto da Administração da Faculdade de Economia e Administração da USP, e a Secretaria de Ciência e Tecnologia do Estado do Rio de Janeiro. Eram, com o autor, 14 pessoas envolvidas com qualidade de P&D.

Durante 16 horas, 4 e 5 de abril de 1989, essas pessoas estiveram em atividade de treinamento com o objetivo de discutir "como implementar qualidade no projeto de pesquisa e desenvolvimento". A empresa organizadora do curso: ELF Eliana Formiga Desenho Industrial Ltda. divulgou, como objetivo principal, transferir tecnologia para os instruendos na forma de metodologia de implantação da Qualidade em Projetos de P&D. O instrutor do curso foi o autor deste trabalho.

Experiências internacionais, publicadas na literatura, foram estudadas. No final do curso gerou-se consenso na forma de premissas, considerandos, conclusões e recomendações, apresentadas a seguir.

Naquela oportunidade o grupo acreditava que eram premissas:

- Sendo a informação o produto do CCPD a qualidade dela é fundamental e devem ser criados indicadores para medi-la;
- Sendo a informação o produto do CCPD faz com que não saber repassá-la ao processo produtivo seguinte é não saber vender, de maneira eficiente, seu produto;
- Sendo imperativo o desenvolvimento de pessoas e funções para desenvolvimento da qualidade, devem ser definidas as técnicas estatísticas para implementá-la no CCPD;
- Torna-se fundamental prever ações de gestão, em todos os níveis hierárquicos do CCPD, para mudar o processo e possibilitar a introdução da tecnologia da qualidade em P&D;

- Grande parte das pessoas não sabe por onde começar. Fica difícil portanto, aprimorar aquilo que elas fazem;
- O Gerente de P&D deve dedicar esforço planejado e sistemático para prover entendimento de todos quanto aos objetivos dos trabalhos de um CCPD;
- Além disso o Gerente de P&D deve atuar como mentor e líder orientador do sistema empresarial onde atua;
- A inovação na qualidade e produtividade não é aspecto individual ou pessoal, mas sim de grupo ou sistema, que para ser implementada precisa do entendimento e ajuda do Gerente de P&D;
- Na gestão da qualidade de P&D cada um de nós não terá mais problemas se for de encontro à verdade (fatos/evidências objetivas);
- Tentar aumentar competitividade pelo acréscimo de valores monetários orçamentados é o mesmo que tentar curar constipação com superalimentação;
- É necessário ter definido que indicadores de produtividade para o CCPD serão utilizados;
- A atenção deve ser focalizada no processo de gerar informação de P&D;
- A implantação do controle total sobre a qualidade em P&D deve iniciar com treinamento, a partir da alta Administração do CCPD, obedecendo as filosofias da empresa;
- Deve-se considerar como mandatório atrelar o programa da Qualidade do CCPD aos objetivos e metas da empresa como um todo;
- A garantia da qualidade do CCPD independe da metodologia adotada, estando associada ao grau de participação do CCPD nos negócios da empresa.

A seguir, após estas premissas, o grupo decidiu individualizar os seguintes considerandos, conclusões e recomendações como representação adequada do contexto da qualidade em P&D no Brasil:

Considerando que:

- Deve-se tentar embutir qualidade na produção de informações de P&D e não adicioná-la à informação;
- O sucesso na obtenção de níveis crescentes da qualidade em P&D exige estabelecimento de prioridades e liderança ativa por parte do grupo de direção do CCPD;
- O Gerente de P&D deve atuar sobre o sistema de P&D na empresa para aperfeiçoá-lo, ao invés de centralizar sua atenção no produto de P&D;
- a mudança de cultura da empresa é imperativa para tornar possível ganhos reais com qualidade em P&D;
- Os resultados da qualidade em P&D devem ser traduzidos em vantagens comerciais para a empresa;

Conclui-se que:

- A mudança de cultura de P&D é processo lento e demorado, sendo necessário, portanto, conhecer os objetivos do programa da qualidade e identificá-los com a cultura, valores e crenças e a missão da empresa;

- A implementação do programa da qualidade em P&D deve ser procedida de fase de identificação cuidadosa de problemas reais, uma vez que os programas convencionais da qualidade não contemplam pesquisa e desenvolvimento.

Recomenda-se, finalmente, aos usuários das informações deste curso que, na formulação e implementação da qualidade em P&D, considerem como condições iniciais para a tarefa que:

- O produto do CCPD é a informação, mas esta precisa ser efetivamente transferida para os demais parceiros na empresa;
- A implementação da qualidade em P&D significa treinamento e educação em todos os níveis hierárquicos do CCPD;
- A qualidade em P&D deve estar voltada para os interesses do cliente do CCPD;
- O planejamento da qualidade inicia-se pela determinação da condição desejada, no futuro, para o CCPD, sendo imperativa a participação de seu executivo principal no planejamento estratégico da empresa.

Tese de mestrado sobre qualidade no CCPD

Na coordenação dos Programas de Pós Graduação de Engenharia (COPPE), da Universidade Federal do Rio de Janeiro (UFRJ), o autor participou de esforço para organizar, dentro do Programa de Engenharia de Produção, a Sub-área Qualidade Industrial. Esta oferece curso de mestrado em qualidade que, tendo iniciado suas atividades em 1988, já conta com cerca de três dezenas de teses em andamento. Duas delas, orientadas pelo autor, tratam de qualidade em pesquisa e desenvolvimento. O mestrando, Ricardo Zandoná Granemann, funcionário do Centro de Tecnologia do Paraná (TECPAR) estuda qualidade no Centro de Pesquisa e Desenvolvimento de empresas no Estado do Paraná. Outra, já defendida em 1990 por Hector Garzón, tratou de Sistema de Garantia da Qualidade para CCPD latinoamericanos no setor petróleo. Hector é engenheiro da Ecopetrol (Colômbia).

Cumpre-se assim, o primeiro objetivo deste capítulo. A seguir buscar-se-á um conjunto de premissas para gestão da qualidade no CCPD, e com isso cumprir o segundo objetivo. Todas as informações que se seguem tem como fundamento a experiência do autor e a normalização técnica internacional da ISO série 9000. Estas normas foram traduzidas como NBR série 19000.

4 — PREMISSAS PARA GESTÃO DA QUALIDADE NO CCPD

O segundo objetivo deste capítulo trata de desenvolver estratégia para o planejamento da qualidade no CCPD. A atividade de planejar qualidade é subconjunto do planejamento do sistema de gestão que deve vigorar no CCPD. A gestão do CCPD deve considerar qualidade como objetivo e não como função. Portanto, no mínimo, são sete etapas cíclicas para gestão da qualidade no CCPD:

- O planejamento da qualidade como meta constante do planejamento da empresa;

- A organização dos meios para atingir a qualidade pretendida;
- A educação e o treinamento para desenvolver a qualidade pretendida;
- A execução das tarefas de pesquisa e desenvolvimento, tendo qualidade como meta;
- A comparação entre os resultados obtidos e a meta da qualidade estabelecida: medida da eficácia organizacional da qualidade;
- A definição de ações corretivas para aprimoramento do processo de controle total sobre a qualidade no CCPD;
- O replanejamento da qualidade como meta, e assim, ciclicamente, até novo conjunto de ações corretivas.

As etapas do processo de gestão da qualidade do CCPD, desde a organização dos meios até o replanejamento, serão conseqüência natural de duas premissas, estabelecidas a seguir. As premissas relativas ao planejamento da qualidade no CCPD são duas crenças.

A primeira premissa é "Planeja quem faz, uma vez que tarefa executada sem planejamento é improvisação, e só se improvisa besteira". Deste modo cada funcionário do CCPD é responsável pelo planejamento daquilo que tiver que executar. Isto não desobriga o CCPD, como um grupo primário de funcionários de ter planejamento daquilo que ele deve fazer: pesquisa e desenvolvimento, como suporte para aprimoramento dos produtos e serviços, que a empresa apresenta ao mercado.

Uma segunda premissa é: "planejamento da qualidade não pode prescindir de diretriz do executivo principal do CCPD".

Se estas crenças não estiverem presentes na cabeça dos diretores/gerentes/supervisores do CCPD não adianta falar da qualidade. Favor não considerar o exposto a seguir! É perder tempo! Talvez seja melhor buscar uma atividade de lazer!

Entretanto, caso as premissas sejam parte das crenças e filosofias de gestão do CCPD, então, pode-se pensar na estratégia para desenvolver qualidade.

5 — ESTRATÉGIA PARA DESENVOLVER QUALIDADE NO CCPD

A estratégia é organizar o projeto para desenvolver qualidade no CCPD, a partir do objetivo estratégico declarado pela empresa. Esta declaração de objetivo deve ser feita por quem? Sempre pelo nível hierárquico a que se subordina o executivo principal do CCPD. A figura 2, mostra que as informações de mercado e de tecnologia são integradas num Sistema da Qualidade de P&D que alimenta o processo produtivo empresarial com resultados de P&D. São ações planejadas e sistemáticas.

Portanto, sistema de gestão da qualidade do CCPD é um dos subsistemas de gestão da empresa. O nível da qualidade do CCPD, requerido pela empresa, é decidido fora dele. Não adianta reagir como alguns executivos principais de centros cativos reagem. Se a empresa não sabe o que dizer, esse executivo sugere a política, e obtém aprovação formal fora do CCPD. A qualidade do CCPD como objetivo, e não como função depende dela. Isto é mandatório.

E o projeto resultante dessa estratégia? Como deve ser?

6 — O PROJETO DA QUALIDADE DO CCPD

A ação para desenvolver a qualidade do CCPD agora é: preparar o projeto de desenvolvimento da qualidade no CCPD. Como deve ser gerenciado esse projeto? A figura 4 mostra a aplicação da "clínica de gerenciamento" para esse projeto específico. As respostas a essas questões permitirão organizá-lo e gerenciá-lo segundo abordagem sistêmica. "Clínica de gerenciamento" é um "software" desenvolvido pelo autor. Trata-se da integração de processos gerenciais básicos.

Observa-se integração de blocos interligados. Cada um é um processo gerencial:

1. Levantamento de informações sobre mercado e tecnologia;
2. Formulação do projeto da qualidade;
3. Desenvolvimento do projeto da qualidade;
4. Avaliação e controle do projeto da qualidade;
5. Implementação de ações corretivas no projeto da qualidade.

Desta forma, aqui e agora, foram definidas as etapas mínimas para o processo de gestão da qualidade. O segundo objetivo do Capítulo acaba de ser cumprido. Foi desenvolvida estratégia para planejar a qualidade no CCPD. A gestão inclui o planejamento da qualidade.

A seguir, serão consideradas as ações mínimas necessárias para subsidiar a implantação da qualidade pretendida pelo CCPD.

7 — AÇÕES PARA IMPLANTAR O PROGRAMA DA QUALIDADE NO CCPD

O terceiro objetivo trata das diretrizes para implantação do programa da qualidade no CCPD. A análise da figura 4 mostra que já são conhecidas, nessa oportunidade, respostas às questões relativas ao contexto, onde o projeto e o trabalho do projeto da qualidade estão inseridos, além de algumas sobre a formulação do projeto, a saber:

- quais as premissas para planejamento do projeto de desenvolver qualidade no CCPD?
- quais os objetivos que o projeto procurará atingir?
- quais as metodologias que o projeto vai seguir?

Para que esteja completa a peça de informação sobre a formulação do projeto falta responder a seguinte questão:

- quais as diretrizes que nortearão o desenvolvimento do projeto?

Neste sentido as normas ISO série 9000 sobre Gestão da Qualidade mostram que:

- intenções e diretrizes da qualidade de um CCPD, em relação à qualidade, constitui a política da qualidade do CCPD;

- a política da qualidade do CCPD é um dos elementos da política do CCPD, e é avaliada pela alta administração da empresa;

- os aspectos da função administração geral do CCPD, que determinam e implementam a política da qualidade do CCPD, são conhecidos como: administração da qualidade do CCPD;

- a obtenção da qualidade pretendida pela empresa, para o CCPD, exige o comprometimento e a participação de todos os membros do CCPD, uma vez que a responsabilidade pela administração da qualidade do CCPD pertence a alta administração do CCPD;

- a administração da qualidade do CCPD inclui planejamento estratégico do CCPD, alocação de recursos e outras atividades sistemáticas para a qualidade, tais como: planejamento da qualidade, operações e avaliações.

Neste sentido, as diretrizes para implementar o programa da qualidade no CCPD deve possibilitar ao programa gerar ações para, pelo menos, atender a três imperativos:

- atingir e manter a qualidade da informação prestada pelo CCPD, de maneira a atender, continuamente, as necessidades implícitas ou pré-requisitos de seus clientes;

- fornecer confiança ao núcleo gerencial do CCPD que a qualidade pretendida está sendo atingida e mantida;

- fornecer adequada confiança ao cliente do CCPD que a qualidade pretendida está sendo, ou será atingida na entrega das informações, e que elas serão confiáveis.

Surge assim na etapa de desenvolvimento do projeto da qualidade do CCPD as seguintes questões (Figura 4):

- qual a programação do projeto?
- qual o orçamento do projeto?
- quais as ações e procedimentos necessários para execução?

Pode-se, finalmente afirmar que quatro são ações que, no mínimo, devem ter procedimentos escritos:

- Ação de desenvolvimento de recursos humanos no CCPD;
- Ação de estabelecer o processo produtivo do CCPD;
- Ação de gestão da qualidade no CCPD;
- Ação de definir o sistema da qualidade do CCPD.

A seguir, apresenta-se um conjunto de etapas metodológicas, que foram desenvolvidas buscando desenvolver essas ações. São as ações para subsidiar a implementação da qualidade pelo CCPD e cumprir o terceiro e último objetivo estabelecido na introdução desse capítulo.

Figura 4 — Metodologia para gestão de projeto de desenvolvimento da qualidade

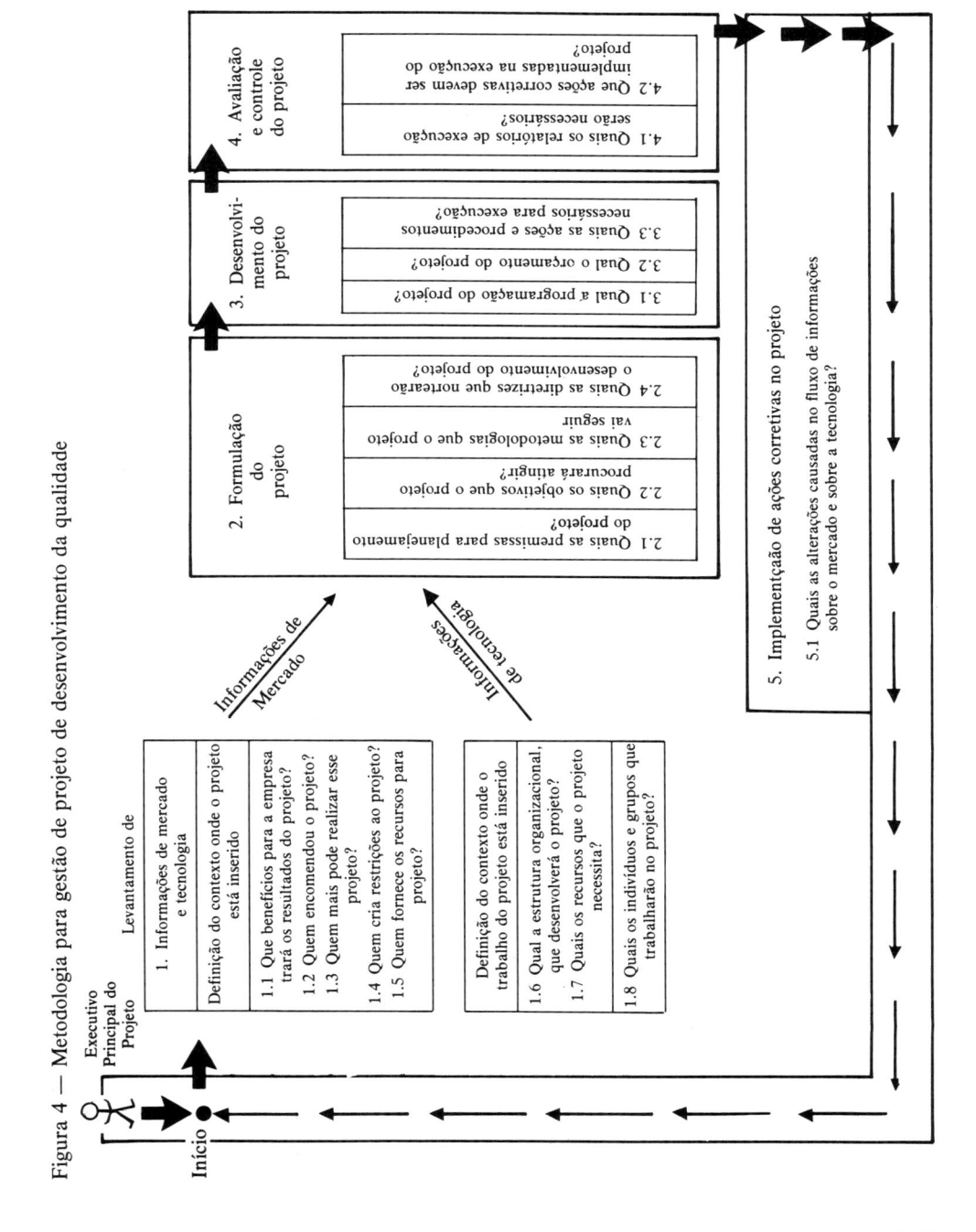

8 — ETAPAS METODOLÓGICAS PARA IMPLANTAR A QUALIDADE NO CCPD

Até agora estabeleceu-se que a formalização da qualidade no Centro Cativo de Pesquisa e Desenvolvimento inicia-se com uma diretriz da qualidade, que a formulação estratégica da empresa entrega para a área de pesquisa e desenvolvimento. A pessoa que recebe essa diretriz é o Executivo Principal do CCPD. Caso a formulação estratégica da empresa não exista e/ou não contemple a área de P&D, deve esse Executivo Principal decidir sobre qual a diretriz que norteará o desenvolvimento da qualidade no CCPD. Este é o nível de direção da qualidade no CCPD.

Não tem sido incomum haver no CCPD um gerente responsável pela administração dos projetos de pesquisa e desenvolvimento que as várias Unidades Operacionais do CCPD irão desenvolver. Este gerente trata do binômio "projeto de P&D/usuário de P&D na empresa". Normalmente esse gerente compatibiliza a necessidade externa de empresa com a capacidade instalada no CCPD. É quase sempre um profissional voltado para a administração de pesquisa e desenvolvimento. Esse é o nível gerencial da qualidade no CCPD.

Um terceiro agente é importante no cenário da implantação da qualidade no CCPD. Este é o profissional, escolhido pelo Executivo Principal do CCPD, para ser o responsável pela supervisão da qualidade no CCPD.

Esses três agentes, portanto, atuando integrados, integram a direção, a gerência e a supervisão da qualidade no CCPD. Um-dirige-dois-gerencia e três-supervisiona, com base nas etapas metodológicas aqui descritas.

A disciplina no cumprimento das trinta etapas metológicas que se seguem, fará com que na trigésima esteja disponível para o CCPD, entre outros benefícios:

- o plano global sobre qualidade no CCPD: fases, participantes e responsabilidades;
- a comissão para formulação e implantação de ações e procedimentos da qualidade de forma descentralizada;

Cabe relembrar que, normalmente, os produtos de pesquisa e desenvolvimento são informações contidas em documentação formal para o processo de tomada de decisão de um outro Departamento da empresa.

Nas etapas a seguir, estão definidas responsabilidades funcionais. Seria desejável que estas não fossem delegadas. As seguintes abreviaturas são feitas no texto:

Diretor da Qualidade do CCPD - EP - Executivo Principal do Centro Cativo de Pesquisa e Desenvolvimento;

Gerente da Qualidade do CCPD - RP - Responsável pelo Planejamento de Pesquisas e Projetos no CCPD;

Supervisor da Qualidade do CCPD - R - Responsável pela Qualidade no CCPD;

Construtores da Qualidade do CCPD - TC - Titulares de Cargos da Administração Superior do CCPD, ou assemelhados indicados por eles;

GT - Grupo de Trabalho.

São observações importantes de serem entendidas, antes da leitura das etapas metodológicas:

- são de uso reservado do diretor, gerente e supervisor da qualidade no CCPD;
- não é oportuno divulgá-las para as demais pessoas, porque pode dar idéia de "processologismo desnecessário";
- elas servem para integrar as ações das pessoas que tem responsabilidade pela qualidade no CCPD;
- não se deve passar de uma etapa para outra, sem que a anterior tenha sido completada;
- a postura dos responsáveis indicados nas etapas deve ser sempre de negociação, ou seja "perde-perde" ou "ganha-ganha". Não devem tentar impor nada, indo sempre de encontro aos anseios e expectativas dos envolvidos com cada uma das etapas. Cuidado com juízo de valor;
- cada etapa deve ter tratamento diferenciado das demais, podendo ser desdobrada em tantas outras, conforme o interesse dos responsáveis;

Conclusivamente, essas etapas são uma "trilha" e não um "trilho".

ETAPAS	PARTICIPANTES
1. Escolher uma pessoa no CCPD para supervisionar a qualidade, definindo-se sua competência. Esta pessoa será dita responsável pelo planejamento das ações definidas no item 5.	EP
2. Identificar os titulares de cargo da Administração Superior do CCPD que deverão ser envolvidos. Recomenda-se envolver todas as chefias nos níveis estratégico e intermediário do CCPD.	EP, RP, R
3. Identificar as macro áreas que merecerão prioridade face aos resultados esperados.	EP, RP, R
4. Planejar um seminário de conscientização para todas as pessoas identificadas na etapa 2. Os temas serão: a) visão geral sobre qualidade no CCPD; b) necessidade do envolvimento de todos; c) o papel de cada um no sistema de P&D; d) o papel da qualidade na atividade de cada um; e) o papel do responsável pela qualidade do CCPD; f) esclarecimento sobre conceitos envolvidos.	RP, R
5. Promover reuniões para definição da qualidade nos negócios do CCPD e da empresa.	EP, RP, R e todos da etapa 2
6. Elaborar questionários para a análise ambiental correspondente ao levantamento das informações sobre as coordenadas do planejamento da qualidade do CCPD, ou seja das informações contidas em relatórios e/ou projetos de P&D.	RP,R
7. Distribuir os questionários para todas as pessoas da etapa 2, inclusive o Executivo Principal do CCPD. Estabelecer data para recolhê-los.	R
8. Preparar um relatório-síntese contendo as respostas adequadas ao negócio do CCPD.	RP, R
9. Entregar cópias do relatório-síntese e das respostas ao Executivo Principal e titulares de cargo escolhidos na etapa 2, marcando a data de uma reunião para discutir os mesmos.	R

ETAPAS	PARTICIPANTES
10. Realizar reunião e definir o relatório-síntese final. Após a reunião, recolher as cópias fornecidas na etapa 9.	EP, R, TC
11. Analisar a atuação do CCPD quanto à qualidade do CCPD, atualmente oferecida à empresa, com participação do Executivo Principal do CCPD e um ou dois membros da Administração Superior do CCPD. O responsável pela qualidade no CCPD será sempre o secretário do grupo.	EP, RP, R
12. Elaborar planilha para levantamento de políticas e estratégias (gerais e específicas) sobre qualidade do CCPD, em relação às macroáreas de resultados, definidas na etapa 3.	RP, R
13. Treinar todas as pessoas da etapa 2 no preenchimento da planilha de políticas e estratégias. O trabalho deve ser feito com base no relatório-síntese final.	RP, R
14. Entregar para todas as pessoas identificadas na etapa 2, inclusive o Executivo Principal do CCPD os seguintes documentos: a) planilha de levantamento de política e estratégias sobre qualidade do CCPD; b) relação das áreas prioritárias; c) relatório síntese final. d) relatório síntese final. O responsável pela qualidade do CCPD, além de marcar a data para recolher as planilhas, deve auxiliar todos os que tiverem dúvidas quanto ao seu preenchimento.	R
15. Organizar as informações recebidas nas planilhas.	RP, R
16. Montar um calendário de reuniões, cuja agenda principal será a seguinte: a) redefinir e redirigir a qualidade no âmbito dos negócios do CCPD; b) corrigir, completar e aprovar as políticas e estratégias (gerais e específicas) para compor os capítulos 2 e 4 do Plano Global.	RP,R
17. Realizar as reuniões do colegiado para cumprir a agenda.	RP, R
18. Elaborar planilhas para formulação de objetivos específicos e planos de ação sobre qualidade das unidades operacionais, de acordo com as estratégias aprovadas pelo colegiado.	RP, R
19. Treinar as pessoas identificadas na etapa 2 no preenchimento das planilhas, feito com base nos capítulos 1, 2 e 4 do Plano Global.	RP, R
20. Distribuir para as pessoas identificadas na etapa 2, inclusive o Executivo Principal do CCPD, cópias dos capítulos 1, 2 e 4 do Plano Global, as planilhas para formulação de objetivos específicos e planos de ação para qualidade do CCPD e na relação de áreas prioritárias. Nos planos de ação, serão estabelecidas as metas referentes a cada objetivo. O responsável pela qualidade do CCPD, além de marcar a data de recolhimento das planilhas, deve auxiliar todos os que tiverem dúvidas quanto ao seu preenchimento.	R
21. Organizar as informações recebidas nas planilhas, na forma de minuta preparatória para o capítulo 5 do Plano Global.	RP, R
22. Montar um calendário de reuniões do colegiado funcional, com a seguinte agenda:	RP, R

244

ETAPAS	PARTICIPANTES
a) formular os objetivos gerais e os planos de ação para qualidade no CCPD, nos quais metas serão estabelecidas. Redigir o capítulo 3 do Plano Global; b) corrigir, completar e aprovar os objetivos específicos e planos de ação sobre qualidade do CCPD para compor o capítulo 5 do Plano Global; c) replanejar, mês a mês, os objetivos do CCPD quanto à qualidade; As atas das reuniões deverão ser anexadas ao Plano Global.	
23. Realizar as reuniões do colegiado. A etapa seguinte depende da finalização das tarefas **a** e **b** da etapa 22.	RP, R
24. Agregar os anexos 2 e 3 (atas das reuniões do colegiado funcional sobre a análise da atuação atual do CCPD quanto à qualidade das informações oferecidas aos vários clientes na empresa e/ou fora dela e relatório-síntese final das respostas ao questionário sobre a qualidade do CCPD) aos capítulos 1, 2, 3, 4 e 5, formando assim o esboço do Plano Global.	RP, R
25. Fazer reunião para apresentar o esboço do Plano Global ao Executivo Principal do CCPD que receberá uma cópia do mesmo.	EP, RP, R
26. Preparação dos quadros de resultados necessários: a) valores do ativo e passivo; b) lucros e perdas; c) quadro de aplicações; d) quadro de recursos financeiros.	RP
27. Formar um grupo de trabalho (GT) para realizar as seguintes tarefas: a) verificação da consistência interna do Plano Global; b) redação clara aos jargões das várias áreas do CCPD e da empresa.	RP, R, GT
28. Providenciar e rever a datilografia do Plano Global e entregá-lo ao Executivo Principal do CCPD.	RP, R
29. Providenciar a distribuição do Plano Global, através de Executivo Principal da empresa para: a) Conselho de Administração (se houver) da empresa; b) Diretoria (se houver); c) Outros Gerentes e Chefias.	RP, R
30. Organizar uma Comissão Executiva sob orientação do Executivo Principal do CCPD para gerenciamento estratégico da qualidade do CCPD. Esta aperfeiçoará, ano a ano, o Plano Global à medida que ele seja implementado e reavaliado.	EP, RP, P Colegiado

9 — CONCLUSÕES E RECOMENDAÇÕES

Conclusões sobre a ação programada do CENPES

- desatualizada em relação aos atuais padrões normativos internacionais estabelecidos pela International Organization for Standardization (ISO) como série 9000;

245

- os termos e definições, face a desatualização não se aplicam como foram estabelecidos. Entretanto, a filosofia da proposta metodológica da ação programada ainda é válida;
- a maneira pela qual a ação programada foi gerada é adequada para organizações de pesquisa e desenvolvimento: obter "o que" e "como fazer" através de atividade de treinamento que envolva um grupo representativo do nível gerencial do CCPD.

Conclusões sobre a experiência de treinamento

- representativa dos CCPD nacionais a amostra estabeleceu considerandos, conclusões e recomendações que precisam ser validados, com outro grupo, em outra oportunidade de treinamento;
- já existe empresa privada nacional preocupada com treinamento da qualidade em CCPD.

Conclusões sobre as teses de mestrado

- já está à disposição dos técnicos brasileiros um "software" sobre sistema da qualidade para CCPD;
- a Universidade brasileira já estuda o problema da qualidade em pesquisa e desenvolvimento. (COPPE/UFRJ).

Conclusões sobre as filosofias da qualidade em P&D

- O CCPD, como produtor de informações, sempre prometerá informações confiáveis;
- o cliente de P&D sempre esperará receber informações confiáveis;
- toda vez que o cliente de P&D não receber as informações prometidas ele reclamará;
- o programa da qualidade do CCPD é a forma através da qual o CCPD se protege das reclamações de seus clientes, mostrando que "erros, omissões e enganos" (falta de exatidão e precisão) foram por causas incontroláveis;
- o conceito sobre qualidade como adequação ao uso se aplica ao CCPD como organização que tem mercado cativo na empresa a que pertence;
- o conceito sobre qualidade como "conformidade com requisitos" deve ser usado no trato das especificações sobre projetos. Serão sempre requisitos declarados pelo cliente de P&D, seja ele interno ou externo ao CCPD;

Recomendações para o executivo principal da empresa

- liberar diretrizes da qualidade para o executivo principal do CCPD;
- auditar o sistema de gestão da qualidade do CCPD.

Recomendações para o executivo principal do CCPD

- não iniciar nenhuma atividade, planejada e sistemática de desenvolvimento da qualidade no CCPD sem que a empresa tenha declarado, formalmente, sua postura estratégica face à qualidade;
- para o CCPD a postura estragégica face à qualidade é um objetivo e não uma função, portanto se o titular do nível superior ao executivo principal do CCPD não souber qual é o objetivo, cabe assessorá-lo. É prática recomendável sugerir o objetivo, que o CCPD gostaria de ter. Para tanto, o CCPD tem que saber o que quer;
- a ação frente as pessoas deve ser de educação e treinamento sobre a qualidade. Deve ser desenvolvida de forma integrada entre o responsável pela qualidade do CCPD e o responsável pela área de desenvolvimento de recursos humanos no CCPD;
- a ação frente ao processo produtivo do CCPD deve ser descentralizada para cada estação de trabalho, sendo responsável por ela cada funcionário do CCPD. Cada um, individualmente, é responsável pelo seu processo produtivo, e como tal deve providenciar para que ele esteja sob controle;
- a ação frente à gestão da qualidade do CCPD obriga a organização de um órgão responsável pela qualidade, diretamente subordinado ao executivo principal do CCPD;
- a ação frente ao sistema da qualidade obriga a adoção da norma ISO 9001 e do ISO GUIDE 49, considerando o CCPD como uma empresa-laboratório prestadora de serviço que projeta pesquisas e desenvolvimentos; produz informações confiáveis; prepara documentação formal e presta assistência técnica a seus clientes.

BIBLIOGRAFIA

CERQUEIRA NETO, Edgard Pedreira — "Afinal, o que é um Centro Cativo de P&D". *Revista de Administração da USP*, Volume 21 (1) Janeiro/Março 1986.
_____, "Qualidade no Centro Cativo de Pesquisa e Desenvolvimento", São Paulo, Editora Pioneira, (no prelo).
_____, "Gestão da Qualidade: Princípios e Métodos", São Paulo, Editora Pioneira, 1991.

247

Administração de Recursos Humanos em centros de P&D na indústria

Prof. Dr. Hélio Janny Teixeira
Marco Pellegatti
Sérgio Mattoso Salomão

CONTEÚDO

1 — INTRODUÇÃO

O processo de capacitação e desenvolvimento tecnológico depende de um recurso fundamental: o fator humano. A elevada complexidade e a natureza aberta dos problemas referentes a pesquisa e desenvolvimento demandam a formação de um conjunto de indivíduos do qual se exigem coesão, criatividade, perseverança e outras características. A manutenção destes indivíduos na empresa é um problema de capital importância, pois eles, em última instância, detêm parcela fundamental da tecnologia da empresa e viabilizam seu posicionamento estratégico à frente da concorrência.

As características particulares exigidas de grupos de P&D aliadas às dificuldades de sua manutenção — corroboradas pelas tentadoras ofertas dos concorrentes — transformam a gestão dos recursos humanos de Centros de P&D numa tarefa extremamente desafiadora e de importância estratégica. Assim, as decisões tomadas com relação aos recursos humanos devem ser criteriosamente preparadas, buscando considerar o maior número possível de variáveis, com o objetivo de maximizar a eficácia da gestão.

Procuramos, neste capítulo, enfocar a administração de Recursos Humanos em Centros de P&D de modo particular. Dada a importância e a dificuldade encontradas tanto na obtenção da produtividade desejada em um trabalho intelectual e extremamente complexo como na manutenção destes recursos escassos e "detentores da tecnologia" da empresa, centramos nosso trabalho na busca de soluções encontradas pelas empresas mais bem sucedidas em seus setores e por pesquisadores e estudiosos nacionais e estrangeiros.

A apresentação de resultados de pesquisas, permeada por conceitos encontrados na bibliografia utilizada, foi feita de maneira a tentar fornecer aos interessados, principalmente profissionais de recursos humanos responsáveis por Centros de P&D, caminhos a serem seguidos para o atingimento concomitante dos objetivos da empresa e dos pesquisadores.

As análises e proposições sobre os recursos humanos podem ser enquadradas em dois diferentes enfoques: o do comportamento humano nas organizações e o da administração de recursos humanos ou de pessoal. No primeiro, encontram-se assuntos vinculados ao trabalho em grupo e suas peculiaridades em termos de liderança, clima, motivação, comunicação e outros. O segundo compreende enfoques mais prescritivos referentes a recrutamento, seleção, treinamento, cargos e salários, benefícios e outros.

Ambos os enfoques são bastante intrincados e oferecem oportunidades para um grande aprofundamento. O relacionamento entre ambos é ainda mais complexo do que cada um deles separadamente, formando um todo indissociável na prática, onde os aspectos comportamentais condicionam os gerenciais e vice-versa.

Com o objetivo de facilitar a análise e a compreensão, apresentaremos os enfoques, separadamente, procurando ao longo do texto mostrar sua estreita relação. Mantendo um raciocínio mais linear, apresentaremos inicialmente o enfoque comportamental, onde destacam-se as particulares características psico-sociais dos ambientes de P&D. Após a análise destas peculiaridades passamos a estudar os aspectos gerenciais em detalhes, procurando mostrar de que forma as particularidades comportamentais devem influenciar as decisões administrativas e como estas podem produzir resultados, favoráveis ou não, no ambiente comportamental.

Iremos nos deter com mais minúcias nos aspectos gerenciais, uma vez que revestem-se de utilidade mais imediata às pessoas interessadas em aprimorar a administração de recursos humanos em Centros de P&D. Todavia, não se deve perder de vista que as soluções, sugestões e modelos apresentados, ainda que elaborados a partir de experiências de algumas empresas e levando em conta as particularidades comportamentais dos Centros, constituem-se apenas em um auxiliar da reflexão e criatividade gerencial, jamais substitutivos destas.

2 — ASPECTOS COMPORTAMENTAIS

O trabalho em centros de P&D é, eminentemente, um trabalho grupal. A complexidade dos diversos assuntos a serem pesquisados encaminha a uma natural divisão do trabalho onde grupos especializam-se em determinados assuntos e, dentro de cada grupo, pessoas especializam-se ainda mais profundamente em alguns tópicos específicos. Esta característica marcante exige a clara compreensão do fenômeno do trabalho em grupo, bem como suas especificidades em centros de pesquisa.

O grupo de trabalho pode ser entendido como um conjunto de pessoas que interagem, representando umas para as outras, fontes de estimulação e reação, e que possuem objetivos a serem alcançados-escolhidos pelo próprio grupo ou vindos de fora. O grupo ideal de trabalho é aquele em que os objetivos externos correspondem ao que o grupo deseja.

O que constitui essencialmente um grupo, e dele faz um todo dinâmico, é a interdependência da sorte dos seus membros e a consciência de que têm algo significantemente importante em comum. Nesta situação de interdependência um problema fundamental em qualquer grupo humano é a possibilidade do indivíduo satisfazer às suas próprias necessidades, sem comprometer indevidamente a vida do grupo.

Além disto para um indivíduo específico interessa conhecer não apenas o desempenho e resultados grupais, mas também como sua própria participação no processo é vista por terceiros, principalmente por aqueles que atribuem recompensas.

Uma forma frutífera de conceber o trabalho em grupo está nos chamados processos de distribuição e associação. Analogamente ao que ocorre na organização como um todo, informação, poder, atividades e recompensas são distribuídos aos membros do grupo.

Pode haver maior ou menor centralização de poderes, o mesmo podendo ocorrer quanto a informações. Eqüidade — recompensa proporcional à contribuição individual — ou igualdade podem guiar a distribuição de recompensas. As vezes a distribuição decorre de forças externas ao grupo.

Um entendimento mais amplo do trabalho em grupo pode ser buscado através da utilização de um modelo que agregue seus principais condicionantes e componentes, conforme pode ser visto na figura 1.

Este modelo permite a compreensão dos vários fatores concorrentes no atingimento dos resultados no trabalho. Mostra que a responsabilidade por sucessos e fracassos deve ser dividida entre estes vários fatores ou componentes. Deste modo, quando se estuda o trabalho em grupo, sobremaneira no caso da pesquisa, deve-se examinar cada uma das partes. Este procedimento diminui as chances de interpretações errôneas quanto às causas de sucesso e fracasso em organizações.

Figura 1 — Modelo para entendimento do trabalho em grupo

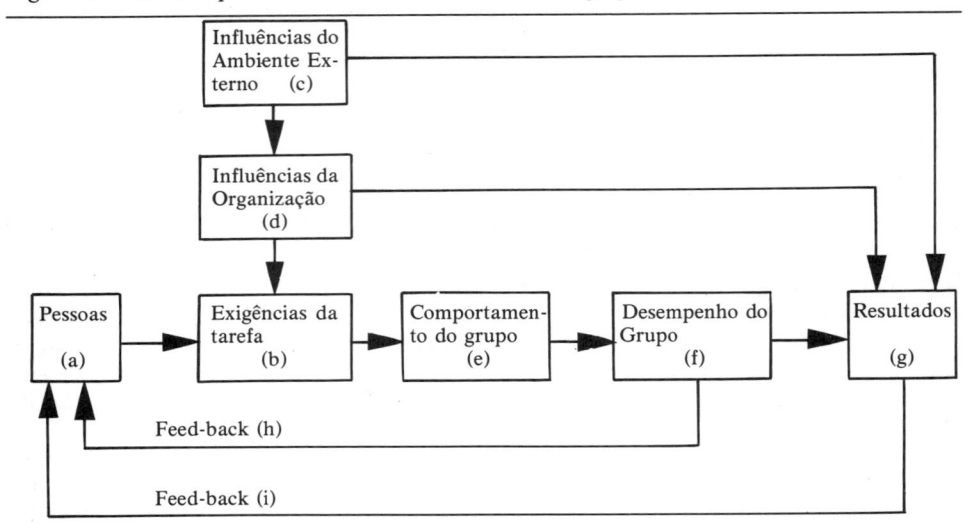

No trabalho intelectual em grupo, de forma geral, e particularmente no caso da pesquisa, os resultados não são fruto exclusivamente do comportamento e do desempenho no trabalho do grupo avaliado. Como mostra o modelo, eles podem ser alterados por influências do ambiente externo e da própria organização, ou ainda como produto de alterações em uma ou mais das várias interfaces existentes entre os blocos.

É possível, portanto, com a utilização deste modelo levantar informações que nos dêem uma noção real da importância e das situações em que se encontra a administração de RH no Centro de P&D.

Cada uma das variáveis componentes do modelo será então alvo de explicações e para cada uma delas existem particularidades em Centros de P&D como apresentamos a seguir:

a) **Pessoas**: representam os indivíduos que compõem o grupo. Conceitos como: diferenças de habilidades e suas conseqüências devem ser considerados.

Maximiano (1983) cita como um importante atributo dos gerentes de pesquisa a capacidade de integrar-se ao trabalho de equipe. Este atributo pode traduzir-se em diversas variáveis que podem ser medidas de diversas formas através de testes de personalidade e outros.

Outro aspecto de grande importância é a necessidade de desenvolvimento de tarefas de elevada complexidade e especialização, o que gera a exigência de pessoas com elevada capacidade e alta qualificação.

Obviamente o nível intelectual e cultural de tais pessoas por um lado facilita os fluxos de comunicação e o entendimento, por outro, contudo, gera um nível maior de reivindicações e um maior poder de barganha. Normalmente a este nível também associa-se uma maior incidência de necessidades e valores não materiais. Associa-se, por exemplo, aos graus mais altos da hierarquia das necessidades de Maslow.

252

b) **Exigências da Tarefa**: representam as demandas colocadas pela natureza da tarefa sobre o trabalho em grupo. São relevantes conceitos como: complexidade, divisibilidade, etc.

Em sua pesquisa, Santos (1983) constatou que há falta de mecanismos propícios à criatividade e liberdade do pesquisador. Estas são exigências intrínsecas à tarefa de pesquisa e desenvolvimento que devem ser continuamente atendidas e garantidas tanto por características pessoais dos pesquisadores quanto por influências da organização como recompensas adequadas, possibilidades de complementação de conhecimentos, etc.

Santos (1983) também aponta um importante empecilho ao atendimento às exigências da tarefa no que se refere às condições para o denvolvimento do pesquisador na carreira técnica. Em sua pesquisa demonstrou não estarem presentes tais condições o que equivale, com elevada freqüência, à troca de bons técnicos por maus gerentes diminuindo assim a eficácia do Centro. O problema da carreira assume tal relevância que será discutido mais detalhadamente no tópico "Planejamento de carreira".

c) **Influências do Ambiente Externo**: representam as influências de elementos externos à organização a qual o grupo pertence. Por exemplo, políticas governamentais, legislação, etc.

Este bloco exerce um importante impacto no desempenho do grupo de diferentes maneiras. Impedimentos legais para a comercialização de determinados produtos, por certas empresas, podem levar à extrema desmotivação, grupos de pesquisa que detém tecnologia referente a estes produtos e não podem ver seu encaminhamento à produção, ou até podem ser "proibidos" pela cúpula da empresa de pesquisar determinado assunto. Exemplos de tais impedimentos podem ser encontrados na aplicação da lei de informática a empresas multinacionais e mesmo algumas nacionais.

O mercado de trabalho e os níveis salariais oferecidos pelas diferentes empresas são também variáveis importantes para a motivação e a satisfação de grupos de pesquisa.

d) **Influências da Organização**: representam as influências da organização em termos de estrutura e outros aspectos como: disponibilidade de recursos, etc.

A organização deve prover os membros dos grupos que compõem o Centro de P&D do adequado suporte ao desenvolvimento de sua criatividade e produção. Tal suporte vai desde o fornecimento dos materiais necessários às pesquisas até o oferecimento de recompensas percebidas como justas pelos pesquisadores.

e) **Comportamento do Grupo**: é representado pela somatória dos comportamentos individuais e suas interações. É relevante o estudo dos processos de repartição de poderes, tarefas, informações e recompensas.

É importante a existência de mecanismos que valorizem o talento, hierarquizem os poderes com base neste e facilitem o intercâmbio de informações. Trabalhos como o de Donaire (1979) apontaram a importância de aspectos como liderança, nível de diálogo e grau de apoio.

f) **Desempenho do Grupo**: representa uma avaliação da qualidade da atuação do grupo através de medidas de eficiência e eficácia.

Do ponto de vista da tarefa, um critério importante é a qualidade técnica dos resultados do projeto segundo Ohayon (1983). Dentro de seu trabalho o autor citado apresenta um amplo estudo sobre os critérios adotados para avaliar projetos.

g) **Resultados**: nem sempre, e pelo menos a curto prazo, desempenho está diretamente associado a resultados. Por esta razão há uma diferenciação entre resultados e desempenho. Há resultados a nível psicológico ("moral" do grupo) e a nível das tarefas.

Segundo Santos (1983) grupos de pesquisadores e técnicos de pesquisa percebem o clima organizacional como mais desfavorável que os outros grupos organizacionais, mostrando também o impacto do perfil das pessoas que compõem os grupos de P&D. Santos também conclui que os pesquisadores inseridos na carreira de pesquisador científico têm maior índice de satisfação, reforçando a importância de gestão das carreiras de Centros de P&D.

h) e i): tratam-se das informações que retornam aos indivíduos do grupo em função do desempenho e dos resultados alcançados.

A adoção de um modelo como o apresentado, para o desenvolvimento de gestão de RH nos Centros de P&D apresenta inúmeras vantagens decorrentes da maior formalização/orientação dos trabalhos de análise e planejamento.

A análise do clima do Centro de P&D, das características de personalidade dos membros dos grupos, do inter-relacionamento entre pessoas e grupos e de outras dimensões de caráter comportamental, constitui-se numa maneira bastante adequada não só de iniciar o desenvolvimento da gestão dos Recursos Humanos, como também de monitorar a adequação das estratégias e decisões gerenciais adotadas.

No tópico a seguir tentaremos explorar os aspectos gerenciais da administração de Recursos Humanos de Centros de P&D mostrando suas ligações com os aspectos comportamentais aqui apresentados, visando a caracterização da forma mais clara possível da indissociabilidade e da relação biunívoca existente entre as abordagens.

3 — ASPECTOS GERENCIAIS

As peculiares características comportamentais do trabalho em Centros de P&D apresentadas no tópico anterior sugerem a necessidade de um cuidado muito grande a ser dispensado pela cúpula da empresa junto a estas atividades.

A orientação estratégica da empresa quanto à importância da capacitação tecnológica é que deve determinar a ênfase e os investimentos em P&D, com impactos em aspectos estruturais e na gestão dos Recursos Humanos do Centro.

O "processo" de Recursos Humanos em Centros de P&D não difere significativamente daquele que ocorre nos demais subsistemas das organizações. Os "inputs" e "outputs" do processo são pessoas, que entram e saem das organizações passando por um "ciclo de vida" completo de diferentes durações, em cada caso. O núcleo do processo divide-se entre as atividades tradicionais de recrutamento, seleção, treinamento, manutenção e desligamento.

Cada uma delas é um conjunto de tarefas fisicamente realizadas, sobre as quais estratificam-se, de forma hierarquizada, decisões diversas, tomadas em diferente momentos e que irão condicionar o desempenho de cada uma das atividades.

No sistema de administração de recursos humanos, como em vários outros sistemas organizacionais, decisões de várias naturezas são tomadas. Quase sempre, as diferentes decisões tomadas em um sistema têm abrangência e profundidade diversas.

Muitas vezes estas decisões devem ser tomadas em fases distintas, apesar de interdependentes, devendo então ser encadeadas de forma lógica.

Para interpretar os resultados de nossa pesquisa, utilizamos o Modelo de Hierarquização de Decisões de Zaccarelli (1983). O próprio Zaccarelli justifica a utilização do modelo afirmando que:

"(...) Para as empresas que têm vários níveis hierárquicos é preferível transformar os problemas e decisões em resolução por fases, uma vez que esta é a forma compatível com a estrutura organizacional. Os níveis mais altos da organização tomam as decisões inerentes às primeiras fases, também chamadas mais gerais ou estratégicas e os níveis mais baixos da organização tomam as decisões mais detalhadas ou operacionais. Apenas nas mini-empresas, com apenas um nível hierárquico, apesar de ser mantida a natureza dos problemas, pode-se pensar em decisões em apenas uma fase, embora a elas também seja aplicável a hierarquização em vários níveis ou fases."

Dentro desta visão torna-se particularmente útil a adoção de um modelo de hierarquização de sistemas decisórios aplicado ao processo de gestão de recursos humanos. Desta maneira cada decisão referente a este processo pode ser detidamente analisada e articulada com as demais, permitindo levar-se em conta as peculiaridades e especificidades referentes aos grupos de P&D.

O modelo de hierarquização adotado procura dividir os problemas administrativos em níveis hierarquizados para viabilizar sua solução, pois normalmente estes são muito complexos e exigem um tempo de resposta curto. Ele foi desenvolvido por Zaccarelli, a partir das contribuições de Simon e de Mesarovic com a representação gráfica apresentada na Figura 2.

Os tópicos seguintes abordarão detalhadamente cada camada decisória, não apenas conceituando cuidadosamente o significado de cada uma, como também apresentando resultados de pesquisas, comentários pessoais e sugestões a título de proposições que esperamos possam ser úteis à prática administrativa nos Centros de P&D.

4 — DECISÕES ESTRATÉGICAS DA GESTÃO DE RECURSOS HUMANOS

Este é o mais alto nível da hierarquia decisória. Dado um conjunto de condicionantes ambientais, as decisões estratégicas são aquelas feitas em função ou em resposta a essas condicionantes ambientais.

No modelo de hierarquização de decisões aplicado às funções de Recursos Humanos, Zaccarelli e Kwasnicka (1978) caracterizam estas decisões como de "cúpula"ou de alta direção da empresa, estabelecendo a política geral da função de recursos humanos.

Esta é a camada decisória mais próxima do ambiente externo, responsável por reagir aos seus condicionantes, favorecendo a adaptação a este mesmo ambiente.

Figura 2 — Modelo de hierarquização de Zaccarelli

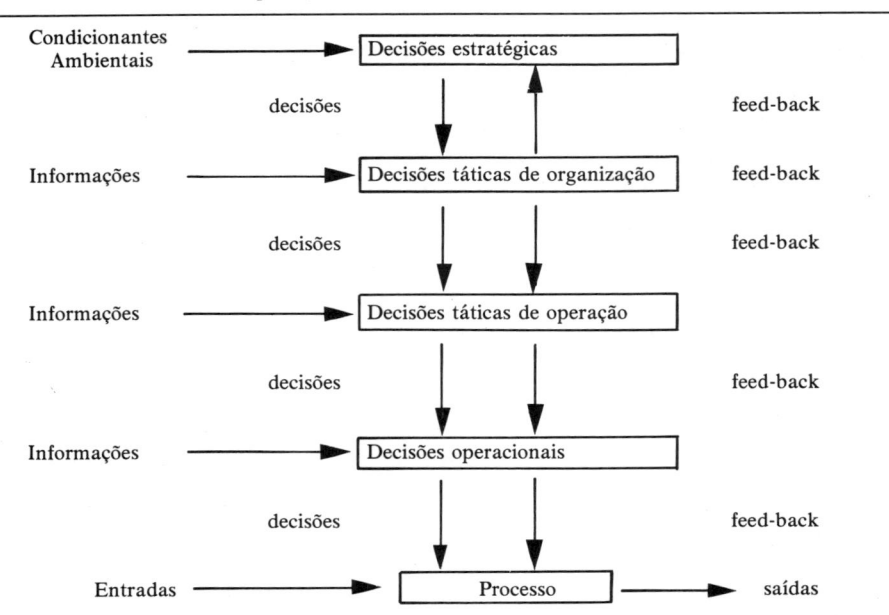

Esta camada também é provida de informações referentes a outras funções da organização e das demais camadas da mesma função, sendo então responsável por garantir a coordenação e coerência das decisões a ela subjacentes.

Zaccarelli e Kwasnicka (1978) apontam como decisões desta camada, entre outras, o grau de identificação do empregado com a empresa, o volume de utilização da mão-de-obra qualificada no mercado versus o desenvolvimento interno à empresa, e a política salarial a ser adotada com relação ao mercado.

Cabe a esta camada a identificação dos objetivos de recursos humanos, através de respostas a questões como:

- quais as demandas feitas pelas missões e planos estratégicos da empresa sobre o clima da organização e recursos humanos?
- que tipo de pessoas, com quais habilidades e possibilidades de performance a organização necessita? Quantas e quando?
- que estilo de liderança e habilidades gerenciais serão necessários para cada divisão, local ou grupo de negócio?

As organizações que conferem importância estratégica às atividades de P&D — traduzida esta importância por indicadores como participação do orçamento do Centro no orçamento global da empresa, tempo dedicado pela cúpula para gestão das atividades de P&D e outros — devem procurar tomar com especial cuidado as decisões desta camada pois, constituindo-se em condicionantes das demais decisões elas transformam-se em condicionantes do próprio sucesso da estratégia adotada.

Maximiano (1983) aponta importantes condicionantes ambientais que caracterizam a relação entre os principais problemas enfrentados pelo esforço de inovação tecnológica e a formação de quadros de pesquisadores. O principal dentre eles é a escassez de mão-de-obra especializada, que se constitui num "gargalo" para o sistema. Martins (1980) também mostra um problema relevante das instituições de pesquisa — a escassez de pessoal qualificado — ligado a deficiências do sistema educacional.

A importância estratégica do pessoal de P&D para a empresa (eles têm a tecnologia "na cabeça"), aliada aos problemas de escassez deste pessoal no mercado de trabalho, indicam como fundamental a resposta a uma das questões chave desta camada decisória: qual deve ser o grau de identificação do empregado com a organização? As evidências sugerem o acerto da opção por um alto grau de identificação, o que irá condicionar diversas decisões hierarquicamente subordinadas, como salientam resultados de pesquisas de Albuquerque (1982). O autor conclui que o grau de identificação com a organização é maior entre os pesquisadores que reconhecem maior objetividade na administração de salários, alto grau de formalização, alto grau de equilíbrio interno de salários, alto grau de comunicação dos critérios utilizados na administração salarial e alto grau de equilíbrio externo de salários. Estas conclusões evidenciam a necessidade do máximo cuidado quando da confecção de instrumentos de gestão de recursos humanos, como programas de desenvolvimento de carreira e planos de cargos e salários. Na mesma pesquisa, o autor conclui que o grau de identificação com a organização é maior entre os pesquisadores com idade acima da média e que recebem maiores salários, demonstrando as vantagens de manutenção do pessoal na empresa ao longo do tempo (a identificação com a empresa aumenta, e com ela, os resultados).

As dificuldades relativas às deficiências do sistema educacional, citadas por Martins (1980), constituem-se em um outro importante condicionante ambiental. A este condicionante, deve corresponder a opção pelo desenvolvimento interno de pessoal, forma mais adequada de obter e manter pessoas que atendam às necessidades de capacitação tecnológica. Esta opção também leva a importantes conseqüências em termos de decisões de camadas inferiores tais como: critérios para progressão na carreira, ênfases no treinamento e avaliação de desempenho, etc.

As decisões relativas à política salarial em relação ao mercado devem considerar, frente à escassez de mão-de-obra qualificada, a possibilidade de utilização, por parte de algumas empresas, da estratégia de "convites irrecusáveis", para completar seus quadros com pessoal treinado. Este tipo de risco deve levar a um cuidado especial quanto à opção entre remunerar abaixo, igual ou acima do mercado.

Após a determinação das ênfases nos diversos focos estratégicos, delineando um perfil dos recursos humanos demandados pela organização, torna-se possível a configuração do sistema que a organização irá oferecer ou seja, a gestão de carreiras a ser adotada no centro de P&D, objeto da camada decisória seguinte (decisões táticas de organização).

5 — O PLANEJAMENTO EM RECURSOS HUMANOS E A GESTÃO DE CARREIRAS

Após o estabelecimento da forma pela qual a organização buscará adaptar-se ao ambiente externo através das decisões do nível estratégico, a próxima etapa é determinar a importância relativa que assume cada uma das operações do processo de Recursos Humanos de forma a viabilizar as decisões estratégicas. Assim, por exemplo, tendo sido decidido um alto grau de identificação do funcionário com a empresa (decisão estratégica) deve-se decidir por uma maior ênfase em desenvolvimento interno que recrutamento externo (decisão tática de organização).

Desta maneira, percebe-se que esta camada decisória envolve o balanceamento entre diversas decisões referentes aos Recursos Humanos da empresa tais como: recrutamento, seleção, orientação, treinamento, estudo de cargos, avaliação de cargos e salários, avaliação de desempenho, desenvolvimento, etc. Quais dessas decisões devem ser enfatizadas e de que forma são as grandes perguntas neste nível.

Uma forma coerente e articulada de responder a estas questões é através do estudo e planejamento da carreira. A carreira dos pesquisadores pode ser vista como um eixo que atravessa todo o espectro de decisões da área de Recursos Humanos, com ramificações que permeiam a maior parte delas. Assim, o recrutamento externo de um pesquisador pode influir na evolução da carreira dos demais pesquisadores da própria empresa. A seleção de um elemento incapacitado, mesmo que para os níveis iniciais da carreira, pode dificultar sua evolução, criando dissonâncias no grupo. Orientação e treinamento incorretos podem gerar problemas do mesmo tipo. Avaliações de desempenho excessivamente subjetivas e viesadas podem, também, criar obstáculos indesejáveis. Estas decisões sobre cargos e salários, recrutamento interno, promoções, etc., afetam, direta e/ou indiretamente o desenvolvimento da carreira dos pesquisadores, podendo assim, enfraquecer um dos mais importantes fatores de motivação dos mesmos.

Percebe-se, neste momento, o desenvolvimento da carreira como o grande elo de articulação e operacionalização de todas as decisões da área. A carreira é o canal através do qual as empresas levam ou podem levar até os pesquisadores suas decisões da área de Recursos Humanos. Por sua vez, estas decisões, tomadas em concordância com as de adaptação ao ambiente, devem ser estruturadas através de um planejamento formal de recursos humanos. Este último deve, a seu tempo, ser coerente com o planejamento global da empresa.

Infelizmente, planejamento de recursos humanos, políticas e práticas de alocação e planejamento global são freqüentemente conduzidos independentemente entre si. "Na verdade, a alocação de recursos humanos é um processo com duas faces complementares". (Wallace, Crandall & Fay, 1982). Uma pode ser entendida como o planejamento de estrutura do ponto de vista da organização. Outra pode ser encarada como o planejamento de carreira. Em outras palavras, a questão da alocação de recursos humanos afeta tanto a organização quanto os pesquisadores, sua carreira e sua motivação.

Para entender com mais clareza a interface entre planejamento de recursos humanos e planejamento de carreira, é útil a visualização do modelo adaptado de Wallace, Crandall e Fay (1982), conforme Figura 3.

Analisando o relacionamento existente entre o planejamento da carreira e o de recursos humanos em geral, percebemos que este torna-se o segundo grande foco das decisões táticas de organização. Para simplificar e tornar mais linear o entendimento iremos discorrer separadamente sobre cada um dos dois, iniciando pelo planejamento de estrutura de forma mais detida, passando depois ao planejamento de carreira.

Figura 3 — Interface entre desenvolvimento de carreira e planejamento de recursos humanos*

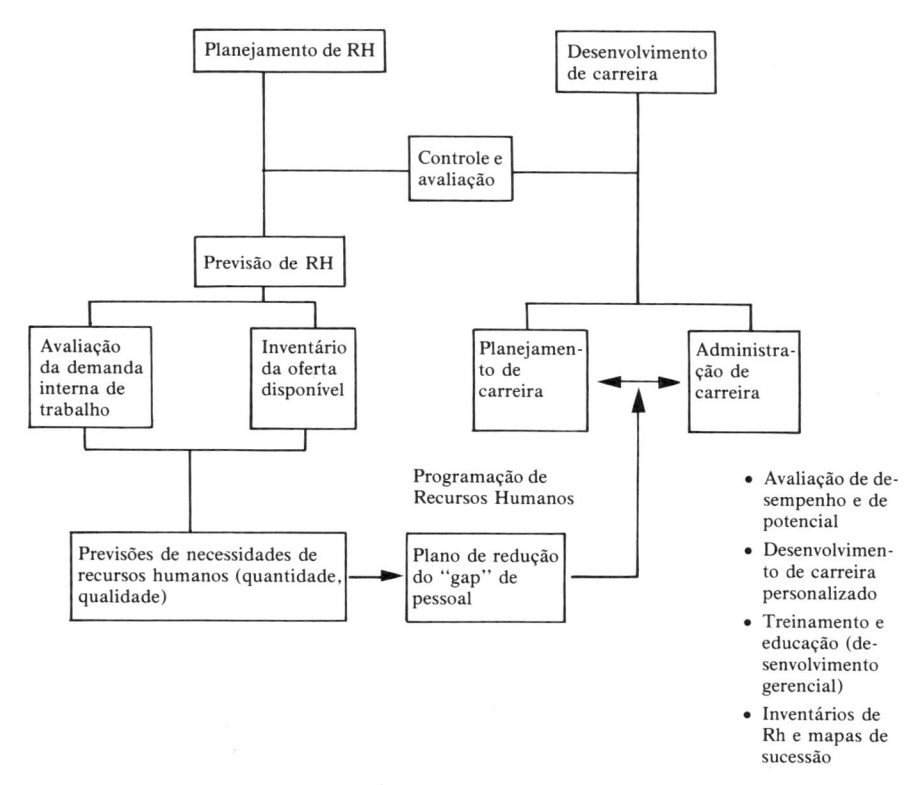

* Adaptado de Wallace, Crandall & Fay (1982), in Thomas Gutteridge (1976).

O Planejamento de Recursos Humanos

Há vários fatores críticos a serem ressaltados "sobre o impacto do planejamento de recursos humanos nas operações da função de pessoal e relações industriais em organizações. Primeiro, atividades de planejamento são pré-requisitos necessários se a administração de recursos humanos deve ter um impacto ou contribuir para a produtividade e objetivos de manutenção da organização. Segundo, muitas das reações dos gerentes de pessoal e de linha são geradas por crises, resultado direto do fracasso em projetar e implementar políticas voltadas a objetivos. Terceiro, atividades de planejamento de pessoal serão imperativas se as organizações tiverem de responder com sucesso aos desenvolvimentos econômicos, tecnológico, sócio-cultural e legal..." (Wallace, Crandall & Fay, 1982).

As empresas que mantém Centros de P&D enquadram-se perfeitamente dentro destas três características apontadas pelos autores citados, na presença das quais torna-se ainda mais importante o planejamento da estrutura do Centro de P&D ou da empresa toda para o futuro. No primeiro caso, empresas que dedicam parte de seu orçamento à atividade de pesquisa (de ponta ou original) desejam alcançar ou manter uma situação de liderança de mercado, esperando portanto, de sua administração de recursos humanos que contribua decisivamente para o atingimento de seus objetivos. Quanto à produtividade, é difícil discutí-la quando se trata de atividades de pesquisa. Mas, considerando que as empresas individualmente desenvolvem pesquisas singulares em seu mercado e que, portanto, leva algum tempo até que um pesquisador recém-admitido possa dar o máximo de si para os resultados do grupo, é fácil aceitar que a produtividade do setor de pesquisa é prejudicada com a perda ou com a falta de pesquisadores em determinados momentos. Pode-se chegar à mesma conclusão quando se fala de motivação dos pesquisadores para o trabalho, tema que será melhor abordado no próximo item deste tópico.

Em Centros de P&D, mais do que em qualquer área da empresa, é difícil o estabelecimento de objetivos coerentes com os objetivos globais da organização. A pesquisa é uma atividade pouco estruturada. As empresas que desenvolvem pesquisas no Brasil, devem resolver com seriedade a necessidade de inovar nos períodos de crescimento econômico, para fazer frente às dificuldades nos momentos de desaceleração ou estagnação. Não são poucos os exemplos de empresas que optaram por ganhar mercado e crescimento de vendas em momentos de euforia e viram-se, no momento seguinte, em grandes dificuldades devidas à obsolescência de seus equipamentos, processos e produtos, graças a desatenção à atividade de pesquisa. No campo tecnológico, o Brasil tenta agora, atingido certo estágio de desenvolvimento de sua economia, criar uma certa tradição tecnológica e descobrir sua vocação. É neste momento que as empresas precisam "subir a bordo do trem", antes que ele se afaste e a dependência total seja inevitável. Quanto ao desenvolvimento sócio-cultural, a procura de uma cultura brasileira de gestão, de um estilo próprio ou adaptado de administração, a organização dos sindicatos são mudanças que afetam direta ou indiretamente a pesquisa nacional. Finalmente, do ponto de vista legal, mudanças na legislação, reservas de mercado, são também importantes fatores a serem observados.

Já foi mostrada a importância do gerenciamento da Carreira do pesquisador como articulador e operacionalizador das decisões de Recursos Humanos. Pois bem, a evolução progressiva e continuada de toda a equipe de pesquisadores pode levar a uma configuração de estrutura tanto inadequada, quanto insustentável para a empresa. Esta situação pode gerar lacunas e superposições ou, em outras palavras, problemas para os administradores de recursos humanos. Assim, o aprimoramento no gerenciamento da carreira dos pesquisadores renderá tantos mais frutos para a empresa, quanto mais cuidadoso e adequado a ele for o planejamento da estrutura.

Assim como as outras áreas da empresa, o setor de Recursos Humanos tende, à medida em que crescem ou profissionalizam-se as organizações, a necessitar de um planejamento mais cuidadoso. É claro que, enquanto a função de produção pensa em máquinas, instalações e especificações, enquanto a função de Marketing pensa em sistemas de distribuição, embalagem e promoção e assim por diante, a função de Recursos Humanos deve pensar em pessoas e suas habilidades para realizar todas as atividades necessárias à sobrevivência da empresa.

Retomando o modelo adaptado de Gutteridge (Figura 3), nota-se que o sistema de planejamento de recursos humanos preconizado mantém estreita relação com o processo de planejamento estratégico realizado nas demais áreas da empresa de forma global. Uma diferença clara entre o planejamento de recursos humanos ou financeiros (áreas de apoio) e os de Marketing ou produção (áreas fim) é que o planejamento da estrutura futura da organização tem como fontes de informações as percepções dos demais gerentes. Feita esta ressalva, contudo, os passos são semelhantes. Os gestores de recursos humanos devem, através de interações com os gerentes responsáveis por todos os centros de decisão da organização, avaliar a demanda futura de trabalho. Todos os gerentes devem, a partir dos planos estratégicos das áreas sob suas responsabilidades, prever ampliação, extinção e criação de cargos, definindo a natureza do trabalho a ser realizado, bem como pré-requisitos para assumir a posição. Paralelamente, o administrador de recursos humanos realiza um inventário de toda a mão-de-obra disponível na empresa, com base nos mesmos parâmetros e em parâmetros adicionais, como avaliação de desempenho e de potencial. A partir do cruzamento das necessidades de trabalho com os dados levantados sobre a oferta disponível de mão-de-obra, ou seja, da comparação entre estrutura atual e prevista, são feitas previsões das necessidades de recursos humanos para o futuro. Dessa forma, o planejador de recursos humanos sabe, por exemplo, que, dentro de três anos, precisará substituir um pesquisador senior que será promovido, transferido ou aposentar-se-á àquela época. De posse dessa certeza, resta buscar nos bancos da empresa (lembrando-se da ênfase ao recrutamento interno), a pessoa mais indicada para assumir o posto.

Encontrada a pessoa e estudado o cargo a ser assumido, decide-se o caminho a ser percorrido pelo postulante, para que este atinja as condições necessárias à época da sucessão. Este procedimento é comumente chamado Plano de Sucessão.

Cabe ressaltar a importância da plena articulação entre planejamento de recursos humanos em geral e o de carreira (o planejamento de carreira será discutido no próximo item). No momento da decisão sobre quem assumirá determinado cargo, vago ou a vagar, é que este "casamento" deverá mostrar-se mais perfeito. Esta decisão terá de respeitar a evolução prevista dos pesquisadores na carreira. Cada pesquisador individualmente, deve galgar um certo número de posições em um período de tempo pré-determinado. Paralelamente, a estrutura deverá atingir o estado futuro previsto. Se estes dois processos, por vezes conflitantes, não forem conduzidos de forma coerente, será extremamente difícil o atingimento dos objetivos de ambos, simultaneamente. Na figura 4 apresentamos uma visão esquemática deste processo de planejamento.

Figura 4 — Os cargos e as pessoas no planejamento de recursos humanos

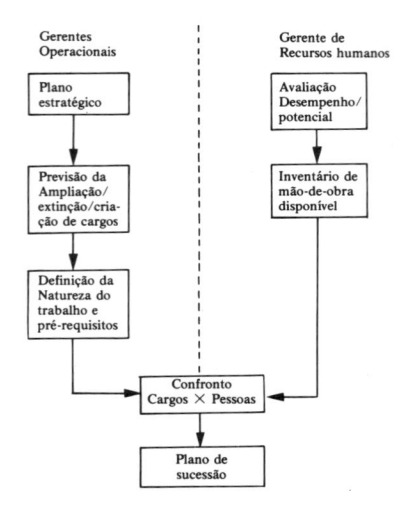

Planejamento de carreira

Ao lado do planejamento da estrutura, outra decorrência importante das decisões estratégicas é a questão da gestão de carreiras em Centros de P&D. As características comportamentais do pessoal de P&D exigem a condução de programas de desenvolvimento de carreira que suportem a sua manutenção na empresa, provendo-o da motivação necessária ao desenvolvimento de suas atividades.

O propósito geral de programas de desenvolvimento de carreira é articular os objetivos, necessidades e habilidades individuais com oportunidades atuais, futuras e desafios dentro da organização. Em outras palavras, o propósito de programas de desenvolvimento de carreira é elevar as possibilidades de os empregados atingirem seus

objetivos pessoais e assegurar que as organizações tenham as pessoas adequadas, nos lugares adequados e no momento adequado.

Além deste propósito geral, existem diversos propósitos específicos para a condução de programas e desenvolvimento de carreiras. Segundo Morgan (1979):

"Para a organização, programas de carreira servem para assegurar a máxima contribuição dos empregados, bem como para reduzir a rotatividade ... organizações estimulam estes programas esperando aprimorar desempenho e lucratividade."

Para os indivíduos, programas de desenvolvimento de carreira podem resultar em responsabilidade crescente, maior mobilidade e aquisição de novas habilidades.

Tais programas podem também elevar sua satisfação no trabalho e em suas próprias vidas, elevando seu envolvimento e provendo-os de uma melhor compreensão da organização e de si próprios.

Tanto os empregados quanto a organização têm responsabilidade pela gestão das carreiras. Os empregados devem proceder a auto-avaliações, identificar e aproveitar as oportunidades de carreira. As organizações devem oferecer estas oportunidades através de programas de desenvolvimento de carreira e estabelecer um ambiente favorável ao planejamento das mesmas.

Benson (1979) afirma que:

> "... organizações devem oferecer trabalhos desafiadores, sistemas de avaliação, sistemática de desempenho, administração equitativa de salários, treinamento e incentivo para gerentes desenvolverem adequadamente seus subordinados".

A forma encontrada pelas organizações para desempenhar estas suas responsabilidades é a adoção de uma gestão de carreira com forte vinculação com o planejamento e programação dos recursos humanos. Desta forma, as decisões referentes a carreira condicionam as demais decisões da gestão dos recursos humanos e decorrem diretamente da decisão estratégica da importância a ser atribuída às atividades de P&D, caracterizando-se assim como uma das camadas decisórias do modelo que adotamos para hierarquizar as decisões referentes ao processo de recursos humanos.

Apesar de não existir na bibliografia brasileira pesquisada, um estudo específico sobre planejamento de carreira, há alguns trabalhos sobre administração salarial como os de Albuquerque (1982) e Coda (1981) que demonstram o quadro de dificuldades que se apresenta para os administradores de recursos humanos em Centros de P&D, no que tange a problemas, de certa forma, relacionados à carreira dos pesquisadores. O trecho a seguir foi redigido a partir das observações e conclusões destes dois autores.

Existem evidências de associação entre a motivação dos pesquisadores e características da administração de salários como objetividade, formalização, equilíbrio interno e comunicação. A motivação é maior entre os pesquisadores que percebem objetividade quanto ao uso de métodos e técnicas apropriadas ao estabelecimento dos salários. A percepção da existência de um processo formal para o estabelecimento de salários, com critérios de tomada de decisão definidos e expressos através de manuais, regras e procedimentos escritos e totalmente aplicados também constitui-se em fator motivacional positivo. Também são fatores motivacionais positivos a comunicação dos critérios utilizados para o estabelecimento dos salários bem como a existência de equilíbrio interno entre estes.

Características da administração de salários, tais como, objetividade, formalização, equilíbrio interno e externo, e transparência são fatores favoráveis à elevação da performance dos pesquisadores.

Estruturas de carreira e salários com baixo grau de formalização, equilíbrio interno e transparência de critérios são um fator elevador da orientação para mudar de carreira, presente entre os pesquisadores.

A decisão de manter um alto grau de identificação do pesquisador com a empresa (decisão estratégica) condiciona as seguintes ênfases na administração de carreiras e salários:

263

- maior objetividade na administração de salários;
- alto grau de formalização;
- alto grau de equilíbrio interno e externo de salários;
- alto grau de comunicação dos critérios utilizados.

O conjunto de conclusões e observações permite antever um necessário deslocamento da ênfase da administração salarial. A tendência de organização do esforço e do trabalho humano é não mais na base de funções ou atividades, mas em torno de problemas a serem resolvidos e objetivos a serem atingidos. Ao invés do cargo, o foco principal passa a ser a capacidade do elemento humano, que melhor combina os conhecimentos e habilidades necessários à solução dos problemas e a consecução dos objetivos.

Há indicações de que devam existir planos de compensação diferenciados para ocupantes de cargos de pesquisa, até mesmo desvinculados dos demais porventura existentes, tais como, administrativos, executivos, técnicos, etc. Em cargos de pesquisa o próprio ocupante é quem "faz" o cargo, ficando assim comprometidas as tentativas de comparação entre seus cargos e os demais existentes na instituição para fixação dos salários.

Cabe também considerar uma importante implicação decorrente das restrições apresentadas pelo vínculo jurídico das instituições de pesquisas públicas e da administração direta, à observação das características ligadas à satisfação salarial de seus pesquisadores, principalmente no que se refere ao equilíbrio externo da estrutura de salários. O atendimento a estas necessidades poderá demandar a transformação destas instituições em entidades mais flexíveis, como por exemplo fundações, caso os valores salariais definidos na legislação que regulamenta a carreira do pesquisador científico continuem a desconsiderar os montantes pagos pelo mercado de trabalho para cargos similares, dificultando ou até mesmo eliminando os efeitos positivos desta prática sobre a satisfação salarial.

Colocados os resultados de duas das poucas pesquisas sobre o assunto disponíveis na literatura, apresentamos algumas práticas de empresas que têm conseguido enfrentar com sucesso as dificuldades apontadas por Albuquerque (1982) e Coda (1981), acatando, até certo ponto, as sugestões do último. É claro que não há correspondência direta entre o que é preconizado pelos autores e o que é efetivamente praticado nas empresas de maior sucesso. Isto se dá principalmente porque cada empresa adota soluções particulares, adequadas à sua realidade. Apesar disso, por ser o planejamento de carreira um tema tão amplo, as soluções adotadas resultam em mudanças e melhorias na maior parte dos vários grupos de decisões de recursos humanos apresentados anteriormente. O tema será sub-dividido nos seguintes tópicos: Modelo de Carreira, Sistema de Progressão, Titulação de Cargos, Divulgação e Planejamento Conjunto.

Modelo de Carreira

a) Problemas Gerando Soluções

As mudanças desejadas e ocorridas nas empresas, especialmente nas que reconhecem ter obtido sucesso são *principalmente* geradas por problemas enfrentados.

Basicamente, três problemas afligem os administradores de pessoal responsáveis pela carreira de pesquisadores: evasão, desmotivação e abandono de carreira de pesquisa. O primeiro — evasão — é causado por "ofertas irrecusáveis" feitas por outras empresas. Neste caso, a perda é tripla. O pessoal que troca de emprego em razão de melhores propostas recebidas leva consigo todo seu potencial de trabalho futuro, boa parte da tecnologia da organização e todo o investimento feito nele em termos de educação, treinamento e desenvolvimento. Pode acontecer também de o pesquisador não abandonar a empresa, mas, em função do inevitável contato com informações sobre o mercado de trabalho, sentir-se desmotivado para o trabalho. Este seria o segundo problema possível e pode levar à limitação da criatividade e produtividade no trabalho. O último problema surge quando, percebendo as pequenas chances de progresso financeiro e elevação de "status social" na carreira técnica, o pesquisador decide assumir posições gerenciais. Repete-se o antigo adágio: "Perde-se um grande pesquisador e ganha-se um gerente medíocre".

Para enfrentar estes problemas, algumas empresas adotaram, nos últimos anos, planos que aplicam o conceito de carreira ao trabalho de pesquisa e dão aos pesquisadores a possibilidade de atingir prestígio e remuneração recompensadores sem serem obrigados a mudar a natureza do seu trabalho.

Vejamos o que escreve Carmine Taralli, Gerente do Centro de Pesquisas e Desenvolvimento da Pirelli — Divisão de Cabos:

> "O estabelecimento de um plano de carreira adequado ao pesquisador/tecnólogo trabalhando em um Centro de Pesquisa e Desenvolvimento industrial, é um dos problemas fundamentais na administração de recursos humanos em Ciência e Tecnologia. É necessário proporcionar a essa categoria profissional perspectivas de ascensão, tanto no aspecto material, quanto de prestígio dentro e fora da empresa, que correspondem aos naturais anseios humanos de evolução. Deve-se procurar também um nível de equivalência com a carreira oferecida nas outras áreas de trabalho na empresa.
>
> É incontestável que o leque de oportunidades que outras áreas, como por exemplo a industrial, podem oferecer é muito maior, tornando-se mais atraentes aos profissionais no momento de uma decisão.
> Por outro lado, não há dúvida de que uma adequada seleção pode assegurar a escolha de pessoal que tenha efetiva vocação para a atividade de pesquisador/tecnólogo e que não seja passível de atração por um desenvolvimento profissional que, em muitos casos, pode resultar em mera evolução na escala administrativa.
>
> Entretanto, é necessário munir-se de instrumental suficiente a fim de se evitar que, em determinado momento, esses profissionais se sintam frustrados ou mesmo sacrificados em suas aspirações profissionais e salariais."

Algumas empresas utilizam planos que garantem explicitamente a evolução dos profissionais na carreira técnica com os mesmos benefícios que poderiam obter se optassem pela carreira administrativa. Alguns convencionaram chamar este sistema de modelo Y. Comentaremos mais cuidadosamente este modelo adiante.

Outras mostram-se propensas a permitir, apesar de não garantirem, que os mesmos benefícios sejam oferecidos a um ocupante de cargo de pesquisa e a um ocupante de cargo gerencial. Dentre estas é até possível a um pesquisador nivelar-se a um gerente, sendo, contudo, muito rara esta situação.

b) O Modelo "Y"

A letra ípsilon (ou hipsilo) é utilizada para representar o modelo por ser semelhante ao caminho a ser percorrido pelo pesquisador à medida em que evolui em sua carreira, como pode ser visto na Figura 5:

Figura 5 — O modelo de carreira em y

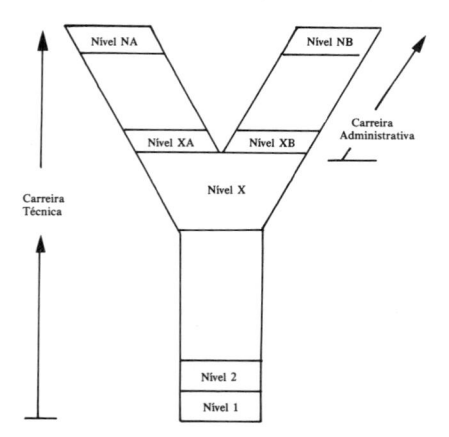

Lembramos que, nas empresas que utilizam o modelo:

1) é dada ênfase na seleção para cargos da base do Y, de preferência para o *nível 1*;
2) são previstas, e desejáveis, promoções frequentes para os pesquisadores; e
3) é dada ênfase ao recrutamento interno.

Os pesquisadores são contratados para os níveis iniciais de carreira. Periodicamente, segundo alguns critérios de experiência e desempenho, são promovidos. Desta forma, há uma evolução normal até o nível X (Figura 5). Neste ponto, a bifurcação do Y, o profissional, em conjunto com seus supervisores e especialistas da área de recursos humanos, decide o futuro de sua carreira. Por uma haste, ela será unicamente técnica. Pela outra, será predominantemente administrativa. Nos dois casos, os benefícios, salários e prestígio são os mesmos.

A implantação do modelo, por si só, ataca diretamente apenas o terceiro dos três problemas apontados na letra (A) deste item (evasão, desmotivação e abandono da carreira de pesquisa). O segundo, desmotivação, é atenuado também com a simples implantação. Contudo, para acabar de vez com este segundo problema e enfrentar o primeiro, evasão, é necessário que a estrutura implantada apresente grande coerência interna e externa, em termos de salários e benefícios oferecidos.

Assim, uma vez implantado o modelo e tomados os referidos cuidados, ele deve resolver estes três problemas tão freqüentes na administração de recursos humanos em Centros de P&D. As experiências práticas de implantação têm tido sucesso até o momento. É claro que ainda não enfrentaram, dado serem programas relativamente recentes, algumas dificuldades que poderão ser sentidas. Listaremos algumas delas sem a pretensão de esgotá-las e ainda de reputar não terem solução:

1) O modelo em si não resolve o problema do subjetivismo na definição de quem será promovido. Portanto, deve sempre ser acompanhado do estabelecimento de critérios os mais objetivos possíveis para que a promoção seja efetuada, sob pena de criar conflitos entre os pesquisadores. Paralelamente, deve ser idealizado um sistema de avaliação de desempenho que garanta o perfeito enquadramento, aos referidos critérios, dos pleiteantes a novos postos;

2) A promoção pura e simples de todos os pesquisadores que preencham os requisitos necessários, pode tornar a estrutura da empresa insustentável: uma pirâmide alongada verticalmente com grande número de altos salários e de especialistas de alto nível incompatível com a composição dos projetos a desenvolver, etc. Fica realçada aqui a importância do planejamento de estrutura, já comentado, quando se deseja aprimorar o planejamento de carreira nas empresas. Um critério que deve ser adicionado aos utilizados para encaminhar promoções é a conveniência destas promoções para a estrutura futura da empresa. Isto não significa, contudo, que as promoções não possam ser estimuladas. Elas apenas devem ser acompanhadas por um controle da evolução da estrutura, incluindo freqüências das promoções e distribuição pelas várias áreas de atuação.

3) O momento da passagem da bifurcação do Y para uma das duas hastes, quando o profissional deve optar por continuar na área técnica ou encaminhar-se para a administrativa, é crítico. Uma vez feita a escolha, à medida em que passa o tempo e se evolui na carreira, mais difícil fica a passagem para a outra haste, para um mesmo nível ou para um superior. Esta situação, contudo, é melhor do que aquela em que não se tem oportunidade de escolha e será amenizada com o aprimoramento da qualidade da decisão no momento da primeira opção.

4) Em muitos casos, os pesquisadores têm, no topo de sua carreira, um cargo equivalente a uma gerência em termos de salários, benefícios e prestígio. Não é possível, porém, a equivalência à Diretoria ou Vice-Presidência uma vez que tenha optado pela carreira técnica. Podem surgir, portanto, conflitos entre pesquisadores de alto nível, ao perceberem que sua opção os impediu de **galgar** mais alguns importantes postos na organização.

As dificuldades que levantamos de forma alguma invalidam o modelo. Ao contrário, a carreira em ípsilon apresenta-se como solução viável para a constante perda de cérebros e para o perigo do decréscimo de produtividade. É bom, contudo, lembrar os cuidados necessários na aplicação de qualquer técnica ou modelo. Tudo que é tido como panacéia, corre o risco de deixar muita gente frustrada. Entendidas as ressalvas, fica mais fácil usufruir das vantagens do modelo, que são muitas.

Explicamos resumidamente o conceito embutido no modelo Y. Dissemos algo sobre suas vantagens e os cuidados a serem observados na implantação. Mostraremos agora como e quando se dão as promoções. Discutiremos o subjetivismo envolvido na avaliação dos profissionais e o estabelecimento de critérios de progressão.

Sistemas de Progressão

Para a operacionalização de um sistema de progressão, dois componentes devem estar presentes: a descrição dos cargos com os critérios de promoção e algum sistema de avaliação de desempenho.

A descrição dos cargos traduz a estrutura da empresa e os critérios de promoção, pontos fundamentais do planejamento de carreira. São muito utilizados três aspectos básicos na determinação dos critérios de promoção: formação/escolaridade, experiência e desempenho, sendo que também é utilizada, embora com menor freqüência, a avaliação de potencial. Assim, existindo uma vaga ou necessidade, cumpridos os requisitos básicos de formação e experiência e atingidos os níveis de desempenho, dá-se a promoção. Como dissemos, algumas empresas avaliam o potencial dos profissionais. Nestes casos, uma promoção pode ser sugerida ou vetada com base em mais este instrumento.

O que se deve controlar é o subjetivismo nas decisões sobre promoções. Isto pode ser conseguido desde que sejam tomados os seguintes cuidados:

1) Devem ser feitas descrições de cargos precisas, que tornem claras as diferenças entre os postos e a natureza do trabalho a ser realizado em cada um;

2) Devem ser definidos claramente os pré-requisitos formais para assumir um novo cargo, como escolaridade/formação, experiência e outros; e

3) Deve ser formalizado um sistema de avaliação de desempenho que meça o mais precisamente possível os resultados do pesquisador em situação de trabalho.

De posse de descrições precisas, fica mais fácil o estabelecimento dos pré-requisitos necessários para a execução do trabalho no novo cargo, que devem ser atendidos a priori. Então, respeitadas as freqüências das promoções, ou seja, observado o período máximo e mínimo que um pesquisador deve permanecer num mesmo cargo, as promoções são efetivadas com base no desempenho passado e, por vezes, no potencial futuro.

Dessa forma, com descrições precisas, pré-requisitos básicos formalizados e unificados para todos os postulantes a determinado cargo, e com avaliações de desempenho feitas em bases tão objetivas quanto possível, reduz-se a subjetividade. Os requisitos de formação e experiência normalmente são expressos em "anos" e "área de conhecimento". Por sua vez, as avaliações de desempenho devem considerar a atuação do profissional em várias dimensões previamente estabelecidas. Estas dimensões devem estar estreitamente ligadas a aspectos do trabalho realizado, podendo incluir variáveis como relacionamento e comunicação, desde que necessário. No caso da pesquisa, os resultados alcançados pelos projetos em que o candidato à promoção participou, têm sido usados com sucesso. Os projetos podem ser classificados segundo sua dificuldade e importância para a organização, como têm feito empresas de sucesso em pesquisa. Estes procedimentos, aliados à opinião do avaliado referendando a avaliação do supervisor, reduzirão ao mínimo o componente subjetivo que pode viesar o processo de promoção.

Na figura 6, mostramos um modelo para descrição de cargos e critérios de promoção. Cabe lembrar que, a estes critérios, devem ser somadas avaliações de desempenho feitas pela supervisão.

Figura 6 - Exemplo de descrição de cargos e critérios de promoção na carreira técnica — composição dos modelos Johnson/Johnson e Pirelli (utilizados sob permissão).

CARGO	ESCOLARIDADE	EXPERIÊNCIA MÍNIMA	REQUISITOS DESEJÁVEIS	DESCRIÇÃO DO CARGO		AUTONOMIA/ CRIATIVIDADE
				ATIVIDADE	COMUNICAÇÃO	
6º	Superior	De zero à um ano em área afim	- Conhecimento de inglês - Vivência em setores da indústria, órgãos de pesquisa etc.	- Desenvolver uma ou mais partes de um projeto pequeno (atividades técnicas) sob orientação.		
5º	Superior	a) 3 anos em área afim b) 1 ano + mestrado em área afim	- Conhecimento de inglês para redação e leitura - Vivência com sistemas de desenvolvimento de projetos - Experiência em contatos interdepartamentais, fornecedores, etc. - Um crédito em cursos internos de treinamento	- Desenvolver projetos pequenos utilizando-se de todos os recursos internos do CPD + avaliações e assistências externas tais como área médico-científica, testes de consumidor/ mercado etc. - Realizar etapas de projetos grandes sob supervisão - Responsável por projetos pequenos	- Documenta em relatórios parciais as etapas realizadas - Redige relatório técnico conclusivo - Dá assistência à produção - Participa na elaboração de especificações sob coordenação	Desejáveis
4º	Superior	a) 6 anos em área afim b) 4 anos + mestrado em área afim c) Doutoramento em área afim	- Fluência em inglês - Vivência em sistemas de planejamento de atividades de projetos	- Desenvolver projetos com elevada autonomia dado seu elevado nível de conhecimento e experiência na área afim. Utiliza-se de todos os recursos disponíveis, tanto internos como externos. Estabelece critérios de desenvolvimento e avaliação. - Responsável por projeto médio	- Redige relatório técnico conclusivo - Dá assistência técnica à produção e vendas	Necessárias
3º	Superior	a) 10 anos em área afim b) 7 anos + mestrado em área afim c) 4 anos + doutorado em área afim	- Publicação de trabalhos ou patentes - Acesso e relacionamento com universidades e órgãos técnicos públicos ou privados - Fluência em inglês (e outra língua)	- Presta consultoria na área da especialidade - Tem influência no estabelecimento do Long Strategic Planning - Desenvolver projetos visando aquisição de tecnologia, suprindo as necessidades da área de desenvolvimento de produtos - Responsável por projeto de grande porte	- Redige relatório técnico conclusivo - Representa o CPqD em reuniões internacionais de pesquisa do grupo - Apresentações em congressos nacionais	Necessárias em grande dose
2º	Superior	a) 15 anos em área afim b) 10 anos + mestrado em área afim c) 8 anos + doutorado em área afim	- Fluência em inglês (e outra língua) - Diversas publicações de trabalhos ou patentes - Grande capacitação técnica - Acesso e relacionamento com universidades e órgãos técnicos públicos ou privados.	- Presta consultoria na área da especialidade - Define e desenvolve as tecnologias de potencial/ inovação/ interesse - Coordena projetos	- Representa a empresa em reuniões internacionais do grupo. - Apresentações em congressos nacionais	Necessárias em dose notável
1º	Superior	a) 20 anos em área afim b) 15 anos + mestrado em área afim c) 10 anos + doutorado em área afim	- Acesso e relacionamento com as principais fontes internacionais da tecnologia específica - Capacitação técnica excepcional	- Atua na consultoria local e internacional na área de especialidade - Coordena projetos	- Apresentações em congressos internacionais	Necessárias em dose excepcional

269

Os 1º, 2º e 3º cargos, os três últimos da tabela, são os que equivalem aos cargos administrativos dentro do Centro de P&D. Estes últimos, que optamos por não descrever, seriam, respectivamente os de gerente, chefe e supervisor. A referida equivalência dá-se, como já foi dito, em termos de salários, benefícios e prestígio do cargo.

A utilização de critérios análogos aos apresentados na Figura 6, em conjunto com avaliações de desempenho, sejam as tradicionais através de questionários, sejam as mais recentes através de classificação dos projetos segundo sua dificuldade e importância, ou ainda uma combinação das duas, deve proporcionar a redução do elemento subjetivo, evitando avaliações tendenciosas e tornando mais justas as promoções.

Titulação

Vencidas as dificuldades encontradas nas fases de planejamento da estrutura, de escolha e definição do modelo de carreira mais apropriado e do melhor sistema de progressão, o planejador de recursos humanos pensa ter terminado sua tarefa. Engana-se. Um aspecto que freqüentemente passa despercebido na idealização de sistemas desta natureza é a titulação dos cargos do Centro de P&D. Não menos freqüentemente a falta de atenção a este aspecto gera descontentamentos e, se não chega a invalidar o trabalho, causa contratempos e preocupações. Muitas vezes os pesquisadores julgam os títulos dados aos cargos que ocupam, (interna ou externamente à empresa) inadequados à natureza do trabalho que executam. Como conseqüência direta, sentem-se desvalorizados injustamente.

Apresentamos, a seguir, na Figura 7, a titulação adotada por algumas empresas que mantêm Centros de P&D, totalizando dez exemplos que poderão servir como guia para resolver esta questão. Por questão de sigilo, não indicaremos o nome da empresa a qual pertence cada um dos conjuntos de cargos. Ressalte-se, também, que o fato de dois cargos estarem em uma mesma *linha horizontal* na tabela não indica que sejam equivalentes em sua natureza ou recompensas recebidas.

Divulgação e o Planejamento Conjunto

Para este tópico, selecionamos algumas citações de Schuler 1981, quais sejam:

"O propósito geral de programas de desenvolvimento de carreira é combinar necessidades, habilidades e objetivos pessoais de um empregado com as oportunidades e desafios presentes ou futuros dentro da organização. Em outras palavras, o propósito dos programas de desenvolvimento de carreira é aumentar a probabilidade de o empregado obter satisfação pessoal e garantir que a organização coloque a pessoa certa no lugar certo, na hora certa.

Até recentemente, a carreira de um indivíduo era decidida pela organização. Se a organização necessitasse de alguém em outro lugar, alguém era transferido. O sucesso de uma carreira era freqüentemente indicado pelo número de mudanças que haviam sido feitas, já que estas mudanças eram geralmente premiadas com promoções para cargos mais importantes e bem remunerados. A organização raramente preocupava-se em saber se o

Figura 7 — Titulações dos cargos usados nas empresas pesquisadas (além da empresa 3 outras podem apresentar níveis técnicos)

Empresas / Cargos	1	2	3	4	5	6	7	8	9	10
1	Engenheiro Trainee	Pesquisador Júnior	Ténico de Pesquisa Júnior	Engenheiro	Engenheiro Júnior	Pesquisador I	Pesquisador	Pesquisador 2	Engenheiro de pesquisa e desenvolvimento	Gerente com consumidor, de avaliação de produtos ou de informações técnicas
2	Engenheiro Júnior	Pesquisador Pleno	Técnico de Pesquisa Pleno		Engenheiro Pleno I	Pesquisador II	Pesquisador II	Pesquisador I	Engenheiro de Produto	Gerente de formulação de produto, de desenvolvimento de embalagem ou processo, de análises e especificações
3	Engenheiro Sênior	Pesquisador Sênior	Técnico de Pesquisa Sênior		Engenheiro Pleno II	Pesquisador III	Pesquisador III	Pesquisador Sênior 3	Especialista em produto	Gerente de grupo de formulação, desenvolvimento de processos e embalagem, tecnologia
4	Engenheiro de Pesquisa		Pesquisador Júnior		Engenheiro Sênior I		Pesquisador Sênior	Pesquisador Sênior 2	Especialista em projeto	
5	Engenheiro de Pesquisa Sênior I		Pesquisador Pleno		Engenheiro Sênior II		Pesquisador Especialista	Pesquisador Sênior 1	Especialista em pesquisa	
6	Engenheiro de pesquisa Sênior II		Pesquisador Sênior				Pesquisador Especialista Sênior			
7	Engenheiro de Pesquisa Sênior III		Cientista Associado							
8	Engenheiro de pesquisa Consultor I		Cientista							
9	Engenheiro de pesquisa Consultor II		Cientista Sênior							

novo cargo era realmente o que o indivíduo queria e o indivíduo tinha controle muito limitado sobre sua carreira.

Hoje, o planejamento de carreira é encarado de uma nova forma. Indivíduos ainda são transferidos, e para muitos, isto ainda significa sucesso na carreira. Mas, mais do que nunca, empregados têm agora escolha sobre a transferência. Organizações tornam-se mais interessadas em saber o que é melhor para o indivíduo não somente em termos de capacidade para o trabalho, mas também em termos da satisfação dos seus desejos. Isto é, as organizações passam a preocupar-se com a combinação entre o cargo e as habilidades e necessidades individuais. Organizações começam também a aceitar que nem todos desejam ser promovidos. Como resultado, passa a ser mais legítimo ter uma carreira bem sucedida sem chegar ao topo da organização. Com o maior número de opções agora existentes nas organizações, os indivíduos passam a envolver-se mais no planejamento de suas próprias carreiras."

Pelo acima citado, a organização, que tem a ganhar com um maior envolvimento dos profissionais no planejamento de carreira, deve criar canais que possibilitem este envolvimento. A comunicação entre planejadores e empregados deve ser possibilitada e estimulada. Afinal, se todo um plano foi desenvolvido com o propósito de aumentar a satisfação e motivação no trabalho, bem como, para reter e desenvolver os pesquisadores, ele deve ser amplamente divulgado e discutido. Sem o "feed-back" fornecido pela opinião dos maiores envolvidos, o planejador priva-se do melhor parâmetro para a avaliação da eficiência do sistema implantado.

A comunicação ampla do plano e a participação dos envolvidos é, portanto, o último dos mais importantes aspectos envolvidos na idealização de um plano de desenvolvimento de carreira.

6 — OS MÉTODOS E PROCEDIMENTOS

Após o estabelecimento das ênfases relativas às diversas decisões referentes a recursos humanos, torna-se viável a definição dos procedimentos a serem seguidos.

Segundo Zaccarelli (1983), as decisões sobre o *detalhamento dos métodos e regras a serem seguidos* — tendo em vista as importâncias relativas atribuídas às formas de gestão das operações do processo, são as responsabilidades básicas desta camada decisória. O nível de detalhamento destas decisões deve ser grande, pois as decisões operacionais (*), hierarquicamente subordinadas, têm de ser tomadas rapidamente devendo, portanto, estar suportadas por um conjunto de regras que evite perda de tempo com a definição de como fazer as operações do processo.

Os critérios para escolha de métodos/técnicas específicas e para configuração de procedimentos para as diversas operações do processo devem estar plantados não somente nas ênfases assumidas pela camada anterior, mas também, tendo em vista o seu impacto no clima organizacional, nas variáveis que condicionam o desempenho dos pesquisadores, notadamente satisfação e motivação.

(*) As decisões operacionais são as respostas às questões imediatas do dia a dia, como por exemplo: "Qual dos candidatos contratar?", ou ainda "Quem deve ser promovido?" e assim por diante.

Desta forma, os insumos básicos para a tomada de decisões pertinentes a esta camada devem ser as informações provenientes da camada anterior aliadas a informações sobre as técnicas e procedimentos conhecidos na teoria de administração de recursos humanos. Além destas informações, torna-se de fundamental importância o conhecimento dos impactos das técnicas adotadas sobre a satisfação e a motivação das pessoas. Este conhecimento deve ser extraído de pesquisas empíricas que indiquem quais características dos métodos e dos procedimentos da administração de recursos humanos produzem determinados impactos no pessoal a eles submetido.

Procuramos selecionar, dentre as diversas contribuições encontradas sobre o assunto na literatura e prática de administração, aquelas que dizem respeito, mais diretamente, às reações do pessoal de Centros de P&D em relação aos procedimentos adotados em sua administração. Os resultados das pesquisas não autorizam a recomendação unilateral de alguma técnica específica, mas geram um perfil que sugere quais as técnicas mais aconselháveis e pode também ser usado como fonte para aprimoramentos das técnicas já existentes.

É importante esclarecer que, quando falamos em métodos, técnicas ou procedimentos, estamos nos referindo a sistemas estruturados e explícitos, aplicáveis à administração de recursos humanos, tais como: método dos pontos, sistema Hay, rotinas de recrutamento e seleção, etc.

A seleção para cargos de nível mais alto em Centros de P&D envolve um elevado risco, pois é difícil confirmar, na prática, seus erros. Assim, como anteriormente exposto, deve ser desenvolvido um procedimento cuidadoso que envolva especialmente autoridades técnicas do setor selecionado, que permita avaliar, com grau razoável de segurança, a competência técnica do candidato.

Segundo Albuquerque (1982), técnicas usuais de avaliação de cargos não são adequadas para a administração de salários de pesquisadores. Os planos que avaliam cargos em outras áreas, que não P&D, têm como lastro o cargo, que é bastante bem estruturado. Já na área de P&D, o lastro deve ser a pessoa, pois a estruturação é bastante baixa, dificultando correlações. Ao longo do tempo, o pesquisador vai se aprimorando, não fazendo sentido o estabelecimento de uma hierarquia rígida da estrutura. A base da estrutura deve ser uma hierarquia de competência. Em termos de configuração de cargos, a diferenciação em graus como junior, pleno e senior ou I, II e III, é praticamente impossível, pois o escopo de todos os níveis é semelhante, os problemas são complexos e de natureza aberta, muitas vezes não possibilitando uma alocação em níveis de complexidade.

Albuquerque (1982) cita duas importantes características das instituições de pesquisa: o alto grau de escolaridade formal e especialização de recursos humanos, e a missão da instituição, que têm importantes conseqüências para a administração de salários. "A tendência de organização do esforço e do trabalho humano não mais na base de funções e atividades, mas em torno de problemas a serem resolvidos e objetivos a serem atingidos, implica em deslocamento da ênfase da administração salarial: ao invés do cargo ... o foco principal passa a ser capacidade do elemento humano, que melhor combina os conhecimentos e habilidades necessárias à solução dos problemas e a consecução dos objetivos colimados".

Desta forma, é pouco frutífero o esforço extremado de diferenciação de níveis hierárquicos, através de exaustivas descrições de cargos. A ênfase deve ser em critérios de qualificação para acesso ao cargo e progressão na carreira. Existem sistemas empregados por organizações diversas, que objetivam atender a estas particularidades das instituições de pesquisa; estes seguem, de modo geral, o seguinte conjunto de etapas e conceitos:

1) Estabelecimentos de cargos que compõem a estrutura do Centro, com base no planejamento estratégico da empresa e na estrutura.

2) Definição das responsabilidades e do esforço de cada um dos cargos da estrutura projetada.

3) Determinação das categorias a serem utilizadas na classificação dos cargos, como por exemplo:

    a) escolaridade
    b) experiência mínima
    c) projetos anteriores
    d) prestígio técnico
    e) cursos de treinamento interno

4) Determinação, para cada categoria, dos graus que a compõem, como por exemplo:

    a) escolaridade
      a.1. superior
      a.2. mestrado
      a.3. doutorado
      a.4. pós-doutorado
    b) experiência mínima
      b.1. sem experiência
      b.2. de 1 a 3 anos
      b.3. de 3 a 5 anos
      b.4. de 5 a 10 anos
      b.5. mais de 10 anos
    c) projetos anteriores
      c.1. projetos pequenos
      c.2. projetos médios
      c.3. projetos grandes
      c.4. coordenação de projetos
    d) prestígio técnico
      d.1. relatório apresentado internamente
      d.2. relatório apresentado em congresso/seminário nacional
      d.3. relatório apresentado em congresso/seminário internacional
    e) cursos de treinamento interno
      e.1. cursos somando até 3 créditos
      e.2. cursos somando de 3 a 5 créditos
      e.3. cursos somando de 5 a 10 créditos
      e.4. cursos somando mais que 10 créditos

5) Determinação, para cada cargo, dos requisitos em termos das categorias (ou de combinação de categorias), tendo como suporte o escopo anteriormente definido, como por exemplo:

a) e b) **Escolaridade X Experiência**

Figura 8

a. Escolaridade b. Experiência	a.1. Superior	a.2. Mestrado	a.3. Doutorado	a.4 Pós-Doutorado
b.1. Sem experiência	Cargo I	Cargo II	—	—
b.2. 1 a 3 anos	Cargo II	Cargo III	Cargo IV	Cargo V
b.3. 3 a 5 anos	Cargo III	Cargo IV	Cargo V	Cargo VI
b.4. 5 a 10 anos	Cargo IV	—	Cargo VI	—
b.5. Mais de 10 anos	—	—	—	—

c) **Projetos anteriores**
   Projetos Pequenos - Cargo II
   Projetos Médios - Cargo III
   Projetos Grandes - Cargos IV, VI
   Coordenação de Projetos - Cargo V

d) e e) **Prestígio Técnico X Treinamento Interno**

Figura 9

d. Prestígio Técnico e. Treinamen- to Interno	d.1. Relatório Interno	d.2. Congresso Nacional	d.3. Congresso Internacional
e.1. 3 Créditos	Cargo III	Cargo IV	Cargo VI
e.2. 3 a 5 Créditos	Cargo III	Cargo V	—
e.3. 5 a 10 créditos	Cargo IV	Cargo VI	—
e.4. Mais de 10 Créditos	—	—	—

6) Determinação dos critérios de classificação dos projetos, podendo ser utilizado um sistema de pontuação onde atribuem-se pontos a variáveis de classificação dos projetos (por exemplo: ineditismo, número de desenhos, metodologia, etc.).

A utilização de um modelo como o apresentado sustenta o emprego de diversas **outras técnicas de recursos humanos, para muitas das decisões subseqüentes, tornan**do-as coerentes e homogêneas para a organização como um todo. O equilíbrio e a uni-

275

formidade dos aspectos formais da administração de recursos humanos trazem para a organização importantes conseqüências em cadeia como: melhor clima — maior motivação — maior produtividade — melhor satisfação. Mais especificamente nos Centros de P&D a aplicação deste tipo de ferramenta de articulação tem importância ainda maior devido, sobretudo, ao alto nível do pessoal e a difícil estruturação e hierarquização de seus cargos.

A partir das diversas contribuições encontradas na literatura, podemos extrair diversas recomendações que devem ser consideradas, quando da escolha de qualquer técnica específica de implantação de estruturas salariais em instituições de pesquisa. Estas recomendações são, basicamente:

a) tornar as estruturas salariais mais formais, pelo estabelecimento de regras e critérios bem definidos de tomada de decisão, detalhando e aplicando-os na fixação dos níveis salariais que irão compor a própria estrutura de remuneração;

b) divulgar e facilitar o entendimento, por parte dos pesquisadores, dos critérios utilizados para a fixação dos respectivos salários;

c) fixar os montantes salariais internos levando em consideração os níveis vigentes no mercado de trabalho para cargos similares;

d) fixar os níveis salariais em função de variáveis demográficas, reconhecendo principalmente o tempo de casa (antigüidade), tempo no cargo e idade dos pesquisadores como condicionantes da satisfação salarial;

e) definir planos salariais especiais para cargos de pesquisa, desvinculando-os daqueles porventura já existentes para outros profissionais, fornecendo recompensas semelhantes às oferecidas na carreira gerencial;

f) substituir as técnicas e métodos tradicionais para estabelecimento de salários pela abordagem da curva de maturidade, uma vez que esta metodologia facilita a utilização de variáveis relacionadas a satisfação salarial e;

g) pesquisar e definir sistemas de avaliação de desempenho adequados a cargos de pesquisa, em caráter complementar à utilização da curva de maturidade como determinante principal da remuneração.

Nas decisões referentes a treinamento, dois principais fatores devem ser considerados: o tempo e os custos. Segundo Zaccarelli (1979), o tempo e os custos de treinamento do pessoal de Centros de P&D são elevados, devido ao grau de sofisticação da tecnologia empregada. Esta característica peculiar dos Centros de P&D gera conseqüências específicas em decisões referentes a carreira, recrutamento, etc., tais como:

• maior ênfase na seleção de pessoal com potencialidade para absorver treinamento;

• maior ênfase no estudo de cargos procurando diminuir exigências dos requisitos dos cargos;

• maior tende a ser a ênfase no recrutamento interno, desde que seja aproveitado parte do treinamento feito para o cargo anterior.

A movimentação das pessoas ao longo de sua carreira pode dar-se de diversas maneiras. Contudo, um critério muito utilizado para a progressão na estrutura da empresa é o desempenho. Sob este aspecto, a avaliação de desempenho assume grande importância, também para Centros de P&D. O sistema de avaliação de desempenho deve estar articulado com os demais sistemas de recursos humanos (planejamento de carreira, recompensas, etc.) e com o próprio planejamento estratégico e de estrutura da empresa como um todo.

Acreditamos que um sistema de avaliação que seja aplicável aos Centros de P&D e que articule-se com os demais sistemas de recursos humanos deve apresentar a seguinte configuração:

- histórico profissional: um currículo normal, atualizado anualmente;

- planejamento individual de carreira: um "check-list", elaborado pelo próprio funcionário; serve para uma reflexão sobre o passado e o presente profissional do empregado e abre espaço para comentários pessoais sobre as habilidades técnicas, gerenciais e administrativas de cada um, bem como, sobre funções diferentes que o empregado gostaria de ocupar;

- análise de desempenho: um relatório produzido anualmente pelo funcionário e pelo seu chefe; nesse relatório, discutem-se as metas traçadas no início do exercício e os problemas enfrentados para sua consecução;

- análise de potencial: realizada por um comitê de executivos de alto nível, define o horizonte de carreira dos funcionários mais graduados. Uma vez estabelecido o nível máximo que o funcionário deve atingir, definem-se os programas de treinamento, de complementação de formação escolar, "job rotation", etc.

Finalizando, devemos lembrar que os sistemas e configurações aqui apresentados constituem-se em sugestões que procuram atender às especificações do pessoal de Centros de P&D, tendo em vista a elevação da motivação, satisfação e performance. Todavia, estas são decisões táticas de **operação** condicionadas por decisões táticas de organização e por decisões estratégicas, de adaptação ao ambiente, que, obviamente, variam de empresa para empresa. Contudo as especificidades dos Centros de P&D são basicamente homogêneas e delas emanam os critérios e requisitos que devem ser considerados na tomada de alguma decisão tática de operação e que procuramos apresentar ao longo deste trabalho.

O bloco do sistema decisório imediatamente subordinado ao apresentado neste tópico é o das decisões operacionais. Estas decisões referem-se ao "aqui e agora", ou seja, escolhas realizadas no decorrer do processo de recursos humanos, como por exemplo: qual candidato selecionar, qual curso ministrar, qual o nível salarial de cada faixa, etc. Obviamente as decisões desta camada não serão aqui abordadas, contudo devemos lembrar que do seu desempenho, dependem o próprio desempenho e o sucesso da gestão de recursos humanos da empresa, e que a forma eficaz de otimizar seu desempenho é através do cuidado e do acerto na tomada de decisões das camadas a ela superiores, explicitadas através de um planejamento de recursos humanos formalizado e articulado como o próprio planejamento da empresa como um todo.

7 — SUMÁRIO E RECOMENDAÇÕES

Ao longo deste tópico listaremos inicialmente uma série de conclusões específicas, bem como gostaríamos de apresentar algumas conclusões gerais sobre o estado da administração de recursos humanos em Centros de P&D.

As conclusões gerais que podemos extrair de encontros com Gerentes de Centros de P&D, do exame da literatura e de análises pessoais são as seguintes:

a) os recursos humanos de pesquisa formam um grupo diferenciado dos demais recursos humanos das empresas. Esta diferenciação reside em sua formação, anseios profissionais, mercado de trabalho e detenção de tecnologia.

b) durante muito tempo, as empresas, mesmo as melhor posicionadas em seus mercados e no trato com seus recursos humanos, não deram a devida atenção a esta diferenciação e aplicavam aos pesquisadores os mesmos modelos de orientação, **desenvolvimento, avaliação, cobrança e recompensas utilizadas para a mão-de-obra** qualificada e gerentes, na maioria dos casos induzindo os pesquisadores a assumirem posições preponderantemente administrativas. Esta descaracterização em relação à vocação de muitos nem sempre produziu os resultados esperados e gerou muitos transtornos e perdas para as organizações.

c) a pesquisa industrial é algo extremamente delicado sob vários aspectos:

- representa um investimento sem certeza de prazos e de retorno;
- tem valor estratégico, dada a grande competitividade de alguns mercados e considerando-se que a transferência de um pesquisador para outra empresa, por maiores que sejam os cuidados éticos empreendidos nesta transferência, representa um sério risco;
- o risco apontado é agravado quando se consideram: a competitividade do mercado de trabalho deste tipo de mão-de-obra, o fato de que grande parte da tecnologia da empresa está no "cérebro" de seus pesquisadores, o investimento realizado no treinamento e desenvolvimento dos pesquisadores e os danos que possam ser gerados aos prazos e resultados do projeto no qual estava inserido o pesquisador transferido.

d) algumas empresas perceberam a importância das questões anteriores e experimentaram fórmulas inovadoras para o trato com seus pesquisadores, fórmulas **estas** que têm atingido, até o momento, um sucesso que, até certo ponto, supreende os responsáveis e demais envolvidos.

e) as soluções mais recomendáveis são as que agregam vários fatores comuns:

- estruturas de cargos e salários mais formais, com critérios de decisão bem definidos e que, paralelamente ao mercado externo, considerem a curva de maturidade;
- avaliação de desempenho adequada a cargos de pesquisa, que considere principalmente a participação em projetos previamente classificados segundo o porte, importância e complexidade;
- definição clara dos critérios de progressão em uma carreira exclusivamente técnica, mas que ofereça os mesmos benefícios da carreira gerencial;
- controle da evolução da carreira dos pesquisadores através de um cuidadoso planejamento de estrutura; e

- divulgação clara dos critérios e regras estabelecidos pela empresa para que o pesquisador saiba como conduzir seu trabalho e a conseqüente evolução de sua carreira.

BIBLIOGRAFIA

ALBUQUERQUE, Lindolfo Galvão de — *Administração Salarial e Aspectos Comportamentais em Instituições de Pesquisa e Desenvolvimento*. Tese de Doutoramento não publicada apresentada à FEA/USP em 1982.

BENSON, P. G. & THORNTON III, G. C. — *"A model career planning program"*, Personnel, March/April, 1979, pag. 34.

BERNARDES, C. — Sistemas Hierarquizados e suas Aplicações à Administração. *Revista de Administração*, IA/USP, vol. 14(4), out/dez., 1979.

CODA, Roberto — Características da Estrutura de Salários e Satisfação Salarial em Instituições de Pesquisa. *Revista de Administração*, vol. 16, n.º 13, jul/set, 1981

DONAIRE, Denis — *A Figura do Gerente de Projeto e Aspectos do seu Desempenho na Empresa de Engenharia Consultiva*. Dissertação de Mestrado não publicada apresentada à FEA/USP em 1979.

GUTTERIDGE, Thomas — *A Comparison of Perspectives*, in Lee Dyer, Ed. Careers in Organizations: Individual Planning and Organizational Development (Ithaca, NY, New York State School of Industrial and Labor Relations, Cornell University, 1976).

KWASNICKA, Eunice L. — *Modelo de Planejamento de Mão-de-Obra Aplicada a Instituições de Pesquisa*. Dissertação de Mestrado não publicada apresentada à FEA/USP em 1975.

MARTINS, Gilberto de A.— *Administração de Recompensas e a Equidade Salarial nas Instituições de Pesquisa*. Dissertação de Mestrado não publicada apresentada à FEA/USP em 1980.

MAXIMIANO, Antonio C. A. — *Um estudo sobre os Atributos do Pesquisador Industrial e as Práticas de Administração de Recursos Humanos em Centros de P&D*. Tese de doutoramento não publicada apresentada à FEA/USP em 1983.

MESAROVIC, M. D.; MACRO, D. & TAKAHARA, Y. — *Theory of hierarchical, Multilevel Systems*. London Academic Press, Inc., 1970.

MORGAN, M. A.; HALL, D. T.; & MARTIER, A. — *Career development strategies in industry: where are we and where should we be? Personnel* March/April, 1979.

OHAYON, Pierre — *Critérios e Bloqueios para Avaliação de Projetos de P&D: Um Estudo Exploratório*. Dissertação de Mestrado não publicada apresentada à FEA/USP em 1983.

RITZMANN, L.P. et alii (editores) — *Disaggregation*. Martins Nijhoff Publishing, Boston, The Hague-London, 1979.

SANTOS, Neusa M.B.F. — *Clima Organizacional em Instituições de Pesquisa*. Dissertação de Mestrado não publicada apresentada à FEA/USP em 1983.

SCHULER, Randall S. — *Personnel and Human Resource Management* — West Publishing Company — St. Paulo — 1981.

SIMON, H. — *The new science of management decisions*. New York, Harper & Row, 1960.

TARALLI, Carmine — *Carreira Profissional do Pesquisador em CPqD Industrial*: Pirelli S/A — Divisão Cabos — sem data — não publicada.

TEIXEIRA, Hélio Janny — *Descrição e Análise do Trabalho de Dirigentes de Pequenas e Médias Empresas* — Dissertação apresentada à Faculdade de Economia e Administração da Universidade de São Paulo para obtenção do título de Mestre em Administração — São Paulo, 1979.

WALLACE, Marc J., Jr.; CRANDALL, N. Fredic & FAY, Charles, H. — *Administering Human Resources: an introduction to the profession*. Random House — Business Division — New York, 1982.

ZACCARELLI, Sérgio B. & KWASNICKA, Eunice L. — Hierarquização de Decisões da Função Pessoal. *Revista de Administração*, IA/USP, vol. 13(3), jul/set, 1978.

ZACCARELLI, Sérgio B. & KWASNICKA, Eunice L. — A Otimização do Processo de Decisão na Função Pessoal. *Revista de Administração*, IA/USP, Vol. 14 n.º 01, jan/mar, 1979.

ZACCARELLI, Sérgio B. & KWASNICKA, Eunice L. — Notas de aula no Curso de Pós-Graduação em Administração da FEA/USP, 1979.

ZACCARELLI, Sérgio B. — *A Hierarquização de Decisões e sua Operacionalização*. Revista de Administração — IA/USP, Bol. 18(01), jan/mar, 1983.

O perfil do gerente de P&D

Denis Donaire

CONTEÚDO

1 — INTRODUÇÃO

Conforme foi visto no capítulo anterior, a Administração de Recursos Humanos é uma função organizacional que, em última análise, tem a responsabilidade de dotar a organização de um elenco de profissionais competentes, que se sintam satisfeitos e motivados, no sentido de dar o melhor de si, para que a empresa atinja seus objetivos organizacionais.

Em ambientes envolvidos com a Ciência e a Tecnologia, em atividades voltadas para a pesquisa e o desenvolvimento, a função de Recursos Humanos adquire uma importância mais destacada do que em qualquer outro setor, pois o seu maior patrimônio é representado pelo pessoal que aí trabalha. Como bem coloca Cook, a equipe de pesquisa é uma orquestra sinfônica, onde todos os seus componentes são especialistas. Dessa forma, intelectos de primeira classe valem mais do que custam, porém intelectos de segunda categoria, em pesquisa, pouco ou nada valem.

Diante disso, fica evidente que a responsabilidade básica pela criação de condições favoráveis de trabalho, onde os pesquisadores se sintam convenientemente motivados e satisfeitos, recai sobre o indivíduo que intermedia o relacionamento entre a organização e o grupo de pesquisas: o Gerente de P&D. Cabe a ele, como representante da organização, a implantação das políticas de pessoal, o controle de sua aplicação, a monitoração de seu ambiente e a manutenção de um sentido de extrema eqüidade entre seus comandados, para que tudo isto se transforme num clima organizacional propício ao trabalho. Por outro lado, como chefe do grupo de pesquisa, é de sua responsabilidade prover oportunidades profissionais que permitam o desenvolvimento de seus pesquisadores, orientando-os no sentido de convergir os objetivos individuais e organizacionais para um objetivo comum. Cabe a ele, propiciar o desafio profissional e ao mesmo tempo manter o espírito de grupo. Cabe a ele, representá-los e lutar por eles, junto a Alta Administração, a fim de que os objetivos de pesquisa, da qual é o principal responsável, sejam definitivamente alcançados.

É sobre este indivíduo extremamente importante e controvertido da Administração de Pesquisas, que se desenrolará o tema deste capítulo, no sentido de trazer alguma contribuição prática sobre suas características pessoais, estilo de influência e outras considerações que venham a facilitar a escolha dos novos gerentes e ao aprimoramento dos que se encontram em atividade.

2 — A IMPORTÂNCIA DA FIGURA DO GERENTE DE P&D

Importância da função

A atividade de P&D dentro de uma organização é uma forma de dotá-la de uma potencialidade de inovação tecnológica. Na verdade, segundo Hersey, P. e Blanchard, K.H., existem vários fatores que contribuem para que uma empresa industrial sinta-se interessada em investir em tecnologia: garantir uma capacidade competitiva; tirar proveito de oportunidades mercadológicas; aproveitar a crescente oferta de conhecimentos, transformando-os em produtos comercializáveis; a necessidade de se proteger contra uma interrupção no fluxo de "know-how" ou a necessidade de substituir matérias primas escassas ou de elevado custo.

Porém, como a atividade de P&D lida basicamente com a Inovação, é necessário que sua administração tenha uma tônica diferente daquela que norteia a administração da própria empresa onde ela foi implantada. De acordo com Raymond Radosevich e Robert L. Hayes, são as seguintes as diferenças de atributos entre as unidades inovativas e as unidades operacionais:

Atributo	Unidades inovativas	Unidades operacionais
1. Orientação administrativa	— voltada para o ambiente — perspectiva de longo prazo (estratégica)	— voltada para a empresa — perspectiva de curto prazo (tática).
2. Características da atividade	— única, criativa e de descrição própria.	— repetitiva, programável e descrita por descrições formais de trabalho
3. Recursos humanos	— profissionais altamente treinados com uso intenso de intelectualidade	— pessoal de baixa capacidade, com uso intenso de capital na automação do processo
4. Base do sistema de remuneração	— atualização, curiosidade intelectual e autonomia de atuação	— econômica, onde o "status" está associado com a posição e título
5. Estilo do gerente	— mais participativo	— mais autoritário
6. Processo de decisão	— principalmente intuitivo com alguns estudos analíticos "ad-hoc"	— decisões analisáveis com alguns modelos explícitos e quantitativos
7. Atitude em relação ao risco	— tolerável, pois inclui a aceitação de fracassos	— controle de incerteza mantido em baixos níveis
8. Base de avaliação	— avaliação pessoal e em relação a seus pares (técnicos)	— sistema formal usando modelos definidos em critérios préfixados.
9. Tecnologia usada	— complexa, frequentemente desenvolvida internamente	— relativamente simples, copiada ou convertida de grupos inovativos da empresa ou fora dela
10. Bases de coordenação	— Pessoal, com comunicação nos dois sentidos (vertical e horizontal)	— planos, memorandos com comunicação em sentido único (vertical)

Face ao exposto, fica claro que a administração da atividade de P&D, seja ela um Centro de Pesquisa completamente estruturado ou um grupo de pesquisadores, e o trabalho de seu responsável, no caso o Gerente de P&D, reveste-se de especial significado.

Tanto isto é verdadeiro, que no Seminário para Estimulação da Pesquisa Industrial nos Países em Desenvolvimento, realizado em Singapura em dezembro de 1972, promovido pela UNIDO (United Nations Industrial Development Organization), o Dr. Lee Kum Tatt afirmava: "reconhece-se atualmente que o gerente assume papel decisivo na organização da pesquisa industrial, sendo o mais importante fator na criação e na eficiente utilização dos recursos, incluindo treinamento de pessoal. Ele estabelece as prioridades e os planos do programa de pesquisas no sentido de alcançar os objetivos.

Definidas as áreas de atividades. cabe a ele determinar as pessoas com as capacidades e habilidades requeridas e providenciar a aquisição e o desenvolvimento dessas habilidades. Deve reconhecer a necessidade de manter a organização interna com flexibilidade suficiente para administrar a finalidade do trabalho e ao mesmo tempo ajustar a habilidade e a personalidade de seus subordinados. Ao mesmo tempo que permite a suficiente liberdade no trabalho de pesquisa individual para estimular a criatividade, não deve descuidar-se de combinar os esforços individuais com o do grupo de pesquisas, do qual o sucesso da organização de pesquisa depende. Ao mesmo tempo em que cria condições para a satisfação no trabalho por parte de seus subordinados, deve estar atento à importância de motivar o seu pessoal, oferecendo boas condições de trabalho, remuneração competitiva e planos de promoções de carreira".

Ambigüidade da posição

Para desempenhar com eficácia esta controvertida posição na organização da pesquisa industrial, a qual exige ao mesmo tempo especialização técnica e responsabilidade administrativa, o Gerente de P&D deve ter pleno conhecimento do papel de intermediário que passará a desempenhar entre a Alta Administração e o grupo de pesquisa.

Para tanto, segundo Roman, é necessário, em primeira instância, compreender que seu trabalho envolve dois tipos de gerência: GERÊNCIA TÉCNICA e a GERÊNCIA DE ATIVIDADES TÉCNICAS, cujos problemas, área de competência, necessidades e requisitos quanto às qualificações, diferem consideravelmente.

A Gerência Técnica envolve aspectos técnicos do cargo e tem um campo de ação mais estreito, pois lida com a viabilidade de um dado projeto: como abordar o problema, que materiais e métodos devem ser usados e que habilidades estão disponíveis e são necessárias, a fim de realizar os objetivos programados. Aqui, o conhecimento técnico é importante, porém se ele insistir em manter sua competência e atividade técnica atualizadas, deixará de lado elementos que são vitais para a função de gerente.

Por outro lado, a Gerência de Atividades Técnicas exige uma grande familiarização com os vários aspectos funcionais da organização, com a utilização de instrumentos e técnicas administrativas e com a perfeita compreensão de contribuição que cada uma das áreas tem no sentido de concretizar os objetivos organizacionais como um todo. Ela exige o entendimento das áreas de finanças, contabilidade, "marketing", produção, recursos humanos, planejamento e outras, bem como a capacidade de usar, integrar e coordenar essas funções para fornecer o necessário apoio para a atividade técnica.

Este é um ponto fraco que aparece com muita freqüência na área de P&D: a incapacidade de perceber que há duas funções gerenciais aí envolvidas. Um homem sem qualificações técnicas não pode dirigir inteligentemente atividades técnicas, porque lhe falta competência especializada para avaliar diferentes alternativas técnicas.

Uma pessoa com orientação técnica pode atender a Gerência de Atividades Técnicas, mas deverá desenvolver novas habilidades para lidar com os aspectos mais amplos da função gerencial. Essas funções não são completamente dissociadas, mas há uma substancial diferença para atuar em cada uma delas. Essa diferença é o que caracteriza de forma clara a gerência das atividades de P&D dentro da organização, que na maioria das vezes, requer uma ênfase maior na Gerência de Atividades Técnicas do que na Gerência Técnica.

Por que os Gerentes falham?

Caracterizada a posição do gerente e sua orientação inicial, procuraremos desenvolver o raciocínio exposto por Badawy para melhor compreensão de sua área de atuação.

Segundo este autor, muitos gerentes da área de P&D, acabam falhando em sua missão, por não reconhecer que a competência administrativa é formada por três componentes inter-relacionados: conhecimento, habilidades e atitudes.

Embora um grande conhecimento em Administração, seja um pré-requisito para o sucesso do gerente, ele por sí só, não é suficiente para a competência gerencial, pois enquanto que a Teoria Administrativa é uma ciência, a prática administrativa é uma arte.

Assim sendo, para ser efetivo, um gerente deve desenvolver uma série de habilidades profissionais, a saber:

HABILIDADE TÉCNICA: que diz respeito ao desenvolvimento e à aplicação de certos métodos e técnicas relacionadas com sua atividade diária. Engloba a compreensão e a familiaridade com as atividades técnicas de seu Departamento e seu relacionamento com outras divisões da empresa. A sua especialização técnica, sua educação formal, sua experiência e seu "back-ground" são a base para o desenvolvimento de suas habilidades técnicas.

HABILIDADE ADMINISTRATIVA: que se subdivide em dois tipos de habilidades:

1. **Habilidade em Técnicas de Administração**: que diz respeito a habilidade de dirigir, organizar, planejar e controlar. Os elementos essenciais dessa habilidade são: capacidade de descobrir conceitos e catalogar eventos; habilidade de distinguir alternativas e tomar decisões e finalmente possuir desenvoltura em dirigir pessoas.

2. **Habilidade Interpessoal**: provavelmente a mais importante de todas, que diz respeito a sua capacidade de trabalhar com pessoas. Para ser eficaz, ele deve interagir, motivar, influenciar e comunicar-se com seu pessoal, pois as pessoas fazem a organização e através da atividade das mesmas, as empresas podem prosperar ou não. Administrar pessoas de forma eficaz, é o mais crítico e intrincado problema do Gerente de P&D.

Com relação às atitudes que compõem o terceiro ingrediente da competência administrativa, elas envolvem o sistema de valores e crenças do gerente, através do qual ele se relaciona com seus subordinados, com outras áreas da empresa e com a Alta Administração. As atitudes caracterizam a forma de agir do gerente e podem fornecer grandes indícios de como ele vai proceder frente a um dado problema.

O trabalho do gerente de P&D

HABILIDADE EM TÉCNICAS DE ADMINISTRAÇÃO	HABILIDADE Técnica	HABILIDADE INTERPESSOAL	GERÊNCIA GERAL
— Planejamento — Organização — Desenv. Sistemas — Análise de Problemas — Tomada de Decisão — Coordenação — Controle — Delegação		— Liderança — Motivação — Comunicação — Apoio Moral — Aconselhamento — Treinam./o Desenv. — Ajuda e Suporte — Delegação	4º Nível Administrativo 3º Nível Administrativo 2º Nível Administrativo
35%	30%	35%	1º Nível Administrativo
25%	50%	25%	PESSOAL TÉCNICO

— Extraído de James Owens — "Helping The New R&D Manager — Four Traps For The Unwary".

— Research Management — July — August — 1983 — pp: 24

As atitudes são parcialmente emocionais na sua origem, porém elas são necessárias para determinar duas coisas:

1. A aquisição de conhecimentos e habilidades é função das atitudes.
2. Elas determinam como o gerente aplica seu conhecimento e seus métodos.

Segundo Badawy (op.cit.), as pesquisas psicológicas atuais indicam que um gerente eficaz deve possuir, no mínimo, três características atitudinais: uma grande necessidade de dirigir, uma grande necessidade de poder e uma grande capacidade de empatia.

A necessidade de dirigir é um fator importantíssimo para determinar se a pessoa aprenderá e aplicará, o que for necessário para obter resultados no seu trabalho.

A necessidade de poder se exterioriza através de títulos, símbolos de "status" e alta renda, sendo buscada intensamente pelas pessoas que desejam exercer autoridade sobre um grande número de pessoas. Enquanto que, a competência profissional se origina no conhecimento e na experiência profissional, a competência administrativa, baseia-se em políticas, títulos e posição organizacional. Em suma, o jogo do poder faz parte da Administração e, jogará melhor aquele que aprecia esse desafio.

A capacidade de empatia é a habilidade de conviver com as reações emocionais que ocorrem inevitavelmente em um ambiente onde pessoas trabalham juntas.

Gerentes eficazes não podem ser vistos como um código de racionalidade, o que explica em parte, a dificuldade de alguns engenheiros e cientistas em administrar. Aqueles que relutam em aceitar as emoções como uma parte integrante das pessoas e da sua própria atividade, não serão competentes, administrativamente falando.

As habilidades administrativas (que se subdividem em Habilidade em Técnicas de Administração e Habilidade Interpessoal) são importantes para determinar o sucesso do gerente, porém a intensidade das mesmas varia , dependendo do nível de gerência e do tipo de responsabilidade que o gerente tem, conforme pode ser visualizado no diagrama da página anterior.

O sucesso administrativo no alto escalão (como é o caso do Gerente Geral de P&D) é determinado por sua visão e habilidade de entender o sistema de trabalho como um todo (habilidade conceitual) e sua capacidade de organização e coordenação desse sistema de trabalho, com relação a outras áreas da empresa (habilidade administrativa). Nesse nível, os detalhes de natureza técnica assumem uma importância pouco significativa.

Saber como dirigir as pessoas (habilidade interpessoal) é a mais importante habilidade em qualquer nível administrativo e segundo o autor, é a arte das artes. Isso não significa, que os problemas técnicos e administrativos não têm importância, significa apenas que, eles geralmente, são mais facilmente superados que os problemas a nível pessoal.

Embora a habilidade interpessoal seja a mais importante em todos os níveis de gerência, ela assume um destaque especial no nível médio e baixo, onde o contato dos gerentes com subordinados e supervisores é bem maior.

No nível superior, esse contato decresce e as habilidades administrativas e conceituais se tornam mais importantes, o que o torna menos sensível aos problemas de seus comandados. Este é o preço, que deve ser pago pelo gerente, quando ele ascende ao nível superior. Aqueles que pretendem manter a mesma quantidade de habilidades em níveis diferentes, acabarão fracassando.

A correta mistura dos três tipos de habilidades, nos diferentes níveis administrativos, deve ser mantida de forma apropriada para garantir o sucesso do gerente.

Focalizando os aspectos relacionados ao gerente de P&D e ao seu trabalho, **Miner,** entende que muitos gerentes falham não por falta de competência técnica, mas por falta de competência administrativa, a qual se caracteriza pela inexistência de princípios e conceitos que são naturais na área de administração.

Segundo esse autor, a maior causa de fracasso gerencial entre engenheiros e cientistas (pesquisadores) que assumem o cargo de gerente, é a sua reduzida habilidade interpessoal. Pela própria formação, eles foram habituados a lidar com coisas no laboratório e não com pessoas, acostumadas a agir sempre por sí próprios, encontram grande dificuldade em delegar tarefas e acabam se afundando em seus próprios hábitos. Dessa forma o progresso de sua carreira administrativa, está limitado muito mais por fatores humanos, do que por falta de habilidade técnica.

O fracasso, também ocorre, quando o indivíduo é atraído para o cargo de gerente por motivos equivocados. Isto ocorre, quando ele é motivado pelo cargo, pela posição, pela remuneração, mas não tem aptidão para comandar, o que, mais cedo ou mais tarde, o obriga a afastar-se da função para a qual não estava preparado.

Em relação, aos aspectos relacionados ao trabalho em si, que conduzem ao fracasso administrativo, o autor coloca que:

a) Alguns gerentes, especialmente os novos, pagam a contragosto um alto preço pela gerência: a solidão. Pois ao assumir tal função, passam a ser vistos de forma diferente por seus antigos companheiros, que não o tratam da mesma forma que anteriormente. Diante disso, aqueles que procuram agir da mesma forma que antes, acabam perdendo o respeito de seus comandos: a gênese do fracasso administrativo é o desejo de ser querido mais do que ser respeitado, pois os gerentes eficazes são categorizados como benevolentes, porém firmes e enérgicos em suas decisões.

b) As posições administrativas de nível elevado se caracterizam por um alto grau de poder sobre os outros; por alguns critérios para controlar o comportamento das pessoas nas organizações; por uma grande quantidade de influência e "visibilidade" ao nível da organização e por um aguçado entendimento, de como o poder e as políticas atuam na empresa. Estas características, exigem que o gerente desempenhe múltiplos papéis e, caso ele se sinta desconfortável em relação a tais fatores e a representar esses papéis, poderá desenvolver um sentido de insegurança e medo que o levará por certo, a um desempenho medíocre.

c) Inadequada avaliação dos objetivos: tendo sido treinados na área de exatas, os pesquisadores tem dificuldade de tomar decisões baseadas na intuição e de efetuar julgamentos baseados em atitudes, percepções e emoções, como ocorre normalmente no desempenho da função gerencial. Para terem sucesso, eles precisam aprender a usar outras medidas que não as numéricas, pois a natureza do trabalho administrativo envolve um grande número de objetivos e decisões não quantificáveis.

d) Paralisia pela análise: os pesquisadores sofrem dessa "doença": a tendência de esperar todas as informações para tomar a decisão. Em Administração, nunca estamos de posse de todas as informações e implicações das decisões, pois toda a decisão sempre envolve um risco, impossível de ser avaliado em toda a sua dimensão.

e) Medo de perder o contato íntimo com sua área de especialização: os gerentes eficazes devem localizar quais as necessidades que devem ser satisfeitas, quando elas devem ser sanadas, quanto elas custam, mais do que "como" isso deve ser feito. Uma vez que sua atuação exige que ele deve desenvolver seu trabalho através dos outros, a questão do "como" deve ser atribuição de seus subordinados. Muitos gerentes tentam se envolver demasiadamente na parte técnica e acabam executando dois trabalhos em lugar de um, na maioria das vezes, com prejuízo de um deles. Sacrificar um pouco de sua competência técnica — num sentido relativo — é o preço técnico que os gerentes devem pagar para estabelecer uma competência administrativa.

f) Técnicos são introvertidos: muitos pesquisadores são bem mais introvertidos que extrovertidos. De acordo com Badawy (op.cit.), pesquisas realizadas sobre este aspecto, tem mostrado que a introversão está associada com a criatividade, tão necessária ao pesquisador. O problema é que, enquanto que a criatividade é uma tarefa individual (típica do introvertido), a administração de pessoas é uma tarefa de equipe (típica do extrovertido). A habilidade de trabalhar em grupo e de ser ao mesmo tempo um bom companheiro, é uma habilidade que distingue os bons gerentes dos demais e, esta é, mais uma das dificuldades que os pesquisadores encontram para serem eficazes como gerentes.

g) Reduzida capacidade de delegar: uma das maiores habilidades do gerente é a sua capacidade de delegar. Acostumados a fazer os trabalhos sozinhos, os pesquisadores tem dificuldades em delegar, pois acreditam que podem fazer melhor do que os outros. Dessa forma, para gerenciar de forma adequada, eles necessitam modificar essa sua atitude, em relação às pessoas que trabalham com ele, pois a delegação é uma das primeiras habilidades, que os pesquisadores devem adquirir para melhorar a sua competência administrativa.

h) **Relegar responsabilidades importantes:** Muitos gerentes, deixam de lado, algumas de suas responsabilidades, geralmente isto ocorre com o treinamento e o desenvolvimento de seus subordinados, pois tal atividade não costuma ser reconhecida como uma das suas importantes obrigações. Saber o que deve ser treinado e desenvolvido junto a sua equipe, quem deve ser treinado e por que é uma atividade extremamente importante, pois traz repercussões favoráveis quer no espírito do grupo, quer no aprimoramento individual, o que por conseqüência, favorece o desempenho do trabalho do gerente.

Finalizando, os gerentes de P&D e os responsáveis pela sua ascenção ao cargo, devem levar em consideração o que foi exposto e saber que a melhor forma de lidar com o fracasso, é preveni-lo, embora geralmente o que se percebe, é que a maioria dos gerentes das organizações, sempre estão mais interessados em aprender como **apagar o fogo do que aprender a preveni-lo.**

Ajudando o novo Gerente de P&D

Uma vez discutidos os principais motivos pelos quais os gerentes falham e as possíveis razões desse fracasso, julgamos ser oportuno discorrer sobre o artigo de Owens que, com o objetivo de auxiliar os novos gerentes da área de P&D, expõe que existem quatro ciladas, nas quais o elemento que assume esse cargo pode cair:

a) **A cilada das habilidades técnicas**: Normalmente as pessoas são promovidas pelo seu desempenho, porém quando um pesquisador é promovido a gerente, a diferença reside no fato de que ele não está sendo promovido para um cargo que envolve apenas a sua habilidade profissional, mas para um cargo que envolve um elenco de novas e desconhecidas funções, que incluem habilidades administrativas e humanas. Caso ele não leve em consideração essas diferenças fundamentais, ele pode fracassar, como ocorre com muitos atletas de alta qualificação técnica que acabam falhando quando assumem a posição de técnicos.

A essência do ato de administrar está na obtenção de resultados através do esforço de outras pessoas, por isso as mais importantes atividades de seu novo papel estão ligadas ao desempenho administrativo e ao relacionamento humano, uma vez que para obter resultados ele necessita organizar, comandar, motivar, comunicar e entre outros, treinar pessoas.

A principal dificuldade de sua transição para gerente é, por ironia, seu próprio passado e experiência, que de certa forma, o habilitou muito mais a coisas do que a pessoas, enquanto que na nova função seu sucesso dependerá muito mais desta última. Às voltas com essa dificuldade, há uma tendência a voltar para a sua original e conhecida área de especialização, dedicando maior ênfase para a área técnica e evitando as novas responsabilidades administrativas que lhe são exigidas. Isso o conduzirá fatalmente ao fracasso, pois à medida que ele ascende na hierarquia organizacional, como já expusemos anteriormente, a importância de sua qualificação técnica, vai se tornando cada vez menos importante.

Diante disso, para evitar a cilada técnica, ele deve cultivar uma mentalidade voltada para o aperfeiçoamento do que constitui seu ponto fraco, ou seja, a área administrativa, procurando ler, conversar, discutir seus detalhes, para ir se familiarizando com ela. E, dentre as atividades administrativas, deve dar especial atenção com a tarefa de delegar tarefas e responsabilidades para os subordinados, visto que, para sua própria sobrevivência, é necessário aprender a delegar de forma apropriada.

b) **A cilada de fixação técnica**: Na nova função, as atitudes, o comportamento e o inter-relacionamento humano irão influenciar sobremaneira os resultados de seu trabalho. Por isso, ele deve investir uma substancial parte de seu tempo em "funções de relacionamento humano" motivando, comunicando-se e participando das atividades de seu pessoal, pois caso contrário, estará fadado ao fracasso — essa atividade é a chave da responsabilidade administrativa e não pode ser delegada para ninguém em hipotese alguma.

Os novos gerentes diante disso, podem, não acostumados com a natureza humana, para eles de certa forma desconhecida e imprevisível, relegá-la a um segundo plano e concentrar seus esforços naquilo que mais entendem, ou seja, a atividade técnica e assim sendo, acabar caindo na segunda cilada.

Para evitar isso, ele deve ficar atento a essa sua nova necessidade, procurando compreender a natureza humana , para aprender a conviver com elas.

c) **A cilada do autoritarismo**: Os novos gerentes não habituados com a arte de administrar poderão adotar um estilo autocrático, que num ambiente de P&D, onde existem profissionais de alta qualificação, é um convite ao fracasso. Para tanto, ele deve adotar um estilo onde a liderança possa fluir da participação, da cooperação e da diplomacia, pois ele deve trabalhar COM seus subordinados e não SOBRE eles.

d) **A cilada da burocracia**: A última cilada é a organização formal, a burocracia dentro da qual o gerente vai conviver ou afundar. Por isso, o novo gerente precisa entender os mínimos detalhes de como a formal burocracia da empresa atua, suas normas, seus métodos, sua cultura, etc. e fundamentalmente compreender como flui a burocracia informal que se exterioriza através de canais diferentes dos canais formais. Para isso, ele deve investir parte de seu tempo em cultivar um bom relacionamento com os elementos-chaves da organização, para obter sua cooperação e ajuda na obtenção de seus próprios resultados.

Finalizando, podemos dizer que a cilada das habilidades técnicas é a mais importante e a básica para o novo gerente, pois se ele se envolver demasiadamente com as atividades técnicas, negligenciará a importância de seu relacionamento humano, necessário para atuar com sucesso dentro da organização burocrática formal e informal.

Princípios para uma efetiva Administração de Pesquisa

Uma vez colocadas, as barreiras e ciladas que um novo gerente pode encontrar (e mesmo os antigos, não estão livres delas) no desempenho desta importante função na organização da pesquisa industrial, procuraremos expor as idéias de Smith, que apresenta uma série de princípios básicos para uma efetiva administração da pesquisa.

Na verdade, a função de P&D dentro da empresa pode se desenvolver ou não, não apenas pela sua produtividade, mas principalmente pela sua capacidade de gerar novas idéias e pela possibilidade de transformar tais idéias em novos produtos e novos negócios.

A administração de cientistas e engenheiros, que possuem alta qualificação profissional está mais para uma arte do que para uma ciência, como já foi dito, anteriormente. Porém existe uma série de princípios, que a experiência de gerentes em atividade indicam serem básicos para qualquer organização de P&D bem sucedida:

1. Conheça os objetivos de sua empresa e participe de sua determinação.

A função de pesquisa não pode ser um compartimento isolado dentro da empresa, mas deve estar integrada com a produção, com as vendas, com as finanças, etc... e para tanto, deve haver uma intensa comunicação seja ela formal e informal, da área de P&D com todas as outras que constituem o sistema organizacional.

2. Acompanhe as mudanças na política, na tecnologia e no mercado.

A área de P&D está continuamente em evolução, por isso para sua própria sobrevivência e desenvolvimento, ela necessita estar voltada para o ambiente externo, acompanhando sua evolução, antevendo suas ameaças e oportunidades e procurando operar de forma congruente com o mundo externo à empresa.

3. Propicie um ambiente e facilidades que favoreçam as descobertas.

As características principais de uma produtiva atividade de P&D são: atitudes, motivação, relações pessoais e a forma com que seu pessoal é administrado. Em um ambiente de pesquisas, um controle exagerado acaba sendo um pecado ainda maior que a inexistência de controle.

4. Desenvolva uma organização flexível, adequada ao seu pessoal e aos seus objetivos.

As estruturas organizacionais rígidas não encontram na área de P&D, um local e ambiente adequado para a sua institucionalização, por isso, na medida do possível, deve ser adaptada uma estrutura com flexibilidade suficiente para que ela se ajuste aos objetivos da pesquisa e aos seus participantes.

5. Reconheça as oportunidades e limitações de suas operações e planeje seus projetos de acordo com os recursos.

A seletividade adequada dos projetos de P&D é um requisito essencial para a administração da pesquisa. Nesse sentido, os programas devem ser avaliados dentro de critérios realísticos, verificando, se o trabalho trará alguma contribuição para a organização; se será fácil de encontrar pessoal para trabalhar nela; se o trabalho tem condições de ser publicado; se enfim o projeto em análise é um grande projeto.

6. Reexamine seu programa, atentando para os projetos não produtivos e para as oportunidades ocultas.

Deve ser realizada uma análise contínua dos projetos em desenvolvimento, atentando para suas necessidades e objetivos e inclusive, reavaliando idéias antigas, para verificar se elas podem auxiliar no que está se fazendo atualmente. A gerência deve ter, se necessário, a coragem suficiente para interromper, atrasar ou acelerar determinados projetos, demonstrando porém extrema habilidade na forma de fazê-lo pelas repercussões de ordem pessoal e no espírito de grupo, que podem provocar.

7. Comunique-se e atue juntamente com outras áreas da empresa.

No desenvolvimento de suas atividades, o grupo de pesquisas deve participar, seja através de contatos formais ou informais, com as outras áreas da empresa, na formulação dos seus objetivos globais, na avaliação de suas necessidades e no reconhecimento de suas limitações, para desenvolver dentro de sua área de atuação, objetivos específicos que se coadunem com os objetivos organizacionais.

Na comunicação entre as diferentes áreas, é muito mais importante a qualidade das informações que são fornecidas, do que a sua quantidade, por isso, o selecionamento do tipo de informação adequada favorece a uma rápida disseminação no sistema como um todo.

8. Administre, levando em conta a criatividade e não as atividades de rotina.

A parte mais cara da função de P&D é o seu pessoal, embora seja impossível o seu controle, como ocorre com os braços do pessoal da produção. Por isso, deve ser propiciado um ambiente e um clima na área de pesquisas, que encoraje novas idéias, pois dessa forma o seu rendimento será maior, o que, por conseqüência, gerará maiores resultados para todo o grupo de pesquisas.

9. Providencie relatórios adequados sobre os resultados das pesquisas.

Uma das funções da gerência de P&D, é assegurar que os relatórios sobre o andamento e sobre os resultados das pesquisas sejam feitos de forma adequada.

A publicação dos trabalhos em revistas e jornais técnicos e científicos, não só propicia satisfação e reputação profissional ao pesquisador, mas também, enaltece o local em que ele trabalha.

10. Assegure que os resultados das pesquisas sejam utilizados.

A rápida utilização dos resultados das pesquisas é o sinal do reconhecimento de seu valor. O conhecimento de que os resultados estão sendo utilizados é uma importante contribuição para a moral dos pesquisadores e para o espírito da equipe que atua na área de pesquisas.

3 — ATRIBUTOS DO GERENTE DE P&D

Atuação e qualificações

Uma vez definida sua área de atuação, as razões de um eventual fracasso e os princípios que devem nortear uma administração efetiva, passaremos a focalizar a atuação do gerente de forma mais específica.

Para tanto, colocaremos as idéias de Gresham, que estabelecem que a eficácia de um grupo de pesquisas depende das relações entre o seu gerente e os seus superiores, entre o gerente e o grupo de pesquisas e entre os membros do grupo de pesquisas e a Alta Administração.

O gerente deve ajudar cada um de seus subordinados a ser bem sucedido, pois procedendo assim, motivará os demais, pelo ambiente favorável que resulta desse interesse. Deve estimular o livre fluxo de idéias e a confiança mútua que deve existir no relacionamento entre gerente/grupo de pesquisas. Deve ser paciente e cuidadoso com os membros do grupo que não estão obtendo os resultados desejados, mas ao mesmo tempo deve manter junto ao grupo, um firme esforço de pesquisa para que os objetivos sejam atingidos.

O gerente, além dos relatórios formais orais ou escritos deve manter excelente comunicação com seus superiores. Esse efetivo procedimento de comunicação, deve incluir a revisão dos programas de projetos em conjunto com a cúpula administrativa, mostrando os resultados, as dificuldades e as necessidades das pesquisas em andamento. É importante que, tais reuniões sejam acompanhadas por um representante do grupo de pesquisas, e, que se programem reuniões formais do grupo de pesquisas com a Alta Administração, sem a presença do gerente para que ambos possam compreender melhor os seus respectivos pontos de vistas, das quais o gerente acaba sendo o intermediário natural, nem sempre convenientemente interpretado.

Segundo Twiss , o gerente de P&D é o homem que administra o relacionamento entre o interesse técnico, os objetivos de seu pessoal e os objetivos da Administração Superior. Este é o papel mais importante que ele deve exercer, e para tanto necessita:

- Ser o chefe operacional de seu departamento e conseguir a liderança técnica de seus comandados.
- Interpretar os objetivos e estratégias da atividade da empresa para seu pessoal, a fim de que suas decisões, a nível interno estejam de acordo com a política e o objetivo da organização. Nesse mister, ele deve ser extremamente cuidadoso, para não ser interpretado como uma pessoa demasiadamente comprometida com os aspectos não científicos, para não perder a confiança de seu grupo de pesquisa
- Representar o ponto de vista da área de P&D junto a Administração Superior e assegurar que isto possa ser refletido nos objetivos, na estratégia e na política da organização.
- Participar de forma ativa como integrante da alta cúpula, nos assuntos que envolvem matérias técnicas no seu âmbito de atuação.

O papel do gerente de P&D, desempenhado nos termos acima descritos, proporciona ao indivíduo que vai exercê-lo, um clima de tensão bastante intenso, visto que ele tem de se relacionar com duas culturas bastante distintas e interpretar para cada uma delas, os valores da outra, pois ele é o "business gatekeeper" através do qual flui o principal canal de informação entre a área de P&D e a Alta Administração.

Essa sua tarefa, quase que educacional, de interpretar os distintos valores, é de extrema valia, pois permite que sua equipe se identifique melhor com os objetivos da empresa, e permite que a cúpula administrativa entenda como se desenvolve o processo de inovação tecnológica e qual a sua contribuição para o futuro da empresa.

O entendimento por parte da Alta Administração e seu conseqüente apoio é vital para um bem sucedido processo de inovação tecnológica na empresa e nesse sentido a atuação do gerente é fundamental para a formação dessa atitude positiva ou para modificá-la.

O gerente de P&D deve se integrar à organização como um todo, familiarizando-se com as finanças, MKT, produção, etc, para participar de forma ativa como um membro de Alta Administração e não se isolar em seu mundo técnico. Deve reconhecer as necessidades dessa atuação, aquilatar suas limitações e delegar para seu pessoal as tarefas onde sua própria habilidade é reduzida.

Se examinarmos a história das bem sucedidas empresas tecnológicas, verificaremos que seu crescimento inicial foi baseado na contribuição de um talentoso homem, freqüentemente um técnico, não necessariamente altamente qualificado, mas cuja criatividade e energia propiciaram os primeiros resultados que mantiveram a empresa, em seus anos iniciais.

Em relação a isso, em pesquisa realizada junto aos pesquisadores, Kassem e Saint John afirmam que:

- O gerente deve reconhecer que os pesquisadores constituem um grupo separado e distinto em termos de necessidades, interesses e quadro de referência, em relação aos demais empregados da empresa;
- O gerente deve contribuir decididamente na melhoria do ambiente de trabalho dos pesquisadores e estimulá-los não só no seu trabalho para a empresa, como também no aperfeiçoamento de sua carreira profissional;
- O gerente deve reconhecer o talento e as falhas de seus pesquisadores, ajudando-os a eliminar seus pontos fracos e a aproveitar o potencial de sua especialidade. Dessa forma, o adequado manejo dos pesquisadores vai muito além do que o simples relacionamento superior/subordinado.

Ele deve se transformar de especialista em generalista. O gerente de P&D, deve ser sensível às pressões sobre a liderança, inclusive aos impulsos de seus subordinados e tentar antes cadenciar do que reprimí-los.

Ele deve dar-se conta de que o grupo é um reflexo do seu líder, pessoas boas afluem à bandeira do líder bom. O gerente freqüentemente estabelece o padrão de sua equipe, por isso ele deve ter força, coragem e bastante autoconfiança na sua própria qualificação, para congregar em torno de sí pessoas capazes. E por fim, deve lutar continuamente pelo investimento no pessoal, pois o recurso humano, notadamente em sua área de atuação é o fator mais importante.

Uma maneira eficaz para administrar cientistas que integram um grupo de pesquisas é trata-los não como indivíduos isolados, mas como um grupo, organizando-os e administrando-os dessa maneira. Essa prática que vem sendo utilizada de forma mais intensa, implica em mudanças na administração e na estrutura das equipes de P&D. Tais mudanças se caracterizam por comunicações menos formais, estruturas diferentes da forma ''Staff-Linha'' e abandono da teoria organizacional clássica que focaliza o trabalhador como indivíduo.

Dentro desse contexto, o gerente para aumentar a criatividade de seus subordinados, tem de ser democrático, saber ouvir e saber encorajar, para transformar idéias inovadoras em resultados práticos. O conceito de grupo deve estar presente na admissão e dispensa do pessoal de pesquisas, notadamente neste último caso, em virtude de seus ''efeitos múltiplos'' quando se relacionam com indivíduos que possuem certa liderança sobre os demais. Assim sendo, o treinamento e desenvolvimento do pessoal, bem como a recompensa salarial, deve ser vista de forma a contemplar a equipe como um todo e não apenas um indivíduo isoladamente.

Finalizando, Gresham (op.cit.) reconhece que o gerente tem muitas obrigações, dentre as quais ele coloca como as mais relevantes, as seguintes:

- Deve manter um adequado balanceamento dos programas de pesquisas, para servir às necessidades da empresa.

- Deve esforçar-se por manter uma alta eficiência nas áreas de sua específica atuação e naquelas que apresentem alto grau de correlação com os objetivos da empresa.
- Deve manter uma grande vigilância sobre toda a literatura ligada direta ou indiretamente aos interesses da empresa.
- Deve ajudar a selecionar os novos pesquisadores e não apenas relegar essa tarefa à área de Recursos Humanos.
- Deve treinar seus comandados para que sejam eficientes.
- Deve contribuir, quando necessário, para que a empresa desenvolva métodos e políticas mais eficazes.
- Deve esforçar-se por manter junto de sua equipe um alto grau de criatividade e de eficiência.
- Deve manter uma atitude vencedora, mesmo diante de obstáculos aparentemente intransponíveis.
- Deve desempenhar o papel de co-participante na solução dos problemas de pesquisa.
- Deve apreciar seu trabalho, ao mesmo tempo que deve auxiliar os demais a apreciarem aquilo que executam.

Diante de tantas atribuições e obrigações podemos esperar que exista um perfeito gerente de P&D? Na verdade, ele não existe, pois se existisse deveria ter a seguinte concepção: "O gerente de P&D perfeito pode ser definido como um indivíduo que com a máxima eficiência encabeça um grupo de pesquisadores que trabalham com a máxima eficácia para produzir resultados de pesquisas, que tenham a máxima utilidade e que propiciem aos empregados uma máxima satisfação e rentabilidade com o mínimo de custo".

O desempenho do gerente de P&D não depende apenas de seu conhecimento e de suas habilidades para que ele tenha sucesso, isso está intimamente ligado à situação organizacional e a sua situação pessoal dentro da empresa em que está trabalhando.

Entre os fatores que podem influir em sua atuação e no seu sucesso devem se incluir:

- Tamanho da área de P&D: quanto maior o seu tamanho, maior a complexidade da coordenação das tarefas e maior a distância entre a cúpula da empresa e os resultados das pesquisas, que necessitam de uma crescente burocracia para serem monitorados.
- Como a atividade de P&D é concebida na organização pela Alta Administração: é uma atividade realmente importante ou um simples complemento para aplicação de recursos.
- A posição organizacional do Gerente de P&D: sua posição, geralmente situada no topo da hierarquia, é de fato exercida através de uma efetiva participação nas reuniões dos diretores, no estabelecimento dos objetivos e políticas da organização, ou é apenas considerado um "homem de ciências" para o qual os objetivos de lucro e produtividade são secundários e que portanto, tem pouco a contribuir.
- A proporção do tempo do Centro devotada à pesquisa básica, exploratória, à pesquisa aplicada, ao desenvolvimento e a manutenção dos serviços atuais: se

a proporção de utilização do seu tempo for maior no desenvolvimento dos serviços atuais, compromete seu programa de alternativas futuras, porém se muito preocupado com o futuro, acaba não formulando alternativas para os processos atuais, que em última instância, farão com que o futuro da empresa seja factível.

- Normas em relação ao trabalho dos pesquisadores: se as normas forem rígidas acabarão comprometendo a criatividade e a independência de atuação; se forem muito brandas, comprometerão a eficiência dos resultados.
- Como são obtidos os recursos para a área de P&D: é estabelecida uma quota em relação aos resultados da empresa, ou ela concorre em igualdade de condições com outras áreas da empresa, tais como, a produção, as vendas, etc.
- Qual é a importância e o pensamento do superior a quem o gerente se reporta dentro da empresa: como ele vê a atividade de pesquisas, favorável ou indiferente, qual a sua possibilidade de influência, grande ou pequena. Esta atuação do superior do gerente de P&D é de extrema importância, principalmente nos primeiros anos de operação dessa atividade.
- A área de P&D já possui uma estrutura organizada ou ainda se encontra em formação: se já tem uma estrutura adequada permitirá uma administração mais eficaz, caso contrário, haverá a preocupação de dotá-la de uma estrutura adequada, o que implicará em mudanças, nem sempre bem recebidas.
- A cultura da empresa se caracteriza por uma organização ordenada ou confusa: segundo a forma pela qual a empresa está habituada a se conduzir, isto poderá, influir de maneira favorável ou desfavorável para o sucesso do gerente, pois excelente gerentes habituados em organizações ordenadas tendem a fracassar em organizações menos ordenadas, que exigem um estilo mais flexível e criativo.
- A qualidade do pessoal que dispõe para executar o seu trabalho: segundo o potencial de sua equipe, ele poderá ter sucesso ou não, pois só conseguirá resultados significativos se dispuser de pessoal altamente qualificado.

Em suma o gerente de P&D deve ser um habilidoso cientista, com alto grau de criatividade, com grande habilidade administrativa e ser um excelente homem de vendas. Como isto é impossível, ele deve estar ciente de suas limitações e se cercar de pessoas que possam dar suporte às suas deficiências.

Estudo sobre os atributos desejáveis de um gerente de P&D.

Verificou-se, face ao exposto, o papel de destaque assumido pelo gerente de P&D para que os objetivos da organização de pesquisa sejam alcançados. Por outro lado, também ficou evidenciado, que para atender a tais objetivos, é necessário que ele seja possuidor de uma série de atributos que o coloquem em condições de preencher as exigências do seu cargo e, ao mesmo tempo, o diferenciem de seus pesquisadores.

Tendo isso em mente, procurou-se entrevistar gerentes e pesquisadores para que pudesse ser possível a identificação de tais atributos. A metodologia da pesquisa que será vista no apêndice, utilizou para caracterizar tais atributos, o estudo realizado por Bayton e Chapman, modificado posteriormente no trabalho de Maximiano, aos quais foram acrescentados os resultados de entrevistas pessoais, mantidas pelo autor, com gerentes de P&D e professores universitários envolvidos com o tema.

Do resultado dessas interações e da respectiva pesquisa resultou uma lista de atributos, que foram divididas em três categorias: Conhecimento, Habilidades e Atitudes, que apresentaram a seguinte ordenação (de acordo com a média obtida).

Ordenação dos Atributos Desejáveis do Gerente de P&D, sob a Ótica dos Gerentes, Ordenados por Categoria.

Conhecimentos — **Classificação Geral**

1. Consciência de custos e das implicações administrativas das decisões técnicas 8º
2. Conhecimento dos produtos/missões e mercados/clientes da organização .. 13º
3. Conhecimento da empresa e de suas práticas, políticas e valores 18º
4. Domínio de métodos de pesquisa 19º
5. Competência técnica na área de especialização 20º
6. Conhecimentos em áreas correlatas à especialização 29º
7. Conhecimento do funcionamento do Sistema Administrativo-Financeiro da empresa 31º
8. Conhecimento do funcionamento do Sistema Administrativo de Recursos Humanos 32º
9. Domínio de técnicas estatísticas 33º

Habilidades — **Classificação Geral**

1. Habilidade de tomada de decisão 1º
2. Capacidade de liderança 2º
3. Capacidade de trabalhar em equipe 3º
4. Criatividade 4º
5. Habilidade de resolução de problemas 6º
6. Habilidade de relacionamento interpessoal, especialmente com colegas ... 7º
7. Capacidade de orientar trabalho alheio 9º
8. Capacidade de gerar confiança no Superior 10º
9. Habilidade de processamento de informações 11º
10. Capacidade de fazer apresentações verbais 12º
11. Capacidade de planejamento, organização e controle 14º
12. Capacidade de redigir com clareza, precisão e correção 15º
13. Capacidade de auto análise 21º
14. Capacidade de alocação de recursos 23º
15. Escolha do estilo de liderança adequado 24º

298

Atitudes

1. Hábito de começar o ataque a um problema/projeto pela revisão da literatura 5º
2. Independência de juízo 16º
3. Aceitação de opiniões alheias 17º
4. Hábito de leitura sistemática de textos técnicos 22º
5. Entrosamento com grupos profissionais externos à organização 25º
6. Disciplina de trabalho 26º
7. Interesse pelo desenrolar dos acontecimentos externos ao CP&D e à empresa
.... 27º
8. Ambição profissional 28º
9. Interesse por questões de natureza administrativa 30º
10. Envolvimento emocional com o trabalho 34º

Da observação do quadro, verifica-se que os gerentes consideram como:

os cinco atributos mais importantes:

- Habilidade de tomada de decisão;
- Capacidade de liderança;
- Capacidade de trabalhar em equipe;
- Criatividade;
- Hábito de começar o ataque a um problema/projeto pela revisão da literatura.

os cinco atributos menos importantes:

- Envolvimento emocional com o trabalho;
- Domínio de técnicas estatísticas;
- Conhecimento do funcionamento do Sistema de Recursos Humanos;
- Conhecimento ao funcionamento do Sistema Administrativo-Financeiro;
- Interesse por questões de natureza administrativa.

A verificação destes atributos, chama a atenção pela reduzida importância atribuída aos aspectos administrativos: conhecimento do funcionamento do sistema de Recursos Humanos, Administrativo-Financeiro e, mesmo, interesse por questões de natureza administrativa.

Considerando que a gerência de 1º nível acima do pesquisador, foco deste estudo, é o primeiro passo dado em direção à carreira administrativa, que obrigará seu ocupante, caso deseje progredir, a um envolvimento cada vez maior com os aspectos administrativos da organização, a constatação desses resultados deve ser avaliada com a devida atenção pelos gerentes de P&D.

Tal posição pode explicar, em grande parte, a enorme dificuldade que o gerente de P&D enfrenta, quando ascende a níveis hierárquicos mais elevados, para falar a mesma linguagem dos demais executivos, provenientes de outras unidades funcionais da organização, onde tais conhecimentos são absolutamente rotineiros e muito importantes.

Por outro lado, de acordo com a opinião dos pesquisadores entrevistados, os atributos obtiveram a seguinte ordenação (de acordo com a média obtida).

299

Ordenação dos Atributos Desejáveis do Gerente de P&D sob a Ótica dos Pesquisadores, Ordenados por Categoria.

Conhecimentos / **Classificação Geral**

1. Conhecimento da empresa e de suas práticas, políticas e valores 3º
2. Consciência de custos e das implicações administrativas das decisões técnicas 5º
3. Conhecimento dos produtos/missões e mercados/clientes da organização . . 11º
4. Conhecimento do funcionamento do Sistema Administrativo de Recursos Humanos 17º
5. Conhecimento do funcionamento do Sistema Administrativo-Financeiro da empresa 20º
6. Competência técnica na área de especialização 27º
7. Domínio de métodos de pesquisa 29º
8. Conhecimentos em áreas correlatas à especialização 32º
9. Domínio de técnicas estatísticas 33º

Habilidades

1. Habilidade de tomada de decisão 1º
2. Capacidade de planejamento, organização e controle 2º
3. Capacidade de liderança 4º
4. Capacidade de alocação de recursos 6º
5. Capacidade de orientar o trabalho alheio 7º
6. Habilidade de resolução de problemas 8º
7. Capacidade de auto análise 12º
8. Capacidade de gerar confiança no Superior 13º
9. Habilidade de processamento de informações 14º
10. Escolha do estilo de liderança adequado 15º
11. Capacidade de redigir com clareza, precisão e correção 16º
12. Habilidade de relacionamento interpessoal, especialmente com colegas 18º
13. Capacidade de fazer apresentações verbais 19º
14. Capacidade de trabalhar em equipe 22º
15. Criatividade 28º

Atitudes

1. Interesse por questões de natureza administrativa 9º
2. Disciplina de trabalho 10º
3. Entrosamento com grupos profissionais externos à organização 21º
4. Independência de juízo 23º
5. Ambição profissional 24º
6. Interesse pelo desenrolar dos acontecimentos externos ao CP&D e à empresa 25º
7. Hábito de leitura sistemática de textos técnicos 26º
8. Aceitação de opiniões alheias 30º
9. Hábito de começar o ataque a um problema/projeto pela revisão da literatura 31º
10. Envolvimento emocional com o trabalho 34º

300

Verifica-se então, que, segundo a percepção dos pesquisadores, os cinco atributos são distribuidos pelas seguintes avaliações:

Mais importantes

- Habilidade de tomada de decisão;
- Capacidade de planejamento, organização e controle;
- Conhecimento da empresa e de suas práticas, políticas e valores;
- Capacidade de liderança;
- Consciência de custos e das implicações administrativas das decisões técnicas.

Menos importantes

- Envolvimento emocional com o trabalho;
- Domínio de técnicas estatísticas;
- Conhecimentos em áreas correlatas à especialização;
- Hábito de começar o ataque a um problema/projeto pela revisão da literatura;
- Aceitação de opiniões alheias.

Nota-se portanto, que existe uma significativa diferença de opiniões entre os gerentes e os pesquisadores, sendo que para estes últimos, contrariamente ao que ocorreu para os gerentes, incluem-se entre os atributos mais importantes, aqueles ligados aos aspectos administrativos da organização: capacidade de planejamento, organização e controle; conhecimento da empresa e de suas práticas, políticas e valores e consciência de custos e das implicações administrativas das decisões técnicas.

Tal posição dos pesquisadores, não é ocasional, pois, verificando os atributos considerados menos importantes, não se inclui entre eles nunhum que diga respeito aos aspectos administrativos, como, de modo surpreendente, ocorreu na opinião dos gerentes.

Finalizando, juntaram-se as opiniões tanto dos gerentes quanto dos pesquisadores e procedeu-se a uma análise fatorial de todos os atributos, a fim de organizá-los em grupos homogêneos e de eliminar aqueles cuja presença foi considerada pouco significativa.

Este procedimento resultou em uma lista que pode trazer considerável contribuição à seleção dos futuros gerentes de P&D, uma vez que candidatos serão avaliados à luz de variáveis identificáveis, às quais poderão ser atribuidas notas, que servirão para avaliar qual pesquisador estaria em melhores condições de ascender ao cargo de gerente de P&D.

É evidente que esta lista poderá ser acrescida de outros atributos subjetivos, que os responsáveis pela transformação do pesquisador em gerente de P&D poderão incluir, porém não resta dúvida de que, como esquema inicial para desencadear o processo de seleção, sua utilização não deve ser absolutamente desprezada, devendo ser utilizada com grande utilidade.

Dessa forma a lista dos atributos desejáveis de um gerente de P&D deve possuir a seguinte composição, segundo sua carga fatorial.

Lista dos atributos desejáveis para o gerente de P&D

1 — Conhecimentos

Conhecimento organizacional

    a. Conhecimento do Sistema Administrativo-Financeiro da empresa.
    b. Conhecimento do Sistema Administrativo de Recursos Humanos.
    c. Conhecimento da empresa e de suas práticas, políticas e valores.
    d. Consciência de custos e das implicações administrativas das decisões técnicas.
    e. Conhecimento dos produtos/missões e mercados/clientes da organização.

Conhecimento técnico pessoal

    a. Conhecimentos em áreas correlatas à especialização.
    b. Competência técnica na área de especialização.
    c. Domínio de métodos de pesquisa.

2 — Habilidades

Habilidade de comando

    a. Capacidade de planejamento, organização e controle.
    b. Capacidade de liderança.
    c. Capacidade de auto análise.
    d. Capacidade de alocação de recursos.
    e. Capacidade de gerar confiança no superior.
    f. Escolha do estilo de liderança adequado.
    g. Habilidade de tomada de decisão.

Outras habilidades

    a. Capacidade de trabalhar em equipe.
    b. Criatividade.
    c. Habilidade no relacionamento interpessoal, especialmente com colegas.
    d. Capacidade de redigir com clareza, precisão e correção.

3 — Atitudes

Posicionamento em relação a aspectos internos e externos

a. Interesse por questões de natureza administrativa.
b. Disciplina de trabalho.
c. Entrosamento com grupos profissionais externos à organização.
d. Interesse para desenrolar acontecimentos externos ao CP&D e à empresa.
e. Ambição profissional.

Estratégia de ação

a. Hábito de começar ataque problema/projeto pela revisão da literatura.
b. Hábito de leitura sistemática de textos técnicos.

Estilo de liderança

Se fizermos uma resenha dos diferentes autores que escreveram sobre liderança, a maioria admite que liderança é o processo de exercer influência sobre um indivíduo ou grupo, nos esforços para a realização de um objetivo em determinada situação. Sendo que esse processo de liderança é função do lider, do seguidor e de outras variáveis ligadas à situação.

A atividade do gerente de P&D, no desenvolvimento dos programas e projetos de pesquisa, depende muito mais de suas habilidades administrativas do que de seu conhecimento técnico, pois suas decisões englobam uma série de disciplinas, que vão além de seu conhecimento científico. Dessa forma, comparado com outros gerentes, ele necessita fundamentalmente do apoio de seus comandados para efetuar o julgamento adequado para as tomadas de decisões. Tal julgamento assume importância crítica na área de pesquisas, onde as incertezas são muito grandes.

Esse apoio vital que lhe será propiciado por seus subordinados, dependerá, fundamentalmente de como o gerente os influencia ou lidera, ou seja, de seu estilo de liderança.

Essa colocação coincide com a de Pelz, Mellinger e Davie que, como conclusão de estudos realizados, enfatizam a importância do estilo de liderança na eficiência produtiva dos pesquisadores e na satisfação dos pesquisadores e na satisfação dos mesmos, em relação aos trabalhos a serem realizados.

A maioria dos sociólogos, concorda que não existe um melhor estilo de liderança ou influência, mas que existe um estilo mais apropriado em função do ambiente organizacional e das tarefas a serem executadas. Nessa linha os autores indicam que, geralmente, na área de P&D, o estilo participativo, onde as decisões são compartilhadas entre o grupo, é aquele que encontra maiores condições de efetividade.

Sumarizando uma pesquisa realizada sobre a eficácia dos estilos de liderança, Baumgartel divide o estilo em três tipos:

"Laissez-faire" (livre), participativo (democrático) e diretivo (autocrático), os quais podem ser sintetizados da seguinte forma:

Elementos	"L.Faire"	Participatória	Diretiva
• Intensidade da influência do gerente nas decisões..............................	Pouca	Moderada	Muita
• Intensidade da influência dos subordinados nas decisões	Muita	Moderada	Pouca
• Relatórios, orçamentos e decisões resolvidos conjuntamente	Poucos	Muitos	Poucos
• Contatos com o gerente	Poucos	Muitos	Muitos
• Influência dos subordinados na atuação do gerente	Pequena	Grande	Pequena
• Relatórios onde o gerente decide as alternativas................................	Poucos	Alguns	Muitos

Extraído de Howard Baumgartel — "Leadership Style as A Variable in Research Administration" — Administrative Science Quartely — 2 — (dec. 1961) pp. 344/360.

Segundo esse autor, o estilo de liderança participatória em relação aos demais, está associado com altos níveis de motivação para com os objetivos organizacionais, um alto senso de progresso e desenvolvimento através desses objetivos e uma atitude mais receptiva e favorável em relação ao gerente.

Da comparação dos resultados obtidos entre a liderança participatória e a diretiva, ficou evidente que os pesquisadores sob uma liderança participatória:

• São, de certa forma, mais motivados para uma pesquisa orientada.

• Tem um acentuado sentido de realização própria, através da pesquisa. Tem, geralmente, uma atitude mais favorável em relação ao gerente.

Comparando a liderança participatória com a "Laissez-Faire", verificou-se que os benefícios da primeira, podem ser resumidos assim:

• Os pesquisadores se sentem mais seguros para criar.

• Os pesquisadores fazem um uso mais adequado de suas habilidades.

• Os pesquisadores sentem que seus gerentes são os mais indicados para lhes fornecer apoio profissional.

• Os pesquisadores sentem uma maior satisfação, em relação ao contexto organizacional, como um todo.

Na verdade, como bem colocam Tannenbaum e Schmidt, os estilos podem variar desde a autoridade suprema do gerente até a autoridade suprema dos subordinados, sendo que na escolha de um tipo mais adequado, três fatores devem ser considerados: os fatores ligados ao próprio gerente, os ligados aos seus subordinados e aqueles ligados à situação.

1 — Os fatores ligados ao gerente

- Seu Sistema de Valores Pessoais: o que ele sente, ao compartilhar com outros, coisas que são de sua inteira responsabilidade.
- Sua confiança nos subordinados.
- Suas inclinações próprias de como liderar: Alguns sentem-se melhor assumindo todas as decisões, outros, compartilhando-as.
- Seus sentimentos de segurança em situações incertas: a transferência da tomada de decisões limita a previsão de suas conseqüências e torna instável a posição do gerente.

2 — Os fatores ligados aos subordinados

De forma genérica, o gerente pode permitir a seus subordinados uma maior liberdade, se notar a existência das seguintes condições essenciais:

- Se o subordinado tem grande necessidade de liberdade, pois as pessoas diferem, pela quantidade de orientação que desejam.
- Se o subordinado tem desembaraço para a tomada de decisões, pois enquanto alguns acham isso ótimo, outros entendem que o gerente está exigindo demais.
- Se os subordinados tem alta tolerância para situações ambígüas (poder decidir e ser subordinado).
- Se eles estão interessados no problema e sentem sua importância.
- Se eles entendem e se identificam com os objetivos da organização.
- Se eles foram ensinados a compartilhar na tomada de decisões, pois, caso contrário, poderão sentir-se pertubados com essa responsabilidade ou se mostrarem aborrecidos por não participar do processo de decisão.

Se as condições acima descritas não existirem, isso conduzirá o gerente a fazer maior uso de sua própria autoridade.

3 — Os fatores ligados à situação

- Tipo de organização: Como as pessoas, as organizações possuem valores e tradições que influenciam o comportamento das pessoas que nela trabalham, indicando se devem ser mais democráticos ou formais.
- O tipo de problema: A natureza do problema pode determinar qual o grau de autoridade que deve ser delegado pelo gerente aos seus subordinados.

- Eficácia da equipe: Antes de transferir a responsabilidade da tomada de decisões para o grupo de subordinados, o gerente deve considerar quão eficazmente seus membros trabalham em equipe.

- A pressão do tempo: Aqui, talvez, a mais importante variável, pois quanto menor o tempo, menor será a possibilidade de incluir um maior número de pessoas na tomada de decisões.

Um gerente no seu trabalho do dia a dia, tem a sua escolha de liderança limitada pelas razões acima, porém ele pode treinar seus subordinados e promover experiências em conjunto para a sua equipe, reduzindo o número de fatores que possam impedir a delegação da tomada de decisões. Porém, essa delegação deve levar em conta, se o grupo está apto para decidir sobre determinado problema, caso contrário, isto poderá gerar problemas que irão inibir muito mais do que facilitar a consecução dos objetivos desejados.

Bases de poder ou de influência enfatizadas no estilo

Uma outra corrente de estudos, interessada no estilo de liderança, tem procurado situar o estilo, em relação às bases de poder ou de influência que um agente (no nosso caso, o gerente) pode exercer sobre uma pessoa P (os subordinados). Neste enfoque, o sistema classificatório, focalizando o poder que mais tem sido utilizado é o proposto por French e Raven.

Na tipologia de French e Raven, o poder é definido em termos de influência, em termos de mudança psicológica e se exterioriza através de cinco bases:

1. Poder formal: baseado em valores internos, que indicam que o gerente tem um direito legítimo de influenciar o subordinado e este, tem obrigação de aceitar esta influência.

2. Poder de premiar: baseado no número de incentivos positivos que o gerente está apto a oferecer para o subordinado.

3. Poder de castigar: baseado na expectativa real e percebida de que punições virão para o subordinado, se ele não responder aos comandos e objetivos do gerente.

4. Poder técnico: baseado na especialidade técnica que o gerente possui e que o subordinado percebe ser importante.

5. Poder de referência: baseado no desejo do subordinado em se identificar com o gerente.

Além dessas cinco bases de influência, segundo Gemmil e Thamhain, devem ser acrescentadas e estudadas de forma independente, mercê de sua importância, embora fazendo parte do poder de referência, as seguintes:

- Amizade.
- Colocação do trabalho de forma desafiadora.

Várias foram as pesquisas que se aproveitaram da tipologia de French e Raven, com a finalidade de estudar e analisar as bases de influência enfatizadas no estilo de liderança, notadamente nos U.S.A. No Brasil, podemos citar as pesquisas realizadas por O'Keefe e Donaire.

Focalizando de forma mais específica os resultados obtidos por estes dois autores, temos que:

O'Keefe (op.cit.) em 1977, estudou a relação entre a performance de um gerente de projeto em Instituições Brasileiras de Pesquisa e as bases de influência que ele utiliza, para assegurar a participação do pessoal do projeto de pesquisa.

Os dados coletados, através de questionários e entrevistas, junto a 50 líderes de projeto em Instituições de Pesquisas indicaram o seguinte:

- Não existe nenhuma evidência que há uma associação positiva entre o poder técnico e as medidas de performance utilizadas.
- Não existe nenhuma evidência de que há uma associação negativa entre o poder formal e as medidas de performance utilizadas.
- Existe uma significante associação entre a influência balanceada (poder técnico + poder formal) com as medidas de performance utilizadas.

Donaire (op.cit.) em 1979, estudou o estilo de influência do gerente de projeto na empresa de Engenharia Consultiva, segundo as bases de influência ou de poder, em relação ao grau de apoio (medido pela rapidez no atendimento das solicitações do gerente), nível de diálogo (medido pela liberdade dos pesquisadores de colocar sua opinião junto aos gerentes) e grau de aceitação do estilo (medido pela indicação de que o estilo necessitava ou não de melhora).

Os dados coletados junto a 25 gerentes e 75 membros de projeto junto a empresas filiadas à Associação Brasileira dos Consultores de Engenharia (ABCE), apresentaram os seguintes resultados:

- As bases de influência mais importantes são: Poder Formal e Poder Técnico.
- As bases de influência menos importantes são: Poder de Premiar e Poder de Castigar.
- Quanto maior o Poder Técnico maior o grau de apoio.
- Quanto maior o Poder Formal menor o grau de apoio.
- Quanto maior o Poder de Premiar menor o nível de diálogo.
- Quanto maior o Poder de Referência e maior habilidade em colocar o trabalho de forma desafiadora maior o nível de diálogo.
- Quanto maior a amizade maior a satisfação com o estilo do gerente.
- Dividindo as bases de influência em extrínseca (aquelas que não pertencem ao indivíduo e que lhe são fornecidas pela organização: Poder Formal, Poder de Premiar e Poder de Castigar) e intrínseca (que são próprias do indivíduo e para as quais a organização pouco pode contribuir: Poder Técnico, Poder de Referência, Amizade e Colocação do Trabalho de forma desafiadora) encontrou significante relação entre o grau de aceitação e a maior utilização de influência intrínseca no estilo do gerente.

307

Pesquisa sobre bases de poder ou influência do gerente de P&D.

Conforme verificou-se, fica evidente a importância da utilização de um critério que possa caracterizar as bases de influência que um gerente de P&D aciona em seu estilo de influência ou liderança, para fazer com que seus pesquisadores atendam às suas solicitações.

Com esse objetivo, procurou-se definir as bases de influência que compõem o estilo do gerente de P&D e, para tanto, foi utilizada a tipologia de French e Raven (op.cit.), modificadas de acordo com as pesquisas realizadas por O'Keefe (op.cit.) e Donaire (op.cit.)

Segundo essa tipologia e as modificações propostas, as bases de influência foram dissimuladas nas seguintes razões:

a. Eles me respeitam e têm confiança no meu conhecimento e experiência profissional.

b. Eles sentem que eu posso pressioná-los e castigá-los de alguma forma.

c. Eles sentem que eu tenho um direito legítimo como gerente de esperar que eles cumpram minhas solicitações.

d. Eles sentem que as coisas que eu solicito que façam, são profissionalmente desafiadoras.

e. Eles sentem que fora nossas ligações profissionais, nós temos uma amizade pessoal.

f. Eles sentem qué eu posso influenciar·positivamente seus salários e promoções.

g. Eles admiram minhas qualidades pessoais, sem considerar meu conhecimento técnico, e agem de forma a obter meu respeito.

Os resultados apresentados indicaram a seguinte ordenação das bases de influência.

Ordenação das Bases de Influência Segundo Percepção dos

"Gerentes"	"Pesquisadores"
1. Poder Técnico	1. Poder Formal
2. Trabalho Desafiado	2. Poder Técnico
3. Poder Formal	3. Poder de Referência
4. Poder de Referência	4. Trabalho Desafiado
5. Poder de Premiar	5. Poder de Premiar
6. Amizade	6. Amizade
7. Poder de Castigar	7. Poder de Castigar

Observando-se as duas ordenações, verifica-se que embora elas não sejam estatisticamente diferentes no seu aspecto global, nos primeiros postos apresentam algumas diferenças que devem ser enfatizadas. Segundo os gerentes, a especialização (poder técnico), a colocação do trabalho de forma desafiadora e a autoridade (poder formal) foram as razões consideradas mais importantes pelas quais elas sentem que seus pesquisadores são influenciados para atender as suas solicitações. Por outro lado, na opinião dos pesquisadores, nota-se que eles sentem uma maior presença do poder formal, que emana da autoridade do cargo, seguido do poder técnico, que é fruto do conhecimento e da experiência em uma dada especialidade.

Tais resultados indicam uma razoável identificação entre o estilo utilizado pelo gerente e o estilo percebido pelos pesquisadores que deve se caracterizar por uma ênfase maior na autoridade e na especialização do que nas outras bases de influência. Isto não significa que as outras bases de influência não podem ser implementadas, significa apenas que, em relação às demais, elas deverão ter uma aplicação bem mais reduzida.

De posse dessas informações, tais resultados foram associados ao grau de apoio, nível de diálogo e grau de aceitação do estilo dos pesquisadores, que indicaram as seguintes associações significativas:

- Quanto maior o grau de apoio (medido pela rapidez no atendimento das solicitações do gerente) menor será a necessidade de utilizar o trabalho desafiador como base de influência.
- Quanto maior o nível de diálogo (medido pela liberdade dos pesquisadores de colocar sua opinião junto aos gerentes) menor será a necessidade de utilizar o poder formal e o poder de premiar como forma de fazer com que os pesquisadores atendam às solicitações da gerência.
- Quanto maior o nível de diálogo maior a presença da amizade como base de influência.
- Quanto maior o grau de aceitação do estilo (medido pela indicação de que o estilo necessitava ou não de melhora) menor será a necessidade da utilização do poder de castigar no estilo de influência.
- Quanto maior o grau de aceitação maior a presença da amizade como base de influência.

Finalizando, as bases de influência foram divididas em dois tipos:

- Influência Intrínseca (II): é aquela formada pelas bases de influência próprias do indivíduo, para as quais a organização pouco pode contribuir: poder técnico, poder de referência, amizade e colocação do trabalho de forma desafiadora.
- Influência Extrínseca (IE): é aquela formada pelas bases de influência que não pertencem ao indivíduo e que lhe são fornecidas por meio da organização: poder formal, poder de premiar e poder de castigar.

A partir dos dois tipos de liderança, procurou-se verificar se a predominância da influência intrínseca ou extrínseca no estilo de influência resultaria em alguma diferença digna de registro.

Com este objetivo, os resultados foram analisados e verificou-se que a predominância da influência intrínseca no estilo de influência acarreta uma melhor avaliação do estilo por parte dos pesquisadores. Isto indica que a satisfação dos pesquisadores para com o estilo de seu gerente aumenta, à medida que este demonstra enfatizar mais suas características pessoais, como base para seu estilo de influência.

4 — A TRANSFORMAÇÃO DO PESQUISADOR EM GERENTE DE P&D

Por que os pesquisadores se tornam gerentes?

As razões pelas quais os pesquisadores se tornam gerentes de P&D, se manifestam de várias formas, pois esta transição pode ser motivada por uma escolha consciente ou pode ser uma opção que vai surgindo naturalmente nas suas próprias atividades, e que o vão envolvendo e atraindo. Esta transição é análoga a que ocorre nos hospitais, quando um médico passa a ser seu diretor ou nas Universidades, quando um pesquisador passa a ser responsável administrativo por determinado departamento ou coordenadoria.

Mainzer em pesquisa realizada junto a órgãos federais de pesquisas dos U.S.A. compara a transição de pesquisador para gerente, semelhante a opção que um civil faz para tornar-se soldado em tempo de guerra, ou seja, um pesquisador ao se transformar em gerente passa, em termos científicos, a ser um homem completo, que entende todo o sistema envolvido na Pesquisa Industrial e, não apenas o limitado mundo de sua área de especialização.

Cita para mostrar a importância da atividade administrativa na vida do pesquisador, que entre os 200.000 cientistas registrados em 1960, no "National Register of Scientific and Technical Personnel", cerca de um quarto deles, registravam sua atividade como sendo: gerência ou Administração (Scientific Manpower Bulletin — n.º 17 — april — 1962).

Segundo esse autor, vários pesquisadores geralmente encontram grande satisfação na tarefa de administrar, até para sua própria surpresa. Normalmente eles acabam se envolvendo consciente ou inconscientemente, com as atividades administrativas, que a opção para a gerência passa a ser um caminho natural, não uma escolha dicotômica entre a ciência e a administração, motivada por imposições ou circunstâncias.

Outros por seu turno, são motivados pelo desejo de progresso na carreira e, onde quer que ele se situe, partem em busca dele. A posição de gerente representa melhores salários, maior prestígio e poder, e portanto, representa um apelo significativo para a transição.

Os interessados nessa mudança, podem ou não estar bastante identificados com a "ciência", mas o que mais os atrai, é a possibilidade de conhecer o "outro lado" da pesquisa, até então desconhecido.

A transição de pesquisador para gerente, é uma oportunidade ótima para aqueles que não alcançaram o sucesso na carreira de pesquisador. É uma boa oportunidade, mesmo para os excelentes pesquisadores, que com o passar do tempo passam a perder o vigor, a confiança e a imaginação na sua área de especialização.

É uma grande opção para os pesquisadores, que independentemente do seu nível como pesquisador, demonstram tal habilidade administrativa, que acabam sendo compelidos à gerência. E, principalmente, é uma grande oportunidade para aqueles pesquisadores, que conhecedores das dificuldades da carreira técnica, acabam optando pela carreira administrativa, com o intuito de realizar um trabalho positivo para a sua classe, optando pela filosofia de "ajudar os pesquisadores a ter sucesso em suas pesquisas".

Outros fatores podem ser arrolados, tais como, interesse em ser a pessoa mais importante dentro de um dado programa; a oportunidade de agir com autoridade dentro de uma área específica, possuir um salário melhor: possibilidade de conviver com o ambiente governamental e uma grande chance de mudar a rotina de sua atividade.

Segundo Uyeki a sua pesquisa demonstra que as principais razões para um pesquisador passar para a área gerencial são:

1. Ela é necessária para o avanço da carreira (49,5% dos entrevistados apontaram esta razão).
2. O desejo de se envolver com os aspectos administrativos da organização da pesquisa (27,1% dos elementos pesquisados escolheram esta razão).

De acordo com os resultados da pesquisa de Bayton e Chapman os principais motivos pelos quais os pesquisadores se transformam em gerentes são:

- desejo de liderança.

- contribuição para os objetivos da organização.

- ajuda aos seus colegas.

- oferecer apoio a equipe de pesquisa.

- exercer autoridade.

- responsabilidade na tomada de decisões.

Pesquisa sobre os aspectos motivacionais que conduzem ao cargo de gerente de P&D.

Com a finalidade de descobrir quais os aspectos motivacionais que influenciaram na aceitação do cargo de gerente de P&D, levantou-se junto aos gerentes uma questão específica a esse respeito.

Para a identificação da lista de aspectos motivacionais foram utilizados os trabalhos já mencionados de Bayton e Chapman e de Maximiano, acrescidos de algumas sugestões resultantes de contatos preliminares com gerentes e professores envolvidos com o tema.

Dessa forma, os resultados obtidos indicaram a seguinte ordenação, baseada na média encontrada, para os aspectos motivacionais:

ORDENAÇÃO DOS ASPECTOS MOTIVACIONAIS QUE CONDUZEM AO CARGO DE GERENTE DE P&D.

Aspectos motivacionais

 1. Pela contribuição aos objetivos individuais.
 2. Há possibilidades de fazer coisas novas e diferentes.
 3. Carreira gerencial é um desenvolvimento natural da carreira técnica.
 4. Para usar habilidades que emergiram.
 5. Pela realização dos objetivos individuais.
 6. Pela independência que se tem.
 7. Pela oportunidade de superar obstáculos.
 8. Os salários administrativos são mais compensadores.
 9. Para se associar com pessoas competentes.
10. Pelo reconhecimento que se obtém.
11. Há maiores desafios em posições de chefia.
12. Para elaborar planos.
13. Pelo prestígio que se adquire.
14. Para auxiliar outras pessoas.
15. Para realizar coisas impossíveis a uma pessoa só.
16. Pelos riscos inerentes a posições de chefia.
17. Por exigência dos superiores
18. É melhor ser chefe que subordinado.
19. Porque não se satisfaz com a carreira técnica.
20. Para exercer poder e autoridade
21. Para conhecer maior número de pessoas.
22. Pela inexistência de condições (Laboratórios/Equipamentos).
23. Pela inexistência de mercado de trabalho técnico.

Observando estes aspectos, pode-se especular que a maioria dos gerentes situa a carreira gerencial como uma continuação natural da carreira técnica, o que, em verdade, se transforma numa situação enganosa, pois, ao assumir a gerência de 1º nível, o pesquisador dá o primeiro passo para se afastar de sua especialização. Esse posicionamento é resultado da política adotada pela maioria das empresas industriais, que não apresentam aos pesquisadores a possibilidade de se afirmar em sua própria especialidade devido a inexistência de uma carreira específica na área técnica. Dessa forma, aqueles que atingem determinado estágio como especialista, ou permanecem onde estão, ou são compelidos a seguir a carreira gerencial. A própria legislação brasileira colabora para este estado de coisas, por não ter ainda definido a profissão do pesquisador.

Seguindo este raciocínio, os pesquisadores acabam identificando seus objetivos individuais na carreira gerencial, para a qual, muitas vezes, não tem aptidão específica, mas que lhes proporciona o desafio de fazer coisas novas e diferentes e usar habilidades, muitas vezes desconhecidas, que emergem durante o exercício do novo cargo.

Analisando os aspectos motivacionais apontados como menos importantes, pode-se convergir para o que foi dito acima. Eles se satisfazem com a carreira técnica, existem condições de trabalho e existe mercado de trabalho. Não estão motivados para exercer poder e autoridade, nem conhecer um maior número de pessoas. Portanto, é bem provável que, segundo a opinião dos gerentes de P&D entrevistados, se houvesse uma carreira específica, ou mesmo, um sistema de dupla carreira (uma para a área administrativa e outra para a área técnica) na área de pesquisa e desenvolvimento, muitos dos atuais gerentes, talvez não tivessem enveredado pela carreira gerencial, visto que pode-se conjecturar que estavam adaptados à condição de pesquisadores.

Concluindo, procedeu-se a uma análise fatorial sobre os aspectos motivacionais, a fim de organizá-los em grupos homogêneos e de eliminar os aspectos cuja presença foi considerada pouco significativa.

Este procedimento resultou na seguinte lista:

LISTA DOS ASPECTOS MOTIVACIONAIS QUE CONDUZEM AO CARGO DE GERENTE DE P&D.

a) Expectativas em Relação à Função
1. É melhor ser chefe que subordinado.
2. Pelos riscos inerentes a posições de chefia.
3. Há maiores desafios em posições de chefia.
4. Para exercer poder e autoridade.
5. Para realizar coisas impossíveis a uma pessoa só.

b) Atração pelo Desafio e Realização
1. Pela oportunidade de superar obstáculos.
2. Há possibilidades de fazer coisas novas e diferentes.

c) Aspectos Materiais e de Relacionamento do Cargo
1. Para auxiliar outras pessoas.
2. Para elaborar planos.
3. Para se associar com pessoas competentes.
4. Pela inexistência de condições (laboratórios/equipamentos).
5. Os salários administrativos são mais compensadores.

d) Não Adaptação à Carreira Técnica
1. Para usar habilidades que emergiram.
2. Pela independência que se tem.
3. Porque não se satisfaz com a carreira técnica.

e) Convergência dos Objetivos Individuais com os Organizacionais
1. Pela contribuição aos objetivos organizacionais.
2. Pela realização dos objetivos individuais.
3. Pelo prestígio que se adquire.
4. Carreira gerencial é desenvolvimento natural da carreira técnica.

A proposição desta lista procura trazer uma contribuição ao nebuloso problema da motivação, que faz com que o pesquisador se transforme num gerente de P&D. Conforme se pode notar, tais aspectos motivacionais se exteriorizam em vários níveis, que vão desde a não adaptação à carreira técnica, nem tanto pelo fato de não estar satisfeito com ela, mas por desejar ir além dela, passa pela expectativa em relação à função e aos aspectos materiais e de relacionamento do cargo, até culminar com o gosto pelo desafio e novidade e com a realização profissional, fazendo com que os objetivos individuais e organizacionais atuem de forma convergente.

A verificação dos resultados pode ser valiosa no sentido de orientar quais os estímulos que devem ser acionados para os pesquisadores ingressarem na carreira gerencial. Na verdade, os fatores motivacionais interagem entre si para que se concretize determinada decisão e é ao nível dos aspectos motivacionais mais significativos que devemos atuar para que o problema da transição seja mais facilmente assimilado, pois um indivíduo convenientemente motivado saberá compreender, aceitar e superar as naturais dificuldades, que irão surgir, quando da transformação de pesquisador em gerente de P&D.

Gerentes e pesquisadores são igualmente necessários e importantes na área de P&D. Saber selecionar e motivar cada um deles de forma adequada deve ser uma preocupação constante da Alta Administração, pois, assim procedendo, criarão um ambiente de satisfação e operosidade, que é vital para o sucesso da atividade de P&D.

A transição do pesquisador para gerente e suas implicações

Normalmente, o caminho mais comum para a ascensão ao cargo de gerente, é o início na carreira de pesquisador, embora em alguns casos, possa ser escolhido um elemento não pesquisador para exercê-la, como é o caso de alguns engenheiros e administradores de empresas, que se tornam Gerentes de P&D, em virtude de sua formação profissional, que os identificam de forma mais nítida com os objetivos da organização.

Neste ítem, falaremos inicialmente da transição de pesquisador para gerente e suas conseqüências, para depois colocarmos a situação específica do assessor administrativo dentro da área de P&D.

Fica claramente evidenciado que à medida que o pesquisador avança em sua carreira, mais cedo ou mais tarde, ele atinge um determinado estágio, onde ele se defronta com o problema de que caminho deve seguir: sair da área de P&D ou permanecer nela. Se optar por esta última, que é aquilo que nos interessa, novamente tem duas opções: permanecer na área técnica ou começar a se envolver com atividades gerenciais.

Embora esta decisão seja absolutamente pessoal, caso ele permaneça na área de P&D, o envolvimento com atividades administrativas passa a acontecer de forma natural, pelas circunstâncias que envolvem as situações de trabalho e as necessidades organizacionais. Dessa forma, paulatinamente o pesquisador passa a perceber que uma parcela cada vez maior de seu tempo, passa a ser gasta com responsabilidades de caráter administrativo, sem que ele tenha tomado uma decisão consciente de trocar a carreira técnica pela carreira gerencial.

Esta sensação, passa a ser acompanhada pelo sentimento de que seu conhecimento profissional está se tornando obsoleto, em parte pelo confronto que ele passa a fazer com o pessoal recém saído das Universidades, que estão mais atualizados com os recentes avanços tecnológicos e científicos, em parte porque o tempo gasto com atividades administrativas passa a ser um empecilho para sua atualização constante, em relação às últimas descobertas. Além disso, como gerente ele passa a ser responsável por várias disciplinas, muitas da quais, seus comandados tem um conhecimento técnico maior do que o seu.

Dessa forma, sua experiência anterior, obtida através de longos anos, passa a ser menos relevante na atual situação, o que o coloca numa situação angustiante, pois seu sistema de valores, educação e treinamento formal foram baseados na aquisição de conhecimentos, enquanto que como gerente, ele passa a exercer uma nova função, para a qual não recebeu nenhuma orientação ou treinamento.

O pesquisador pode resistir à mudança e continuar na carreira técnica, porém esta solução, também lhe acarreta uma série de dificuldades, visto que o símbolo de "status" em nossa cultura industrial, está fortemente associado com o papel administrativo. Enquanto que sua excelência técnica e seus atributos pessoais são amplamente reconhecidos no ambiente de trabalho, o mesmo não ocorre nos círculos sociais e, até mesmo no ambiente familiar, onde apenas a ascensão na hierarquia administrativa é concebida como melhoria efetiva de "status".

Segundo Steele, sua tarefa é extremamente árdua por diferenciar-se sobremaneira dos outros tipos de gerência existentes na empresa, pois além de tudo, ele necessita realizar uma acomodação entre o pensamento dos pesquisadores e da Alta Administração. Essa acomodação, que é fundamental para a sobrevivência da área de P&D, não ocorre com facilidade, pois seu papel não é bem compreendido pelos pesquisadores, pela cúpula administrativa e, muitas vezes, por eles próprios.

Na verdade, sua função é ambivalente e decorre, principalmente, da diferença que existe entre a pesquisa e a Administração da pesquisa, sendo que esta última, é geralmente tida e havida, como um mundo apartado do campo da pesquisa.

Se a formação técnica é um pré-requisito para a gerência de P&D, deve ficar claro que outras tarefas, distintas da pesquisa, passam a fazer parte de seu trabalho, quando ele passa a gerente. Dessa forma, ele necessita avaliar os recursos para operar a atividade de P&D; precisa relacionar o grupo de pesquisa com outras Unidades da empresa, dividir tarefas entre os pesquisadores; acompanhar seus resultados em consonância com os objetivos organizacionais, e etc. Diante disso, o maior perigo que enfrenta, consiste em tentar manter-se nos dois campos (pesquisa e gerência) sem expor as razões pelas quais, momentaneamente, se perfila de um ou de outro lado.

Segundo um jovem matemático da área de pesquisas: "A administração da pesquisa traz em si mesmo a semente de sua destruição. Pois quando um homem passa a fazer parte da administração, mais cedo ou mais tarde, chegará num ponto que não entenderá mais a pesquisa e o pessoal que nela trabalha". Por isso, não há outra função na indústria, onde a decisão de ser gerente provoca tantos danos à vida profissional, pois como pesquisador, ele preparou-se durante anos numa dada especialidade e, sua ascenção à gerência, o privará de exercê-la em toda a sua plenitude, bem como, o impedirá de acompanhar seu desenvolvimento. Por isso, ele deve reconhecer e aceitar a realidade de que estará constantemente exposto ao fato de estar perdendo o contato com a pesquisa, propriamente dita, e que passará a depender intensamente da colaboração de seu grupo de subordinados.

Enquanto que, como pesquisador, seu ambiente, seus amigos, seus interesses, e seu quadro de referência é o mundo da ciência, o seu ingresso na área gerencial o isola desse mundo tão familiar, o que não é claramente compreendido nem pelos antigos companheiros pesquisadores, nem pelos novos, os demais gerentes da empresa.

Para os pesquisadores, muitas vezes, esta sua decisão é vista com uma deserção ao campo científico, enquanto que para os outros gerentes da empresa, ele é visto, apenas como um cientista e um "amador" em questões administrativas, mesmo porque não fazendo parte da atividade produtiva, propriamente dita, e face a sua identificação com a pesquisa, não o sujeitam ao mesmo tipo de pressão que é exercido sobre as áreas dos demais gerentes.

Essa diferença de percepção com a qual ele necessariamente deverá conviver, deve ser compreendida e administrada da melhor forma possível, pois ela é fruto da orientação, da formação e dos valores, de cada um desses grupos.

Na verdade, os pesquisadores relacionam seus objetivos de carreira com o desenvolvimento em sua área de atuação. Eles não se identificam de forma clara com os objetivos comerciais da empresa e não situam o progresso de sua carreira, em termos de uma determinada organização. Eles possuem uma orientação não comercial, até de certa forma não consciente.

Esta não preocupação com os objetivos comerciais e de lucro, não deixa de ser um paradoxo para os gerentes de outras áreas, que vêem no lucro, o principal resultado de desempenho da empresa. Por outro lado, isto não significa que a orientação profissional deve ser desencorajada, pois um resultado relevante em termos de inovação tecnológica, só é conseguido pela existência na organização, de um grupo de pessoas que se desenvolvam em sua área de atuação e cujo interesse e motivação assegurem as últimas descobertas da Ciência e da Tecnologia. O gerente deverá conviver com essa ambigüidade e o seu próprio sucesso dependerá de sua habilidade em lidar de forma equilibrada entre os objetivos individuais e os objetivos da empresa.

Complementando, Twiss (op.cit.) coloca que:

a. A aceitação da associação de "status" com ascensão ao papel de gerente, não é consistente com os valores presentes na área de P&D, onde o mais importante é a excelência profissional.

Para reduzir esse problema, Badawy sugere que a organização deve propiciar um sistema de dupla carreira: uma para quem deseja se manter na área técnica e outra para quem deseja trilhar a carreira administrativa. Segundo esse autor, esta dupla carreira(que deve proporcionar idênticas recompensas), encoraja os pesquisadores a escolher seu caminho com base na sua experiência pessoal,no seu interesse e nas suas habilidades, e não apenas visando recompensas de caráter monetário e de "status".

b. O pessoal que assume a gerência deve ter treinamento específico para esse novo papel, pois as características de um bom gerente de P&D são diferentes dos demais gerentes. Deve lhe ser propiciado um treinamento formal para os valores vigentes na organização e para o pensamento administrativo, pois sua experiência anterior não lhe permitiu o mesmo contato com tais valores, o que normalmente ocorre com os demais gerentes.

c. As oportunidades de carreira para o pessoal da área de P&D, devem ser também avaliados em termos de outros departamentos, notamente naqueles onde a interface com o Centro de P&D é grande e onde sua experiência anterior pode ser valiosa. Isso é importante para os pesquisadores antigos que começam a se sentir ameaçados pelos pesquisadores mais jovens, que entram na empresa com um conhecimento mais atualizado e se encontram mais próximos do período de pico de sua criatividade.

Finalizando, abordaremos especificamente as poucas pesquisas que tiveram como objetivo estudar o processo de transição de pesquisador para gerente. Em 1965, Bailey e Jensen publicando os resultados de sua pesquisa, realizada em duas organizações industriais, afirmam que o impacto maior no processo de transição, geralmente ocorre, quando o gerente assume o 2º nível de Administração da Pesquisa. Isto se deve ao fato, de que no primeiro nível de Administração, ele se encontra ainda envolvido com a parte técnica, embora de forma não predominante e que quando ele assume o 2º nível, esta promoção, acaba afastando-o de forma significativa da atividade técnica, que lhe era tão familiar.

Estes autores concluem seu trabalho, afirmando que existem seis razões pelas quais o processo de transição apresenta dificuldades para o pesquisador:

1. O pesquisador deve modificar sua primitiva lealdade que o identificava com a área técnica para a lealdade com os objetivos organizacionais.

2. O pesquisador deseja ser uma boa pessoa, porém ele costuma associar a administração mais como uma complicação do que como uma ajuda ao trabalho das pessoas.

3. O pesquisador perde o controle direto de seu trabalho e deve, a partir da promoção trabalhar através dos outros.

4. Ele tem menos tempo para as atividades que lhe eram comuns (as técnicas) e deve ajustar sua escala de valores para os aspectos administrativos.

5. O pesquisador sente que tendo optado pela gerência, se sinta como desertor de sua especialidade técnica.

6. Em contraste com a área técnica, existem poucas regras na Administração que sejam repetitivas.

Finalmente, Bayton e Chapman estudando o processo de transição de cientistas e engenheiros em gerentes, concluem que o seu grande problema, está relacionado com a dificuldade de compreender e de se engajar com todos os aspectos do sistema organizacional. Isto ocorre porque geralmente, eles encontram pouca ajuda em diagnosticar suas necessidades ou para adquirir as novas habilidades requeridas pela função gerencial.

Segundo esses autores, na nova função, os pesquisadores deverão modificar suas habilidades, habitualmente voltadas para as tarefas, para que elas se voltem para todo o sistema (enfoque analítico para enfoque sistêmico).

Neste contexto, suas habilidades administrativas mais importantes deverão ser:

- trabalhar em consonância com o sistema organizacional.
- trabalhar em consonância com o sistema financeiro.
- trabalhar em consonância com o sistema de recursos humanos.
- comunicação de idéias.
- trabalhar com diversas pessoas.
- coordenação da atividade do grupo de pesquisa.
- estilo de liderança.
- habilidade de integração.

O gerente de P&D deve ser originalmente um pesquisador?

Na verdade, existem muitas dúvidas se o cargo de gerente da área de P&D, deve ser exercido por um elemento que tenha especialização técnica (pesquisador) ou por um indivíduo não especializado em pesquisas, mas com grande capacidade administrativa, como é o caso do administrador de empresa. Tais dúvidas ocorrem em primeiro plano, pelo fato de inexistirem no Brasil, cursos formais de graduação na área de Administração da Pesquisa. Nesse sentido destaque-se a atuação pioneira da FEA/USP, que através do Programa de Administração em Ciência e Tecnologia — PACTo do Instituto de Administração, iniciou com uma certa regularidade a promoção de Seminários de Administração da Pesquisa, que procuraram desenvolver e aprimorar a capacidade administrativa do pessoal que trabalha na área de pesquisa. Tal iniciativa foi tão bem aceita, que culminou na atualidade, com a existência no mestrado em Administração de um núcleo de Ciência e Tecnologia.

Mesmo nos USA, a maioria das escolas não possue um programa intensivo nessa área, limitando-se a oferecer cursos ocasionais. Como exceções podemos citar que a Escola de Engenharia Industrial de Columbia e a M.I.T. dão um destaque especial à área de Administração de Pesquisa, bem como a American University, que é uma das raras instituições, fora da área de engenharia, que tem oferecido cursos específicos nessa especialidade.

Como cita Kaplan, em relação a essa questão, as opiniões se dividem, pois os pesquisadores entendem que o gerente deve conhecer o que administra e que a administração nada mais é que o uso do bom senso, da lógica e de fazer as coisas de forma sistemática, habilidades estas, com as quais o pesquisador está habituado, e portanto, pode desempenhar esta função com eficiência.

Por outro lado, também entendem que a utilização de um bom pesquisador, para desempenhar tarefas administrativas, acaba se constituindo no desperdício de um bom talento técnico, para desenvolver tarefas que poderiam ser facilmente desempenhadas por um indivíduo não tão qualificado tecnicamente.

Em contraposição a isto, é evidente que para ser um bom gerente de P&D, é necessário que ele possua uma formação, que inclua um elenco de conhecimentos e práticas que não são comuns ao pessoal de pesquisa e que, em virtude disso, seria muito mais conveniente a utilização de um elemento com essas qualificações, como é o caso do Administrador de Empresas.

Barnes reportando-se em estudos realizados pela Divisão de Pesquisas da Harvard Business School, afirma que os valores organizacionais como lucro, produtividade, eficiência não encontram repercussão junto ao pessoal técnico e por isso, os gerentes não técnicos têm dificuldades de compreender a orientação e os valores do pessoal de pesquisa.

Em adendo a isto, Uyeki conclui que face aos resultados da pesquisa, realizada junto a gerentes oriundos da área de pesquisas, que as atividades gerenciais e técnicas não são incompatíveis e que portanto, devido a maior sintonia com a área de pesquisa, o gerente de P&D deve ser necessariamente um pesquisador e afirma:

"Nem todos os pesquisadores podem aprender Administração, porém poucos Administradores podem aprender ou ter a mente voltada para todos os aspectos que envolvem o mundo da ciência."

Mainzer coloca que mesmo que o pesquisador tenha optado pela carreira gerencial, ele pode contribuir significativamente para a área científica, por falar a mesma linguagem do pessoal de pesquisa, por entender seu posicionamento e seus valores e pelo fato dos mesmos aceitarem mais facilmente o seu comando, identificando o gerente como um integrante de seu grupo e não apenas, como um mero burocrata que passa a comandá-los e ditar normas sobre seu trabalho.

Na verdade, embora algumas empresas tivessem optado por um elemento originalmente pesquisador e outras não, para desempenhar o cargo de gerente de P&D,

conforme coloca Kaplan, a experiência obtida deixa claro que para exercer essa função, seja ele proveniente de que área for, exige que ele possua uma efetiva experiência anterior na área de pesquisa.

Por seu turno, La Porte entende que para um aprimoramento na operação da pesquisa, e para uma melhor acomodação entre a diferença de percepção entre os pesquisadores e os objetivos organizacionais, a área de pesquisas deve possuir três cargos distintos: pesquisadores, gerente e assessores administrativos, estes últimos com a função específica de apoiar o gerente em aspectos não científicos da organização da pesquisa, tais como, orçamentos, aquisição e manutenção dos equipamentos e instalações, controle administrativo e outras atividades.

Segundo ele, a separação da gerência técnica das atividades administrativas provoca importantes repercussões positivas na operação interna de um grupo de pesquisas, pois:

1. Liberta o gerente de detalhes e tarefas administrativas, para que ele possa devotar maior parte de seu tempo para o desenvolvimento de suas responsabilidades técnicas.

2. Propicia ao gerente um bode expiatório, que pode ser inclusive, utilizado para justificar decisões impopulares junto de seus comandados.

3. Uma vez que tais assessores estão subordinados ao gerente, os pesquisadores tem confiança que os aspectos de caráter administrativo não terão a mesma relevância que os aspectos técnicos na tomada de decisões.

Situação do Assessor Administrativo no Grupo de Pesquisas

Visto que a utilização de um assessor administrativo, para desenvolver atividades não técnicas na área de P&D é considerada como um fator aglutinador do grupo e positivo no desempenho da organização de pesquisa, procuraremos situar sua posição neste ambiente de forma mais específica.

Para tanto, nos apoiaremos no trabalho de Kaplan que desenvolveu interessante estudo sobre o papel do assessor administrativo na área de pesquisa. Segundo ele, embora seu trabalho seja semelhante ao de qualquer outro assessor engajado em outros departamentos, sua tarefa é dificultada, pelo fato de que os pesquisadores sabem muito mais a respeito da atividade de pesquisa do que ele próprio, em virtude da diferença de formação profissional. Essa distinta percepção é fundamental e se caracteriza por uma permanente fonte de conflito na área de P&D, nas empresas que possuem assessoria administrativa.

Este conflito se exterioriza por uma série de fatores:

• pelo fato de que a posição do assessor administrativo na estrutura organizacional, embora esteja situada próxima ao topo e se inclua na equipe diretiva junto a área de P&D, é tida e havida como a única posição exercida por um elemento que não se identifica com a pesquisa, que não ostenta a aura científica, o que, de fato, o coloca em uma situação de inferioridade, mesmo porque seu salário é, muitas vezes, inferior ao dos indivíduos, dos quais deve exigir o cumprimento de uma série de normas.

• enquanto que para o assessor administrativo (e para o gerente) a manutenção da atividade de pesquisa é o objetivo primordial, para o pesquisador a principal preocupação é a pesquisa em si. Por isso, enquanto que para o assessor administrativo a existência de controles adequados, o acompanhamento de cronogramas, de orçamento, etc, exige especial atenção, isto para o pesquisador acaba se transformando numa burocracia exagerada que o acaba afastando da pesquisa.

- o tempo para se chegar a um resultado favorável, para o pesquisador, é secundário, porém para a organização, da qual o assessor administrativo passa a ser intermediário, é de extrema importância.

- a liberdade que o pesquisador exige, seus equipamentos e materiais, devem estar sintonizados com a existência de recursos. Embora tal decisão não seja da responsabilidade do assessor administrativo, ele de uma forma direta ou indireta, as acaba influenciando, recaindo assim sobre si, muitas vezes, a culpa pelas decisões de carater impopular.

- embora o assessor administrativo seja o primeiro a admitir que não possui competência técnica para tomar muitas das decisões, o que ocorre é que freqüentemente, as decisões relativas à pesquisa científica, são tomadas com base em critérios não científicos, e que acabam de uma forma ou de outra, sobrando sempre para ele.

- quanto maior a responsabilidade do assessor administrativo, maior é a sua necessidade de informação e maior é o rigor de seu procedimento para sua própria sobrevivência, o que acaba indispondo e aborrecendo o pesquisador com a excessiva burocracia, notadamente quando os recursos de pesquisas são oriundos de diferentes fontes.

- enquanto que em outros departamentos, ao assessor administrativo cabe uma parcela substancial de seu desempenho e sucesso, na área de P&D, a fama e as prioridades, geralmente não incluem a sua pessoa, pois embora ele conviva com a comunidade científica da empresa, ele não faz parte dela.

- sua atuação é menos livre que em outros departamentos, porque suas decisões devem interpretar os desejos do seu gerente, com as quais pode não concordar e, pelas quais, muitas vezes pode ser responsabilizado pela Administração Superior.

- sob o ponto de vista de ¡ascensão¡hierárquica, sua carreira na área de P&D é limitada, pois na grande maioria dos casos, dificilmente assumirá a gerência da área. Dessa forma, ou permanece onde está, ou se dirige para outras áreas, onde sua experiência anterior não é tão significativa. Isso o coloca em evidente desvantagem em relação aos demais assessores da empresa e mesmo em relação aos próprios pesquisadores, que podem progredir tanto na carreira técnica quanto na carreira gerencial.

- a habilidade do assessor administrativo na área de P&D, deve ser maior que a dos que atuam em outras áreas da empresa, uma vez que nessa específica área ela assume características próprias. Primeiro porque é uma área ainda em formação, que não assumiu uma estrutura definida, como bem situou um certo Vice-Presidente de Pesquisas: "existem muitos chefes e poucos índios numa operação de pesquisa científica para serem usados os modelos organizacionais convencionais". Segundo, porque as linhas de autoridade, tomada de decisão e comunicação fluem sempre em dois níveis de atuação: o científico e o administrativo. Embora tal divisão não seja muito clara, ela está sempre presente, tornando-se uma força de permanente conflito na administração da pesquisa, que necessita ser convenientemente monitorada.

- os grupos de referência para o assessor administrativo e para os pesquisadores são diferentes em características e localização, o que aumenta a distância entre esses dois grupos e entre esses dois papéis: o assessor é orientado para o gerenciamento, para a administração e para grupos não ligados à ciência, enquanto que os pesquisadores não se voltam para nenhum grupo específico, mas sim para a ciência, para sua área de especialização e para o mundo científico externo à empresa.

- o enfoque do assessor administrativo, voltado para a eficácia, produtividade e lucro não tem o mesmo significado para os pesquisadores, o que o coloca em situação, muitas vezes incômoda, de colocar junto ao grupo de pesquisa, em primeiro lugar, a empresa e sua integridade.

- as recompensas internas que não sejam reconhecidas externamente tem pouco valor para o pesquisador, sendo que exatamente o oposto ocorre com o assessor administrativo.

Finalizando, embora para alguns pesquisadores, a pesquisa fluiria mais livremente sem a presença do assessor administrativo, a maioria deles, entende que ele exerce uma tarefa que permite ao pesquisador conduzir o seu trabalho de forma mais eficiente. Em resumo, o melhor assessor administrativo é aquele que deixa o pesquisador livre para fazer sua pesquisa e reduz ao mínimo necessário, as informações de rotina administrativa.

Pesquisa sobre a transição do cargo de Pesquisador para o de Gerente de P&D.

Procurando trazer alguma contribuição que possa esclarecer o intrincado problema da transição do cargo de pesquisador para o de gerente de P&D, foi indagado aos gerentes entrevistados que indicassem quais as principais dificuldades encontradas, ao assumir essa função. Ao mesmo tempo, procurou-se também catalogar quais as sugestões apontadas no sentido de eliminar ou minimizar tais dificuldades.

A questão acima era precedida de outra, absolutamente necessária, que indagava se o gerente de P&D, antes de assumir tal função, pertencia ao grupo de pesquisadores da empresa, pois só assim ele teria a experiência suficiente para dar uma contribuição relevante.

Verificou-se que 76% dos gerentes entrevistados eram originalmente pesquisadores da empresa e portanto em condições de contribuir com sua opinião. De acordo com a opinião desses gerentes, as dificuldades apontadas foram agrupadas em três níveis distintos:

- Nível organizacional: referente às dificuldades ligadas aos aspectos administrativos e organizacionais.
- Nível técnico: relativo à parte específica de P&D.
- Nível de relacionamento: que diz respeito aos problemas de relacionamento, quer ao nível do grupo de pesquisas, quer ao nível da empresa.

O resultado da opinião sobre as dificuldades apontadas está sumarizado no quadro a seguir:

321

Níveis \ Questões	PERGUNTA: Quais as principais dificulades encontradas para exercer a função de gerente de P&D?
ORGANIZACIONAL	• falta de conhecimento administrativo e de técnicas de gestão de P&D; • dificuldades de integração com outras áreas da empresa; • dificuldade com a atividade de planejamento; • falta de recursos humanos; • área não convenientemente estruturada; • falta de treinamento para a função; • desconhecimento da política organizacional; • falta de apoio dos escalões superiores; • reduzido poder de decisão.
TÉCNICO	• muito arraigado à parte técnica • prazos apertados; • falta de equipamentos; • necessidade de abandonar o contato com a pesquisa; • dificuldade de avaliar as necessidades tecnológicas da empresa; • problemas relativos à manutenção do sigilo da pesquisa; • acúmulo de trabalho.
DE RELACIONAMENTO	• despreparo para o trato dos problemas pessoais do grupo de trabalho; • manutenção da motivação do grupo; • hostilidade dos antigos colegas; • dificuldade de compreensão da área de P&D por parte da cúpula da empresa.

Diante das dificuldades descritas, no nível organizacional, verifica-se que a grande maioria delas diz respeito ao despreparo que o pesquisador enfrenta ao ascender ao cargo de gerente de P&D, pois desconhece as questões administrativas e de gestão pertinentes a essa área, visto que sua formação não inclui esses quesitos. Tem dificuldade em planejar e estruturar sua atividade, pois na grande maioria dos casos, não recebe um treinamento preliminar para desempenhar esse mister. Geralmente, apenas "a posteriori" é que sente tal necessidade e passa a preocupar-se em obter a formação adequada. Aqui, caberia à cúpula da empresa a existência de uma política de formação dos pesquisadores em matérias que incluam disciplinas administrativas e de gestão, específicas para a área de P&D.

Outrossim, pode-se conjecturar que a falta de apoio dos escalões superiores, acima apontada, pode ser originada, quer do desconhecimento da política organizacional como um todo, quer da maneira equivocada com que a alta administração encara a atividade de P&D dentro da organização, resultando numa inadequada existência de recursos humanos e num reduzido poder de delegação, que acabam complicando o desempenho do gerente de P&D. A perfeita definição do papel da área de pesquisas e desenvolvimento deve ser compreendida e discutida, seja nos escalões superiores, seja junto às outras unidades organizacionais, sob pena de ser considerada apenas uma atividade de refinamento e coqueluche intelectual, não recebendo, portanto, o respaldo devido para uma efetiva e eficaz contribuição aos objetivos organizacionais.

Além disso, no nível operacional, os resultados ratificam a dificuldade do gerente de P&D em se adaptar com facilidade a essa nova função, pois se sente ainda muito preso a sua especialidade técnica e reluta, até de forma inconsciente, em perder o contato com sua especialização, que foi sua razão de ser, até o momento presente. Agora, deve-se preocupar não apenas com sua atividade individual, mas também com as tarefas de todos os componentes do grupo de pesquisas. Essa visão sistêmica da área de P&D propicia-lhe um enfoque novo, desafiador e ao mesmo tempo, desconhecido. Isto pode ser responsável pela dificuldade de avaliar as necessidades tecnológicas da empresa, de manter os objetivos da pesquisa e de conservar o seu respectivo sigilo.

Uma maneira de enfrentar essas dificuldades, seria habituar os pesquisadores, candidatos a uma futura gerência, a exercer temporariamente funções de chefia em grupos de trabalho específicos, com a finalidade de treiná-los para que tenham uma noção de conjunto e de integração, tão necessária à nova função.

As demais dificuldades arroladas — prazos apertados, falta de equipamentos e acúmulo de trabalho — podem ser consideradas mais ou menos comuns nas atividades do dia a dia da empresa industrial. Diante de seus objetivos organizacionais, onde o conceito de lucro é extremamente necessário, a área de P&D passa a ser cobrada nos mesmos moldes das demais unidades da empresa. Cabe ao gerente estabelecer, racionalmente, sua parcela de contribuição aos objetivos da empresa, estabelecendo de forma adequada sua atividade em relação a prazos, equipamentos e quantidade de trabalho.

No nível de relacionamento nota-se outra deficiência na formação do pesquisador, que é colocada à prova, quando este ascende ao cargo de gerente de P&D — a necessidade de estabelecer um relacionamento interpessoal com os demais componentes do grupo de pesquisas sob seu comando. Habituado a lidar com coisas, números e experimentos, passa a lidar com pessoas e suas idiossincrasias, ambições e frustrações, motivo pelo qual se ressente de uma maior familiarização com as questões da área comportamental, tais como manter a motivação de seus comandados e evitar atitudes hostis dos antigos colegas. Em face do exposto, percebe-se o quanto seria necessário e útil uma familiarização com os aspectos da área de Comportamento Humano, pela participação de cursos, treinamento, ou mesmo, de literatura específica a esse respeito.

No que se refere à dificuldade de compreensão da área de P&D, por parte da cúpula da empresa, esse relacionamento permanece no nível interno, e, conforme já foi apontado anteriormente, depende muito de como a área de pesquisas é vista pela Alta Administração. Uma definição clara do seu papel no que diz respeito aos objetivos organizacionais, uma adequada concepção de sua produtividade e limitações, uma avaliação correta de seus pontos fortes e fracos colocarão a área de P&D no estratégico lugar que lhe cabe dentro da organização e que lhe granjeará o respeito e a consideração, tanto da cúpula da empresa, como das demais unidades funcionais.

Ao mesmo tempo que se procurou levantar as dificuldades enfrentadas pelo gerente de P&D, ao assumir a nova função, foi-lhe perguntado, quais seriam suas sugestões no sentido de contornar essas dificuldades e permitir uma maior rapidez de adaptação à nova atividade. O quadro abaixo sumariza as sugestões apresentadas divididas nos níveis organizacional, técnico e de relacionamento.

Questões / Níveis	PERGUNTA: Quais as sugestões para que as dificuldades encontradas para exercer o cargo de gerente de P&D sejam contornadas?
ORGANIZACIONAL	• treinamento para a função, pela participação em cursos na área administrativa; • contatos mais constantes com outras áreas da empresa; • participação em Congressos, Simpósios e Seminários, na área de P&D; • possibilidade de maior delegação; • existência de um assessor para a parte administrativa; • Maior conhecimento da empresa (cultura/política/valores). • existência de um plano formal de carreira na área de P&D.
TÉCNICO	• número de pesquisadores adequado ao volume de trabalho; • experiência dos novos gerentes, em pesquisa e na sua área de especialização, de no mínimo, 5 anos em cada uma; • dosagem adequada das partes técnica e administrativa; • prazos realistas; • melhores equipamentos.
DE RELACIONAMENTO	• contatos freqüentes com o grupo de pesquisadores, por meio de reuniões formais ou não; • assessoria específica da área de RH para maior entrosamento com o pesquisador; • maior compreensão da função de P&D por parte da cúpula da empresa; • desenvolvimento de um clima de confiança mútua; • capacidade de saber ouvir; • capacidade de não julgar antecipadamente.

No nível organizacional os resultados acima evidenciam a preocupação dos atuais gerentes de P&D, em primeiro plano, com a aquisição de conhecimentos na área administrativa e em segundo nível, com aspectos mais gerais da atividade de P&D, caracterizada pela sugestão de participação em simpósios, congressos, etc.

Uma outra necessidade patente é a de maior integração com outras áreas da empresa, integração essa que permita uma maior compreensão de como cada uma delas pode contribuir positivamente para os objetivos organizacionais, e, ao mesmo tempo, propicie um maior conhecimento da cultura, dos valores e da política seguida pela empresa.

Cabe ao próprio gerente monitorar a possibilidade de maior delegação, uma vez que ela depende de outros fatores a considerar, tais como, experiência dos pesquisadores, pressão de tempo e custo, etc. A existência de um plano formal de carreira na área de P&D pode facilitar a análise do desempenho dos pesquisadores, refletindo-se, mesmo, num melhor relacionamento entre o gerente e sua equipe de pesquisadores.

A existência de um assessor específico para a parte administrativa é uma sugestão que deve ser analisada com cuidado, visto que ela apresenta aspectos favoráveis e desfavoráveis. Porém, de forma geral, pode-se dizer que ela apresenta resultados positivos em organizações cuja área de P&D seja de grande porte.

Verificando os resultados das sugestões no nível técnico, nota-se a preocupação dos gerentes em equacionar a atividade de pesquisa com o volume de trabalho exigido e com os resultados que dela se esperam. Isso fica evidente, quando eles propõem um número de pesquisadores de acordo com a quantidade de trabalho, prazos mais realistas e melhores equipamentos.

A sugestão de que os novos gerentes possuam uma experiência mínima de 5 anos, na sua especialidade e também na área de pesquisas, a nosso ver, é absolutamente procedente, pois essa familiaridade com a atividade de P&D é fundamental para que ele possa administrar e desenvolver o seu grupo de pesquisas e saiba dosar adequadamente os mistérios da atividade técnica e da atividade administrativa.

A existência de tais condições, segundo os resultados apresentados mostram que, em conjunto, elas favorecem uma maior aceitação para com o estilo de influência do gerente de P&D, um maior nível de diálogo e um maior grau de apoio no relacionamento gerente/pesquisadores.

O treinamento dos gerentes de P&D também deverá levar em consideração a importância dos resultados apresentados, na formação dos novos talentos, e mesmo, no aprimoramento dos que já se encontram em atividade, mostrando-lhes a exata dimensão da importância dos atributos desejáveis, da motivação e do estilo de influência. Este treinamento deverá estar mais voltado para o desenvolvimento dos atributos que formam as Habilidades e para a importância da posição dos gerentes de P&D, em relação aos atributos que integram as Atitudes do que para os atributos que formam os Conhecimentos, embora todos devem ser focalizados. Agindo desta forma e trabalhando nos aspectos motivacionais adequados e na consolidação das bases de influência que compõem a influência intrínseca, os resultados indicam uma maior probabilidade de acerto na escolha do elemento para ocupar o cargo de gerente de P&D.

Tal treinamento deverá também levar em consideração as dificuldades e sugestões apresentadas pelos gerentes de P&D entrevistados, relativas ao problema da transição de pesquisador para gerente, enfatizando seu enfoque em uma maior abertura e profundidade nos conhecimentos relativos à área administrativa e técnicas de gestão de P&D. Não menos importante deve ser a preocupação da área de treinamento com as questões que envolvem o relacionamento pessoal, devendo para isso, desenvolver um programa que permita aos gerentes da P&D uma maior compreensão e envolvimento com os aspectos relacionados com a área comportamental.

O cuidado em fornecer um treinamento adequado para o gerente de P&D reduzirá, em muito, os problemas advindos da transição de pesquisador para gerente, pois lhe permitirá compreender melhor a nova posição em que se encontra situado. Mesmo que isto não possa garantir o sucesso da atividade de P&D na empresa industrial, no mínimo, criará melhores condições para que ele seja mais facilmente alcançado. Com a consciência de que o presente capítulo não esgotou as várias facetas, nas quais podemos situar o gerente de P&D e de que na verdade, esta contribuição, pretende ser, antes de tudo, o início de uma série de investigações, que deverão ser realizadas, para que se possa conhecer e compreender melhor a atuação do gerente de P&D nas empresas industriais e seu papel de destaque na administração das atividades de pesquisa e desenvolvimento, propor-se-ão alguns temas que possam lançar novas luzes sobre a ainda incipiente figura do gerente de P&D em nosso país, tais como:

- Analisar de que forma os atributos desejáveis se relacionam com o sucesso da atividade de P&D;

• Investigar a possibilidade de estudar o estilo de influência e de definir uma lista de atributos desejáveis para outras funções igualmente resultantes nas empresas industriais, quer na área de P&D ou fora dela;

• Estudar o problema da motivação na área de P&D, ao nível dos pesquisadores, de modo a compreender melhor esta temática;

• Estudar de que forma o estilo de influência e sua divisão em influência intrínseca e extrínseca se relaciona com resultados mais significativos;

• Acompanhar por meio de análise situacional a transição de pesquisadores para o cargo de gerentes de P&D;

• Fazer uma análise situacional das tarefas administrativas que integram a atividade do gerente de P&D, relacionando-a com a existência ou não de assessoria administrativa;

• Avaliar de que forma o fato de ter o gerente de P&D sido anteriormente um pesquisador, se associa ao sucesso da área de P&D;

• Pesquisar junto aos executivos das demais áreas e com os elementos da alta administração como eles caracterizam a atividade de P&D na sua organização e qual a sua percepção sobre a contribuição que esta atividade pode trazer aos objetivos organizacionais como um todo.

6 — CONSIDERAÇÕES FINAIS

Como o cargo de gerente de P&D ainda se encontra em seus estágios iniciais nas empresas industriais, mesmo porque, a área de P&D também é relativamente nova e desconhecida no meio empresarial, muito deverá ser realizado para que a atuação do gerente de P&D possa atingir a eficiência máxima na organização da atividade de pesquisas. Diversas conclusões, comentários e especulações feitas no decorrer do presente capítulo deverão merecer uma análise mais rigorosa e refinada, tanto em termos científicos quanto empíricos, antes de serem generalizadas e aplicadas. Na verdade, apesar de ter-se a exata noção das limitações que este capítulo possa conter, existe a convicção de ter conseguido trazer alguma contribuição útil para uma melhor compreensão e definição da atuação do gerente de P&D nas empresas industriais. Isto se consubstancia não só pela importância que tal atividade tem no desenvolvimento tecnológico de nosso parque industrial, com implicações no próprio desenvolvimento econômico e social, como também por refletir, mesmo que de forma reduzida, a realidade e a experiência nacional na área industrial de P&D.

BIBLIOGRAFIA

BADAWY, M.K. — "Why Fail — *Research Management* — may/jun 1983 — pp. 26/31.

BADAWY, M.K. — "Managing Career Transitions" — *Research Management* — july — august — 1983 — pp. 28/31.

326

BAILEY, R.E. e JENSEN, B.T. — "The Troublesome Transition From Scientist to Manager" — *Personnel*, 42,5 (set-out 1965) — pp. 49/55.

BARNES, L.B. "Organizational Systems and Enginnering Groups" Division of Research — Harvard Graduate School of Business Administration — 1960.

BAUMGARTEL, H. "Leadership Style As A Variable In Research Administration" *Administrative Science Quarterty* — 2 december 1961 pp. 344/360.

BAYTON, J.A. e CHAPMAN, R.L. "Transformation of Cientists and Engineers into Managers" — NASA — 1972.

COOK, L.G. — National conference on Administration of Research, Asheville, North Carolina, 1967.

DONAIRE, D. — "A figura do Gerente de Projeto e Aspectos do seu Desempenho na Empresa de Engenharia Consultiva" — Tese de Mestrado apresentada| à FEA/USP — 1979.

FRENCH, J.R.P. e RAVEN, B. — "The Bases of Social Power" in GROUP DYNAMYCS: pp. 259/269 — Edited By Darwin Cartwrigth and Alvin Bander — N. York Harper and Row Publishers — 1968.

GEMMIL, G.R. e THAMHAIN, H.J. — "The Effectiveness of Different Power Styles of Project Managers in Gaining Project Support" — *IEEE Transactions on Engineering Management* — 20 (may — 1973) — pp. 38/44.

GRESHAM, W.F. — What I Have Learned About Exploratory Research" *Research Management* — march — 1974 — pp. 8/10.

HERSEY, P. e BLANCHARD, K.H. — "Managing Research and Development Personnel An Application of Leadership Theory" — *Research Management* — Vol. XII — 5 — 1969, pp. 331/338.

KAPLAN, N. — "The Role of the Research Administrator" *Administrative Sciense Quarterly* 1959 — 4 — pp. 20/42.

KASSEM, M.S. e ST. JOHN, D.F. — "A New Look at the R&D Technician" — *Research Management* — set — 1973 — pp. 32/37.

LA PORTE, T.R. — "Conditions of Strain Accommodation in Industrial Research Organizations" — Administrative Science Quartely — pp. 21/27.

MAINZER, L.C. — "The Scientists As Public Administrator" — The Western *Political Quarterly* pp. 814/829.

MAXIMIANO, A. C.A. — "Um Estudo sobre os Atributos do Pesquisador Industrial e as Práticas de Administração de Recursos Humanos em Centros Industriais de P&D" — Tese de Doutoramento - SP-FEA/USP — 1982.

MINER, J. — "The Challenge of Managing" — Philadelphia — Saunders 1975 — pp. 215/216.

O'KEEFE, W.M. — "Characteristics of Successfull Project Leaders in Brasilian Research Institutes" — Dissertation for degree Doctor of Management — Vanderbilt University-Nashville — Tennessee — January 1977.

OWENS, J. — "Helping The New R&D Manager — Four Traps For The Unwary" — *Research Management* — jul/aug — 1983 — pp. 23/27.

PELZ. D.C., MELLINGER, G.D. e DAVIS, R.C. — "Human Relations in a Research Organization" I e II — Ann Arbor; Mich 1953.

RADOSEVICH, R. e HAYES, R.L. "Management Systems for Organizational Innovation" — Graduate School of Management — Vanderbilt University — Apostila.

ROMAN, D.D. — "Administração de Pessoal Científico: Alguns Fatores a serem Considerados na Supervisão de Atividades Técnicas" — *RAE*, RJ. mai/jun, 1974, pp. 73/81.

SMITH, G.P. — "A Set of Working Principles for Effective Research Management" — *Research Management* — july — 1970 — pp. 301/313.

STEELE, L.W. — "The Role of The Research Manager" — *Administering Research and Development* — pp. 384/388.

TANNENBAUM,R. e SCHMIDT, W.H. —"How to Chosse a Leadership Pattern" Harvard Business Review — march-april — 1958 — pp. 95/101.

TWISS, B. — "Managing Technological Innovation" — Longman — London New York — 1974.

UYEKI, E.S. — "Behavior and Self-Identify of Federal Scientist Administrator" in RESEARCH PROGRAM AFFECTIVENESS — M.C. Yoristo at all. A. Breach, N. York 1966.

APÊNDICE

Metodologia do Estudo

Os dados constantes no presente capítulo se originaram de uma pesquisa de campo realizada junto a gerentes de P&D e pesquisadores que trabalham em empresas industriais. Em virtude de, na prática, existirem junto às empresas diferentes atividades de P&D, seja no seu enfoque, tamanho e estruturas organizacionais, a atenção foi concentrada no gerente de 1º nível, acima dos pesquisadores, pela importância de ser esse o primeiro passo dado em direção à carreira gerencial.

Devido a inexistência de um rol que pudesse identificar gerentes e pesquisadores que se encontram em atividade nas empresas industriais, para a amostra selecionada adotou-se uma abordagem mista:

- Sobre a população básica, que correspondia às empresas filiadas à Associação Nacional de Pesquisa e Desenvolvimento das Empresas Industriais (ANPEI), utilizou-se uma amostragem por agrupamentos.

- Sobre a população complementar, que se referia às empresas que não sendo associadas da ANPEI, participaram, por meio de seus funcionários, dos cursos e seminários em Administração em Ciência e Tecnologia, ministrados pelo Instituto de Administração da FEA/USP, adotou-se uma amostragem intencional.

Procedendo dessa forma, em relação à população básica (proveniente da ANPEI) das 29 empresas existentes, 16 delas foram visitadas, perfazendo 55% do total, o que representa uma razoável abrangência. Em relação à população complementar, outras 3 empresas foram visitadas, totalizando, assim, 19 das empresas visitadas que resultaram no preenchimento de 101 questionários, sendo 27 feitos por gerentes de P&D e 74 pesquisadores, na sua grande maioria com formação universitária.

De posse de tais questionários procedeu-se a análise dos resultados, cujas informações mais significativas se incluiram no texto do presente capítulo e serviram de apoio para os comentários efetuados.

RELAÇÃO DAS EMPRESAS VISITADAS

1. **População básica**

Mangels Industrial S.A.
Metal Leve S.A. Ind. Com.
Pirelli S.A. Cia. Indl. Brasileira
Cerâmica S. Caetano S.A.
Dow Química S.A.
Aços Villares S.A.
Manufatura de Brinquedos Estrela S.A.
Rhodia S.A.
Equipamentos Villares S.A.
Cia. Siderúrgica Paulista (COSIPA)
Gradiente Eletrônica Ltda.

COFAP — Cia. Fab. de Peças
Indústrias Villares S.A.
Duratex S.A.
Cia. Brasileira de Metalurgia e Mineração
Elebra S.A. — Eletrônica Brasileira

2 . População complementar:

General Motors do Brasil S.A.
Magnesita S.A.
Volks Caminhões S.A.

A **Lei de Direito Autoral**
(**Lei nº. 9.610** de 19/2/98)
no **Título VII**, **Capítulo II** diz

— **Das Sanções Civis:**

Art. 102   O titular cuja obra seja fraudulentamente reproduzida, divulgada ou de qualquer forma utilizada, poderá requerer a apreensão dos exemplares reproduzidos ou a suspensão da divulgação, sem prejuízo da indenização cabível.

Art. 103   Quem editar obra literária, artística ou científica, sem autorização do titular, perderá para este os exemplares que se apreenderem e pagar-lhe-á o preço dos que tiver vendido.

Parágrafo único. Não se conhecendo o número de exemplares que constituem a edição fraudulenta, pagará o transgressor o valor de três mil exemplares, além dos apreendidos.

Art. 104   Quem vender, expuser à venda, ocultar, adquirir, distribuir, tiver em depósito ou utilizar obra ou fonograma reproduzidos com fraude, com a finalidade de vender, obter ganho, vantagem, proveito, lucro direto ou indireto, para si ou para outrem, será solidariamente responsável com o contrafator, nos termos dos artigos precedentes, respondendo como contrafatores o importador e o distribuidor em caso de reprodução no exterior.

Impresso nas oficinas da
Gráfica Palas Athena